LETTRES D'UNE VIE

(1904-1969)

FRANÇOIS MAURIAC

LETTRES D'UNE VIE

(1904-1969)

*Correspondance recueillie et présentée
par Caroline Mauriac*

BERNARD GRASSET
PARIS

INTRODUCTION

Avant de faire paraître un recueil de lettres de François Mauriac et en l'absence de toute donnée testamentaire à ce sujet, on peut s'interroger sur son opportunité et sur le sentiment, surtout, qu'aurait pu en éprouver l'auteur lui-même.

Très rarement datées, sans aucune trace de brouillon, il est clair, de toute évidence, que ces lettres n'ont pas été écrites pour être publiées. Evoquant dans un de ses derniers Bloc-Notes l'édition de sa correspondance avec André Gide, François Mauriac nous le confirme lui-même : « Je crois que la vocation d'écrivain tient tout entière en ce que me disait un ami du collège à la veille des vacances : "Tu m'écriras de belles lettres..." La grande différence avec Gide, c'est que très tôt il a pensé à ses posthumes, et que je crains qu'il n'ait pas écrit une lettre, comme d'ailleurs une page de son Journal, sans la pensée de la publication future. Pour moi, je n'y songeais pas. »

Dans cette absence d'élaboration, et bien que ce recueil puisse sans doute y perdre sur le plan de la forme ou celui des idées, réside le principal intérêt de ces lettres. Leur simplicité (les lettres au général de Gaulle en sont un exemple frappant) et leur spontanéité sont empreintes du charme naturel que revêtait la conversation de François Mauriac, elles font partie intégrante de son personnage. « X a vos lettres sur lui », lui écrivait un jour Jacques Chardonne. « Il en est tout surpris, ému, enchanté; c'est que vos lettres sont vous-mêmes, plus que tout; et à votre œuvre, il faut ajouter votre personne. » Roger Martin du Gard, dont on n'ignore pas l'importance qu'il attachait à sa correspondance, écrivait en 1916 à Henriette Charasson : « *Rien n'est plus mensonger qu'une lettre; toute vérité s'y dénature involontairement.* » Le fait qu'après lui François Mauriac ait à plusieurs reprises jeté l'anathème sur « *ces mensonges sur nous-même par nous-même* » dont le terme même de « *correspondance* » implique « *de correspondre à une certaine image que se fait de nous-même l'être à qui nous écrivons* », semble d'ailleurs pour lui s'appliquer aussi bien à toute tentative d'autobiographie et même de biographie. « *Si jamais je survivais,* écrit-il dans les Maisons fugitives, *je sais bien que ce ne serait pas moi, puisque même de mon vivant je ne suis pas cet homme que les autres imaginent et que je ne sais pas moi-même qui je suis.* »

Cette apparente aversion ne l'empêchera d'ailleurs pas de qualifier de « *monument* » la correspondance André Gide – Roger Martin du Gard ni d'écrire dans son Bloc-Notes : « *Il y a beau temps que moi-même je préfère à tout les journaux intimes, les correspondances, tout ce qu'un être livre de soi directement. C'est mon unique curiosité : comment font les autres?* » Elle ne l'empêchera pas non plus de livrer à la publication – et c'était sa façon de leur rendre hommage – les lettres qu'il reçut de quelques amis chers. La Rencontre avec Barrès contient, avec celles de l'auteur du Culte du Moi, quelques lettres de Jean de La Ville de Mirmont; Du Côté de chez Proust la presque totalité de celles qu'il reçut de Marcel Proust et de Jacques Rivière, sans oublier la Vie et la Mort d'un poète qui reproduit de larges extraits des lettres de son ami André Lafon. De même confiant à la Bibliothèque littéraire Jacques Doucet, quelque temps avant sa mort, l'essentiel de ses manuscrits, manifestait-il à cette occasion son désir qu'y soient remis – et donc consultés – tous ses écrits, même les plus intimes.

En replaçant ces lettres dans l'ordre chronologique, il nous a semblé enfin répondre au dernier argument de F. Mauriac à l'encontre de ces textes « *tous faux parce que détachés du contexte de notre vraie vie* » et leur restituer ainsi leur part de vérité. Mais s'il est vrai que sous le paradoxe de Jean Cocteau : « *Je suis un mensonge qui dit toujours la vérité* », on peut chercher à retrouver « *la vérité du mensonge* », ce dernier qualificatif nous semble pourtant particulièrement peu justifié en ce qui concerne les lettres de F. Mauriac. De celles-ci ne pourrait-on pas plutôt écrire, comme lui-même le faisait à l'intention de sa femme en évoquant ses articles : « Je crois qu'au total j'aurai été terriblement sincère et livré. » Livré et se livrant. Le lecteur qui cherche François Mauriac à travers ce recueil y trouvera quantité de notations sur sa vie, sur l'élaboration de son œuvre et sur quelques-unes des péripéties de son métier de journaliste. Il l'y trouvera aussi dans son attention à autrui, dans la chaleur et la fidélité de son amitié que pouvait faire parfois oublier l'humoriste repentant des coups de patte passagers. De ces amitiés qui jalonneront sa vie, ses succès littéraires le faisant bientôt passer insensiblement du rôle de disciple à celui de maître, il donnera, en 1961, sa propre définition : « ... Et l'amitié n'est pas une religion, elle est une partie essentielle de la religion qui est tout entière amour et qui n'est que cela ou qui n'est rien. »

Le lecteur prendra surtout conscience de l'importance capitale, chez François Mauriac, de la question religieuse qui alimente, tout au long de sa vie, la plupart de ses lettres. « Je ramène tout au Christ malgré moi », confie-t-il en 1944 à Jean Blanzat. Depuis le jeune homme qui écrit à André Lacaze en 1905 : « Mon cœur depuis cette année est arrivé à Dieu. Mais ma raison est encore rebelle » jusqu'au vieil homme qui écrit à Robert Vallery-Radot en 1967 : « Et nous, Robert, nous croyons que tout est vrai et nous le répéterons jusqu'à la fin » c'est, au fil des années, le long et difficile cheminement de la Grâce dont la « conversion » de 1928, terme que François Mauriac atténuera plus tard par celui de « changement », ne sera qu'une des étapes conduisant à la foi inébranlable de son grand âge.

Que son engagement politique ait été inséparable et comme la conséquence de ce cheminement, il nous semble en voir la préfiguration dans une de ses premières lettres (à André Lacaze en 1905) où, évoquant la conversion qui jeta Pascal à Port-Royal, il ajoute : « Mon Port-Royal à moi sera ce Sillon... ». Sillon qui deviendra plus tard la guerre d'Espagne, le Cahier noir ou le Maroc, cette évolution de son patriotisme trouvant à son tour un aboutissement heureux dans sa foi au général de Gaulle.

9

Mais ces évolutions parallèles vont de pair, toutefois, avec une profonde et inaltérable continuité, comme le constate F. Mauriac dans un « Cahier » inédit de juin 1940 : « Je ne me sens pas, comme un personnage de Proust, dispersé en des "moi" successifs. La moindre lettre de mon adolescence, la moindre phrase écrite il y a des années et citée sans référence, je la reconnais aussitôt comme mienne, je n'ai jamais le sentiment d'avoir été un autre. »

Bien sûr cette édition, loin d'être exhaustive, ne prétend donner qu'un reflet de la correspondance de François Mauriac. Nous avons effectué nos recherches d'après les archives de l'écrivain, les lettres de ses correspondants nous renseignant sur celles qu'il avait pu écrire. Mais, outre que ce point de départ ait pu lui-même être incomplet, nous avons eu à déplorer de nombreuses pertes chez les correspondants, en sorte que le choix des documents s'est révélé relativement restreint et que nous nous sommes le plus souvent bornés à n'en écarter que les billets insignifiants ou les lettres « de circonstance ».

Certes, comme il arrive fréquemment, François Mauriac se faisait plus volontiers épistolier dans sa jeunesse : « Je me sens de moins en moins capable d'écrire pour le plaisir d'écrire : les belles lettres, on aime cela à la folie, jusqu'à trente ans... » écrit-il à Louis Clayeux. Cette désaffection naturelle se renforce ici avec la création du « Bloc-Notes » qui lui devient bien vite un instrument de correspondance au moyen duquel il exprime, en plus de ses sentiments personnels, des réflexions ou des jugements destinés à autrui, comme autant de lettres ouvertes.

Cependant, en dépit de cette légère disproportion, ces lettres parviennent à embrasser pour une large part la vie de François Mauriac et à en éclairer sous un nouveau jour de nombreux aspects. En complément des Mémoires intérieurs et du Bloc-Notes, ce recueil se propose de constituer en quelque sorte la suite de « Commencements d'une vie », premiers chapitres d'une autobiographie que François Mauriac devait renoncer à poursuivre plus avant. Cet adolescent qu'il abandonne « au retour de la faculté des Lettres », prêt à quitter ce Bordeaux qui l'a vu naître, c'est celui-là même que nous reprenons en charge pour ne le quitter que quelques mois avant sa mort. En plus de la continuité chronologique, ces « Prolongements d'une vie » souhaitent également répondre à « cette folle espérance de survie dans la mémoire des hommes » exprimée dans les Nouveaux Mémoires intérieurs. « *Mourir, écrit encore François Mauriac dans le Dernier Bloc-Notes, c'est cesser d'être incompris. (...) Il n'y a pas de purgatoire pour ceux qui ne sont pas oubliés. La seule sanction sans recours et qui paraît souvent injuste, c'est l'oubli.* »

Caroline Mauriac.

AVERTISSEMENT

A l'exception de quelques-unes d'entre elles publiées dans les revues consacrées à leurs destinataires (Cahiers André Gide 2, Bulletin de la Société Paul Claudel 41, Cahiers Charles Du Bos 15), *des lettres à Edmond Jaloux parues dans les* Cahiers François Mauriac 5 *et de quelques extraits cités dans le* François Mauriac *de Jean Lacouture (éditions du Seuil), ces lettres sont, pour plus des trois quarts, totalement inédites. Nous avons cru utile à la compréhension de ce recueil de citer en notes de nombreux extraits – parfois même l'intégralité – des lettres des correspondants auxquelles celles de François Mauriac se réfèrent.*

La liste serait trop longue de tous ceux qui, avec tant de gentillesse et de confiance, ont bien voulu nous livrer leurs documents pour nous aider à réaliser cet ouvrage. Qu'ils soient tous ici chaleureusement remerciés.

1.   A ANDRÉ LACAZE[1]

Samedi 1er juin 1904.

Mon cher ami, quelle joie de te voir si profondément aimer et comprendre Jammes! Le premier enfin *sans littérature,* sans moyen artificiel, sans ficelle, il met notre âme face à face avec celle des choses, il dit les mystérieuses et simples paroles qui font crouler les apparences. Mais cette voix-là on ne l'entend pas toujours : la poésie de Jammes me rend inguérissablement triste de ce qu'elle s'est tue. Il m'a fait entrevoir une réalité loin de laquelle je languis et il ne m'est plus possible de supporter tout le factice, tout le conventionnel où je m'exaspère.

Tu me dis comment on peut s'attacher par l'amour à cette réalité découverte et la vivre et se perdre en elle et s'éterniser en elle... Mais quand même et malgré ma volonté débile, si je faisais cet effort passionné... nous serions presque seuls, c'est là l'horrible, que les autres ne suivent pas... Quelqu'un qui me dit maintenant que Jammes est stupide me cause une douleur aiguë!

Et puis n'as-tu pas cette impression que cela vous dégoûte de tout le reste? Ce que je t'écrivais de Samain s'étend à beaucoup. Samain dans l'occasion n'était qu'une étiquette. Rien ne me prend plus... En musique je n'ai pas assez de science musicale pour m'élever jusqu'à la véritable et unique Harmonie, mais j'ai quand même trop deviné l'infini de Wagner pour me complaire dans les ritournelles qui me

13

charmaient jadis. Et voilà la cause profonde de nos mélancolies! Les aspirations infinies qui nous élèvent, dont parle Pascal, deviennent d'autant plus impérieuses qu'elles ont reçu un commencement de satisfaction. Ne vaudrait-il pas mieux n'avoir jamais vu ces horizons infinis, parce que nous en traînerons maintenant et partout l'inguérissable nostalgie? Tu me diras qu'au contraire nous y voyons la vérité, le sens profond de notre vie s'y révèle, et la majestueuse unité de notre âme particulière avec celle du tout... Seulement je te dirai que, devant l'immensité de la besogne à faire, je sens plus douloureusement ma faiblesse, ma puérilité, tout ce qu'il y a en moi de frivole, de léger, d'insouciance et d'inavouables désirs.

J'ai vraiment perdu tout équilibre. J'oscille entre l'exaltation la plus maladive, et le découragement le plus absolu... Je me sens triste à mourir et plus que jamais volé.

Ecris-moi

François.

Je ne relis pas ma lettre de peur de la déchirer!

2.   A ANDRÉ LACAZE

Malagare[1], mardi *1906*.

Mon cher André,
Je mène une vie studieuse sous les charmilles de Malagare où tu te promèneras bientôt avec moi je l'espère. J'ai coupé les pages des *Essais* du P. Laberthonnière[2] et j'ai parcouru déjà l'introduction. Le peu que j'en ai lu m'a déjà séduit, d'autant qu'instinctivement j'avais été choqué par cette conception de la religion qui la fait consister en un ensemble de dogmes imposés à l'homme et lui venant de l'extérieur. J'ai toujours pensé confusément que la vérité religieuse était en nous et procédait de notre nature même...

Tu sais la grande résolution de mon frère[3]. Ce qu'il y avait en lui de mesquin, de petitement ambitieux, de mondain, est vaincu par cet appel mystérieux que reçoivent tant d'âmes et qui est pour moi une des grandes preuves de la religion. Je

14

ne le plains pas, même au point de vue humain. Le prêtre seul brise toutes les chaînes et peut mépriser impunément les conventions. Ceux qui comme moi n'ont pas la vocation, et qui pourtant ont connu le monde tel qu'il est : détestable à cause de sa bêtise, de son hypocrisie et de sa lubricité, se voient obligés de lui sourire, de lui sacrifier de leur temps et de leur esprit puisqu'ils vivent au milieu de lui... Au moins vous deux, vous aurez été logiques, vous aurez compris comme Pascal qu'il faut se donner tout entier ou pas du tout. A ce propos, Pascal prétend qu'il est assez facile d'arriver à Dieu par la raison, mais que la difficulté réside à y atteindre par le cœur. Or pour moi c'est le contraire. Mon cœur depuis cette année est arrivé à Dieu. Mais ma raison est encore rebelle, et le « pari » la laisse insatisfaite[4]. Il me reste à m'offrir par les humiliations aux inspirations et c'est ce à quoi je m'efforce. D'ailleurs j'ai confiance. Je suis trop inquiété par le problème religieux pour que mon heure ne soit pas proche et, après ma première conversion, j'aurai bientôt ma seconde, la définitive, celle qui jeta Pascal à Port-Royal... Mon Port-Royal à moi sera ce Sillon[5], tant attaqué autour de moi et en moi, mais qui m'a pris tout entier et que malgré tout je trouve intelligent d'abord, et surtout dans lequel je vois la mise en pratique de l'Evangile et l'indispensable effort pour délivrer l'Eglise de certains de ses amis qui sont plus dangereux que ses ennemis... A ce propos, mon pauvre ami, tu vas tomber dans les griffes des Cartare et consort puisque les Sulpiciens n'ont plus qu'Issy et quittent les séminaires. La vieille scolastique va régner sur ton séminaire et Laberthonnière sera mis à l'index[6]!
   A bientôt?

                                                        Mauriac.

3.   A ANDRÉ LACAZE

                                                  Mardi *1906*.

   Mon cher André,
   Je t'écris dans la grande joie de ma paix enfin reconquise. Je jouis d'être paisible avec volupté. Depuis trop longtemps

des obsessions d'examens s'interposaient entre ma pensée et mon moi[1]. Aujourd'hui je regarde en moi comme en un paysage découvert soudain où je suis allé autrefois, mais que j'ai déserté depuis longtemps. Et le grand danger des examens se révèle plus précisément aujourd'hui. Je comprends que tout souci de vie intérieure s'atténue et disparaît peu à peu à cause de ces infiniment petites occupations. Enfin tout cela est clos. N'en parlons plus. Mais pour l'instant et selon un mot ignoble d'argot, je suis vidé au point de ne savoir quoi te dire.

Si tu retrouves dans ton nouveau milieu d'anciennes ferveurs et comme un renouveau mystique, moi de même à Lourdes d'où je viens de pèleriner. J'ai redit cette vieille chanson des « Ave » et j'ai retrouvé dans « une bonne communion » les balbutiements amoureux de mes communions dominicales de Grand-Lebrun. Il y avait si longtemps que mes très rares communions ne réveillaient rien en moi et que chacune renouvelait la déception et la froideur! Mais je crois que l'on ne résiste pas à tout un passé fervent. Nous sommes à tout jamais les prisonniers de notre enfance et de notre adolescence. Il y a là quelque chose plus fort que le vice, que les doutes raisonnés... surtout pour ceux qui, comme nous, ont cette tendresse du passé, ce goût de revivre par la pensée toutes les naïvetés si charmantes de l'adolescence.

Et maintenant que vais-je faire? Je suis en train d'y réfléchir et dès que je serai décidé je t'en ferai part.

Et voilà. Je n'ai pas revu les Darbon depuis ton départ, sauf un jour Michel dans la rue. Xavier m'attend, je l'attends et cela pourrait bien s'éterniser. Mais pour l'instant je ne sens nullement le besoin de sa grinçante présence.

Ce soir je vais à Sigurd[2]. Parle-moi de Reyer dans ta lettre. Le connais-tu? Sigurd est une musique profonde et humaine que je veux écouter avec religion.

Toi mon vieux, travaille tes cours, le grec, le latin, « le pratique » et sois sûr que je voudrais que tu sois débarrassé de tout cela en juillet pour n'y plus penser.

De plus, comme je n'irai pas à la Ville de longtemps, dis-moi dans ton style (si savoureux lorsqu'il est ironique) les « faits nouveaux » touchant ce qui nous intéresse.

Car malgré tout je m'intéresse au « Sillon » plus que je n'en ai l'air.

Si tu vois Ridel et Philippe Borrell[3], rappelle-moi à leur souvenir à tous deux et dis-moi si P. Borrell et le mirlitonier Colos sont toujours d'accord ou si leurs rapports sont aussi faux que les vers du dit mirlitonier.

As-tu vu Marc[4]?? As-tu pu l'aborder??? A-t-il daigné de répondre? Il a dû répondre à tes objections : « Parce que nous sommes une force et parce que nous attirons l'attention du grand public, le Sillon s'impose de plus en plus dans la lutte des partis. Aussi bien avons-nous voulu... et les attaques de droite comme celles de gauche... Nous ferons la démocratie...[5] »

4.   A ANDRÉ LACAZE

Lundi 15 mars 1907.

Mon cher ami,

Décidément nous nous comprenons de moins en moins. Je sens que tu ne me reconnais plus, que tu me considères comme un étranger de qui la vie intellectuelle serait peu intense. Le passé est le seul lien qui nous unisse... mais, à mesure que nous vieillissons, ce lien s'use lui aussi avec nos souvenirs et il se brisera quelque jour sans que même nous nous en apercevions. Chaque entrevue que j'ai avec toi me laisse sur une impression exaspérante, ce mépris souriant du monsieur « qui a une attitude » pour ceux qui n'en ont pas... tu le pousses si loin qu'en dehors de ceux qui te ressemblent, tu mets tout le monde sur le même plan, tu confonds l'univers entier dans la même médiocrité, tu me compares à ton frère Etienne... certes il y aurait mauvaise grâce de ma part et quelque ridicule à m'en défendre. Pourtant, à supposer « que je ne pense pas » et que je vive au jour le jour, il y a une nuance entre celui qui vit inconsciemment et celui qui sait se souvenir, qui aime à se regarder vivre, qui voudrait éterniser ses émotions et ses sensations. On peut être emporté par la vie comme une chose, (et ce sont les imbéciles), mais on peut aussi aimer cette vie qui vous emporte, y chercher la beauté qui s'y trouve, en extraire, si l'on a l'art de Jammes, la poésie de ses incidents les plus humbles et de ses manifestations les plus ténues, on peut aimer les hommes et

17

se préoccuper des luttes qui les divisent (et je ne te cache pas que la question sociale m'indiffère de moins en moins), enfin cela n'empêche pas que le problème de la destinée vous trouble aussi, qu'on se le pose souvent, qu'on s'intéresse aux réponses qu'en ont données les philosophes... Mais on n'y consacre pas toute son existence, parce qu'on est pris par la vie présente, la vie réelle qui vous étreint avec ses joies, ses douleurs, et comme je te le disais, avec tout ce qu'elle renferme de beauté... On en est pour ainsi dire le prisonnier, elle vous trouble et vous enchante, au point qu'il vous suffit de savoir *comment* on vit sans s'inquiéter *pourquoi* on vit.

C'est cela qui nous divise : j'ai pu trouver un certain plaisir dans des inquiétudes que toi tu ne pouvais pas ne pas essayer de résoudre : c'est le tic ridicule de faire avec tout de la littérature sans essayer d'aller plus loin. Il me semble qu'il y a pourtant d'autres raisons à ce suicide intellectuel, qui fait que presque tous nous nous diminuons volontairement en acceptant de vivre dans l'inexpliqué : c'est peut-être un sentiment profond de l'inutilité de l'effort et qu'il faut chercher toujours pour n'aboutir qu'à une hypothèse, non pas neuve mais une des innombrables déjà émises – une conception de vie que d'autres ont eue et qu'on exprime différemment. Cette attitude qu'il s'agit de prendre en face de la vérité, nous la cherchons chez ceux qui nous ont précédés... et nous ne pouvons même pas choisir la plus satisfaisante pour notre raison, parce que inéluctablement influencés par notre milieu, notre éducation etc. il faut nous arrêter à telle attitude plutôt qu'à telle autre.

Exemple : tes aspirations intimes devaient fatalement postuler le christianisme pour des raisons qui ne dépendent pas de toi. Et pourtant cette vérité que nous rêvions d'atteindre ne devait pas seulement être *notre* vérité mais une vérité que tous les hommes puissent connaître et aimer. Or toi ne te sens-tu pas *isolé* dans ta conception de vie? Songe à ce qu'il y avait de misérablement vrai dans l'affirmation de l'abbé C. : « Je comprends votre attitude parce que vous êtes très intelligent, mais elle ne vaut pas pour les imbéciles dont je suis. »

Cela est si vrai que tu es obligé de te faire de ta religion une conception qui stupéfierait le troupeau des fidèles! Et que tu es en perpétuel conflit avec ton milieu. Tu me diras alors que c'est là qu'apparaît la grandeur du devoir social et qu'il faut élever les hommes jusqu'à votre vérité... Mais je t'ai pris à Paris en flagrant délit de scepticisme sur ce point et ton démocratisme manque d'élan.

Après tout cela mon cher ami, peut-être se refuse-t-on devant l'obstacle, parce que la vérité devinée ou entrevue nous assujettirait à de durs sacrifices, qu'il faudrait austériser sa vie, l'enserrer de devoirs.

Adieu et crois-moi quand même ton ami dans le présent comme dans le passé.

François.

5.   A ANDRÉ LACAZE

Jeudi 16 mai 1907.

Mon cher ami,

Tu as écrit tes deux dernières lettres dans une de ces heures d'attendrissement « où l'on sent se réveiller en soi des forces inconnues ou oubliées ». Tu t'es plu à enguirlander l'image de ton ami, à la rendre plus aimable, afin de satisfaire ton besoin passager d'universelle sympathie. Cela ne saurait durer bien longtemps et c'est pourquoi je n'en tire aucune vanité.

Le point intéressant à retenir, c'est que tu es resté un être sensible, et qu'à certaines heures tu t'inquiètes – disons le mot – d'aimer.

Et ne crois pas que ce soit seulement à certaines heures. Car même lorsque tu es pris le plus intensément par les idées, tu éprouves plusieurs fois dans une journée des tristesses subites, de passagères lassitudes. Va au fond de ces petites misères, tu y retrouveras la détresse intime de ton isolement, cette terreur que tout l'effort de ta vie ne se reflète, ne se répercute, dans aucune âme particulière.

C'est bien cela qui se trouve au fond de nous-même et qui imprime à tout ce que nous faisons, je ne sais quoi d'ironique et d'amer[1].

Tu te rassures en disant que jamais les mauvais désirs ne sont si loin de toi qu'à ces heures-là... Cela m'étonne et provient sans doute de ce que tu n'as rien de trouble dans ton passé, car les mauvais désirs sont presque toujours de mau-

19

vais regrets. Mais commets une seule faute d'un certain genre, et tu verras si une part de toi-même « n'en redemandera pas » inlassablement.

N'as-tu pas remarqué d'ailleurs qu'il n'existe pas d'abîme entre un sentiment très pur et un autre qui l'est moins? C'est semble-t-il comme une gradation de nuances à peine perceptible qui va par exemple d'une blanche amitié à un plus trouble désir, d'un amour quasi religieux à une passion rudement sensuelle?

Et puisque après tout je n'ai rien à te cacher, c'est la réflexion qui m'est venue à l'esprit en lisant cette phrase... un peu choquante dans ta lettre : « Il m'a fait admirer le physique dont plusieurs d'entre elles se revêtent... » Tu comprends que je n'y vois rien de laid en soi, mais que c'est pourtant une de ces nuances dont je te parle plus haut.

Et c'est pourquoi je trouve chez un séminariste que le mysticisme offre une grande utilité. Je t'ai dit souvent que je voudrais que ton Dieu soit un peu plus le « Dieu sensible au cœur », celui qui à certaines heures vous peut donner certaines consolations.

Je passe sans transition à une autre partie de ta lettre et me réjouis de la noble et sérieuse vie que tu veux me faire vivre à Paris. Je désire d'un grand désir me réveiller de ma torpeur, me secouer, « m'épucer l'âme » comme dit le noble dégoûté Huysmans dont je porte le deuil[2]. De plus en plus je me sens mûr pour m'intéresser aux idées, car de plus en plus la littérature m'écœure, comme des sucreries dont j'aurais abusé. Je sens profondément la vérité de ce cri poussé par je ne sais qui : « Tout n'est que littérature! » Tu avais raison l'autre jour, sous les galeries de l'Odéon. Je t'abandonne le médiocre France et ses stupides truismes. Je te livre tous les fabricants de style qui n'ont pas su éviter les contrefaçons. Et je ne demande pas mieux que de lire Bergson. Mais crois-tu que je doive commencer par *l'Evolution créatrice*? Tuyaute-moi à ce sujet.

J'attends une lettre mon cher ami et t'envoie tous mes remerciements pour la joie que tu montres à me voir Parisien l'année prochaine.

François.

A RAYMOND MAURIAC[1]

Paris, lundi soir,
Oct. 1907.

Mon cher Raymond,

Ma mésaventure m'avait valu un respectable lot de condoléances et tes félicitations sont les premières que je reçois[2] –
je les accepte comme des fruits rares avec une joie un peu
étonnée. Ta lettre d'ailleurs m'a déjà trouvé consolé. J'ai
maintenant des loisirs, je me hasarde hors du quartier Mont-
parnasse, je fais des excursions sur les grands boulevards
comme un vulgaire provincial. Ce m'est un soulagement de
fuir le cercle des bons petits jeunes gens où je m'ennuie. On
déballe tous les matins des nouveaux produits de jésuitières,
de ces têtes de gravure de première communion, où excellait
l'honnête Lemit dessinateur du *Pèlerin.*

Mais il faut se méfier des apparences : l'un d'eux m'a
mené hier au Moulin Rouge à Montmartre voir des exhibi-
tions où je dus déplorer l'absence même de l'essentielle
feuille de vigne. Comme j'ai la tête fatiguée, cela suffit pour
l'instant à me distraire, je vis au jour le jour sans trop penser, sans lire même, au milieu des jeunes gens doux et bons
qu'exploite onctueusement le père Plazenet.

Mais une inquiétude est en moi malgré tout : miracle
imprévu! Oncle Charles[3] devient chef d'école, je vais être le
second disciple de ce philosophe de l'Inaction. Je risque
d'être plus tard le monsieur dont on dit qu'il gère les capitaux de sa mère et qu'il est bon d'en avoir un comme ça dans
une famille pour les commissions.

Je réfléchissais hier soir dans mon lit que nous sommes
l'un et l'autre merveilleusement organisés pour ne rien faire,
mais que pourtant nous avons des capitaux. – Ne pourrions-
nous pas nous unir pour acheter des choses que nous reven-
drions plus cher? – Ainsi je fondais en imagination la maison Mauriac frères – où du moins tu appliquerais avec
rigueur et fermeté la loi du repos hebdomadaire et où je
saurais me rendre utile par la fabrication d'ingénieuses récla-
mes en vers décadents.

Avec quoi vais-je remplir cette année?

« Croyez-vous que c'est le vin et puis la lie

21

Ou des attouchements qui nous consoleront...? » comme dit un poète dont j'ai oublié le nom. On ne peut pas faire de la philosophie : pour comprendre un livre de philosophie, il faut toujours avoir lu un autre livre qui a paru avant et qui lui-même se rattache à un autre système dont la connaissance est indispensable et ainsi de suite.

La littérature devient sinistre. Les poètes n'écrivent plus que des onomatopées et des hululements, d'ailleurs tous les effets sont connus et ont resservi.

Enfin le délabrement de mon estomac le rend impropre même aux consolations de la table

La seule chose ici-bas qui persiste

De tout ce qu'on rêva!

Heureusement que je suis catholique et convaincu. Cela vous empêche de sombrer dans l'excentricité.

L'école des Chartes me tente de moins en moins. Mon ami Borennes qui y est m'a dit qu'on s'y ennuie terriblement – Et les vieux démolis que j'ai eus comme examinateurs m'ont semblé de répugnants débris.

Je persisterai malgré tout si je n'ai rien de mieux à faire.

Antoinette[4] va paraît-il de mieux en mieux. Transmets-lui je te prie mon plus affectueux souvenir et embrasse pour moi la jeune Laure.

Tu me feras toujours plaisir de m'écrire.

Ton vieux frère

François.

7.   A PIERRE MAURIAC[1]

Paris,
Dimanche *1907.*

Mon cher Pierre,

J'aurais dû répondre depuis longtemps à ta lettre d'Athènes et à tes cartes postales; mais tu sais que je traverse les mornes journées de veille d'examen où, après un travail fiévreux, on est envahi d'un immense désir de lâcher tout, de prendre pour n'importe où un sleeping confortable... Aujourd'hui un triste dimanche d'automne plane sur la ville; aucun bruit ne monte de la rue déserte. Je regarde ta lettre sur ma table. Elle est pour moi un petit morceau du Pays dont tu as bien tort de dire du mal. Vois-tu, quand tu traverses Paris, c'est pour vivre sur les boulevards, dans les musées, dans les théâtres, et tu ne songes pas que le reste de la ville est formé de rues aussi étroites, aussi sales, aussi plates que les plus plates et les plus sales de Bordeaux, et que les milliers de destinées qui s'y coudoient ne font rien de plus que ce que font celles de Bordeaux : les étudiants travaillent, les ouvrières cousent, les grues raccrochent ; c'est tout pareil.

Oui, il y a la vie « littéraire », les cénacles chevelus dont quelques-uns me parlent ici, où la suffisance stupide et l'affligeante médiocrité triomphent. Il y a de belles relations que le premier goujat venu peut se créer s'il a les reins souples. Je n'écris pas cela à maman qui possède à ce sujet des opinions qu'il faut bien qualifier de provinciales[2].

Je lui dis aussi que je me trouve fort bien chez l'abbé P. C'est vrai. Mais les petits jeunes gens bien pensants sont à la longue bien crispants. Ils ont une façon de défendre la famille, la religion et la propriété qui donnerait au Pape lui-même l'envie de saper cette auguste trinité. Tous ces anciens élèves d'Arcueil ou des jésuites sont des petites âmes bien propres, soignées et nulles, avec des opinions toutes faites, des préjugés bien étiquetés qu'ils sortent méthodiquement au cours des discussions.

Ils me trouvent bizarre et compliqué. Je leur semble quelque chose de mystérieux et de trouble. Ils ne conçoivent pas qu'on puisse faire autre chose que de la géométrie et du tennis, en s'en remettant à Ernest Judet pour avoir une opinion quelconque. J'émets à table des opinions personnelles ; ce leur semble une nouveauté choquante, enfin R.X. n'est pas le plus insignifiant de la troupe, et cela dit tout.

Voilà beaucoup d'orgueil, mon cher Pierre ; mais tu connais, je crois, cette exaspération de se trouver dans un milieu qui n'aime rien de ce que vous aimez, qui se complaît dans tout ce qui vous indiffère, (et qui ne connaît pas F. Jammes – même de nom !)

Je ne te dis rien de mon concours. Il est des heures où je crois que je vais passer sûrement, d'autres où l'échec me paraît assuré. Je suis prêt pour l'histoire et la géographie – mais il y a le latin ! – Et puis vingt pauvres places dont les premières sont accaparées par ceux qui ont l'expérience d'un ou de plusieurs échecs... enfin on verra bien[3]!

Et toi? Tu vas vivre une vie paisible et calme dans la bonne ville avec tes deux fidèles X et Y... Tu essaieras de parler un peu plus à cette pauvre maman afin qu'elle sente moins sa solitude; et à sept heures moins le quart, tu iras dans la chambre des enfants mettre Loulou la tête en bas.

Si je suis collé, je viendrai dès les premiers jours de décembre passer un mois à Bordeaux. Après je préparerai à Paris mon concours de façon sérieuse, et vers le printemps j'irai m'ennuyer en Allemagne.

Si je suis reçu, je reste ici jusqu'au premier de l'an. Il me tarde bien de vous revoir et de prendre des leçons de sagesse, de calme et de modération devant la vénusté de Pallas Athênê dont le double charme est de venir de Grèce et de venir de toi.

Mais cette lettre lugubre ne représente qu'une heure grise dans ma vie. J'en ai de meilleures – et de charmantes. Après mon examen je les multiplierai.

Au fond toutes les âmes sont précieuses, et je m'attache à ces jeunes gens doux et bons. D'ailleurs je n'ai jamais été aussi peu intelligent, jamais je n'ai si peu réfléchi, jamais ne fut plus grande mon indifférence à l'égard des idées. Ces camarades autour de moi, ces conversations, ces rires, me font oublier ma solitude intérieure qui est infinie; on finit par se résigner à sa médiocrité, à l'accepter comme une vieille compagne de toujours.

Et puis c'est si bon de songer qu'en un coin de France il y a des gens qui pensent à vous, un frère qui voudra bien affronter votre humeur hypocondriaque et vous escorter vers les pays lointains.

Tu me donnes là, mon cher Pierre, une preuve d'amitié à quoi je suis plus sensible que tu ne crois; et c'est par ces mots de reconnaissance et d'affection que je veux terminer cette lettre.

François.

A RAYMOND MAURIAC

Mercredi *1908*.

Mon cher Raymond,
Au retour de mon voyage sur la côte d'Azur qui, pour
n'être pas de noces, ne fut pas dépourvu d'agrément, je
trouve ton aimable lettre débordante, et à juste titre, d'orgueil paternel[1].

Que cette petite Colette ne soit pas tentée de suivre dans
ses égarements sa gentille patronne qui se galvaude à Paris
en compagnie de Willy, c'est tout ce que je souhaite. Et je me
réjouis qu'en prononçant désormais les mots « Mademoiselle
Mauriac », cela évoquera devant mes yeux autre chose que le
minois de tante Clara.

J'espère que tu vas gagner beaucoup d'argent pour cette
petite famille. Mais le métier de scieur de long ne me sourit
guère et je ne suis pas encore résigné à vendre du bois
comme mes ancêtres. Mlle Lanauve disait : les Mauriac sont
d'anciens marchands de bois qui commencent à se mettre
bien – on va dire désormais : des gens bien qui commencent
à se mettre marchands de bois.

Maman est avec moi : très gaie et très causeuse. Les petits
potins familiaux me sont fidèlement rapportés.

Moi, je m'habitue à vivre loin. Je goûte comme oncle
Louis la tranquillité de l'homme solitaire

et surtout la chose enivrante
la liberté! (*bis*)

J'envoie à l'aimable Antoinette mes amitiés les meilleures.
Je ne la plains pas d'être au lit, sachant sa particulière dilec-
tion pour la position horizontale et qu'elle n'est jamais fatiguée de se reposer. Je l'imagine très bien brodant, lisant un
petit volume de la collection des grands philosophes, rece-
vant la pétillante Bonifas, recommençant avec elle le vieux
joli petit livre : *les Caquets de l'accouchée.*

Dans un mois j'habiterai parmi vous – tel le Verbe – après
quoi je ferai un petit séjour dans la capitale de l'Autriche –
joie enviable – recommandable par ses femmes et ses pâtisseries à quoi je suis également sensible. L'an prochain je serai
plus tenu dans la redoutable école des Chartes – si j'échoue :

tant mieux – je ferai mon diplôme d'études. Bonsoir M. Mauriac, je baise les mains de Mme Mauriac.

François.

9.   A RAYMOND MAURIAC

Samedi soir, 31 octobre 1908.

Non, mon cher Raymond, je ne veux pas être un « Rastignac ». La conquête de Paris me semble trop difficile, et surtout je n'en ai pas l'ambition. Crois-moi, c'est une ambition bien étroite et bien mesquine, encore qu'elle paraisse démesurée. Connais-tu ce qu'on appelle à Paris « les lieux de plaisir »? As-tu regardé le défilé lamentable des putains dans ces halls de carton-pâte aux sons d'une musique ignoble et crapuleuse? As-tu vu ces faces bestiales de viveurs, ces yeux où plus rien de divin ne luit, as-tu comme moi frissonné de dégoût devant ces abîmes d'abjection? Et pourtant c'est là que les Rastignac jouent des coudes – c'est là que les futurs grands auteurs dramatiques commencent à porter des revues obscènes et que les don Juan de salon s'exercent à leur rôle de séducteur. J'approche des gens qui ont cherché à fendre la cohue des journalistes et autres gens de lettres en quête de notoriété. Ils en ont rapporté un dégoût, un haut-le-cœur, qui les empêche de se mêler encore à cette plèbe.

Je comprends de moins en moins la philosophie « du droit au bonheur » si ce bonheur je dois le chercher en dehors de moi dans des batailles où je devrais écraser les plus faibles et m'habituer à porter une âme avilie et aveulie dans un corps de syphilitique et de crevé. Et ne crois pas qu'il y ait un juste milieu. Il faut choisir entre la « vie joyeuse », c'est-à-dire l'existence dans les « lieux de plaisir » dont je parle plus haut, c'est-à-dire aussi la poursuite de l'argent par tous les moyens – parce qu'actuellement ça coûte cher de se crever en musique – et la « vie » tout simplement, celle qui consiste à développer en soi ce qu'il y a de divin et d'immortel. Les arrivistes – même mondains et polis – comme ils m'apparaissent étroitement féroces...

Mais au contraire quelle sympathie passionnée, quel amour je sens en moi devant telle obscure destinée aiguillée tout entière vers la recherche de la vérité... devant ces âmes dont la vie obscure est comme une ascension vers le bien. Et même sont-ils humainement des maladroits ? Tu as assez vécu pour savoir que les peines sont inévitables, qu'aucune philosophie, même la plus férocement pratique, ne peut en délivrer nos pauvres existences tourmentées... Et ceux-là seuls sont profondément heureux qui savent pourquoi ils souffrent et qui connaissent la valeur infinie de leurs larmes.

Si je te dis tout cela, mon cher Raymond, c'est que je trouve dans ta lettre comme une sorte de regret inavoué de ne pouvoir plus être un « Rastignac ». Depuis ton mariage, la vie nous a un peu séparés. Mais je n'oublie pas que tu fus le meilleur ami de mon adolescence, que tu m'as le premier initié aux nobles émotions de la poésie. Je me rappelle des retours de promenade le dimanche soir où tu me lisais *la Maison du berger, le Jardin des oliviers,* et des vers de S. Prudhomme... Tu as entretenu en moi ce goût de la beauté, cet idéal de résignation et de gravité devant la vie qui, malgré bien des faiblesses, en dépit de bien des chutes, fait ma force aujourd'hui. Peut-être actuellement attaches-tu trop d'importance à cette situation extérieure que tu n'as pas encore atteinte, et oublies-tu les éléments de bonheur que tu as en pensant à ceux que tu n'as pas.

Même pratiquement, c'est peut-être une erreur de prendre la vie par son côté purement pratique. Le jour où tu auras la situation que tu désires, tu t'apercevras que cela n'était rien, que cela ne remplit pas le vide que nous avons tous en nous et qui ne saurait être rempli que par l'*infini* – par Dieu.

Me pardonneras-tu, mon bien cher Raymond, de te parler ainsi ? Ne me trouveras-tu pas indiscret ? Mais je t'ai gardé toute mon affection et il me semble que tu souffres trop de ce qui n'est pas l'essentiel de la vie. Quant à moi j'ai traversé certains milieux, j'ai fait certaines expériences qui m'ont convaincu que le bonheur est dans l'asservissement de notre pauvre vie à un idéal moral. Je reçois souvent des confidences qui me font frémir. Le monde est plein de misères cachées. Aucun bonheur humain ne dure. Il faut donc se prémunir contre la douleur inévitable. Et pour cela il faut la comprendre et il faut l'aimer.

Il me reste juste assez de place pour exprimer à Antoinette

mes sentiments les plus affectueux et aussi à mes deux petites nièces.

Quant à toi, mon cher Raymond, je t'envoie comme à mon
frère et à mon ami l'assurance de ma tendresse.

François.

10.   A JEAN DE LA VILLE DE MIRMONT[1]

1909.

Mon cher ami,

Je pars mercredi soir pour Bordeaux, samedi pour Paris. Je
verrai Liège, puis je suivrai le cours de ce Rhin héroïque
qui... que... finis toi-même la période. Je pars avec cette joie
« du nouveau », héritage de mon enfance, et qui faisait que
j'étais heureux d'aller en vacances parce que « c'était
nouveau » et de rentrer en boîte parce que « c'était
nouveau », mais je sais bien que j'emporte avec moi mon
âme confuse et inquiète et qui se plie mal aux admirations
commandées par Baedeker[2]. Notre véritable univers étant
nous-même – comme le dit l'auteur bien connu de la non
moins connue « Tour d'Ivoire »[3] – il importe peu d'être sur
les bords du Rhin ou sur ceux de la Garonne, puisque tous
les paysages nous les voyons à travers notre même âme...

A cette heure où j'écris, je suis très fatigué... Mes idées ne
sortent plus de l'inconscient pour s'éclairer peu à peu aux
lueurs de la Raison (voir Maeterlinck commenté par
Lacaze), mais elles semblent subir une régression et c'est
l'ombre qui gagne en moi sur la lumière : le christianisme
n'est-il pas un point sans importance dans l'infini des
temps... que sont ces 1900 ans d'existence dans l'infini... fait
important relativement à nous, pourquoi vivrait-il encore
dans des milliards d'années? Les hindous s'en passent, les
Chinois s'en passent et ce Dieu descendu sur la terre, voilà
que les trois quarts de l'humanité le connaissent à peine de
nom!

Remarque que j'écris ces faciles bêtises pour remplir cette
page... voici des vers pour la dernière :

On occupe son cœur d'un trop mystique amour,
Et sa bouche, on l'occupe avec une prière,
Mais il suffit d'un soir... d'une teinte de jour
Pour que le cœur se trouble et regarde en arrière
Il y revoit bleuir les horizons quittés,

L'attirance perfide est là, d'un trouble rêve
Et l'alanguissement des anciens étés...
Vous surtout que les nuits de septembre soulèvent
O floraisons des anciennes voluptés!
Qui frissonnez là-bas aux horizons quittés...

Le cœur s'arrête ainsi qu'un ruisseau qui se gèle
... Ne te retourne pas, pauvre âme, il est trop tard
Une étoile pensive et chaste a son regard...
Posé sur toi pour que tu demeures comme elle
Une étoile au pensif et très lointain regard...

Dans les âmes qu'Il veut fleurir d'illusions
Le Bien-aimé veut la clarté des eaux glacées :
Que vienne un souvenir des vieilles visions,
La trace de Jésus est bien vite effacée
Sur le chemin de l'âme où son âme est passée.

Pauvre petit, il faut les noyer à jamais
Dans l'oubli comme l'onde obscure d'une mare
Ces souvenirs... et la porte qui t'en sépare
Ne la regarde pas et ne l'ouvre jamais
Et ne dis plus « Où rêve celle que j'aimais?... »

11.   A ROBERT VALLERY-RADOT[1]

Février 1909.

Je ne veux pas savoir, mon ami, ce que d'autres penseront de moi. Ne nous regardons pas dans ces miroirs qui déforment[2].
Il me suffit que quelques âmes se penchant sur la mienne y retrouvent le visage de leur enfance. Sans doute avons-nous vécu sans le savoir une vie pareille – et nos soutanelles d'enfants de chœur étaient d'une couleur identique[3]. Vous me

parlez de solitude. Je ne demande qu'à la peupler; lorsque vous penserez que je ne saurais être importun : faites-moi signe et je viendrai – ou venez vous-même : l'escalier est banal et souillé qui conduit chez moi. Mais une fois la porte close vous trouverez des livres, des photographies et sur la table des papiers épars où il y aura des vers[4]. Vous me parlez de Dieu. J'ai besoin que vous m'en reparliez... Je vis depuis quelques jours dans une intimité moins grande avec lui. N'avez-vous pas souvent cette effroyable impression, que dans les dialogues immortels de l'*Imitation* et dans celui du *Mystère de Jésus*, c'était un homme hélas! qui à lui seul faisait les demandes et les réponses?... Je sais bien que non. Je sais bien que non. Mais il faudra que vous me le redisiez. Aimez-vous la musique? Hier soir – soir de Mardi gras! – j'ai écouté *Psyché* de César Franck dans la solitude du concert rouge. Il y avait là seulement quelques étudiants pâles, aux faces douloureuses, qui pendant que l'orchestre jouait, fermaient les yeux, fermaient les yeux, s'abîmaient dans leur douleur ou dans leur amour. Moi, j'avais emporté votre lettre – et je l'ai relue dans l'enveloppement de cette musique.

Que ce soit bientôt, le jour où je vous reverrai.

F. Mauriac.

12.   A FRANCIS JAMMES

Paris, 13 janvier 1910.

Je n'osais pas répondre à cette lettre qui me causa tant de joie[1]... J'ai su qu'Alexis Léger avait vu mes *Mains jointes* chez vous[2] – et il a dû vous indiquer tout l'artificiel de mes vers – car il m'a connu à Bordeaux, ou plutôt il croit m'y avoir connu... Et pourtant je relis souvent ces quelques lignes du poète que j'ai le plus aimé... j'ai même voulu les relire pendant les vacances du jour de l'an dans ce jardin botanique de Bordeaux où vos *Pensées des jardins* me disent que vous alliez au temps de votre adolescence. Je me suis toujours imaginé que c'est de Bordeaux que vous parliez dans l'*Elégie seconde*... il me semble reconnaître le brouillard des quartiers gris, les magasins qui luisent sur le trottoir et cette Vierge dont la ceinture était bleue et les deux mains brisées (cours d'Aquitaine?).

J'ai erré cet après-midi avec André Lafon dans les rues de Paris... nous nous sommes récité de vos vers dans la cohue... Il trouve qu'«Un jour» est ce que vous avez écrit de plus profondément simple... moi je préfère «En Dieu[3]» mais que vous raconté-je là? Cette lettre n'a d'autre but que de vous remercier pour les mots que vous m'avez écrits.

Quand vous verrez Alexis Léger rappelez-moi je vous prie à son bon souvenir. Je sais qu'il ne m'aime pas. Mais lui n'est pas de ceux que l'on oublie vite[4]. Il écrit quelquefois à Xavier Darbon qui me montre certains passages de ses lettres... et moi je continue à suivre de loin cette âme sans qu'elle le sache. Mais ce qui m'attira d'abord vers lui, je me souviens, c'est qu'il allait à Orthez et que vous l'aimiez...

François Mauriac.
45 rue Vaneau VIIe.

13.   A ROBERT VALLERY-RADOT

Saint-Symphorien[1],
31 mars *1910*.

Mon cher Robert,
Nous aurions pu chacun de notre côté attendre la lettre qui nous était due, et l'attendre longtemps. Je suis un petit monsieur susceptible et j'écrivais l'autre jour à Le Grix[2] que votre silence me dégoûtait à tout jamais des poètes mystiques...

Cependant, après réflexion, il m'apparaît que vous aviez les mêmes raisons que moi de n'être pas content... et je vous prie d'excuser ma mauvaise humeur...

Oui, Barrès a dit sur moi d'aimables subtilités[3] mais je fus touché surtout d'une *affectueuse* lettre qu'il m'écrivit le jour de Pâques et où il me traite de «glorieux enfant[4]»!! Enfin mon éditeur m'écrit que mon ouvrage s'épuise et que le ministre Barthou demande un exemplaire sur japon. Si ce n'est pas les premiers rayons de la gloire...

Non, mon cher ami, tout cela n'est rien et il faut regarder au-dessus de ces misères le but que nous nous sommes proposé. Non, nous ne sommes pas du monde et ce n'est pas lui que nous travaillons – ou du moins ce n'est pas pour flatter ses manies et ses vices, mais pour l'attirer sur le même chemin que nous et vers les mêmes cimes...

Mon ami, il y a aussi sur mes landes natales une lumière excessive, des vents tièdes et comme lourds de sève... Une joie chante en moi, un désir de vivre, de triompher, de faire triompher tout ce que nous aimons...

Mes huit neveux dansent autour du billard une sarabande folle et je ne sais plus où j'en suis.

Le Grix m'écrit des lettres admirables. C'est un ami. Entourons-le. Rappelez-moi au souvenir de Madame Robert Vallery-Radot et assurez-la je vous prie de mes sentiments respectueux.

Je serai lundi matin à Paris, et même dimanche soir...

A vous de tout cœur, de toute âme, de tout esprit.

François.

14.   A ROBERT VALLERY-RADOT

12 mai 1910.

Mon petit Robert, je vous avais écrit dans une heure d'énervement et de tristesse – mais vous savez que cela ne dure pas – et vos belles pages frémissantes ont été lues par une âme déjà apaisée. Je les ai reçues pourtant avec une joie extrême et j'ai étanché ma soif.

Non, vous n'avez pas manqué votre vocation et vous savez bien que des âmes vivent de votre lumière et de votre foi... Mais il est vrai que nous sommes appelés à une perfection plus haute ; comme vous dites, je m'aime trop – et c'est dans l'oubli total de moi-même que je trouverai la paix... Mais il y a en moi un double, un second François sensuel et violent qui tend les mains vers la vie encore ignorée et que toutes les voluptés attirent. Il me dit : Ne renonce pas à ce que tu ne connais pas encore. Expérimente! Ah! Pauvres expériences que je veux faire et qui me dégoûtent! Contradiction douloureuse de mes aspirations et de mes bas désirs! Puissance terrible que j'ai de me dédoubler, de tout accueillir, les plus hautes joies divines, les pires émotions humaines, et de ne pas choisir... Il faudra bien que je choisisse un jour et ceux qui me connaissent seront peut-être stupéfaits. Une heure viendra peut-être où je serai capable de faire le sacrifice total, moi qui ne peux me résoudre aux immolations de détail... En attendant j'aime les mimes, les danses et les musiques malades, tout ce qui est excessif et hors nature, tout ce qui est le paroxysme de la misérable sensibilité humaine et qui m'en fait toucher le bas-fond...

Mon petit Robert, parlons de vous. Non, vous n'êtes pas loin, je vous sens près de moi, je vous aime et vous me sauverez. Il y a de la lumière en vous, si bien que lorsque j'ai vécu des heures avec vous, il me semble que c'est la nuit et toutes les autres âmes ne me sont que d'humbles phares. Vous n'avez qu'une ennemie, c'est la littérature. Vous l'aimez et vous en parlez trop. Ismène [1] s'ennuyait tant dimanche de nos propos de gens de lettres et qu'elle avait raison! Vous devez apprendre beaucoup aux côtés de cette jeune femme dont l'esprit n'est pas déformé et pourri d'art comme le nôtre... Mon Robert, oublions la gloire, la réputation, les potins, ce qu'on dit de nous et ce qu'on n'en dit pas. Soyons des âmes qui se cherchent.

Mon petit Robert, quelle est cette force en nous qui exige que nous renoncions à la joie humaine...? A certaines heures de bassesse je sens en moi infiniment plus que moi-même, je sens qu'il faudra que je meure ou que je me renonce moi-même pour vivre...

Au fond, quand j'oublie Dieu et que je me tourne vers la vie, je lui demande *tout* comme à Dieu et c'est pourquoi je me demande avec terreur de quelle infamie je ne serais pas capable...

Dans ce désordre apparent de ma destinée, je sens une force qui m'attire vers un but que j'ignore. Je me sens exilé à tout jamais de l'amour humain et le jour où mon cœur ayant accepté cet exil dira : Venez, Seigneur Jésus – ma vie sera fixée...

Mais l'amour, l'amour comment y renoncer? Ah! Robert, s'il est venu vers nous, c'est que vous deviez l'accepter.

33

Quand Dieu nous veut tout à lui, il nous exile de l'amour. Si je le rencontre un jour, non, je n'hésiterai pas et je serai sûr que cet amour est voulu de Dieu. Ah! Quelle joie! Aimer, aimer, en vivre et en mourir, se donner, tout est là. Mais comme vous dites, pour se donner il faut se renoncer... et si je n'aime pas, c'est que je n'en suis pas digne... Mon petit Robert, ne regrettez rien, votre vie est belle. Que vous êtes heureux d'avoir un fils[2]! Comme je vais l'aimer cet enfant! Songez à cette mission magnifique de préparer pour l'époux ces âmes d'enfants. C'est le rôle commun des hommes, mais si peu le remplissent, qu'il semble rare... La famille chrétienne est la plus émouvante harmonie du monde. C'est elle que je veux vénérer et aimer en vous et en Ismène, aujourd'hui – et pardonnez-moi de me livrer ainsi et n'y voyez qu'une preuve de mon affection et, si vous voulez bien, de ma tendresse.

François M.

Je viendrai vous voir, sauf avis contraire, demain matin vendredi – vers 10 heures et demie ou 11 heures.

15.   A JULIA BARTET

Madame, j'ai relu hier soir ces humbles vers : ils font désormais dans mon cœur une musique dont je ne puis me lasser. Vous avez su trouver en eux infiniment plus qu'eux-mêmes. Vous avez élargi à l'infini ces pauvres tristesses d'un enfant[1]...

Et je songe que dans ce morne après-midi de dimanche, il fallait un grand courage pour venir à cette obscure séance où trônait J. Aicard[2]...

Je songe que vous étiez très lasse – et qu'au moins vous auriez pu ne pas donner ainsi tout votre génie – toute votre puissance de souffrir...

Et je vous remercie encore pour la joie que le triomphe de Robert m'apporta – pour avoir su faire acclamer par cette foule Celui dont l'amour illumine l'âme de notre ami, Celui qui a uni nos deux jeunesses...

Et je relis ma lettre... et ce ne sont que des mots... des mots... et je n'ai rien su vous dire, Madame, de ma gratitude infinie et de ma vénération.

François Mauriac.

30 mai 1910

16.   A ROBERT VALLERY-RADOT

Juin 1910.

Mon ami Robert, je sors de chez l'amateur d'âmes[1]. Il ne m'opposa pas « une surface glissante », il fut simple et presque confiant... Je me retrouve dans mon bureau silencieux. Rien ne subsiste en moi de ces heures trop rapides, qu'une sensation d'inquiétude et de vide... rien ne subsiste que le petit souci de n'avoir point su lui plaire... et sur la table, son *Adieu à Moréas,* où il a mis en signe de dédicace :

à François Mauriac

son ami

Maurice Barrès...

Je veux retracer pour vous, Robert, les petits faits de cette journée. Gardez cette lettre que quelquefois, je vous redemanderai...

Quand j'arrivai vers midi, on m'avertit que Maurice Barrès était avec le docteur... Je demeurai seul dans le petit salon banal, un peu poussiéreux semblait-il – un salon où l'on ne se tient pas... Je vis par-dessus la baie vitrée quatre couverts – et la pensée de dîner avec le petit Philippe des *Amitiés françaises* m'agréa.

Maurice Barrès vint – et son sourire très doux m'avertit dès l'abord que je ne retrouverais pas aujourd'hui l'amertume qui dans notre première entrevue m'avait un peu déconcerté –, il me précéda au premier... Son cabinet occupe le même espace que la salle à manger et le salon réunis. Cela a d'abord l'allure atelier « artiste » que je n'aime guère. L'armoire, la table, tout est pesant, massif... Il y a, au-dessus de la cheminée, le fin visage de Bonaparte... et le long des murs « toutes les violences de Michel-Ange » comme vous dites.

Immédiatement, il fut pratique... « Puisque la première édition des *Mains jointes* est épuisée, publiez une seconde avec mon article, si vous voulez... Mais ne vous engagez pas avec votre éditeur... » Là, des conseils de vieux roublard, dont je vous fais grâce. Puis on parle de Rostand, je ne sais pourquoi. Il trouve que *Chantecler* est supérieur à *Cyrano* et confesse que le spectacle l'en a beaucoup séduit...

Madame Barrès entre. Une grande femme blonde fade et d'une amabilité qu'on sent être accidentelle – « Elle veut l'être » comme on dit. Philippe, un enfant pâlot et doux avec les plus beaux yeux du monde, regarde avidement le poète des *Mains jointes* – « Il s'est beaucoup intéressé à vous, me dit Barrès, il répétait sans cesse : comme il va être content! »

Pour l'instant Philippe mange et met les bouchées doubles, à cause qu'aujourd'hui, jeudi, il est en retenue... On sonne. « M. Lebargy demande Monsieur. » J'achève de déjeuner en tête-à-tête avec Mme Barrès qui ne dit presque rien et paraît bornée – cela devient pénible. Le Maître rentre : Lebargy venait lui demander pour son théâtre (il est associé avec Sarah Bernhardt), une traduction de je ne sais plus quelle pièce espagnole. « Ses cabots sont étonnants, dit Barrès, ils savent n'être pas cabots, ils jouent la simplicité avec un art infini. » Je parle à ce propos de Bartet – et Barrès déplore de lui avoir fait de la peine... A propos de Bourget il a soin de me dire que seul l'homme lui agrée... quant à l'œuvre, il s'est trompé à partir des *Essais* de psychologie. Il aurait dû faire cela toujours. (C'est dur!)

Barrès se demande s'il ira à la Chambre ou à l'Académie... on se décide d'abord à aller chez un libraire voir des éditions rares. Je monte dans l'auto avec Monsieur et Madame. Nous sommes arrêtés par les troupes menées à cause du roi de Bulgarie. Nous rencontrons trois drapeaux. Maurice Barrès n'en salue aucun. On nous dépose près de la rue Saint-Honoré. Barrès va s'acheter un chapeau de paille, dans une horrible chapellerie, chez un *électeur*. C'est amusant de le voir faire l'aimable, serrer les deux mains, s'informer de la santé de Madame...

– Il n'a pas dû lire *Sous l'œil des barbares*, dis-je en sortant.

– Ils sont très fiers de moi, m'affirme Barrès. En route, il me dit : « Je ne veux décidément pas aller à l'Académie », m'assure qu'il votera pour de Régnier... Il méprise Jean Aicard et ne lui a jamais parlé...

Chez le libraire, il a acheté un recueil de Goya et des *Notes* très rares de Renan sur sa sœur Henriette, le tout 500 fr. En sortant il me dit : « Je suis furieux de mon achat, ces Goya ne m'intéressent pas. Je n'irai décidément pas à l'Académie. Je n'y suis pas allé de cette année et ne veux pas m'exposer à serrer la main à Aicard, à Prévost (qui est méprisable), à Doumic (un imbécile pour qui cependant j'ai voté). Ces gens-là me traitent d'égal, j'en ai assez. Même de Jules Lemaître qui m'accable de compliments... mais qui est si indiscret...

Il me parle de vous avec intérêt, sans avoir l'air de beaucoup vous connaître... et me demande des détails sur les querelles de la famille V.-R. Il considère J.-L. Vaudoyer comme un gentil petit Parisien qui fait du bibelot... ça ne va pas loin, il n'y attache que peu d'importance.

Il note qu'il y a dans les *Mains jointes* de la négligence – trop de *gaucherie*. Mais cela se corrige.

Nous prenons une auto pour aller à la Chambre car il pleut. La conversation devient intéressante. On parle du *Livre de désir* – de ce Charles Demange[2] que les jeunes gens *n'ont pas su aimer*. Je le quitte au moment où la conversation devenait la plus passionnante...

Et voilà.

Votre

François.

17 A JEAN DE LA VILLE DE MIRMONT

1910.

Mon cher Jean, voici une lettre d'affaires! Ma respectable gouvernante Jeanne, de qui tu appréciais la cuisine, vient de me quitter... J'ai l'intention de prendre une femme de journée qui me ferait seulement mon déjeuner de midi : je n'ai donc plus besoin de ma salle à manger ni de ma chambre à donner...

Veux-tu t'y installer, puisque tu dois, je crois, quitter la rue

37

du Bac? *Tu aurais une chambre et un très joli cabinet – et nous serions tout à fait indépendants, séparés par le vestibule.* Quant au prix, je le laisse à ta juste appréciation... On mettrait le buffet dans le vestibule... et la salle à manger te serait un délicieux bureau... à moins que tu aimes mieux y installer ta chambre et faire ton bureau dans la petite chambre à côté... Bien entendu, si cela ne te plaît pas, je le trouverai très naturel, mais comme ça me paraît avantageux, j'ai pensé à toi, mon cher ami... Réfléchis et réponds-moi poste restante *Venise.*

Je pars ce soir avec Le Grix. Nous nous arrêterons à Avallon pour voir Robert – puis Lausanne où nous attend Robert de Traz[1] – Amphion où nous attend Anna de Noailles... Vérone, Venise[2], Assise... A Florence, je passerai dix jours dans une villa somptueuse de Fiesole chez un ami de Le Grix, Serge Fleury... Et en novembre on se retrouvera. Que vas-tu faire?

Ton

François M.

18.   A ROBERT VALLERY-RADOT

Hôtel Regina, Venise,
6 octobre 1910.

Le temps passe, Robert, et nous sommes sans dépêche : que ce petit fait donc d'embarras[1]! Ici, il pleut pour la première fois. Nous fûmes à Padoue aujourd'hui. Je me souviendrai des fresques de Giotto inoubliables, dans une petite église... La basilique de Saint-Antoine était pleine de nuit. Des moines promenaient, en chantant des hymnes admirables, un grand crucifix...

Ainsi ce voyage atteint son but qui est de nous faire vivre un peu plus en nous-mêmes. De petites âmes se disperseraient.

François est le compagnon dévoué, fidèle que vous savez. Mais quelle âme malade! Quel désir je me sens de bonne santé, de franche bonne santé...!

Madame de N. m'a écrit une lettre magnifique et que je

38

vous lirai[2]. Barrès un petit mot très affectueux – enfin mon Jean-Paul a *très* séduit François[3]... Mais quoi? J'ai peur de mourir, Robert, j'ai peur de l'anéantissement. Je voudrais vivre et me raccrocher avec passion aux paroles d'éternité... Il me semble que le jour où la foi s'en irait de ce pauvre cœur tourmenté, rien ne me soutiendrait plus sur l'abîme... Comment ne pas la perdre? Je la sens si vacillante en moi, pauvre petite flamme qui ne me réchauffe plus... Mais voici qu'Assise se découpe sur mon horizon. Déjà, je vois sur les pavés de la place Saint-Marc les pieds poudreux d'humbles petits frères, qui vont mendiant de porte en porte comme leur père François, il y a huit siècles... Ah! Petites chapelles, humbles cloîtres de l'Ombrie, comme je compte sur vous, comme j'aspire à vos messes de l'aube, à vos *Salve Regina,* le soir – à la prière du soir dans une cellule carre-lée...

Je penserai souvent à vous, mon cher Robert que j'aime beaucoup... Vous savez que votre fantasque ami donnerait les grâces un peu fardées de Venise, pour l'ombre sacrée de l'humble Portioncule – les grossières fanfares de d'Annunzio pour ce cantique du frère Soleil que je relis presque chaque soir avec une indicible émotion. Je vous embrasse fraternel-lement et je pense souvent à *vous trois.*

François.

19.   A ROBERT VALLERY-RADOT

Villa dell'Ombrellino,
5, Bellosguardo,
Firenze,
6 novembre *1910.*

Cher Robert, merci de votre lettre. Elle a atteint son but qui était de me faire du bien – Ici d'ailleurs on ne saurait avoir que des aspirations élevées comme les cyprès vers le ciel et des pensées riantes et douces comme ce ciel où se baigne Florence.

Serge Fleury est une petite âme charmante et sa vie lui prête un intérêt romanesque à quoi je suis sensible... On voit ici des ambassadrices revenues de tout, qui font du spiritisme dans des villas bizarres et confortables, de grandes dames italiennes dont le père était valaque et la grand-mère russe et l'autre grand-mère brésilienne... Le caractère de François Le Grix est aussi variable que le baromètre... Nous visitons avec Madame Zoubow[1] beaucoup plus de vieilles dames excentriques que de musées... Il y en a une qui prétend avoir été courtisane dans une vie antérieure et saint François d'Assise et je ne sais qui encore... cela ne l'empêche pas d'avoir fait le mariage d'Edouard VII et d'avoir brillé au temps jadis à Vienne et à Rome comme... ambassadrice d'Angleterre...

Vous ai-je écrit, cher Robert, que nous fûmes ici avec Jean-Louis Vaudoyer aux chemises incomparables et Edmond Jaloux qui préparait sombrement un quatorzième volume et prenait des notes devant les couchers de soleil[2]?

Jean-Paul est décidément un chef-d'œuvre qui fait rire et pleurer tous ceux à qui je le lis – J.L. Vaudoyer nous annonce votre candidature à la Vie Heureuse – hum! hum! – Je serai à Paris mercredi, et vous? Remerciez d'avance Mme Dordet de son aimable mot et présentez-lui je vous prie mes hommages respectueux. Souvenir à Ismène.

Votre

François.

20.   ROBERT VALLERY-RADOT

Mardi 3 janvier 1911.

Mon cher Robert, j'ai mérité vos reproches mais ne croyez pas que je vous oublie... Je parle tellement de vous ici, je suis tellement avec vous par la pensée que je ne sens pas le besoin de vous écrire. Je vous remercie de votre affection qui doit être très sincère puisqu'elle est si grondeuse. Je l'aime ainsi d'ailleurs. Vous seul me dites certaines choses que je ne saurais trop entendre et chacune de vos lettres m'incite à méditer sur ma trop aimable et trop longue jeunesse. Et pourtant, Robert, nous sommes du même âge – et vous n'avez rien à regretter : les cheveux ne font pas la jeunesse. Il y a dans votre regard et dans votre rire une grâce juvénile que depuis longtemps je n'ai plus... je bénéficie d'une façade qui a déjà besoin de réparations. La décrépitude est proche[1]...

Mais enfin il y a par-dessus tout cela un peu de vraie foi, un certain désir de perfectionnement, un amour sincère de l'idéal chrétien, une sensibilité accordée aux magnificences des vieux rites – je vous confie cette part de moi-même. Je suis tout juste capable de la mettre en coupe réglée et d'en faire une littérature qui m'attirera l'amitié des belles âmes comme la vôtre. Ce n'est pas suffisant. Aidez-moi à mettre un peu de vraie vie dans ce sépulcre trop orné de mon cœur.

Vous avez l'air de croire, Robert, que je ne vous rends pas votre affection. Dieu sait pourtant que je vous aime... Mais il est vrai que jamais nous ne nous voyons vraiment... Il faudrait cette année, quand viendront les beaux jours, que vous m'accompagniez dans mes promenades matinales au bois de 10 heures à midi. Cela donne de l'optimisme, de l'appétit et du teint, et ensuite nous ne manquerions pas d'être sublimes. Il en reste toujours quelque chose – même pour l'âme. On ne s'élève jamais en vain. Je vous aime, Robert et vous admire. Et n'en jugez pas d'après le superficiel article que j'ai consacré à *Leur royaume*[2]. Il m'est impossible de parler profondément d'un livre. Je dirai ce que j'ai à dire de vous lorsqu'auront paru *les Pierres du foyer* et *la Meilleure Part*. Il faut parler d'une âme reflétée dans toute son œuvre et non dans un livre.

Vraiment suis-je si heureux que vous dites? Je sens le besoin de me l'entendre dire... et il est vrai que c'est peut-être cela le bonheur humain...?

Ismène m'a écrit à propos de l'azalée une lettre charmante et fleurie d'allusions à ce que vous savez. Je n'y crois pas. Et pourtant un petit visage ardent et grave est déjà dans mon cœur[3]... cela suffit à occuper mon rêve – assez pour me donner, le soir où décidément je verrai que cela ne peut marcher, quelques heures de la plus délicate mélancolie. Il est digne de moi de pleurer, non sur un amour déçu, mais sur une possibilité d'amour. Et pourtant, et pourtant, si c'était elle, l'attendue de toutes les romances que je porte en moi – ô joie, ô pleurs de joie. Un François nouveau vous apparaîtrait sans doute, celui qu'André Lafon a soupçonné, je suppose, en me voyant l'autre jour au milieu de mes neveux et de mes nièces... Une femme, des enfants, au fond je

41

ne désire que cela et mon « narcissisme » n'y résisterait pas. Mais ce serait trop beau. Je devine le petit supplice que la Providence inventa à l'usage des gens de ma sorte : ils s'occupent toute leur vie de l'amour – et n'en connaîtront jamais que le simulacre... Mon petit Robert, priez pour cela aussi – pour que je trouve ce que vous avez trouvé.

Les offres du *Mercure,* dont Le Grix vous a sans doute parlé, hâteront mon prochain poème. J'en cherche le titre. Je voudrais qu'il exprimât cette idée : « Adieu à l'adolescence » ou « Adieu aux beaux jours »[4]. Je livre cela à vos méditations.

Je rentrerai dimanche soir. D'ici là vous pouvez m'écrire un mot, pour me prouver que vous êtes sans rancune. Donnez-moi des nouvelles d'Eusèbe[5].

Je m'aperçois que j'oublie les vœux d'usage. Pour nous cela se traduit en prières – oui, que l'œuvre des bons ouvriers du Père de famille nous rapproche tous les jours un peu plus. Je ne vous sépare pas dans mon affection d'Ismène, qui est de toutes mes sœurs la dernière venue mais non la moins aimée. Je vous prie de dire à Georges[6] aussi combien nous sommes tous heureux de le voir donner un peu du trésor qu'il porte en lui et s'associer à notre œuvre. A bientôt, mon cher Robert. Quelle belle lumière aujourd'hui! Comme la route sera belle et que j'ai hâte de repartir!

François Mauriac.

21.   A ROBERT VALLERY-RADOT

12 janvier 1911.

Je vous remercie, mon cher Robert, de savoir mettre tant d'amitié dans un petit bleu. Vous savez combien je suis avec vous : faire de la littérature comme un métier m'a toujours paru une tâche ridicule et vaine. Mais nous portons humblement notre pierre, selon nos forces – et nous voulons comme saint François rebâtir les églises abandonnées...

Même lorsque nous oublions Dieu, que nous nous abandonnons à tous les courants, il nous guide lui-même, à notre insu, vers le but de sa gloire et de son amour. Je m'en rends compte, ces jours-ci, où je mets la dernière main à mon livre : ces poèmes, écrits une année de griserie, auront plus d'accent chrétien que *les Mains jointes* et seront dépouillés de ce trouble un peu sensuel dont s'ornait bien dangereusement mon jeune mysticisme.

Votre voix me fait du bien, Robert. Je vous remercie de me recevoir comme votre plus cher ami et de laisser mes mains s'approcher de cette belle flamme. J'ai en vous une confiance extraordinaire. Mon cœur est ce roi d'Israël qui me faisait rêver jadis sur mon *Histoire sainte* et qu'allait trouver de temps en temps l'« homme du Seigneur » – le prophète! Vous êtes le prophète. Vous criez pénitence! pénitence! à toutes les passions de mon cœur.

Nous aurons dans quelques semaines le printemps Robert. Nous irons de nouveau chercher ces matinées triomphantes dans l'avenue du Bois, parmi le luxe abondant des équipages, et dans les allées les moins fréquentées – comme dans cette île, souvenez-vous, alors que de buissons en buissons, une importune fillette nous poursuivait – petite destinée ironique...

A demain matin, mon cher Robert, je serai chez vous à 11 heures et je déjeunerai avec joie parmi vous tous.

Votre ami

François Mauriac.

22.   A ELIE BAUSSART[1]

Mars 1911.

Cher Monsieur, je veux vous dire l'intérêt que je trouve à lire votre revue dont vous avez l'obligeance de me faire le service... Je comprends que la *Correspondance de Rome* l'ait attaquée... N'assistons-nous pas depuis quelques années, dans le sein même de l'Eglise catholique, à une lutte effroyable contre l'Esprit? Tous ceux qui ont le sens des réalités invisibles sont par là même suspects aux chiens de garde de l'orthodoxie, dont un évêque italien dénonçait l'an dernier le modernisme nouveau genre et qui consiste à voir du modernisme partout...

Je vous envoie ci-joint deux poèmes extraits de mon prochain recueil[2] qui paraîtra en mai ; si vous les jugez dignes du *Catholique,* il faudrait donc qu'ils parussent avant le 15 du mois de mai... et dans ce cas je vous serais reconnaissant d'annoncer dans une note la publication de mon nouveau recueil de poèmes chez *Stock* éditeurs.

En vous assurant, cher Monsieur, de ma gratitude et de mes sentiments de vive sympathie, je vous prie de trouver ici l'expression de ma reconnaissance pour les lignes pénétrantes que vous inspirèrent *les Mains jointes.*

François Mauriac.
45 rue Vaneau
Paris.

23.　　　　　A JEAN COCTEAU[1]

Jeudi 11 h soir *1911.*

Mon cher Jean, je veux vous remercier de ces deux portraits qui me tiennent compagnie ce soir... C'est l'heure où, délicieux Mercure, vous allez entrer dans le bal. Moi, je reste avec mon âme que je n'ose pas regarder en face et ma vie que je n'ose plus dominer. Il y a le travail et des livres... Mais à certaines heures un tel tumulte s'élève dans notre cœur, que rien en dehors de lui ne saurait nous intéresser. Alors je m'occupe à classer des lettres : travail mélancolique! Que d'amitiés mortes déjà! Que de visages évoqués, dont les traits que j'ai tant aimés se brouillent dans ma mémoire... Ce que nous en tuons, vous, nous, d'amours et d'amitiés au long de nos pauvres vies tourmentées, j'en frémis mon petit Jean... Voici des carnets : ce sont des notes de retraites. J'ouvre au hasard et je lis ces lignes écrites par moi il y a deux ans : « Tu as considéré tes amis pour tes délices et non pour ton tourment — tu les as troublés et tu as goûté leur trouble : ce furent des objets à ton usage, ces âmes immortelles que tu aurais pu sauver!... »

J'aurais souhaité, mon petit Jean, que vous ne fussiez pas sur la terre uniquement pour mon égoïste joie. J'aurais voulu être dans votre vie celui qui porte un peu de vraie Lumière... — tâche sublime et dont je ne me sens plus digne. Ah! Ne jugez pas du moins par moi la doctrine de Vie que ma vie calomnie!

Et malgré tout, mon ami, je l'aime cette doctrine. J'ai bu de cette eau qui désaltère, j'ai connu la paix ineffable d'une bonne conscience, la voix de Dieu dans le silence du cœur apaisé, les généreuses ambitions, le grand désir de donner ma vie et mon talent et tout ce que j'ai en moi pour le triomphe de l'idéal chrétien...

La vie a traversé tout cela. Elle a tout saccagé. Je suis comme un enfant qui a peur dans le noir... Je vous parlais d'un mariage possible... Mais ce projet est une folie... Ne sachant même plus me guider, comment entraînerais-je une jeune femme sur mes mauvaises routes?

Mon cher Jean, parlons de vous – cher petit visage éphémère – âme chantante et bondissante – qui êtes dans ces tristes jours mon unique joie – qui ne m'avez donné encore que de la joie... Il me semble que je n'ai pas su vous en remercier encore. Ma pensée se repose sur vous qui avez tant de jeunesse, de génie et de beauté! Je m'enivre de cette grande tristesse que j'aurai à vous quitter bientôt... Du moins emporterai-je dans mon cœur notre amitié intacte. Vous ne m'oublierez pas. Je suis trop différent de ceux qui vous entourent. Vous ne m'oublierez pas... parce qu'on ne m'oublie pas...

Minuit! A cette heure, mon petit enfant, vous laissez derrière vous dans le bal commençant un sillage d'admiration et de lumière. Le petit casque où tremblent deux ailes écrase vos beaux cheveux – et vous vivez magnifiquement votre poème de l'orgueil que vous nous récitiez tout à l'heure. Je vais dormir, mon petit Jean. J'ose vous recommander à Dieu comme mon plus précieux ami. Je vais dormir, goûter un sommeil sans rêve qui ne ressemblera pas à la vie, qui me donnera la force de recommencer demain.

Bonne nuit, Jean!

François[2].

A ROBERT VALLERY-RADOT

Dimanche soir et lundi matin,
Eté 1911.

Mon cher Robert, mon ami, ne vous laissez pas abattre par ces petites contrariétés matérielles – et ne me parlez plus de la mort avec cette effrayante joie. Si, nous sommes quelques-uns qui s'attachent à vous comme la vigne à l'ormeau. Et moi-même que deviendrais-je sans vous? Mais il est vrai que nos pauvres vies tourmentées ne connaissent pas de répit et que le problème de la vie se confond avec celui de la douleur. Je crois avec vous que la douleur est divinement bonne. Je sais qu'aux heures où elle m'a touché, mon âme a tressailli dans sa prison et que mes premiers sanglots ont été des actes de repentir et d'amour.

Mais vous ne savez pas autant que moi, Robert, les terribles inclinations d'une nature déchue. Ce n'est pas difficile, d'être sublime pendant quelques heures... Mais il y a toute la vie avec ses tentations horribles, ce besoin de s'avilir, oui, ce goût de s'avilir que je porte en moi. Ah! Quand vous me criez votre mépris de la gloire et de l'amour humains, j'en connais comme vous la vanité... Seulement il y a *notre jeunesse.* La jeunesse, cette terrible maîtresse qui veut goûter même à ces désillusions et à ces terreurs. Vous n'êtes pas du monde, Robert, vous ne connaissez (pas) cet âpre désir d'étreindre un autre être, dans ce court espace de la durée qui nous est donné – d'épuiser avec lui tout ce qu'une puissance mystérieuse nous permet de sensations excessives...

La gloire et le plaisir sont moins que rien. Mais que peut-on nous offrir de mieux? Notre jeunesse sensuelle et brutale n'a pas le choix : elle se jette sur ce néant. Ah! Je sais bien ce que vous allez me dire et que l'amour infini existe et que, le connaissant, il devrait nous être facile de lui immoler de si misérables joies...

Oui, je vous donne mille fois raison... pourtant ne sommes-nous pas dupes? Je me souviens, à dix-huit ans, du retentissement terrible qu'eut dans mon cœur cette phrase de Renan : « Un immense fleuve d'oubli nous entraîne vers l'abîme sans nom – ô abîme, c'est toi, le dieu... »

Pourtant, en face de cette tentation terrible, je peux placer tant de certitudes ineffables, tant de jours lumineux, où j'ai senti dans toute sa plénitude la présence de Dieu. Oui, notre Dieu « sensible au cœur », c'est-à-dire Jésus-Christ, c'est-à-dire celui qui a épousé la tristesse de l'homme au point qu'on ne peut plus souffrir sans être semblable à Lui... Et alors il nous reste, mon cher Robert, de faire ce que vous me dites : de choisir. *Choisir,* tout est là. Et c'est là encore que nous nous heurtons à cette terrible jeunesse, à son appétit de joies sensibles, à sa perversité qui va jusqu'à goûter l'amertume du plaisir, jusqu'à trouver à la lie un goût trouble et délicieux. Raymond de Sonis me racontait que des jeunes gens à qui on disait qu'une femme était malade ne résistaient pas au plaisir de la connaître, et acceptaient délibérément de se pourrir, pour une minute de joie. Horrible exemple, mais combien significatif de notre misère, ne trouvez-vous pas?

Vous me dites : n'avons-nous pas de place dans la vie? Hélas, vous connaissez le vieux bateau romantique exploité par Vigny : l'isolement de l'homme de génie dans la société. Croyez-moi, Chatterton contient plus de vérité qu'on ne croit. Je le sens si vivement ces temps-ci où je fréquente des commerçants qui gagnent leur demi-million, chaque année! Je suis pour eux le jeune homme assez riche pour se payer la fantaisie d'écrire : si j'étais pauvre, comme ils me mépriseraient!

Non, je ne crois pas que nous soyons des inutiles. Nous sommes la « sensibilité » de l'humanité. Le cri de douleur d'un de nos poèmes n'est pas le nôtre seulement. Nous sommes la voix de toutes les âmes qu'on n'entend pas. Mais nous ne rendons à la société aucun service *matériel.* Nous rendons des services dans l'absolu, non dans le relatif... Et le terrible, c'est qu'on ne nous permettra jamais de faire autre chose. Chatterton et sa place de valet, rappelez-vous. Tout cela n'est pas drôle. Pour l'instant, raccrochons-nous à cette idée de revue. Appliquez-vous à ne pas voir trop haut ni trop loin.

« Etiennette » – ce nom dans votre lettre suffit à ébranler toutes les puissances de mon cœur. Que je me sens vieux, Robert... et comme cet adieu à l'adolescence, je suis obligé de le dire autrement que sur la couverture d'un livre [1], de le dire profondément à chaque instant de ma vie, moi qui n'ai pas perdu conscience une minute de mon cher bonheur perdu.

Votre ami François.

Mon amitié à Paule. Je vais chez Dumesnil dans huit jours, c'est un bon guide, et c'est un bon type en somme[2]! Ici chaleur torride et cette nuit : tremblement de terre! Je suis toujours dans un poème de Jammes, mais aux Antilles!

25.   A PAULE VALLERY-RADOT

Malagare,
6 septembre 1911.

Chère Madame,

A la joie que je ressens de posséder Robert, je mesure la peine que vous devez éprouver de son absence[1]. Et j'ai une peur horrible que vous me détestiez subitement! Vous êtes présente à tous ici... et il me semble que vous allez paraître sur le seuil avec votre Jacques dans les bras, toujours placide et habitué à être éborgné par vos grands chapeaux.

Mais nous faisons du beau travail. Notre « Cathédrale[2] » monte toute blanche dans nos rêves. Elle ne sera jamais aussi belle!

Robert m'a lu les premières pages de *l'Heure de midi*. Il n'a rien écrit jamais d'aussi beau, dans le sens absolu du terme... On y sent à chaque ligne l'inspiration de Dieu et un souffle qui n'est pas de la terre.

C'est là, c'est dans le génie de Robert que repose notre unique chance de réussite. Et je n'entends pas par génie le don littéraire, mais une qualité de l'âme où les bruits du monde s'apaisent, où la voix de Dieu s'élève chaque jour plus distincte et plus péremptoire.

Et je me dis souvent qu'une autre femme que vous aurait peut-être essayé d'étouffer cette voix – aurait voulu que nul autre ne vienne se réchauffer à tant de flamme...

Mais vous avez été l'amie qui laisse la porte ouverte pour que le passant s'y arrête aussi et reçoive un peu de cette lumière et de cette joie que Dieu vous a départies. Trouvez ici, je vous prie, ma chère et vraie amie, mon merci le plus ému, le plus grave... Vous collaborez à notre œuvre d'une façon obscure et magnifique. Vous savez vous oublier quand il le faut et c'est pourquoi Dieu vous aime et vous bénit dans vos enfants.

Ma mère ne se console de votre absence que par la pensée que vous viendrez à Bordeaux en janvier. C'est une chose entendue et il n'y faut pas revenir. Vous connaîtrez mon innombrable famille où chacun vous connaît et vous aime – mais pas tant que moi qui suis à vous toujours avec un bien tendre respect.

François Mauriac.

26.   A ROBERT VALLERY-RADOT

Madrid,
mardi 24 octobre 1911.

Cher Robert,
J'avais envoyé ma bénédiction au petit Jacques, de Venise où j'étais l'an dernier. Je l'envoie aujourd'hui au petit François de Madrid où je me trouve, je ne sais trop pourquoi ni comment. Me voici un peu gêné pour vous féliciter. Il n'y a pas grand mérite à faire des petits garçons. C'est un jeu qui m'amuserait beaucoup. Remercions Dieu qu'il soit « beau » selon le terme de la dépêche officielle et souhaitons que Paule goûte pleinement la joie de ce qu'il y a un homme de plus dans le monde.

N'augurez rien de mal, cher Robert, de mon silence. J'avais François[1] avec moi et ne trouvais guère le temps d'écrire. Mais je pense à nous, à notre revue, à l'effort qu'il faut faire et que je ferai. Ecrivez-moi à Bordeaux, 15 rue Rolland, ce que nous devons commander de prospectus, quand vous pensez que nous devons commencer la campagne, si je dois vous attendre etc., etc., enfin une lettre d'affaires.

Je suis parti pour l'Espagne avec François, surtout parce que je trouve un charme très grand à ce compagnonnage... (car vous savez que les déplacements me paraissent toujours de médiocre intérêt). J'avoue pourtant que dès le seuil de l'Espagne j'ai cru retrouver ma patrie. De lointains ancêtres ont sans doute mené leurs troupeaux à travers ces ardentes solitudes. J'ai encore tout à voir. Madrid n'est qu'une belle et grande ville moderne, comme nous en avons vu des centaines. Aspect d'exposition universelle démolie avant qu'on ait fini de la construire. Luxe discret et charmant des capitales où réside une cour – et puis bariolage comique d'uniformes – armée bruyante et multicolore – enfin un avant-goût de ce que seront Grenade et Séville, où j'avoue que je suis content de m'aller promener. Hélas! Hélas! On n'atteint pas toujours à masquer l'abîme de sa vie avec ces sensations fuyantes, cette agitation sans but... Cette nuit je roulais à travers le monde dans un sleeping. Je voyais par la portière des étoiles traverser mon demi-sommeil, je sentais terriblement cette dure loi de ne s'appartenir jamais, d'être entraîné, emporté malgré moi vers un but inconnu. Cela me fait penser au bon Dieu qui possède ici de bien vilaines églises, mais pleines de bougies et de gens qui prient. Il est très aimé. Les curés ont des airs satisfaits et des mines repues qui contrastent avec la mine de chiens fouettés que nous leur connaissons en France – et cela fait plaisir au clérical que je suis. A ce propos (pardonnez-moi ces propos à bâtons rompus) je remarque chez François une vraie piété : adorations dans les églises, prières du matin et du soir scrupuleusement faites. Il a beaucoup plus de foi qu'il ne se l'imagine. Avec cela une bonté que rien ne rebute, une manie de faire toutes les choses ennuyeuses (et il peut compter sur moi pour ne les lui pas disputer), un souci de ses amis incroyable... Il me dit sur nous des choses souvent belles et profondes... Hier soir dans le vertige du *Sud-Express* nous avons parlé du passé, de toutes les pauvres expériences où je me suis complu... Il y avait là de jeunes ménages aux yeux battus qui réparaient à grands coups de fourchettes et se préparaient à subir de nouvelles fatigues... j'ai fait rire François à leur sujet, mais bientôt nous avons évoqué celle avec qui j'aurais pu être. Je lui ai dit que nulle autre ne pourrait désormais me paraître mystérieuse et rare... Elle avait éveillé en moi un sentiment que je n'éprouve presque jamais (et jamais à ce degré) : l'admiration... J'ai vu pendant quelques heures trop de lumière pour que tout ne soit pas sombre... Hélas!

Que devient *l'Heure de midi* au milieu des histoires de

sage-femme et de cordons? Je ne sais pas encore si la seconde partie de ma nouvelle paraîtra[2]. Dès que l'on ne fait pas un « poncif », dès que l'on s'abandonne à son démon intérieur, on risque de déplaire et d'inquiéter. Le pauvre François envoie dépêches sur dépêches.

Nous avons été précédés ici par Vaudoyer qui nous écrit des lettres où il nous fait des recommandations touchant des danseuses, des pâtisseries et tout ce qui ajoute de l'agrément à la vie. Nous allons voir ce soir au théâtre une certaine ballerine qui a l'air de troubler François. Je le surveillerai.

Je m'aperçois soudain que je ne vous dis rien du grand événement qui a suscité la dépêche. Mais je n'ose vous demander des détails sur des choses qu'une vieille habitude d'écolier me force à considérer comme inconvenantes et obscènes. Je félicite d'avance la mère de votre enfant de n'avoir pas trop crié. Je lui annonce des petits tabliers qui sont « amour » et que ma mère fait à l'intention de son petit Jacques. Je vous embrasse affectueusement cher enfant Robert et suis vôtre.

François.

27.   A EUSÈBE DE BRÉMOND D'ARS[1]

début 1912.

Cher Eusèbe,
Je vous remercie de votre affection. Vous savez la mienne, qui se mêle aujourd'hui à tant d'admiration! Cette année, nous nous préparons dans le silence et dans l'attente. Mais l'an prochain, la famille sera complète – Que ne peuvent faire de jeunes hommes unis en Dieu?

En attendant, beaucoup de timbres à coller, de lettres à écrire, d'additions à faire, et des soirs où il ne vient personne, où l'on essaye de s'oublier dans la « noble ivresse de la pensée et du travail », ah! si fallacieuse!

Votre article est d'un parfum dont je ne me lasse pas et d'une savante gaucherie. Il m'amuse, il m'émeut, il m'enchante[2].

Vous êtes comme un jardin français mais que depuis des

années on entretiendrait peu. Cette sauvagerie mêlée à cette rectitude et à tant d'arrangement, que je l'aime!

Il pleut. Il pleut. On dîne en ville avec des gens qui ont mauvaise réputation. On guette le reste du temps les coups de sonnette. Piètre destinée, si l'on n'avait pas un peu de génie. Mais il faut avoir du génie. Il faut, au milieu de l'écœurante banalité du mal, nous dresser dans nos vêtements blancs, comme des chevaliers du Graal. Il faut prier, communier, user des dons de Dieu pour nous défendre contre notre jeunesse. Il faut empêcher de parler trop haut notre cœur, notre cœur romantique, ne point le laisser frapper à toutes les portes et se résigner à ce qu'il ait quelquefois si faim et si soif – faim et soif à en mourir.

Et travailler, commencer de travailler à l'âge où la plupart y renoncent, fleurir en nobles pensées et en belles sentences, coordonner dans la lumière de l'Esprit tous les pauvres systèmes humains.

Je reçois aujourd'hui une lettre de faire-part pleine de beaux noms. Recevez mes condoléances parce que vous aimiez cette parente endormie. Je pense à vous, je prie pour vous et je vous aime fidèlement.

François Mauriac.

28.   A ANDRÉ GIDE

Mai 1912.

Si vous m'écrivez avec une charmante indulgence, Monsieur, c'est que sans doute vous avez senti dans mon article qu'à votre propos ma bouche démentait mon cœur à tout moment [1].

Certes j'ai lu et relu votre *Enfant prodigue* comme tous vos ouvrages depuis les *Cahiers d'André Walter*. Mais je ne peux croire qu'il soit selon le cœur de Dieu, ce prodigue fatigué qui conduit lui-même son jeune frère jusques aux marches du perron et le pousse vers toutes les voluptés défendues...

Je n'ai pas besoin, Monsieur, de vous assurer d'une admiration que vous connaissez. J'ajoute que si souvent vous m'avez troublé, je n'ai reçu de vous que du bien, si c'est un bien d'aimer la vie plus que je ne l'aimais avant de vous connaître.

Croyez, je vous prie, à ma respectueuse gratitude.

François Mauriac.
45, rue Vaneau, VIIe.

29. A ROBERT VALLERY-RADOT

Malagare, été 1912.

Mon cher Robert,
Je suis heureux que la mer et son odeur de poisson pourri ne vous incommode pas. Moi j'aime mieux les vagues figées de mes collines et cette étrange douceur d'automne dont se pénètre l'été. Je travaille dans la chambre qui fut la vôtre à une nouvelle trouble et délicieuse[1]. Je pense à cette même heure que votre livre qui sera mien s'élabore[2]. Croyez mon cher ami que je l'aime pour sa fièvre et son lyrisme et pour tout ce qui étonne ceux qu'une grande œuvre rebute.

Vous parlez comme d'un fait accompli d'un projet, bien vague encore. Le père, averti, se courrouce et la jeune fille ne sait rien[3]. Elle m'envoie *Les Mains jointes* pour que je les honore d'une dédicace[4]. (...)

Faust m'enivre et c'est un vin fort et je suis Faust depuis bien longtemps hélas! Les lettres d'André sont pleines d'un épais silence. Que devient Le Grix?

Je goûte ici la vie plus pleinement qu'à Paris. Chaque minute dure et a son prix. Je me sens un homme. Je dis à chaque instant des paroles obscures et définitives comme un personnage de Claudel. Mais les arbres seuls les entendent. Je fais du bien à mon frère l'abbé et le soir quelquefois, sur cette terrasse que vous connaissez, je domine ma destinée, et je pleure avec beaucoup d'amour sur moi-même.

Vous ai-je dit que cette jeune fille est jolie et simple et passionnée de Violaine? Je ne veux pas l'aimer parce que j'ai peur de souffrir. Mais si cela se décide, je m'abandonnerai à ce charme sans nom. Ce sera ma suprême expérience, pour obtenir un peu de pauvre bonheur humain. Et si ça rate, il me restera votre amitié et quelques autres et c'est assez pour remercier Dieu et le louer comme je le fais ici quand je le rencontre sur les routes où les pèlerins de Verdelais le promènent sous un dais... Je le prie pour vous, pour Paule que j'aime fraternellement – pour nos *Cahiers* (dont le dernier numéro n'a pas paru).

Votre

FM.

30.   A FRANCIS JAMMES

Eté 1912.

Mon cher Jammes,
Quand j'ai reçu votre lettre, il y avait longtemps que Lafon[1] avait la sienne! Mais je remercie quand même le martin-pêcheur[2]! Le Trissotin qu'il y a toujours au fond de nous s'est heurté au Vadius qu'il y a toujours chez nos amis. Cela s'est terminé le mieux du monde.

Malgré un père barbare, comme on n'en trouve plus, et qui m'a refusé sa fille une première fois, je ne désespère pas d'épouser cette petite Clara d'Ellébeuse[3]. Elle a tant pleuré et supplié qu'il consent en principe. Mais attendons la fin. C'est la fille du trésorier-payeur général d'ici. Elle ressemble à vos poésies, qu'elle aime par-dessus tout ainsi que *la Jeune Fille Violaine.*

Adieu. Ma vie ressemble à un roman de l'« Œuvre des bons livres ». Et je suis bien le jeune homme modèle dont de Lias dit : « Prends-le, ce garçon-là n'est qu'une poésie... »
Si ça se fait, je ne veux pas d'autre témoin que vous.
Je vous embrasse et suis vôtre profondément.

François Mauriac.

Saint-Symphorien,
2 octobre *1912.*

Mon cher Jammes,
Cependant que nous faisions retentir du nom de Ghéon
les échos de Lassagne, il nous mettait à mal dans un article
de la *N.R.F.* [1] Je l'ai lu trop tard pour y répondre dans le
prochain numéro des *Cahiers* – mais je compte l'attraper en
décembre, car cet homme ivre de thé nègre ment
effrontément : jamais vous n'avez écrit qu'il suffit de croire
pour composer des chefs-d'œuvre !
Vous savez n'est-ce pas la joie que j'ai eue de vivre avec
vous et de vous écouter, quel bienfait aussi j'ai retiré de votre
exemple... Ce souci des âmes, ce désir de les sauver qui vous
possèdent, je souhaiterais l'avoir aussi...
« Les heures de Lassagne » de Criterius sont riches en
sous-entendus incompréhensibles mais présentent une réelle
valeur historique... Que je suis impatient de lire les vôtres [2] !
Adieu. Je ris tout seul quelquefois en me rappelant vos
histoires. Vous peuplez l'imagination de fantoches dont on
ne se débarrasse plus [3]...
Croyez à ma respectueuse et profonde amitié.

Fr. Mauriac.

P.S. Je suis en train de lire *les Récits d'une Sœur* [4]. Cette
sublime niaiserie m'enchante.

32.   A EUSÈBE DE BRÉMOND D'ARS

11 octobre *1912.*

Il est vrai, cher Eusèbe, que ce furent de douces fêtes de
l'amitié – et que c'est une grâce incroyable d'être si nombreux à s'aimer [1].
Nous pouvons avoir une vie féconde. Nous pouvons, d'ici
peu d'années, occuper une grande place dans les combats de

l'opinion. Mais il faut accepter l'humilité de nos débuts. Il faut, si nous voulons grossir notre revue, que chacun de nous régulièrement y porte sa gerbe. Vous savez combien Robert et moi comptons sur la vôtre!

Je me réjouis, après deux années de séparation, de retrouver l'ami que vous êtes. Pour moi, après avoir en ces deux ans beaucoup vécu et beaucoup souffert, j'arrive au port. L'enfant que j'ai choisie ne portera dans notre famille d'âmes aucun trouble. Elle n'est que douceur, silence et faiblesse. Je crois qu'elle possède cette discrétion, ce « retrait » que vous aimez.

Il me tarde mon ami que vous fassiez comme nous tous... Ce jour-là, il faudra que dans votre décision vous ne négligiez pas de songer aux intérêts de notre groupe... L'amour, quand il ne détruit pas l'amitié, l'approfondit et l'enrichit. Aujourd'hui, je me sens plus près de Robert, je le comprends mieux...

Que Dieu vous bénisse et vous garde, mon petit Eusèbe. Croyez que je vous aime.

François.

A partir de lundi 15 rue Rolland, Bordeaux.

33.   A JACQUES RIVIÈRE

22 décembre 1912.

Mon cher Rivière,
Je ne veux pas que vous puissiez croire à une critique dans ce que je vous ai dit hier soir. Je lis vos articles avec une admiration extrême. Mais devant ce miraculeux dernier acte de l'*Annonce faite à Marie* [1], il me semble que vous avez dû comprendre ce qu'est la foi et que sans doute rien n'en est plus éloigné que cette complaisance en soi-même où vous vous attardez et que vous nous décrivez si justement. A lire votre œuvre [2], comme on sent que deux hommes vous ont pris et se disputent en vous. L'un est le Gide des *Nourritures terrestres* et l'autre, Claudel. Vous avez écouté ces deux voix. Mais vous savez que Violaine a raison.

A partir de janvier, nos *Cahiers* vont grossir et des collaborateurs nous viennent. J'espère que vous continuerez à vous y intéresser. L'an dernier, parmi de nombreux articles fort méchants dont j'avais été honoré, *un seul* m'avait blessé parce qu'on m'avait assuré qu'il était en partie de vous. J'ai su depuis que cela n'était pas vrai, et que Alain-Fournier l'avait écrit. Une de mes plus grandes inquiétudes est qu'au lieu d'attirer les âmes, nous ne réussissions qu'à les éloigner ; l'article de votre beau-frère, comme beaucoup d'autres, nous montre tels que des jeunes gens comblés de toutes les joies, et à qui leur catholicisme ne sert qu'à « réussir[3] ». Et cela est faux. Je le sais parce que je connais ce que fut la vie de Lafon et celle de Robert V.-Radot... Il se peut que j'aie eu, moi, plus de facilités que d'autres – mais chaque destinée comporte sa part de douleurs qui échappe aux regards.

Pardonnez-moi, mon cher Rivière, de vous écrire ainsi. Mais au lendemain de cette grande soirée, une fraternité se crée, il me semble, entre tous ceux qui lèvent les yeux vers Monsanvierge et aiment Pierre de Craon qui nous enseigne à construire.

Croyez, je vous prie, à ma sympathie.

François Mauriac.

34.   ✓ A ROBERT VALLERY-RADOT

Début 1913.

Mon cher Robert,

J'admire en effet comme dans votre vie l'action est la sœur du rêve. Vous savez que j'ai très bien su y distinguer le raisonnable du chimérique : la fondation d'une revue me paraissait nécessaire et je vous ai soutenu plus qu'on n'aurait osé l'attendre de mon apparente inconstance. Vous pouvez compter sur moi pour les *Cahiers* agrandis[1]. De même que ma copie ne vous a jamais manqué jusqu'ici, de même je continuerai à vous porter chaque mois ma pierre, une pierre petite mais bien taillée et d'un grain rare.

Je ne suis pas de votre avis sur Barrès. Il est plus loin des laïques que vous ne dites. Son inconscient touche à Dieu par certains sommets. Il se rattache plutôt, selon moi, aux immanentistes. Léopold Baillard[2] méprise au fond toutes les idoles de chair. C'est un passionné idéaliste, mais qui n'attend de Dieu qu'une révélation intérieure. *Sous l'œil des Barbares,* qui exprime le fond même de Barrès, est un livre pénétré de spiritualité. C'est le plus beau gémissement que jeune homme ait jamais poussé sur l'esclavage des sens, sur la sécheresse du cœur, sur l'horreur de vivre pour de médiocres ambitions « au plus épais des hommes »! Avec quelle angoisse il réclame quoi que ce soit d'extérieur à lui et qui le délivre de lui-même : « axiome, religion, prince des hommes »! Toute cette œuvre barrésienne est d'un pessimisme atroce qui est à l'opposé de l'optimisme béat des laïques – un pessimisme qui serait celui du chrétien, le jour où il se convertirait. N'oubliez pas enfin qu'il est l'auteur de *Leurs figures,* qu'il a magnifiquement flagellé les aliborons – tout cela, cher Robert, pour vous dire : ménagez-le, ne nous l'aliénez pas. N'y touchez pas[3].

Connaissez-vous Gérard de Nerval? *Sylvie* est un conte délicieux – Sylvie est une sœur aînée de Camille.

Je serai samedi à Paris. Je vous porterai les épreuves de « Jean-Paul ».

Adieu. Je vous embrasse tous deux.

FM.

35.   A ROBERT VALLERY-RADOT

Avril 1913.

Vous n'avez aucune mesure, mon cher Robert. En mettant les choses au pire, ce petit livre ne saurait montrer la faillite de l'enseignement religieux que dans un cas très particulier[1]. Avouez que Jean-Paul n'est pas taillé sur le modèle commun.

Mais même je ne le vois pas si noir que vous le dites. En dehors de ces délices religieuses, notez bien qu'il ne trouve que dégoût. Sa conversion finale persiste. Il essaye de « réparer » – et si je prévois de nouvelles trahisons, c'est par souci d'être vrai et que je ne crois pas aux conversions de fond en comble chez des natures de cette espèce. Ce serait d'une grande maladresse de faire ce Jean-Paul plus méchant qu'il n'est. Relisez avec soin, avant d'écrire. Il vous a échappé combien Jean-Paul a souffert et que le suicide ne fut pas très éloigné de sa pensée. Toute la dernière partie rend un son très grave, il me semble. Mon admirateur du Congo belge m'écrivait hier que Jean-Paul l'aidait à vivre. Enfin, le sort en est jeté. J'ai presque envie de publier mon roman sans aucune adjonction ni préface et nous verrons bien l'effet produit.

Je ne m'éloigne pas de vous. Vous ne vous êtes pas aperçu combien, cet hiver, je vous ai appelé. Chaque fois que je venais chez vous, c'était pour m'entendre dire qu'il fallait ne pas vous déranger. Il est vrai que toujours la présence vous parut un luxe inutile – et que votre rêve serait que nous ne gravissions ensemble d'autres collines que la sainte colline – parce qu'on peut effectuer ce pèlerinage sans se voir, sans se parler, sans se toucher. Je n'ai jamais changé, Robert – c'est vous qui m'abandonnez un peu. Il y a dans votre foi un levain de discorde. Vous ne me donnez de la passion que le vinaigre et que le fiel. Je m'étonne d'être pour vous un objet d'inquiétude. Le monde, je vous assure, ne s'occupe guère de moi – et si *la Revue de Paris* me publie, il n'y a pas là de quoi tant me réjouir. C'est à la portée du premier venu. André[2] sait que je l'aime et que je l'admire en tant que poète. Mais comme chrétien, je me réserve un peu. Et cette pieuse veulerie illustre redoutablement telle démonstration de Nietzsche.

En toute bonne foi, je trouve votre lettre injuste, Robert. Pardonnez-moi de ne pas savoir écrire pour mes frères en religion. Et sans doute, au jour de ma conversion définitive, faudra-t-il qu'à l'exemple de Racine, après *Phèdre,* je renonce à toute littérature. C'est la part de mon âme la plus trouble et la plus incurablement frivole qui s'y exprime malgré moi. Dès que vous saurez la date exacte de la répétition de Jammes, écrivez-moi[3]. J'y viendrai entre deux trains et nous causerons.

M.

Saint-Symphorien,
6/7 *1913.*

Mon cher Robert,
Je sais l'ennui de ces angines et l'accablante fièvre qu'elles vous donnent. Vous devez être aujourd'hui sur pieds – et promener sur les routes du Morvan vos rêves et vos désirs. Je m'occupe ici à écrire un petit article pour les *Cahiers*. Mais qu'il est difficile de méditer dans un chalet plein d'une famille sans cesse accrue et où la manie de se reproduire devient si envahissante!

Je m'en échappe assez souvent avec ma femme[1] et mon Pascal. Pascal me séduit comme il séduit tous les libertins qui affectent de ne se point convertir parce qu'ils n'admettent que l'absolu en sainteté : tout ou rien. Je relis avec plus d'attention ses opuscules : les lettres à Mlle de Roannez me le montrent, sous de grandes prédications, inquiet et passionné comme l'imaginaient les romantiques. Avez-vous lu de près sa prodigieuse prière pour le bon usage des maladies?

Le *Discours sur les passions de l'amour* compliquerait encore la psychologie de ce prodigieux homme, mais Strowski[2] affirme ou du moins insinue que ce discours est du chevalier de Méré. Et il cite de ce chevalier de Méré des passages délicieux qui ont du suc comme du Montaigne...

Le mariage m'équilibre en effet. Il me comble le cœur et par là il me limite un peu. La solitude était un prétexte pour étayer des langueurs inévitables. Je l'ai perdue aujourd'hui et me trouve sans excuse, bien que je continue d'en avoir besoin. J'avais réduit au minimum dans ma vie les soucis matériels. Ils ne font que commencer de m'envahir. Mais il y a des compensations et il ne faut pas se plaindre d'être heureux. J'ai avec Jeanne une intimité d'esprit que je n'eusse jamais cru possible. Il y a bien de l'intelligence dans son attitude et je commence à comprendre pourquoi je ne comprenais pas la femme et ne l'aimais guère. La mienne est complexe et surprenante, puérile et avertie, passionnée et raisonneuse, tendre et un peu rouée, dévouée infiniment, sensible à la poésie, à la musique. Elle trouverait des raisons de me louer d'avoir des yeux inégaux. Elle a arrêté les progrès de ma calvitie et me régente et m'administre comme sa propriété bien-aimée. Nous ne nous séparons jamais et ne respirons pas l'un sans l'autre.

J'ai vu André, mais en famille. Nous avons peu causé. Je l'ai trouvé triste et maigri. Il viendra me voir ici. Je vous enverrai bientôt mon article.

A vous et à Paule de tout mon cœur d'ami.

François.

Quand rentrez-vous à Paris?

37.   A ANDRÉ BEAUNIER [1]   *Critique littéraire*

Johanet, Saint-Symphorien,
7/7 *1913.*

J'ai lu votre trop indulgent article, cher Monsieur, dans ces landes qui sont d'horribles solitudes. Il m'a consolé de beaucoup d'injures. Il m'a donné un peu de confiance. [2]

Ma femme et moi lisons ensemble vos visages de femmes. Que nous les avons aimés! J'ai eu la joie de voir Jeanne s'attacher à Jacqueline Pascal. Nous avons cherché dans le *Discours sur les passions de l'amour* et dans les Lettres à Mlle de Roannez de quoi confirmer votre hypothèse sur Pascal amoureux. J'ai affirmé à ma femme qu'il l'avait été. (Comment intéresser une jeune femme à un homme, fût-il Pascal, s'il n'a pas aimé?) Mon opinion secrète est qu'aucun objet terrestre ne l'a touché, sauf le désir de la gloire. L'ambition bien plus que l'amour disputa pendant quelques mois ce cœur à Dieu... Pardonnez-moi d'oser avoir une opinion... Mon excuse est que je suis en effet un « pascalien » et que depuis ma quinzième année je ne passe pas de jour sans feuilleter l'édition Brunschwicg.

Eugénie de Guérin, Mme de la Morvonnais, Mme de Beaumont... Que j'aime vous suivre à travers cette foule charmante qui fait ressembler l'histoire de France à une tragédie de Racine!

Je relirai souvent la belle page que vous avez daigné me consacrer, cher Monsieur. Je vous prie de me déposer aux

61

pieds de Madame Beaunier. Jeanne se joint à moi pour vous exprimer notre gratitude profonde et notre fidèle attachement.

François Mauriac.

38.   A ROBERT VALLERY-RADOT

Fin 1913.

Cher Robert,
Il fait très froid – Jeanne, hors de chez elle, se fatigue vite et tant de musées la tueraient... alors nous ne partons pas. Mais notre cœur vous suit dans vos triomphes. Vous vous assurez chez ce petit peuple une clientèle nombreuse et tous nous bénéficierons de la Vie que vous manifestez[1].

A une longue et enthousiaste lettre, Jammes me répond un petit mot sec où il me dit que les *Cahiers* « ce n'est pas ça » – quant à Claudel il a fait représenter *l'Echange* devant le tout Sodome. Aucun de nous n'a reçu l'ombre d'un strapontin, cependant que vous chantez sa louange aux bons Belges et que Brémond d'Ars prépare de laborieux nuages en son honneur. Ce dieu n'aime point la qualité de notre encens. Il aime mieux les louanges de cette *N.R.F.* où Gide se prépare à publier d'affreux blasphèmes[2]. Notre situation est à la fois comique et ridicule... Vous pensez bien que cet ostracisme n'est pas passé inaperçu et Cocteau le raconte partout avec une extrême drôlerie. Il me citait l'autre jour ce trait d'un critique de la *N.R.F.* sur Claudel : « Claudel? C'est du gros pain d'épices avec des morceaux de fruits confits dedans... » Des païens, qui ne peuvent aimer ni même comprendre ce qui est l'essence même du génie claudélien, doivent aboutir à de semblables formules. Il sera puni par où il a péché.

Avez-vous donné à Lethielleux[3] l'adresse des collaborateurs qui attendent leurs épreuves comme par exemple mon frère? Où faut-il que je lui écrive? Avez-vous quelque chose à me faire faire pour le prochain numéro? Ce que je vous ai donné (« Choses et gens ») est un embryon de Revue des Revues.

Brémond d'Ars va je crois vous rejoindre. Il ne m'en a

rien dit. Il ne nous a donné aucun signe de vie, pas une carte pour ma femme, rien. Notez qu'il a dîné à la maison, et le comique c'est que sans doute il se vexe de mon silence et m'attend. Ah! Tête d'aristocrate! Mais enfin je l'aime bien en dépit de sa morgue et de ses délicatesses. Voyez avec lui s'il n'a rien pour succéder à la nouvelle de Piéchaud.

Dites au frère Lecocq que de toute la Belgique, de tous les Memling, de tous les Van Eyck, de tous les agneaux mystiques, c'est lui que j'aime le plus, c'est lui que je regrette de ne pas connaître avec les yeux de mon corps.

Adieu et revenez vite voir vos amis et votre Paule qui gagne le ciel par une voie moins triomphale que celle où vous vous avancez in hymnis et canticis.

François M.

39.   A EUSÈBE DE BRÉMOND D'ARS

27 novembre 1913.

Pour Eusèbe de Brémond d'Ars.
Vous vivez dans l'étrange paix des hautes salles
Où jadis a rêvé Madame Adélaïde [1].
Des troncs d'arbres noircis montent du jardin vide.
Aucune fleur – pas même un chrysanthème pâle
N'éclate entre ces murs où sommeillent les livres.
Autour, c'est la banlieue inondée et funèbre,
Et j'écoute, un à un, comme des oiseaux ivres
Jaillir vers moi vos vers pleins de douces ténèbres.
Des couchants d'autrefois éternisent leurs flammes
Dans les fonds verdissants d'une étoffe ancienne.
Ils sont morts comme notre enfance... O fraîcheur d'âme
Un peu la vôtre encore et qui n'est plus la mienne!
Dans le salon enseveli que je traverse,
Le piano est un mort et les mornes tentures
N'étouffent que la plainte basse de l'averse.
Mais l'orage enchaîné des musiques futures
Gronde au fond de nos cœurs confondus et je pense
Que ce logis d'amour, où le Roi vint, préfère
Votre trouble harmonie aux musiques légères

– aux rires d'autrefois, votre âme de silence...

François Mauriac.

40.   A ROBERT VALLERY-RADOT

Paris, 7 janvier 1914.

Mon cher Robert,
Votre lettre me revient de Bordeaux où elle est arrivée après mon départ. Je ne sais quelle sotte pudeur m'a fait qualifier de futile une œuvre que je rêve profonde et grave. Mais ce qu'elle sera, je l'ignore moi-même. Aux instants où je doute le plus de mon mérite, cela seulement me rassure que mon œuvre existe presque en dépit de moi-même et que j'ignore d'avance le son qu'elle rendra, comme une femme à l'instant de mettre au monde un petit être ignore son sexe et la couleur de ses yeux. Avez-vous réfléchi quelquefois, Robert, à ce qui tient de tristesse dans l'*Adieu,* dans *les Mains jointes,* dans *l'Enfant* et que cet esprit que vous n'aimez pas n'y reluit qu'en surface : frange d'écume sur la vigne amère et grondante... Pardonnez-moi d'attacher souvent peu d'attention aux reproches que vous m'adressez d'être spirituel... C'est une si petite chose en moi que je l'oublie. C'est une pudeur, un geste, et je voudrais que mes amis ne s'arrêtent pas à ces apparences...
Pour le reste, Robert, si je suis loin de Dieu, croyez-vous qu'une lettre comme celle que vous m'adressez puisse autre chose qu'émouvoir mon amitié pour vous, ou m'agacer, selon l'état de mes nerfs au réveil ? Et si je suis près de Lui, pourquoi tant d'éloquence ? Avez-vous eu la simplicité de croire que j'allais devenir un autre homme parce que je suis marié ? Je suis moi-même en dépit de moi-même. Toutes les hérédités qui pèsent sur moi, toute la séculaire expérience d'une race bourgeoise et paysanne mêlée à toutes les acquisitions et les découvertes de mon adolescence ne sauraient donner une autre âme que celle que je vous demande d'aimer, Robert, dans ses grandeurs et dans ses misères, dans son rire qui cache tant de larmes, et dans son attitude qui est une secrète et invincible et orgueilleuse timidité.
J'ai reçu hier la nouvelle que ma tante, après un mois

d'agonie, repose enfin dans la lumière de Dieu. Je vous demande une prière pour cette âme que la douleur avait élevée à une sainteté admirable.

Dites-moi quand je pourrai vous voir. Que ce soit bientôt. Ne pourrions-nous passer ensemble une soirée? Dieu vous garde tous cinq.

François.

41.   A ROBERT VALLERY-RADOT

89, rue de la Pompe,
26 avril *1914.*

J'ai lu et relu, mon cher Robert, votre tendre et triste lettre. Disons-nous bien que si nous souffrons de toute la solitude commune aux hommes qui une seule fois dans leur vie ont « senti » Dieu, nous avons, malgré tout, ce patrimoine de tendresse dont nous ne devons pas faire fi et dont tant de pauvres cœurs seront à jamais dépourvus! Pour moi, tout à la joie de cette petite chair informe qui est mon fils[1], je ne m'effraye pas qu'il me soit un jour étranger. Il y a en moi tant de misères que je ne demande pas mieux qu'il ne les connaisse pas...

Je me réjouis, mon petit Robert, que l'affaire Variot[2] soit arrangée. Cela durera ce que ça pourra, là pour nous n'est pas l'essentiel. Savez-vous l'homme qui doit devenir de plus en plus notre centre, notre foyer, notre lumière? C'est l'abbé Fontaine[3]. Je l'ai vu longuement ce matin. Il m'a parlé de moi comme s'il me connaissait. Mais, au lieu de perdre son temps à déblatérer sur ce que j'écris, il m'a dit ce que je devais faire. Il m'a montré à quoi – tout en demeurant des écrivains catholiques, des artistes catholiques – nous pourrions consacrer notre effort. Et cela, venant après votre invite d'hier à suspendre ma flûte au clou, m'a paru comme un suprême avertissement de Dieu. Pour lui, cette commande que j'ai eue d'un « Lacordaire » est le signe d'une route nouvelle où nous devons nous engager. Il s'agit de révéler l'immense héros inconnu de l'Eglise – de faire revivre tous les saints admirables et que personne ne connaît, mais de les faire revivre comme Jorgensen a fait pour saint François d'Assise, avec toutes les ressources de notre art. Il a d'autres projets sur nous que je vous rapporterai quand nous nous reverrons. Il voudrait faire des *Cahiers* un centre de « résurrection des saints », une œuvre qui dépasserait infiniment cette littérature misérable que vous traitez si mal dans votre lettre.

A propos de littérature misérable, pourriez-vous demander au père Barge que vous parliez dans sa revue de mon bouquin ? Dites-lui bien qu'il ne s'agirait pas du tout d'un panégyrique. Je vois l'article au contraire comme une condamnation d'un genre où il nous est impossible de nous tenir et l'annonce d'une orientation nouvelle de notre vie littéraire – vous parlerez à ce propos de mon « Lacordaire ». Pour les prochains *Cahiers,* l'article d'Eusèbe ne sera pas prêt. Pourriez-vous vous charger d'annoncer en trois lignes mon bouquin avec nom de l'éditeur, à la place que vous jugerez le mieux [4] ?

Claudel a écrit à l'abbé Fontaine qu'il ne voulait pas nous donner son papier : il le réserve au journal de la Jeunesse. Mais l'abbé veut insister auprès de lui. En tout cas, vous n'auriez qu'à mettre au sommaire la meilleure des chroniques ? Jeanne va beaucoup mieux. Adieu. Je suis avec vous deux d'un cœur fidèle dans la vie et dans la mort.

FM.

42.   A FRANCIS JAMMES

28 mai *1914.*

Mon maître et mon ami, j'ai bien tardé à répondre aux compliments que vous m'adressez pour la naissance de mon petit Claude. Il est vrai que le catholicisme n'est point ennemi de l'œuvre de chair dans le mariage seulement et nous en donnons au monde étonné des exemples répétés...

J'ai lu dans *l'Amitié* de Dumesnil un émouvant poème de vous. En dépit des méchants, vous ne cessez de chanter comme un grand arbre dans le vent de la Pentecôte.

J'ai acheté deux tableaux à votre Lacoste [1]. L'un d'eux est magnifique et j'ai honte du prix que j'en ai donné... : vignes rouges par l'automne au premier plan – arbres vaporeux dans un ciel de septembre – c'est délicieux.

Les *Cahiers* de juin vont publier un étonnant poème de Claudel : « L'Offrande du temps » – pénétré de ce sens catholique que possède notre ami à un si haut degré.

Avez-vous mon dernier-né? Je veux parler non de Claude mais de *la Robe prétexte,* je vous ai adressé un bel exemplaire sur Hollande arraché à l'avarice de Grasset! Tristesse de ces jours où l'on « lance » un livre de ses entrailles. Après avoir éreinté *l'Enfant chargé de chaînes,* je sais que plusieurs critiques ont tenté de ne point parler de celui-ci et de faire succéder aux critiques, le silence... Il me semble pourtant qu'« il existe ». Ecrivez-moi, je vous prie, sur ce point... Et si vous l'aimez il faudrait que vous le disiez, que ce soit dans la plus humble revue ou dans le plus grand journal – mais j'ai tant d'inquiétude et tant besoin d'un témoignage...

Les *Cahiers* vont bien. Nous espérons, en janvier prochain, pouvoir donner deux numéros par mois. Nous pouvons devenir une revue importante si les abonnements continuent de croître. Il faudrait que d'ici un an nous atteignions à l'importance de la *N.R.F...* Ils ont Gide mais nous vous avons. Ils ont Claudel mais cette « Offrande du temps » que vous lirez bientôt est, selon moi, mille fois supérieure à ce « Protée » à quoi j'avoue ne rien comprendre... Pour l'an prochain vous devriez faire chez nous ce que faisait Gide dans les premières années de la *N.R.F.* Un journal sans date de vous serait une œuvre charmante! Une journée de Jammes notée chaque soir! Cela ferait chaque mois un prodigieux poème à la fois comique et lyrique. Ce ne serait plus « un jour » ce serait « des jours »... qu'en pensez-vous?

Adieu. Je dépose mes hommages respectueux aux pieds de Madame votre mère et de Madame Jammes. J'embrasse vos petites filles et l'ange gardien de Claude sourit à l'ange gardien de Paul.

Votre

François Mr.

89, rue de la Pompe,
Juin 1914.

Cher ami,

J'ai tant tardé à vous répondre parce que j'attendais une
lettre de vous au sujet de la démission de Variot. J'espère que
vous l'avez refusée. Il ne faut pas qu'il s'en aille ainsi au
milieu d'un article.

Puis, Jeanne ne va pas aussi bien que je le souhaiterais.
Entérite compliquée d'une sensibilité au côté droit qui ne
laisse pas de nous ennuyer un peu. Les médecins prétendent
la guérir avec un régime. Mais elle nourrit et un régime n'est
point fait pour la remonter.

Tout cela fait que, dès le lancement de mon livre achevé et
« Lacordaire » fini, je prendrai la route de Malagare, je
pense vers le 1er juillet. J'attends ces jours de lumière, de
sommeil, de calme travail avec beaucoup d'impatience, et si
vous venez nous retrouver notre joie sera parfaite. X a loué
un appartement au Palais-Royal. Il plante le décor pour la
débâcle finale de sa pauvre vie. Que tout cela est donc triste
et qu'en peu d'années on voit les âmes s'amoindrir et jeter
leur dernière couronne...

Vous parlez de ma conversion. Elle viendra. Elle ne sera
pas littéraire et ne se révélera pas au monde par du lyrisme.
Mais pour l'instant, je suis un homme de peu de foi qui fait
l'expérience du bonheur. C'est la plus dangereuse, il me semble – parce que tout le bonheur, tout le pauvre bonheur
possible ne nous est qu'une goutte d'eau... Il augmente notre
soif et cette douce voix de l'amour qui s'élève dans notre vie
en fait mieux retentir le vide et la solitude infinie.

Ce soir j'irai seul à la fête Rouart. J'aimerais mieux la
terrasse de Malagare et les premières nuits de l'été sur la
Gascogne. Il faut avouer que nous sommes installés de
manière à ne point trop souffrir de la ville. Les merles nous
réveillent chaque matin et sous nos fenêtres un acacia en
fleur parfume nos après-midi[1]...

J'ai regretté la veille de votre départ de ne pouvoir causer
un peu avec vous seul. J'étais arrivé à six heures et jusqu'à
sept heures je vous ai attendu dans un petit café de l'avenue

Wagram. De gros hommes parlaient bestiaux en versant goutte à goutte l'eau dans leur absinthe et je sentais ainsi tomber en moi les instants vides et inutiles.

Je viens d'achever *Humiliés et Offensés* de Dostoïevski – et j'en sors humilié de notre littérature. Sa qualité essentielle est d'être superficielle. Le classicisme français, c'est l'étude des apparences de l'homme – que Molière est donc plat! Je me disais l'autre jour que ce qui a servi à sa gloire c'est qu'il était comédien. Les cabots méprisés pendant des siècles ont fait un dieu du plus illustre d'entre eux. Dans la personne du valet Poquelin, ils se sont tous réhabilités[2].

Adieu. Songez-vous aux prochains *Cahiers*? Qu'y aura-t-il outre Claudel? Voyez avec l'abbé Fontaine le meilleur moyen d'éviter les coquilles. Et l'affaire Variot? J'espère que notre Paule redevient une belle femme. Nous nous sentions tous appauvris! Je l'embrasse sur ses joues rougies par le soleil et le bon air et Jeanne se rappelle à vous deux.

Fr.

44.   A ROBERT VALLERY-RADOT

Bordeaux, 15 rue Rolland,
16 août 1914[1].

Que c'est mal à vous, mon petit Robert, de ne point mander de vos nouvelles, dans les tristes conjonctures où nous sommes. Je ne sais rien de nos amis qui sont aux frontières. Vous ont-ils donné, avant de partir, signe de vie? Je suis, comme vous sans doute, dans une angoisse infinie et dans une horreur de ce temps que nous traversons où la tragique absurdité de vivre et d'être un homme me fait regarder le ciel avec inquiétude.

Je dirige ici les brancardiers d'un hôpital de la Croix-Rouge. Quand les malades arriveront je les descendrai du train, les transporterai et les coucherai... Service de nuit, service de jour, je donnerai à la patrie un peu moins que ma vie et mon sang mais beaucoup plus que j'ai jamais donné à personne au cours de mon égoïste vie.

Quoi qu'il doive arriver de tout ceci, je rends à la République tout mon amour. Je rougis de honte à la pensée que j'ai pu blasphémer contre elle et me laisser troubler par des théories que les événements terribles que nous vivons ont selon moi anéanties.

En face des souverains mystiques de la Germanie obligés de tromper leurs peuples pour engager cette guerre, que le gouvernement de la République a donc paru aux yeux de tous le plus humain, le plus raisonnable, le plus honnête et pour tout dire le plus vraiment chrétien! Alors qu'il apparaît que l'intérêt de la nation allemande ne se confond nullement avec celui de son empereur (de même que sous Louis XIV et Louis XV l'intérêt du roi et celui du pays ont sans cesse été en désaccord), j'admire que le médiocre Viviani, le plus médiocre encore Bienvenu Martin aient tenu exactement le langage qui correspondait le mieux à l'opinion de tous les Français... Et que dites-vous de cette politique extérieure de la troisième République? On a dit et répété qu'elle n'en avait pas. Dans ce cas, c'est un avantage immense que de n'en pas avoir si je juge par les résultats.

Et les *Cahiers*? Mais est-il question encore de tout cela? Ne sentez-vous pas dans de pareils instants que nous sommes les enfants pacifiques et doux d'un siècle trop dur? Oui, j'avoue égoïstement que je pleure la douceur de vivre à jamais bannie et que je répète avec Octave des *Caprices de Marianne :* « Adieu la gaieté de ma jeunesse, l'insouciante folie, la vie libre et joyeuse... Adieu les bruyants repas, les causeries du soir, les sérénades sous les balcons dorés. Adieu Naples et ses femmes, les mascarades à la lueur des torches, les longs soupers à l'ombre des forêts! Adieu l'amour et l'amitié!... »

Mes frères et beaux-frères sont partis, laissant derrière eux une tristesse inguérissable. Pour moi je suis seul à pouvoir penser à Eusèbe et à tant d'autres que j'aime comme Paul Duault, dragon, et plusieurs autres... A d'autres moments, on songe qu'il serait doux après tant d'humiliation de reprendre notre place dans le monde. Si j'étais aux armées, je me serais grisé de cet espoir – mais n'étant pas soldat de la République, je pense que j'ai tout juste le droit de me taire.

Adieu, mon Robert. Ecrivez-moi, dites-moi que vous préférez la République au duc vérolé qui n'a plus rien de commun avec la France. Jeanne est restée à Malagare avec Claude qui prospère et qui est sevré. J'embrasse ma sœur Paule et vos chers petits. Eux du moins n'auront plus de guerre à craindre, quand l'empereur germanique sera à bas.

Votre

François M.

45.   A ROBERT VALLERY-RADOT

23 août *1914.*

Mon cher Robert,
Je ne vous demande point de nouvelles de votre conseil de révision : si cela se passe chez vous comme ici les exemptés même vigoureux ne sont pas admis – même les jeunes gens de dix-neuf ans ne sont acceptés que dans la proportion d'un sur trente. Dans ces conditions je demeure chef-brancardier, où j'ai déjà beaucoup de besogne nuit et jour et de la bien triste...
Mais si cela allait mal pour nous (et l'évacuation de la Lorraine, le retrait de nos troupes sur Nancy ce matin m'ont consterné), il est certain que les engagements deviendraient très faciles. Dans ce cas, je quitterais mon métier de brancardier pour devenir soldat.
Je vous avoue que je me sens d'humeur à préférer la mort à la défaite après les immenses espoirs de ces derniers jours. Mais ayons confiance. Les chances de victoire demeurent malgré tout les plus nombreuses.
La mort du Pape[1] facilitera peut-être une ère de paix religieuse. Le général des jésuites est mort aussi – Dieu devient cartésien et fait table rase.
Je suis infiniment triste ce matin. On a des moments de douleur telle qu'il semble qu'à la même minute un de ceux que nous aimons a la poitrine traversée...
Mon frère Pierre est chef d'ambulance en Belgique, assez exposé. Georges Fieux[2] même rôle du côté des Vosges. Mon frère aîné garde à l'île de Ré des prisonniers allemands...
Adieu. Quand vous recevrez cette lettre, j'espère que le succès nous aura rendu le courage d'attendre.

Votre

François.

71

46.   A MAURICE BARRÈS[1]

Bordeaux, 15 rue Rolland,
6 septembre 1914.

Mon cher Maître,
Si les événements vous obligent de venir à Bordeaux, je
tiens à votre disposition une chambre et un vaste cabinet de
travail (avec salon d'attente) complètement isolé du reste de
la maison[2].
Un service auxiliaire me retient ici, loin de tout héroïsme
hélas! Et les récits des blessés que je soigne me remplissent
d'admiration, d'envie et de honte...
J'ai du temps libre – si l'*Echo* installé à Bordeaux avait
besoin de mes services pour quoi que ce soit et aussi gratuits
que possible, vous pourriez m'en avertir et je serais à votre
disposition.
Les journaux m'ont appris que votre Philippe s'était
engagé. A-t-il été pris et en avez-vous des nouvelles?
Ah! oui, c'est fini de « bêler ». Mais suis-je capable d'autres chansons?
Votre respectueux et fidèle ami.

F. Mauriac.

P.S. On me fait entrevoir la possibilité d'être appelé à de
plus belliqueuses fonctions. Je le souhaite profondément.

47.   A ROBERT VALLERY-RADOT

Bordeaux, 3 octobre 1914[1].

Mon cher Robert,
Mon petit mot s'est croisé avec votre émouvante lettre.
Non, je ne trouve pas chimérique votre projet. Tout ce qui
parle de reconstruction est si consolant pour des âmes d'aujourd'hui! Mais là où vous êtes chimérique, c'est quand vous
prétendez à faire comme fantassin la plus terrible des cam-
pagnes d'hiver! Je ne crois pas que votre devoir soit de faire

l'impossible pour être pris ni de tromper le major sur votre santé. Si vous voyiez l'encombrement effroyable des hôpitaux, vous comprendriez mieux cet humble devoir...

Je vis d'angoissantes heures auprès du vieux lion de Mun, à attendre de vagues communiqués où tient toute la destinée de deux races... Je n'ose vous dire tout ce que je pense là-dessus – on n'ose plus dire sa vraie pensée. Silence à ceux qui ne sont pas ivres! Mais plus que de l'Allemagne, j'ai peur de cette Angleterre glacée qui, lorsque nous serons épuisés, sera encore dans toute sa force et nous criera implacablement : Marche! Marche! Oui, nous assistons à l'agonie des deux plus nobles races du monde, la patrie de Pascal et celle de Parsifal, au profit du slavisme et des Anglo-Saxons...

J'ai de tout cela une douleur, un dégoût, un désir de mourir... Et la bêtise inguérissable des catholiques au milieu de tout cela! Je vois, moi qui dépouille chaque matin l'infini courrier de de Mun, comment ils ont gâché une situation merveilleuse, comment, en criant sur les toits l'héroïsme des prêtres, ils ont réveillé la bête anticléricale! Certains évêques (à Auch et à Rennes) ont commis sur ce point d'irréparables gaffes. Nous ne savons pas travailler en silence, dans l'ombre, sans jactance, nous compromettons le résultat pour le plaisir de parler de nous et de faire « héroïsme ». Ce matin un vidangeur écrivait à de Mun : « Vous parlez de l'héroïsme des aumôniers. Faites donc un article sur les vidangeurs morts à l'ennemi! » C'est idiot mais ça vous montre le danger... Il faut nous attendre à un réveil terrible de la maçonnerie. Déjà, dans tous les coins de la France, a éclaté à la fois ce bruit perfide et qui fait son chemin : c'est la guerre des curés!

Je vois souvent Claudel, aussi peu « génie » que possible. Il prétend n'avoir rien dit de Variot qu'il aime beaucoup au père Barge.

J'ai déjà des parents et des amis dans la fosse commune et dans la chaux vive! Comment cela va-t-il finir? Je comprends cet hymne qui s'élève de votre cœur vers la mort qui devient l'unique reine de ce monde...

Bordeaux est gai, bruyant, plein d'affreux ministres fatigués de trop de nourriture, (je ne parle point des Millerand, Poincaré, Delcassé et autres!). Il y avait une telle inondation de grues que le gouvernement les a déportées en masse... à *Lourdes!*

Jeanne ne me fait plus de musique parce que je n'aime que l'allemande...

Mais il reste la prière, la communion (hebdomadaire, je n'ose pas encore quotidienne), certaines lectures. (Relisez attentivement la prière de Pascal pour le bon usage des maladies, elle vaut pour toute souffrance.) Il reste qu'on est un peu moins mauvais, un peu plus détaché... Nous reverrons-nous? Adieu mon cher Robert...

FM.

48.   A ROBERT VALLERY-RADOT

3/11/14

Cher Robert,

Votre brochure me passionnera après la guerre – pour l'instant je songe à Eusèbe dont on est sans nouvelles et à votre frère, et à tous les nôtres (Variot instruit les recrues!) Ah! Si nous survivons, comme il faudra devenir les fidèles serviteurs qui ont fait fructifier les talents confiés à leurs soins!

J'aime l'entrée en jeu de la Turquie : c'est la troisième République qui va accomplir l'œuvre abandonnée depuis les croisades par nos rois très chrétiens – c'est la troisième République qui va délivrer le saint sépulcre.

La mort de de Mun m'a rejeté sur le pavé. Je travaille dans un esprit tout nouveau aux *Beaux Esprits de ce temps* – et j'attends mon conseil où j'ai toutes chances d'être pris (ici on prend tout le monde). Quelquefois j'ai l'impression déprimante de travailler à mes œuvres posthumes. Au fond je ploie sous un fardeau de tristesse sans nom que je ne dis pas – étant l'être ridicule dont on se demande dans la rue pourquoi il ne se bat pas.

J'ai vu Le Grix intime d'une dame franc-maçonne qui le fait assister à de vraies batailles. J'ai vu Cocteau en train d'envoyer à cinquante personnes un télégramme ainsi conçu : « Le maître Paul Hervieu de l'A.F., dans une pensée patriotique et qui l'honore, a décidé que désormais Mme de Pierrebourg s'appellerait Mme de Pierregrad. » Vous verrez que rien ne sera changé – sauf beaucoup de petites croix sur les routes lorraines – sauf notre cœur aussi plein d'humilité, de foi, de désir pour bien faire.

Prions les uns pour les autres, que les plus forts et les plus près de Dieu comme vous pensent aux plus faibles comme moi. Hier dans cette fête terrible et douce de la Communion des Saints, je vous ai tous nommés avec tous les vivants et les morts de ma famille dont il me semble bien que vous êtes.

J'ai vu Jammes dans son vieux salon. Il ne sait pas qu'il y a la guerre et il m'a lu son roman : *le Rosaire au soleil,* où il y a des négresses, des bananiers et une jeune fille qui a nom Dominica et entre au couvent. C'est délicieux.

Adieu, cher de Mun en herbe, nous ferons sous vous de belles et grandes choses, nous qui sommes les soldats de la paix. Je vous embrasse tous ainsi que Paule.

FM.

49. A ROBERT VALLERY-RADOT

7/12/14[1].

Mon cher Robert,
Je suis refusé à mon conseil de révision[2]. Vous aussi je suppose? Travaillons et prions. J'attends une lettre de vous. Il faudrait coordonner nos efforts.

François.

Jean de La Ville est tué[3].

50 A ROBERT VALLERY-RADOT

15/1/15

Cher Robert,
En lisant votre lettre, j'étais obsédé par un vers idiot de *l'Aiglon* :

> « *j'étais, je le comprends,*
> *Trop petit à côté de tes rêves trop grands... »*

Mais c'est bien vrai que je n'ai jamais su que sentir le catholicisme au lieu de le vivre. C'est assez pour que je ne cesse jamais de l'aimer, de m'y réfugier – mais c'est insuffisant pour susciter en moi une conversion définitive...

Je suis plongé dans Maurice de Guérin, La Mennais, et mes *Beaux esprits de ce temps* qui avancent. En dehors de mon hôpital[1], je m'évade hors du temps. En dehors des miracles de la douleur et du renoncement, je *hais* cette boucherie, je la hais maladivement, ardemment. Je me réfugie dans le calme des vieux chênes du Cayla, vers ces époques où il n'était d'autres combats que ceux du cœur et de la foi... Je ne lis plus que les communiqués. Tout le reste m'exaspère.

J'ai vu des blessés allemands avec des yeux éplorés qui n'étaient pas mes ennemis... Vous ne souffrirez pas à la caserne du fait de vos camarades... Lafon à présent les adore. Je les vois d'ailleurs à mon hôpital, ces pauvres soldats. Ils sont bons, reconnaissants, affectueux. Ce sont de *petits enfants* qui malheureusement ont conscience d'avoir un sexe. Mais que tout ce peuple est près de notre cœur, comme je suis de plain-pied avec eux lorsqu'ils parlent de leur pays, de la vigne, du vin, des beaux soleils d'autrefois. Ils seront votre consolation les premiers jours. Puis vous tomberez bien vite malade et vous reviendrez[2].

Mon cher Robert, je crois au péché originel, je crois que le catholicisme est une vie, je crois tout cela... Mais je suis soumis à la chair et au sang. Résignez-vous à ce que je ne vole pas dans le soleil comme vous. L'aigle peut bien aimer le rossignol. Prenez-moi comme je suis...

J'imagine un temps où vous viendrez dans le Béarn avec Paule et vos petits. J'habiterai un château calme devant les Pyrénées. Claude et François poursuivront des papillons sur la pelouse. Paule et Jeanne broderont sous les marronniers immobiles[3]. Les paysans seront rentrés dans leur métairie. Tous les pauvres gens travailleront parce que ce ne sera plus la guerre. Ce sera un été de chaleur et de silence. Et l'on n'aura plus ce perpétuel gonflement du cœur, cette angoisse de toutes les minutes... On ne se réveillera plus la nuit en écoutant la pluie sur des agonies de jeunes hommes...

Adieu, je vous confie à Dieu et j'embrasse Paule dont la lettre nous a été une profonde joie.

FM.

Malagare,
Saint-Maixant (Gironde),
13 mai 15.

Cher Eusèbe,
Oui, il m'est doux de sentir votre affection si vivante.
Vous êtes de tous mes amis l'âme qui me rappelle le plus
celle qui est entrée désormais dans l'éternité[1]. C'est étrange
que cette âme d'André, si près du peuple, me donnait aussi
l'émotion que j'éprouve à me pencher sur la vôtre...
comme lorsque enfants nous jetions une pierre dans un
puits et qu'on attendait longtemps avant d'entendre le
bruit de la chute...
Mon ami, notre André a eu la mort qu'il fallait attendre
de lui – une mort sans personne, sans qu'il ait dit un mot,
dans un lit anonyme d'hôpital. La scarlatine qui l'a emporté
s'est compliquée d'albumine. Il s'est endormi et ne s'est
réveillé que pour râler... Le prêtre croit qu'il a eu une vague
conscience au moment de l'absolution.
Je m'inquiète de vous savoir dans cet hôpital de conva-
lescents[2]. Ecrivez-moi vite de votre réforme. L'obtiendrez-
vous bientôt? Si vous l'obtenez, que j'aimerais vous avoir
ici, sous ces charmilles et parmi ces roses qu'adorait
André. C'est là que je l'ai vu pour la dernière fois, il y a
six semaines...
Nous relisons ses vers admirables – ces lourds vers
d'amour et de douleur...
Je pense à vous, à Philippe[3]. Ah! Venez! Il me semble que
vous me trouverez décapé de ce que vous aviez raison de ne
pas aimer en moi : cette sotte malice, cette poussiéreuse
ironie...
Adieu encore. Je suis à vous profondément.

François M.

4 septembre *1915.*

Mon cher Maître,
Je ne vous ai pas encore dit ma gratitude pour le souvenir que vous avez donné à André Lafon[1]. Le courage me manquait pour vous écrire. Aujourd'hui, je vis sous la tente au milieu des soldats[2], dans les cantonnements où les musiques militaires rythment les départs du soir pour la tranchée, où les taubes évoluent au milieu de petits flocons d'ouate inoffensifs. Je suis lessiveur. Je lessive, je sèche le linge de quatre compagnies par jour et je douche les hommes... Je suis l'exempté de France qui tue le plus de « totos » (poux). J'ai de grands amis au 162e et parmi les chasseurs à pied.
(...) Je vous prie, mon cher maître de me pardonner cette démarche et de me croire uni quotidiennement à vous.

François Mauriac.

Ma vie errante m'a fait prendre pour mon courrier une chambre à Châlons : 44 route de Reims.
Mon respectueux souvenir à Mme Barrès. Je pense souvent à votre fils.
Mon ami Robert V.-Radot est au front comme aspirant.

53. A EUSÈBE DE BRÉMOND D'ARS

Paris, 21 décembre 15.

Cher Eusèbe,
C'est une étrange chose que ce soit Vaussard qui me donne votre adresse. Elle me prouve d'ailleurs que j'aurais pu peut-être vous voir, pendant mon long séjour aux portes de Mourmelon. Il me semble bien avoir eu affaire au 150e[1]? Je suis ici, dans cet atelier que vous connaissez, parmi mes livres et tant de souvenirs. Je partirai vers le 28 pour Montdidier et les environs[2]...
Cher ami Eusèbe, je feuillette les *Cahiers* reliés et c'est vos

délicates et charmantes proses qui me retiennent le plus souvent. Je ne m'étais jamais douté que vous aviez tant de promesses d'un talent de cette qualité... Je songe que la pluie glacée qui ruisselle contre ma vitre tombe sans doute sur vos épaules. Je vous plains moins que bien d'autres à cause de ce réconfort infini que je vous sais au fond du cœur – chère âme qui avez souhaité l'immolation pour l'immolation...

J'ai vu Robert, toujours le même Simple que nous aimons. Le Grix m'entraîne à quelques thés où je m'étonne de retrouver tout le monde. Ni les cœurs ni la couleur des divans n'ont changé. Il y a de mystérieux cas de réformes qui me font rencontrer partout les Alcibiade d'autrefois.

Je ne vous dirai point sur les événements le fond de ma pensée. Je crois que toute notre faiblesse est dans la *direction*. Déjà un magnifique jeu fut gâché. Je ne vois pas, hélas! que cette cause d'infériorité puisse jamais être annihilée... Enfin nous croyons que Quelqu'un tient les fils. Il faut s'en remettre à Lui.

Claude est un beau petit garçon qui fait ma joie et que je destine déjà à la diplomatie. Nous avons besoin de diplomates.

Adieu. Je pense à vous sans cesse avec une affection infinie.

François.

Ecrivez-moi 89 rue de la Pompe.

54.   A ROBERT VALLERY-RADOT

3/1/16.

Mon cher Robert,

Je ne peux vous dire l'émotion que m'a donnée votre lettre. Ce cri de douleur si « nu » et que vous ne pouvez retenir, ce cri d'angoisse jeté par des millions de jeunes poitrines, cette évocation précise de l'horreur quotidienne, de la boue qui sent le cadavre, des corps pesants et souillés de sang qu'il faut soulever, oui tout cela vous m'en avez fait sentir la réalité horrible. Je revenais, figurez-vous, de la Comédie-

Française – que voulez-vous? Je reprends les gestes de l'*arrière* – j'y avais d'ailleurs goûté un noble et grave plaisir : on donnait *Britannicus* et moi qui suis un tiède Français, je me découvre une brusque et infinie tendresse devant cette Junie, toute blanche et baignée de larmes, à qui le jeune Romain murmure : « *Vos yeux, vos tristes yeux...* » C'était vraiment pour moi l'ineffable visage de la France, si bien qu'avant de pleurer sur vous, je venais de pleurer sur elle. Robert, il ne faut pas que dans l'excès de votre misère physique, vous détourniez vos regards de cette héroïne blessée pour laquelle vous mourez un peu chaque jour. La France ce n'est pas la virago de Rude qui hurle avec une bouche carrée – c'est la vierge racinienne vêtue de lin, la princesse un peu pompeuse, raisonnable et baptisée, si accomplie que toute autre nation est à ses côtés une esclave ivre. Je sens mieux depuis hier combien cette poitrine vaut d'être défendue par les corps vivants... surtout, comme vous le croyez, comme nous le croyons, si la vie est la mort et si la mort est la vie... Il n'y a que misère, horreur et ténèbre dans l'univers humilié et puni de la chair – mais il y a, n'est-ce pas, dans le monde des âmes, des noces ineffables, des retours au Père pleins de larmes de joie...

Il semble que jamais les pauvres hommes n'approchèrent de si près l'agonie du Jardin, la couronne d'épines et les clous déchirants. Vous rappelez-vous dans Péguy l'importance que la Vierge attache au beau sépulcre neuf où reposera son fils? Combien de nos frères pourrissent sous le ciel indifférent et qui ont l'honneur infini d'être moins bien traités que le fils de l'homme? Je sais que vous reviendrez, Robert. Je le sais d'une science sûre, parce qu'il est des sillons qui ne demeurent pas interrompus. Péguy avait bien, semble-t-il, tout donné. Psichari devait racheter de son sang une âme chargée de crimes[1]. La destinée de notre André, à y bien réfléchir, n'avait d'autre issue que le ciel d'où il vous voit. Mais vous Robert! Vous serez de ceux dont Dieu ne peut se passer dans un temps comme celui qui suivra ce déluge de feu...

Adieu, mon ami. C'est nous, les tranquilles, les abrités, qui sommes dans les ténèbres – nous qui ne fûmes pas choisis pour le Sacrifice – je me demande avec terreur pour quoi nous serons choisis et de quel baptême nous serons baptisés...

François Le Grix va bien... il est l'ami énigmatique, tendre, dévoué – mais encombré de ces amis dont vous me reprochiez naguère le commerce. Pensez à lui, pour qu'il ait part à votre peine. Ma voiture est toujours en panne. Je travaille un peu dans ce cabinet tranquille où nous rirons encore dans des temps de paix et de joie... Adieu, Robert, je suis à vous.

François.

55.   A MADAME FRANÇOIS MAURIAC

2 avril 1916[1].

Ma chère amie, j'apprends aujourd'hui que décidément nous quittons Toul pour un endroit assez « perdu » entre la pointe de Saint-Mihiel, Bar-le-Duc et Commercy (à Loxéville). Tous mes compagnons qui s'assomment ici depuis un an se réjouissent. Moi, n'ayant pas épuisé les charmes d'ici, sans doute regretterai-je ma chambre où, du moins, toutes portes closes, je pouvais travailler, lire, m'ennuyer, souffrir, rêver. Hier je fus à Nancy dont la place Stanislas est si belle qu'on pleure de la savoir sous les canons ennemis. C'est à la fois pompeux et mesuré comme une tragédie de Racine. Ce n'est ni lorrain, ni même français – mais un coin de Versailles isolé dans un Bordeaux quelconque. Pour y atteindre on traverse la forêt de la Haye enveloppée hier de lumière chaude et dorée.

On nous annonce une besogne sérieuse... D'ici, les nuances des tapis de Grix éveillent au fond du cœur des sentiments violents. Il est vrai que, n'ayant point reçu de lui le moindre mot depuis mon départ, je n'ai pas d'indulgence.

Je m'aperçois que vous arrivez à tuer convenablement le temps et même utilement : c'est l'essentiel. Ce dimanche splendide est atroce pour moi. C'est un dimanche de Laforgue. Mais la bataille lointaine donne un sens effrayant au rire métaphysique et désespéré de ce poète... Le soleil est plein d'alouettes invisibles et pâmées qu'il attire comme l'aimant une plume. Il y a à Toul Henry Bordeaux. Tous ces forts, toutes ces défenses ne me semblent exister que pour conserver aux lettres françaises ce spécimen de la bêtise honnête et roublarde. « Les dieux sont morts. Plus que des hures ! » Hélas... (...)

Ecrivez toujours ici. Recevrez dépêche.

Je suis votre

Fr.

56.   A FRANCIS JAMMES

Ambulance 9/68 HOE 17/2,
Ernecourt, Loxéville (Meuse)[1],
Vendredi Saint 1916.

Mon cher maître et ami,

Pourquoi n'avez-vous pas écrit une prière pour le poète qui attend de faire marcher ses rayons X à Loxéville (Meuse)[2]?

Nous sommes là dans l'attente d'une attaque et par conséquent de blessés. C'est un petit village lorrain où les maisons vieilles et sombres sont si propres que je m'étonne que chez Barrès ce soit si sale – (le côté auvergnat, sans doute). Mais j'ai tort de rire d'un homme qui m'a été bienfaisant et qui écrit parfois d'admirables articles : avez-vous lu celui sur Clermont[3]?

Vos prières montent comme des fumées de bivouac et de chaumière. Ces jours-ci que je relis l'évangile, je vous retrouve à chaque instant...

Merci du précieux petit livre, du bien qu'il m'a fait.

A vous et aux vôtres de tout mon cœur.

Fr. Mauriac.

57.   A MADAME FRANÇOIS MAURIAC

Samedi saint 16,
22 avril[1].

Non, nous ne travaillons pas encore, rien d'ailleurs n'est prêt. Mais je le regrette car je souhaiterais rester ici. Cette vie de village, ces bois, ces champs, même sous une inlassable pluie, me conviennent mieux que Toul et ses casernes. Ce matin, en dépit d'un temps exécrable, nous avons fait une vingtaine de kilomètres (aller et retour) jusqu'à un endroit d'où l'on domine les tranchées françaises et où la tranchée boche du camp des Romains apparaît sur toute sa longueur. Mais, sur ce champ de bataille, pas un coup de canon, pas une fumée d'obus – rien que le grand silence traversé de cris d'alouettes.

Tu as compris que ce qui me menace c'est d'être séparé de Georges[2] : le groupe opératoire composé de Barnsby et de nous serait envoyé vers un point du front où notre présence serait nécessaire. Une attaque sérieuse sur Saint-Mihiel me sauverait de cette séparation que je redoute.

Il me semble que tu prends trop à la lettre la réponse du Christ. Il affirmait aux juifs charnels qu'il n'y aurait plus dans le siècle à venir de vie charnelle – mais cela ne veut pas dire que les anges que nous serons devenus ne se connaîtront plus, ne se « préféreront » pas.

Pas une de ces maisons d'ici où il n'y ait de vieux meubles naïfs et des assiettes peintes – logis pleins d'ombre où le feu de l'âtre prend sa valeur originelle des premiers temps de l'humanité, et où je vois sans cesse autour de la table, dans ce crépuscule éternel, les disciples d'Emmaüs reconnaissant le Maître à la fraction du pain.

Ne m'envoie pas « l'Evolution » mais, si tu veux, mon chapelet et un volume intitulé *Christus* (manuel d'histoire des religions édité chez Beauchesne) par Joseph Huby.

Quel que doive être mon sort, je m'abandonne et me sens presque heureux dans ce village de songe où les petits enfants courent les rues avec des crécelles parce que les cloches sont muettes... Je dis « presque » mais ce « presque » est un manquement infini : c'est toi mon tout-petit que je sens un peu lointaine dans ta dernière lettre et que je tiendrai dans mes bras vers le vingt ou trente mai (ou plutôt au début de juin). Ne manque pas de me parler « du petit portier[3] ».

Je t'embrasse mille et mille fois, ma chérie.

Fr.

Amb. 12/8 S.46
29 juin 16.

Cher Robert,

Me voici dans un ravin d'Argonne à neuf kilomètres de Verdun et dans une misère physique dont, du fond de votre abîme de douleur, vous auriez quand même pitié, sachant la faiblesse infinie de votre ami. Je suis dans le vacarme de l'artillerie – rassurez-vous : de *notre* grosse artillerie. Mais enfin il y a quelques menaces dans l'air souvent, au-dessus de ma tôle ondulée. Alors ne me méprisez que juste ce qu'il faut pour ne point diminuer l'amitié que toujours vous m'avez montrée. On nous porte le déchet effroyable de cette bataille et je crois tout connaître de ce que le fer et le plomb peuvent découper dans la chair des hommes... Plus que jamais je m'insurge contre tout ceci... mais nous en recauserons un jour.

Et vous mon ami, écrivez-moi ce qu'il advient de vous et des vôtres. Ne laissons pas ces années affreuses séparer nos cœurs, nos jeunes cœurs qui naguère ont regardé ensemble se lever le soleil sur la vie qu'ils ne connaissaient pas... Quelquefois je pense à vous, à l'avenue de Wagram, aux saintes femmes qui nous accueillaient, au rire de Paule – tant d'innocence et de folie! Tant d'illusions et de songes! Je prie pour vous... Mon état est étrange, je doute « à fond » dès que j'interroge avec ma raison les raisons de croire – et dès que j'entre dans une église, je pleure et je rends témoignage...

Adieu. Je suis dans une solitude infinie, considéré par les médecins du quartier qui m'environnent comme un propre à rien. Ils ne se trompent guère quoique j'aie dans l'esprit et dans le cœur un livre qui s'appelle *la Chair et le Sang*[1].

Votre

François.

PS. A propos des « heureux artilleurs et brancardiers », ils figurent *pour la moitié* dans l'effectif de nos blessés.

Ambul. 12/8 S46
10 juillet *1916.*

Où êtes-vous cher Eusèbe et pourquoi ce silence? M'en voulez-vous de ce que je doive encore m'appliquer les vers de *Sagesse* :
      « Voici mon sang que je n'ai pas versé,
      Voici ma chair indigne de souffrance... » ?
Je m'ennuie et je suis triste dans un creux de bois près de Verdun où il ne m'est pas arrivé de passer un seul jour sans penser à cet Eusèbe héroïque et grave dont j'ai peur de n'être plus estimé – ni surtout aimé. Car vous me connaissez : pourvu qu'on m'aime...
Je relis souvent une lette de vous que vous m'adressiez, il y a un an, à Malagare. Je resonge au passé et combien souvent j'ai été indigne de quelques-uns de mes amis.
Si cette lettre vous parvient je vous supplie de m'écrire longuement... les gens comme vous doivent l'aumône aux gens comme moi[1].
Adieu. Parlez-moi aussi de votre frère. Je suis à vous.

François M.

60.   A RAYMOND MAURIAC

18 juillet *1916.*

Cher Raymond,
Je suis heureux que tu sois débarrassé de l'Ile[1] et que la vie pour toi s'écoule sans trop de tristesse. Ici le travail reprend un peu. J'ai depuis quelques jours la joie puérile d'avoir une cagna à moi tout seul, de ne plus cohabiter avec le monsieur qui dès le second jour devient l'ennemi dont on ne peut supporter le ronflement et la toux. Je vois passer devant ma porte les morts encore tièdes et qui ont déjà dans leur linceul taché de sang la forme des momies ensevelies depuis des millénaires. Leur sommeil d'un quart d'heure porte déjà le

signe de l'éternité. La mort ici est toute nue : pas une femme, pas une mère, donc pas une larme – pas une prière ou si courte! – ce n'est plus que quelque chose de sale dans un drap avec des mouches vertes autour. « Ceux qui pieusement sont morts pour la patrie... » Hélas! – Je commence de m'intéresser à la radio. Je travaille un peu à un livre qui s'appellera « la Chair et le Sang ». – Je suis enthousiasmé des *Frères Karamazoff* de Dostoïevski (Plon éd.). Lis. – Je serais bien admirable de m'être séparé de ma femme et de mon Claude si je ne le faisais par lâcheté et parce que je n'ose pas travailler à mon vrai travail qui est d'écrire, ma vraie façon de « servir ». D'ailleurs je n'en suis pas récompensé. On m'écrit que l'autre jour Souday dans *le Temps* a dit que c'était peut-être F. Mauriac qui arrêtait les Allemands devant Verdun! Oui, je crois que je n'ai pas fait de peine aux amis d'André par cet article... les lettres que je reçois me le prouvent. Regarde sans remords grandir tes filles. Je n'ai de remords que de n'avoir pas le courage d'être avec mon fils. D'autant que tout cela ne va pas finir de longtemps. J'ai l'air insensible. Mais au fond je suis désespéré. Nous devons pourtant accepter « les maîtres que Dieu nous donne de sa main », c'est ainsi que Pascal appelle *les événements*. Et peut-être que tant d'horreurs préparent une rédemption infinie dans le temps et dans l'éternité. Nous ne savons rien. Il faut prier et souffrir un tout petit peu. C'est un autre côté de la question... Pardonne-moi cette lettre décousue griffonnée sur mes genoux. Lis *les Frères Karamazoff*. Et embrasse pour moi Antoinette et les enfants.

F.

61. A MADAME FRANÇOIS MAURIAC

8 ou 9 août 1916.

Ma chérie,

Je t'écris, ayant quitté la table sur une grossièreté du médecin-chef à mon endroit. Pour la première fois, j'ai eu la faiblesse de discuter et il m'en a cuit. Mais c'est une bonne leçon et on ne m'y reprendra pas. D'ailleurs je (lui) dois d'avoir plus tôt le silence, le calme et moi-même avec *toi* tout au fond.

Dans un instant je vais retrouver le bon petit dominicain. Il fait un soir d'argent – mais ces soirs ne vibrent pas comme ceux de Saint-Symphorien[1]. Que le parc, le soir, doit avoir une odeur délicieuse de fougères, d'humidité, de mousses...

Je ferme les yeux et je vois les prairies vertes qui encerclent d'un anneau de jade et d'émeraude le parc épais où les grandes fougères touchent les branches basses des chênes. Dans le silence tu entends la Hure sur les cailloux et entre les cimes des pins que les étoiles sont lointaines! La cloche sonne et sa voix vient du plus profond de mon passé. Une charrette sur la route de Sore s'éloigne vers une métairie perdue. Ardouin fait tourner la pompe pour emplir le bassin et Claude dort dans le coin de la maison où j'ai dormi.

Oh, ma chérie, quelle richesse dans le passé et dans le présent! Quelle plénitude dans mes pensées, dans mes sentiments et dans ma foi! Comme je suis libre! Comme je m'évade vers d'innombrables refuges qui tous me ramènent vers toi comme à un but dernier et plus délicieux. Je songe au culte secret d'André Lafon pour toi et comme lui était douce la pensée que désormais je t'aurais à mes côtés dans la vie. Tu es ma chère douceur et, à la moindre blessure, il suffit que je pense à toi pour que des torrents de délices passent sur mon cœur indéfiniment, inépuisablement, comme l'eau de la Hure sur les cailloux et sur les longues mousses.

Je travaille à mon grave article[2] – tu prendras ton petit air futile pour dire qu'il est ennuyeux. Mais il sort de moi : c'est le fruit un peu acide et vert de cet été splendide et triste loin de mes bien-aimés et dans un océan de tristesse.

Adieu, amie très douce – tu es mienne et je t'aime...

Fr.

En mer – à bord de la *Bretagne*[1],
4 décembre 16.

Ma chérie,
Je serai après-demain seulement à Salonique – s'il plaît à
Dieu. Mais je peux commencer à te raconter ma vie depuis
ce moment où tu n'étais plus sur le quai de l'arsenal qu'un
petit point qui s'effaçait. Il faisait gros temps, comme tu l'as
pu voir et le commandant ne voulait pas lever l'ancre. Mais
des ordres formels sont venus et nous sommes partis après le
déjeuner, tirés hors de la rade par un remorqueur. Vers le
soir j'ai commencé d'être malade comme presque tout le
monde. Mais la nuit ne fut pas mauvaise et depuis je me
porte bien. Nous avons eu hier dimanche une admirable
lumière et une mer aussi calme que le lac Majeur. Devant le
Stromboli, dans le détroit de Messine, j'ai pu croire que je
faisais un beau voyage, une croisière luxueuse... mais un
exercice de sauvetage à quoi nous avons pris part, m'a rappelé à la grave réalité. Un cargo, qui naviguait pas loin de
nous, demandait avant-hier du secours. On vit dans une
attente grave de ce qui peut venir. Lucrèce dit que c'est la
peur qui a créé les dieux; pourquoi rougir de reconnaître que
dans ces heures, on sent plus profondément le désir d'être
uni au Père, afin que, quoi qu'il arrive, on n'en soit plus
jamais séparé?
L'élément militaire, dont tu as vu avant l'embarquement
les essentiels échantillons, est tel que je l'ai toujours connu
partout où j'ai passé. Mais les médecins de marine sont charmants, intelligents et graves. L'un d'eux est à la fois cousin
d'Henri du Vigneau et de V. Mareille. Nous causons de religion, de Pascal, de tout ce que j'aime.
« Le petit[2] » ne m'intéresse pas autant que je le souhaiterais. Maintenant que je n'ai plus que lui, je sens qu'il ne me
rassasiera pas. Nous ne savons rien du monde sauf quelques
radios incomplets : des événements sanglants à Athènes?
Bucarest résisterait bien?
Il pleut aujourd'hui sur la mer lourde et noire. Qu'il faut
lutter contre moi-même, contre des accès de brusque pani-

que, en regardant derrière le bateau qui m'emporte cette mer infinie qui nous sépare désormais!

5 décembre 16

Une nuit encore à naviguer prudemment parmi ces îles fameuses où les siècles n'ont rien laissé qui aide un peu l'imagination – et puis c'est l'endroit dangereux et l'on n'entre pas dans cette nuit sans une petite angoisse. Que te dire, ma chérie, de cette vie monotone et silencieuse! On n'ose pas trop descendre au fond de soi – on ne permet pas à sa pensée de vagabonder dans l'avenir ni dans le passé. Toute la vie antérieure vous apparaît comme un temps d'avant la naissance et d'une douceur à jamais épuisée...

Des êtres charmants, ces médecins de marine avec qui il est agréable de causer... On me dit qu'avec notre matériel nous ne pourrons guère aller loin sur le front et qu'il nous faudra une installation fixe... Je te tiendrai au courant. N'aie pas peur que je néglige de t'écrire. Ce sera toute ma vie désormais, ces lettres... (...)

6 décembre

Me voici en vue de Salonique. La *Bretagne* va te rapporter cette lettre. Je t'embrasse ma chérie avec tu sais quelle tendresse.

François.

Je suis à l'hôpital *auxiliaire* n° 1.

63.   A MADAME FRANÇOIS MAURIAC

Grand Hôtel « Serrès »,
Salonique,
7 décembre 1916.

Ma chérie,
Continue de m'écrire à l'hôpital auxiliaire n° 1, car on me fera suivre mes lettres et je ne suis pas sans doute pour

longtemps dans cet hôtel. « Tout va très bien ». Excellent voyage, nous avons trouvé nos paquets et nos caisses et tout le monde est ici charmant : la Croix-Rouge y a la cote plus qu'en France et nous n'avons pas eu à souffrir encore la moindre avanie. Nous n'attendons plus que notre affectation définitive. Que te dire de Salonique? C'est bien ce que l'on imaginait : bariolage étrange de costumes, Babel de tous les pays. Je t'assure que nous ne faisons pas sensation au milieu des Anglais, Italiens, Portugais, Grecs, Albanais d'Essad pacha! Le plus triste, c'est l'ignorance où l'on vit d'événements que les quelques canards vendus ici laissent deviner plus que graves. Et le plus triste de tout c'est cet éloignement indéterminé, indéfini, cette sensation d'être noyé, perdu et de ne plus revoir les jours passés que comme une vie antérieure à jamais finie. Quelle solitude aussi! Mais ceci n'est rien et il faut remercier Dieu de ce que malgré tout nous n'ayons pas eu jusqu'ici le moindre accident.

Il fait ici l'hiver de Bordeaux : pluie, vent, boue – quelle boue! Le quartier turc, les vieux remparts, eussent été pour moi en d'autres temps une révélation, tout ce que l'on sent sous ce grouillement de soldats, tout ce que l'on devine d'Orient immuable, de ghettos inaccessibles, de mosquées fermées. Entre des rues aux fenêtres grillagées, des femmes turques passent voilées et vêtues de noir, sans un ornement qui attire les yeux – des minarets dominent la ville, pareils à tous ceux que nous imaginions dans nos lectures des *Mille et une nuits*. Mais une trop dure, trop tragique réalité dissipe tous les enchantements possibles. On ne peut plus ni rêver, ni fermer les yeux tant on sent craquer formidablement le vaisseau qui nous porte tous... Je t'embrasse longuement sur tes yeux mon pauvre amour. J'embrasse aussi maman (quels soucis elle doit avoir!), mon petit Claude, il faut m'en parler, m'envoyer sa photo. Ne m'oublie auprès de personne.

Je t'embrasse tendrement et suis à toi

François.

Santé excellente – équilibre – etc!!![1]

90

24 janvier 1917.

Mon cher petit Robert,
Le désenchantement de votre lettre a trouvé en moi plus
d'écho que ma première carte pourrait vous le faire supposer. Je ne suis plus ébloui, je ne suis plus joyeux. Le paludisme fait de moi un numéro de lit d'hôpital et la quinine
organise dans mon triste cerveau un perpétuel vacarme.
L'Ecclésiaste avait sans doute plus de trente ans lorsqu'il
découvrit la vanité de tout et sans doute avait-il possédé plus
de femmes que toute la rédaction de la *Revue des jeunes*
réunie [1]. Mais, en dépit de votre sage jeunesse et des médio
cres sabbats qui marquèrent la mienne, l'imagination dont
nous sommes marchands nous a fait faire le tour de bien des
choses et c'est vrai que le plus simple serait de se tourner
contre le mur et d'attendre que tout soit fini. Je ne sais s'il
vous reste une once d'esprit guerrier et si le coassement quotidien de la presse française n'arrive pas à bout de votre
résistance nerveuse. Certes nous irons jusqu'au bout – mais
le bout c'est les riches plaines de la Bessarabie aux boches,
c'est Odessa occupée par eux avec ses magasins et son port –
c'est la Russie définitivement jugulée. Dieu veuille que ces
craintes ne se réalisent pas. Lui seul peut nous sauver encore,
mais il ne faut rien attendre des hommes. Tristesse de tout.
Pour moi, si je survis à la plus triste époque de l'espèce
humaine, ce sera pour travailler dans le silence et la solitude
peuplée des quelques amis que la mitraille m'aura laissés. La
pire horreur c'est le contact quotidien avec des gens sans
imagination et sans idées générales, qui ont la haine de l'Esprit et qui vont par le monde à la remorque de leur organe
génital. Il faut, Robert, il faut que tout ce que nous défendons soit vrai. S'il n'y a pas Lui, il n'y a rien ; s'il n'y a pas le
Sauveur, il faut se laisser sombrer dans l'abîme sans nom,
dans l'abîme qui était le Dieu du vieux Renan. Mais il ne se
peut pas qu'il n'y ait rien. Répétons des lèvres et du cœur ces
Béatitudes qui sont là protestation éternelle du ciel devant
les massacres organisés par les hommes. Heureux les doux,
heureux les pacifiques – répétons-le, cependant que des cardinaux imbéciles amoureux de la gaffe, ivres de servir l'auto-

rité laïque qui les knoute, font des mandements pour la guerre à outrance. On m'écrit que votre cousine Marianne épouse un blessé. Cela me ramène à une époque sosotte de mon existence et tout de même remue en moi une obscure et pure tristesse. Il n'était rien de médiocre dans cette âme orgueilleuse et je voudrais qu'elle remette son inquiétude en des mains dignes... Dites-moi qui est ce jeune homme. Adieu, adieu, je vous aime, vous et Eusèbe – je n'aime que vous. Dites-moi que vous ne risquerez plus rien. J'embrasse Paule et tous vos chéris – adieu.

F.

65.   A EUSÈBE DE BRÉMOND D'ARS

Malagare,
Saint-Maixant (Gironde),
3 avril *1917*[1].

Cher ami,
J'ai bien regretté de n'avoir pas été chez moi lorsque vous avez traversé Bordeaux.

Quand vous serez réformé[2] ne viendrez-vous pas quelques jours sous mes charmilles? Vous aimeriez cette terrasse d'où l'on voit tous les vergers de la plaine garonnaise... à cause de ce beau ciel vous me pardonneriez les chromo-lithographies de la salle à manger.

Dites-moi que vous viendrez...

J'ai une grande joie à ne vous plus savoir sous les tuiles de votre ambulance landaise...

Nous parlerons de tout excepté de la guerre dont il n'y a vraiment plus rien à dire.

Et votre Philippe? Je le sais momentanément à l'abri. Mon frère Pierre vient de passer trois semaines dans les tranchées, en remplacement. Il y a eu des histoires de mines. Il a pensé mourir plusieurs fois.

Robert est très content.

Adieu mon ami. Venez, venez, venez. Je vous ai toujours

beaucoup aimé. Mais je vous aime beaucoup plus depuis la guerre parce que j'avais un faux pressentiment que vous y resteriez. Aussi j'ai pour vous le sentiment qu'éprouvèrent les amis de Lazare pour ce ressuscité.

Voici Pâques. Les cloches, au moment que je vous écris, sont revenues de Rome et sonnent tout le long du fleuve comme si les enfants dont elles ont carillonné le baptême ne recevaient pas loin d'elles un autre baptême de douleur et de sang.

Je vous prie de déposer mes hommages respectueux aux pieds de madame votre mère. Ma femme et Claude se joignent à moi pour vous dire toute leur amitié.

François M.

66. A ANDRÉ GIDE

89, rue de la Pompe
Paris, le 10 juillet 17.

Dès mon adolescence, Monsieur, vous fûtes pour moi le maître secret de qui j'essayais de ne point trop subir le prestige parce qu'une autre discipline me tenait. J'ai été celui à qui vous disiez : « Nathanaël, à présent jette mon livre... quitte-moi... » Ainsi en différant de vous, je savais accomplir votre vœu. Infidèle à votre livre, je me sentais fidèle à votre Esprit. Tout de même quel regret souvent de me dire que le maître qui m'avait donné la plus forte ivresse était celui que je ne connaissais pas! Ces deux beaux volumes sont là comme un témoignage de l'heureuse fortune que j'eus de vous rencontrer enfin[1]. Je vous prie, Monsieur, de ne pas douter du prix que j'y attache ni de ma respectueuse gratitude.

François Mauriac.

Offranville (Seine-Inférieure).

Mon cher Maître et Ami,

Je vous écris de chez cet « esprit de la décadence » dont vous n'aimez pas qu'il fasse mon portrait[1]... C'est un être bien sensible pourtant à ce que nous aimons. Je lui ai lu hier soir « Un jour », et « La mort du poète »... Je ne crois pas qu'un cœur puisse être plus touché que le sien par votre poésie – et il m'a dit, sur vous qu'il admire infiniment, les choses les plus judicieuses... (il fut un de vos *premiers* amis inconnus). Très touché par Dieu depuis la guerre.

Vous aimeriez les buis taillés de son jardin et ce vieux logis Louis XIV et cette vie d'art, de travail, de causeries infinies qu'on mène ici, aussi loin de Paris que vous pouvez l'être dans votre chère maison d'Orthez...

Je pense qu'au milieu de tant de choses qui s'écroulent vous continuez à faire votre miel dans la sérénité... Nous ne voyons qu'un fragment infime de cette immense tapisserie du monde dont le ciel seul nous permettra de connaître l'ensemble et l'harmonie.... Et c'est pourquoi il ne faut s'émouvoir de rien sinon de toutes les jeunes vies interrompues...

Daudet aime trop visiblement son métier de vidangeur, ne trouvez-vous pas ?

J'espère que la bénédiction de Dieu est toujours sur votre maison ; les miens sont en bonne santé et ma petite Claire (si elle ne me sourit pas encore) me donne bien de la fierté à cause de ses yeux.

Mes hommages respectueux, n'est-ce pas, à ces dames, et pour vous, mon cher ami, ma grande affection.

François Mauriac
9 nov. 17.

89, rue de la Pompe,
27 décembre 17.

Monsieur,

Pourriez-vous venir samedi dans la matinée, vers dix heures? Je vous dirai mon impression sur votre manuscrit[1] – à un inconnu on redoute d'écrire une parole excessive. Mais à moi qui ne suis plus très capable de m'émouvoir avec de la littérature vous avez donné une émotion – la même que j'eus à votre âge en lisant, pour la première fois, les *Illuminations* de Rimbaud. Et puisque vous me connaissez, vous savez de quel cœur préparé j'ai dû accueillir votre symphonie sur le collège, sur la douzième année – et quelle route se frayent à travers ce cœur, les voix d'enfants.

J'ai le plus grand désir de vous connaître, Monsieur, et vous assure de mon admiration.

François Mauriac.

15/1/18.

Mon cher Robert,

Ne serais-je point un hypocrite si j'écrivais de la même plume que vous? Votre conduite au front, votre piété vous donnent le droit que je n'ai pas de prêcher Jésus-Christ. La seule fois que je sache où j'eus du remords à cause de ma littérature, ce fut après cette *Vocation des Survivants*[1], trop pieuse à mon gré et que je ne me connaissais pas le droit de signer ni de proposer à ceux qui eux avaient choisi de ne pas survivre. Il me paraît donc sage de garder le ton modéré qui est le mien et de célébrer du christianisme tout l'accessoire. Il se peut qu'il y ait dans cette sensualité pieuse de quoi choquer. Je sais que Bourget s'est, comme vous, scandalisé de mon « Lacordaire ». Mais ce n'est pas l'avis de la direction de la *Revue des jeunes*. J'ai loyalement transmis vos objections à Lescure[2] qui ne les a pas acceptées. Jammes m'a fait de grandes louanges. Comme il y a, à la *Revue,* une inquisition, pourquoi serais-je plus austère que tous nos révérends et que leur fils Lescure? C'est à cette inquisition que je vous prie de communiquer vos scrupules. Je ne saurais, sans une humilité superbe, me condamner moi-même lorsque tant de théologiens m'ont béni. D'ailleurs il se peut qu'il y ait en effet dans mes pieuses histoires un venin caché et sensible seulement aux gens du monde. Dénoncez-le, mon frère.

Tout de même, il faut que je vous dise qu'à mes idées, à ma croyance, je fais plus de sacrifices que vous ne l'imaginez. Les *Ecrits nouveaux* qui publient dans leur dernier fascicule Suarès, Giraudoux, et qui groupent tout ce qui compte dans la jeune littérature, m'ont fait de telles avances (et des offres d'argent si avantageuses) que d'abord j'ai cédé et leur ai donné plusieurs chapitres des « Beaux Esprits de ce temps[3] ». Mais ayant vu, le jour même, dans cette *Revue,* une note venimeuse touchant votre *Réveil de l'esprit,* j'ai envoyé des pneus, j'ai donné des coups de téléphone jusqu'à ce que j'eusse récupéré mes manuscrits – et vous pouvez croire que ces gens-là « ne me rateront pas » à la première occasion. Certes c'est la moindre des choses, je n'en tire pas vanité. Mais voyez dans ce fait tout récent que mon parti est pris et que je serai *dans l'humble mesure de mes forces* du côté des enfants de la Lumière. Je veux rester à ma place, sur le parvis. Dieu veuille qu'un jour je sois digne d'écrire ce que vous écrivez. Pour l'instant, n'exigez rien de plus. Vous parlez de mon « immutabilité » – de mon « dandysme »... Ah! mon pauvre Robert, comme vous m'ignorez au fond! Demandez à Grix qui me connaît mieux ce que cache cette pétulance. Heureusement qu'à côté de mon « poison » il y a l'antidote : votre « Vase d'albâtre » défraye toutes les conversations. Un certain M. Thomas distribue dans la rue la *Revue,* fou de votre article. J'avais envoyé le numéro à Madeleine Le Chevrel à cause de mon « Lacordaire[4] ». Mais elle l'a trouvé médiocre au prix de votre « Vase » qu'elle lit à tous venants. Elle a téléphoné à Grix que vous étiez un grand génie. Ah! mon pauvre cher Robert, résignez-vous à être accusé vous aussi de sensualité mystique! Je vous embrasse, mon cher vieux frère et vous aime comme vous savez.

FM.

Jeudi soir, *début 1918.*

Mon ami Robert, que votre lettre m'est douce et comme je reconnais enfin l'inflexion de votre chère voix! Toutes ces pauvres attitudes que vous avez raison de ne pas aimer en moi, un seul mot de vous et il n'en reste plus rien – et comme Dieu est bon dans les moindres rencontres, votre chère lettre m'arrive par le même courrier que quatre fielleuses pages de Vaussard où j'entrevois que je trouverai parmi les « jeunes » une sourde opposition. Enfin je me repose sur la loyauté de Lescure. Mais si jamais il fallait que je quitte cette bonne auberge, vous verriez comme je saurais demeurer seul plutôt que de me joindre à ceux qui haïssent Celui que je n'ose nommer.

Ah! La bonne chaleur de nos *Cahiers* : André, Eusèbe, ce seul cœur, cette seule vie! Comme elle me manque soudain et comme je sens que la pire destinée serait de survivre seul. J'accepte, mon Robert, tout ce que vous me demandez ou plutôt tout ce que vous m'offrez – Celui que vous m'offrez et que je rejette et renie depuis que je suis au monde...

Quand vous m'écrivez : « Venez, mon ami », je voudrais vous obéir à la lettre et si j'étais assuré que vous resterez à Châlons, je demanderais à M. S. Blancat de me faire une place auprès de lui... Que ce serait doux et pur de nous retrouver à l'aube et le soir, séparés de tout ce qui nous abaisse et nous attache! Ah! pauvres velléités d'un cœur qui ne s'est jamais dépris! Enfin, si c'est une inspiration de Dieu, voyez comme nous pourrions arranger cela. Mais Châlons sans vous me paraît impossible... Paris est triste.

Vendredi matin

Cher Robert, long téléphonage de Lescure qui est un homme d'affaires doué d'un cœur exquis – tout est arrangé. Je sacrifie mes « Beaux Esprits » qui ne paraîtront jamais[1] et probablement aussi mon « Fait divers » en trois actes[2]. Moi-même, vous voyez, je serai obligé de choisir enfin!

Sacrifier sa littérature c'est sacrifier peu de chose, je le sens bien aujourd'hui... lorsque c'est sa vie qu'il faudrait donner. Mais il est demandé à chacun le sacrifice dont il est digne : l'un donne son sang et l'autre son hochet.

Je dîne ce soir chez Lescure. Je lui porte une chronique sur les cahiers de Blanche où je cite un paragraphe admirable du « Vase d'albâtre » : « Toutes les déviations de la raison et du cœur... » Je vous aime et me confie à vous.

Fr M.

71.   A EUSÈBE DE BRÉMOND D'ARS

Malagare, 20 juin 18.

Cher Eusèbe,

Après des mois de silence, je m'étonne et je me délecte de votre amitié toujours la même – il y a entre nous une grande fidélité : il semble même que le sentiment qui nous unissait, André et moi, soit entré par sa mort dans le trésor commun de notre petit groupe – dans notre « communion des saints », particulière. La mère d'André m'a rendu toutes les lettres de moi qu'il avait gardées : je passe d'ardentes et désolées journées à regarder filtrer cette cendre entre mes mains unies : délectation sans orgueil, parce qu'il est si pauvre et si médiocre, ce visage de ma jeunesse fixé là avec tous les reflets des lampes de mes veillées solitaires, rue Vaneau[1]...

Ne vous scandalisez pas de cette complaisance pour moi-même – ne croyez pas que dans ma solitude je me désintéresse du train dont va le monde ni que j'oublie que des millions de petits Philippe de Brémond d'Ars jouent depuis quatre ans avec la mort. Mais je pense que les gens de ma sorte leur doivent d'abord le silence.

Je vous envie d'être avec Robert[2] : quelle chose que l'amitié, puisque étant réunis la guerre même ne vous atteint presque plus. Mais que le plus grand bonheur est désenchantant sans elle !

Nous retrouverons-nous un jour dans cette lumière d'ici qui était l'endroit du monde qu'André aimait le mieux ? Mais où serez-vous alors ? Ne vous donnerez-vous pas quelque temps pour éprouver vos résolutions secrètes au contact d'un cœur tel que le mien? Voilà ce qu'un directeur subtil vous devrait ordonner. Robert a-t-il des projets en dehors de la *Revue des jeunes*? Hélas! Le temps fait comme si ce n'était pas la guerre, les saisons s'accumulent sur nos tueries – nous ne retrouverons pas nos cœurs de juillet 1914 capables de faire joujou avec une belle petite revue, éventaire de nos plus récents états d'âme avec les moyens spirituels de se les procurer. Mais d'autre part l'effrayant Père Sertillanges[3] (il a une tête pour la perspective des cathédrales, effrayante vue de près) – (mais il s'intéresse à moi et m'écrit des lettres de direction rudement adroites et intelligentes) et Lescure voudront-ils, sauront-ils faire à notre Robert la place qu'il doit occuper là? Qu'en pense-t-il lui-même?

Enfin, disons-nous que l'essentiel est que le catholicisme soit la vraie religion : cette vérité enlève à la guerre même, à tant de morts, toute l'horreur. Les nationalistes parlent de la France éternelle sans y croire – mais nous parlons de l'Eglise éternelle en y croyant. D'ailleurs qu'ils sont peu sages, tous ces sages sans Dieu! Maurras dépense sa logique à nous dépeindre la nécessité de la défaite démocratique et du triomphe des monarchies. Et jamais il ne voulut entendre parler d'une paix de conciliation! Certes, au point où nous en sommes, nul doute qu'il n'y ait plus d'autre ressource que de jouer le dernier atout... (voir la suite dans les journaux...)

Adieu Eusèbe, écrivez-moi. Dites à Robert que « le Disparu[4] » lui fut envoyé au Secteur 1 : il dut se perdre dans les derniers déménagements du G.Q.G. Parlez-moi de votre frère. Je suis spirituellement avec vous deux. Ne pourrions-nous passer ensemble vos permissions? Fixez-moi un rendez-vous, j'arriverai. Ma solitude est grande. Comme tout le monde est mort, Malagare est cultivé par des Kabyles pareils à (ceux) des romans d'André Gide – à des Amyntas montés en graines. Ils chantent des airs tristes avec des figures d'exilés. On les a emmenés de force loin de leur champ pour venir cultiver le mien. Que c'est difficile de ne pas être complice de l'iniquité! Ah! oui! Le Sillon était une fameuse « nuée »! Mes Kabyles me révèlent que l'islamisme n'est pas une religion aussi basse qu'on pourrait croire. Ils aiment beaucoup et très filialement le bon Dieu...

Je suis à vous.

Fr.

Malagar, 12 septembre 18.

Monsieur,

Depuis longtemps j'étais inquiet de vous, malgré la parole
que je sens bien que vous me reprochez doucement : sans
doute vous a-t-il paru que ceux qui demeurent dans l'arche
n'ont nul droit de jeter aux combattants de ces consolations
faciles qui coûtent si peu! Mais vous oubliez que je venais
d'achever la lecture de vos proses et quel écho elles avaient
éveillé en moi et vraiment j'avais cette certitude que votre
royauté ne pouvait être éphémère[1]... Oui les dieux me retiennent par les épaules : ces dieux, ces justes dieux... et vous
savez que leurs bien-aimés s'appelaient Priam, Œdipe, Prométhée, tous les suppliciés, tous les suppliants... Vous me
plaindrez un jour, si vous ne me plaignez déjà. Ne croyez pas
que j'aie choisi ma destinée et n'admirez pas ma fortune...
Mais peut-être me comprendrez-vous un jour...

Je sens en vous une inquiétude... je la connais, je *vous* reconnais. Ne vous troublez pas de ce que vous portez en vous
et que vous n'ayez encore à dispenser aucune paix. Un seul
Homme a pu dire : « Je vous donne Ma paix » – et c'est la
sienne toujours et c'est en son nom toujours, que ceux qui la
détiennent la dispensent aux autres cœurs. Mais humainement ne nous aimons-nous pas les uns les autres que pour le
trouble que nous nous donnons? Tout notre travail sur
nous-mêmes est de détruire en nous ce goût, et d'y substituer
celui de la paix... Vous savez que selon ma nature, la paix, la
quiétude, ce n'est pas ce qui m'attire chez un cœur.

Je n'ose plus vous dire mon espérance anxieuse de vous
voir renaître une seconde fois après cette grande tempête.
Vous vous préparez, Monsieur, à une œuvre qui dépassera de
beaucoup les nôtres... Comment vous dire que je n'aime
point le sujet que vous m'indiquez! Mais il le faudrait traiter
avec une *sincérité terrible.* Neuf encore au monde et passé
presque du collège à la bataille, peut-être aurez-vous ce dernier courage, de ne pas maquiller votre effrayant héros[2].

Dieu sait quand Rouart se décidera à éditer ces petits
essais dont vous parlait Lescure[3]! En attendant je vous fais
parvenir un court poème édité cette année au Mercure[4].

Adieu, Monsieur. Que Dieu vous garde et qu'il vous sauve de la manière qui peut vous être profitable. Pour moi je mets en vous de grands espoirs et soyez assuré que toutes les nouvelles que vous voudrez bien me donner de vous m'apporteront de la joie. Je vous serre les mains.

F. Mauriac.

15, rue Rolland, Bordeaux
(faire suivre)

73.   A HENRY DE MONTHERLANT

23 janvier 19.

Je vous demande pardon, de vous avoir blessé, mon cher ami! Avouez qu'il y avait quelque étrangeté dans vos combinaisons financières! et vos lettres, qu'il faut déchiffrer ainsi que des palimpsestes, disposent par leur écriture à ces énervements dont je m'excuse encore. Vous avez raison de ne vous plus martyriser pour de tels froissements et je n'ai jamais souhaité d'avoir le triste pouvoir de vous blesser! L'amitié peut aller sans tant de susceptibilité... du moins, à mon âge... Et il est vrai que vous êtes encore dans le printemps...
Germain[1] vous fait dire de lui communiquer votre manuscrit : il le lira avec attention et bienveillance. Je me suis appliqué à piquer sa curiosité. Ne m'en veuillez pas. Croyez que je suis très disposé à vous aimer comme un ami et à vous servir.

M.

74.   A MAURICE BARRÈS

Paris, 3 avril 19.

Mon cher Maître,
Une si petite chose ne méritait pas votre approbation[1]...
Certes je voudrais suivre votre conseil et, à la veille de la nais-

101

sance d'un troisième enfant, il me plairait fort de me répandre un peu plus dans les quotidiens. N'y aurait-il rien à faire pour moi à l'*Echo de Paris*? J'y discerne, depuis quelque temps, des velléités littéraires... S'il vous était possible de m'aider de ce côté, j'en aurais beaucoup de joie[2]...

Si je ne vous ai pas donné signe de vie, c'est que la meilleure preuve d'affection qu'on puisse montrer à un homme aussi occupé que vous, et dont les moindres loisirs ont tant de prix, sans doute est de le laisser tranquille. Mais vous savez ce que vous êtes pour moi. Ma femme est sensible à votre souvenir.

Veuillez ne pas nous oublier auprès de Madame Barrès et croire à ma respectueuse affection.

F. Mauriac.

89, rue de la Pompe.

75.   A HENRI GHÉON[1]

15 rue Rolland, Bordeaux,
29 mai 19.

Monsieur,

Je vous remercie de m'avoir cru digne de comprendre et d'aimer votre livre[2]. Vous avez été choisi et il a fallu que vous choisissiez. Ce qui m'a séduit dans l'œuvre de Gide – ce qui me repousse et ce qui m'attire, c'est ce don de servir bien plus que deux maîtres mais d'innombrables maîtres et de ne se déprendre d'aucun[3]. Ce trait dominant, à tort ou à raison je l'imaginais chez ceux qui l'entourent.

Dès qu'on l'a rencontré et entendu, comment ne pas aimer le Christ? Mais quitter tout avant que tout nous quitte, voilà la terrible exigence.

Vous m'avez fait du bien, Monsieur, à moi qui, n'ayant jamais perdu la Foi, ne sus jamais me « convertir » au sens absolu où l'entend Pascal. Sur la route monotone de mes pauvres reniements et de mes médiocres relèvements, j'assiste en vous à la guérison du mal dont je souffre : cette impuissance à prendre un violent parti pris, à choisir[4]. Que cette amitié d'un saint[5] continue de vous garder, jusqu'à la fin de votre vie terrestre, Monsieur, et veuillez croire à ma déférente et profonde sympathie.

F. Mauriac.

J'espère pouvoir écrire un compte rendu de votre livre.

76. A JACQUES COPEAU

Paris, 4 avril 1920.

Cher monsieur Copeau,

J'ai été très touché de la lettre que vous avez bien voulu m'écrire[1]. Quand on se donne, comme vous, tout entier à une œuvre, les critiques doivent singulièrement exaspérer et votre bienveillance à mon égard me semble fort méritoire. Mais vous avez compris comme je vous suis acquis, en dépit de certaines réserves. J'en ai formulé d'autres à propos du *Carrosse* (1). Mais elles sont d'un ordre qui n'intéresse en rien l'artiste que vous êtes : *Je ne trouve pas que la moquerie de Mérimée soit anodine*[2]... Mais même lorsque j'exprime de telles opinions, je vous prie de croire à ma vive sympathie, et à la très grande admiration que vous m'inspirez. Encore merci!

François Mauriac.

(1) L'article paraîtra prochainement.

77. A ROBERT VALLERY-RADOT

Vémars, 10 août 1920.

Cher Robert,

Je ne proteste pas contre votre jugement et je pense comme vous que l'émotion n'est rien dans la vie de la Grâce – ou du moins elle n'est qu'une fugitive et dangereuse faveur. Mais dépend-il de nous d'atteindre Dieu après ce dépouillement total de nous-même? Ce renversement de ma nature serait un miracle étonnant. Il faudrait, à la lettre, mourir et naître

103

à nouveau. Et nous revoilà en plein débat des molinistes et des augustiniens – devant ce mystère du « choix ». « *Non vos me elegistis, sed ego elegi vos.* » Tant que je serai réduit à mes forces, il me sera impossible d'être un autre que moi-même. Ma sensibilité folle est mon caractère dominant. Qu'y faire? Si nous avons tant de goût pour *Phèdre,* c'est que nous portons en nous cette rencontre tragique de la passion et de Dieu, sans que jamais l'un ne puisse entamer l'autre, irréductibles, tout-puissants; débat sans issue que si une force infinie le rompt : une conversion, c'est la Grâce qui délibérément secourt l'un des partis en présence. Et sans doute faudrait-il mériter d'être aimé et choisi et dépend-il de nous, par le moindre mouvement de charité, d'appeler ce secours souverain. Sommes-nous sûrs de ne pas aimer cet état d'équilibre? Il y a une volupté dans la tentation même si l'on n'y succombe pas, mais à se dire que l'on succombera peut-être... Nous ne désirons pas sincèrement d'être secourus. Nos appels au secours ne partent pas du fond de notre cœur. Nous aimons l'odeur du péché, le vertige. Nous n'avons renoncé à rien et singulièrement à l'amour des sens. Telle est la vérité triste. Mais le vrai est aussi que je manque de foi : pour le renoncement total, il ne faudrait pas douter une minute qu'on se sacrifie à la Vérité. Une des plus étonnantes exigences de notre Dieu, c'est de tout demander en demeurant caché. On se tue soi-même devant un voile immobile et muet. Y a-t-il, derrière, quelqu'un? Certes, je le crois. Mais croyance et certitude ne se confondent pas. Et pourtant, dans le triste monde où nous sommes, à qui irons-nous, Seigneur? C'est pourquoi il n'est rien que j'aime plus que l'Eglise, ni en qui je crois plus. Elle est le port unique – la seule espérance, la seule Raisonnable aussi, fondée en Raison, en conformité avec tout ce que nous connaissons.

J'attends avec joie cette œuvre de douleur qui vous occupe. Merci d'avoir aimé ce tout petit livre[1]. J'attends avec impatience vos commentaires. Vous recevrez incessamment *la Chair et le Sang* qui paraîtra le 29 sept[2]. Si donc vous pouvez en donner un compte rendu à votre revue belge pour octobre, je serais enchanté.

(...) Jeanne se joint à moi pour vous dire notre fidèle affection.

F. Mauriac.

20 septembre 20.

Mon cher ami,

Après beaucoup de détours votre lettre m'arrive. Il est trop tard sans doute pour que nous puissions nous rencontrer ici. Mais je serai à Paris dans les derniers jours de ce mois – et si vous voulez bien me fixer un rendez-vous, soit chez moi (89, rue de la Pompe), soit ailleurs, vous me rendrez très heureux. Je vous remercie d'avoir prêté quelque attention à ce petit livre et de m'y avoir cherché et trouvé moi-même[1]. Nul mieux que moi ne connaît la vérité des discrets reproches que vous me faites; mais il n'appartient pas à nous seuls de vaincre la nature et c'est pourquoi j'ai besoin que vous m'aidiez spirituellement. Vous recevrez bientôt *la Chair et le Sang* où ce qui vous déplaît en moi apparaît mieux encore que dans mes *Petits Essais* et je m'en excuse d'avance.

Soyez assuré que si je détiens cette année la rubrique de théâtre que Le Grix m'a promise, vous y serez fidèlement suivi.

Je comprends l'agrément que vous a donné la société de Lacaze. Nul plus que lui n'aime les idées et c'est un magnifique musicien. Il est très inutile que je vous signale ses défauts parce que vous vous en apercevrez assez tôt vous-même.

Veuillez croire, mon cher ami, à l'impatience où je suis de vous voir et ne doutez pas de mes sentiments dévoués.

F. Mauriac.

79.   A HENRY DE MONTHERLANT

26 septembre 20.

Cher ami,

Vous avez écrit, touchant l'enfance et l'adolescence, quelques pages d'un prix inestimable; vous avez ouvert des yeux nouveaux sur cet abîme de l'enfance et ce que vous en avez dit nul avant vous n'y avait songé. C'est un livre de début comme je n'en avais ouvert aucun depuis qu'il m'est donné d'en lire : j'aime qu'il soit si imparfait, qu'il roule dans son flot tant de galets et de sables : c'est le signe d'une richesse, d'une surabondance qu'il ne vous reste plus que d'ordonner [1]. Mais je vous dirai dans un article de la *Revue des jeunes* ce que je pense de votre ouvrage et de toutes les questions qu'il soulève...

Moi aussi, j'ai regretté votre absence et je souhaite de vous voir. Je serai à Paris à partir de demain 27 sept. et ne m'en absenterai que samedi et dimanche. Donnez-moi donc un rendez-vous n'importe quel autre jour.

Je vous admire et suis vôtre.

F. Mauriac.

80 A HENRY DE MONTHERLANT

16 octobre 20.

Cher ami,

Votre vivant, votre passionné article est d'un intellectualisme effréné. Vous « stylisez » le sport. Vous ne vous dites pas que seule l'intelligence s'y peut délecter comme vous le faites. Votre ami le boxeur représente à vos yeux et à votre cœur un personnage admirable auquel ont collaboré Socrate et Platon, Athènes et Rome – mais vous, vous n'êtes aux yeux du boxeur qu'un garçon moins fort que lui. Vous êtes ingrat envers l'intelligence qui pare à ce point votre passion – qui embellit de mille prestiges l'objet de votre amitié. Il est bien inutile d'ajouter que tout le monde n'est pas jeune – que parmi les jeunes gens tous ne sont pas beaux – qu'on ne peut donc rien édifier d'universel en fait de morale esthétique... Mais vous le savez bien et votre article ressemble à votre visage, il est ardent, il est creusé de passion, d'une véhémence douloureuse. Que vous avez de talent, mon cher ami! Mais que vous m'inquiéteriez si je vous aimais!

Vous avez fait connaissance par les trois mots que vous consacre Franc-Nohain, de la bêtise, de la négligence imbécile des critiques. Il n'a pas lu dix lignes de votre livre,

106

évidemment : il devrait y avoir des Sanctions contre les fautes professionnelles.
Affectueusement.

F. Mauriac.

Fin 1920.

Cher Monsieur,
Je reçois enfin *l'Opinion* et suis confus des éloges que vous voulez bien m'accorder. Bien que je fasse la part de votre bienveillance, ils me sont précieux, me donnent un peu de confiance en moi. Je sens si douloureusement la vanité d'écrire et comme il est ridicule de vouloir qu'il y ait un roman de plus dans le monde!

Vous avez très exactement deviné que j'ai eu peur que Claude[1] ressemblât à Julien Sorel... Ce Claude! J'aurais voulu qu'il finisse comme un saint... C'est vrai qu'il est fameusement raté. Merci encore d'avoir tout de même aimé ce livre que Mme Muhlfeld n'a pas pu finir tant elle le trouve dégoûtant!

Croyez à ma gratitude et à ma vive sympathie.

F. Mauriac.

82.   A MARCEL PROUST

89, rue de la Pompe
1er mars 1921.

Cher monsieur et ami,
J'ai pensé à vous, cette nuit et ce matin encore en feuilletant le livre désuet et délicieux – désuet à cause des « fleurs » – et délicieux parce qu'on vous y voit, non plus jeune qu'aujourd'hui, – (comment serait-ce possible?) mais déjà aimé à la fois des fauves et des doux[1]... Vous êtes de ceux qui ne sont pas durcis à toujours plaire. Ce que j'aime le mieux de ces

premières pages, ce sont deux noms : Willie Heath et Charles de Grancey. Je pense à ces matinées du bois, à ce temps où vous engagiez votre œuvre future – à ce temps perdu que vous ne perdiez que pour la joie et la gloire de le retrouver[2]. Je découvre que de tous mes aînés, vous êtes le seul que j'admire sans arrière-pensée et sans effort – et le seul aussi de qui je ne sente pas l'aînesse[3]. Il me semblait, hier soir, qu'il eût suffi de disposer autour de vous des pages blanches pour recueillir tout ce que vos moindres mots créaient à chaque instant. J'entre dans l'enchantement de vos livres comme, enfant, dans ceux de Jules Verne et de Féval[4] : je veux dire, sans critique, sans souci de métier; vous seul me restituez cette candeur, cet abandon aux prestiges de l'écrivain, cette docilité à voir, à sentir, à souffrir comme lui. Je pense à cette soirée d'hier. Vous reverrai-je quelquefois? L'ennui avec des êtres aussi bienveillants et gentils que vous l'êtes, c'est qu'on risque de les assommer sans qu'ils en laissent rien paraître. Je suis capable de liberté d'esprit et d'une espèce de fantaisie avec les gens que je n'admire pas. Mais l'admiration rend insociable. On voudrait pouvoir se taire ou relire ensemble certaines pages. On voudrait être sûr de n'avoir pas laissé de soi une image médiocre – non par orgueil, mais c'est plutôt de l'ordre du cœur... Cher ami, vous me prouverez votre amitié *en ne répondant pas* à cette lettre puérile qui est elle-même une réponse au don merveilleux que vous m'avez fait hier soir de votre présence, de votre esprit et de votre charmant génie. Il me suffit que vous sachiez qu'aucun de ceux qui vous aiment ne vous est plus que moi fidèlement attaché.

François Mauriac.

83.   A MARCEL PROUST

89, rue de la Pompe
11 avril 21.

Mon cher ami,

J'aime trop Jammes pour m'arrêter longtemps à son livre sur saint Joseph[1]. Je reviens toujours à la source toute pure dans les primevères de ses premiers ouvrages. Sans doute quelque directeur lui impose comme pénitence de glorifier les saints et il fait la bête pour faire l'ange. Relisez tout de même « En Dieu » (en tête de *l'Eglise habillée de feuilles)* et vous y verrez que sa Foi lui a inspiré un chef-d'œuvre... Croyez-vous donc que j'aie encore des amis pour tenir à moi jusqu'à m'imposer l'« option » dont vous parlez[2]? Des amis aussi ombrageux (ce sont les vrais) la mort m'en a pris quelques-uns et la vie plus encore que la mort. Et mes amis d'à présent se fichent pas mal que je sois lié avec tel ou tel. D'ailleurs j'ignore encore le nom de ces deux personnages : est-ce Grix? ou bien quelqu'un des siens?

Je suis très fâché de vous savoir toujours si souffrant. La crainte d'être importun me défend seule d'aller frapper à votre porte, mais si jamais vous souhaitez de me voir, donnez-moi un rendez-vous et j'irai chez vous en voisin (car nous sommes voisins). Mes soirées sont souvent libres. Guermantes m'oublie et me fait des loisirs – non parce qu'il redoute ma méchanceté comme celle de notre « pauvre Jacques » mais tout simplement parce qu'il m'ignore profondément.

Je ne sais si je montrerai votre lettre à Jammes. Il est susceptible comme une guêpe et tout son texte est, selon lui, inspiré. Il a raison pour presque toutes ses poésies, d'ailleurs...

A bientôt peut-être. Je vous confie au beau temps – pour qu'il vous guérisse – et je vous serre très affectueusement la main.

François Mauriac.

Hier soir, entendu *Tristan,* chantée par des Italiens, comme du Leoncavallo et j'en suis encore bouleversé... – coupé de tout travail... perclus comme après une nuit de péché. Ah! la sale musique!

A MAURICE BARRÈS

                                        30 mai 1921.

Mon cher Maître,
   J'ai pu enfin trouver la longue journée de silence et de
calme pour lire *le Génie du Rhin*. Je comprends mieux
aujourd'hui le rôle qui nous est assigné à l'est. Vous êtes de
ceux qui, avant et après la victoire, auront éclairé la France
sur sa vocation. Mon égoïsme me fait trouver plus de saveur
à ceux de vos livres qui m'éclairent sur moi-même – mais
vous n'en avez écrit aucun dont j'admire autant la
« nécessité ». Et c'est vrai que jamais notre pauvre moi n'eut
si peu d'importance... Je doute que vous ayez eu le loisir de
jeter un regard sur *la Chair et le Sang*. Je vous enverrai tout
de même ces jours-ci un nouveau livre : *Préséances* [1], qui
servira « à tout le moins » de perchoir à votre pigeon Esprit.
Je me souviens d'un petit ami du catéchisme à qui on avait
demandé : « Qu'est-ce que le Saint-Esprit? » et qui avait
répondu : « C'est un pigeon. » Ainsi, en l'an 98, un petit
garçon était votre précurseur.
   Je vous prie, mon cher Maître, de faire agréer mes respectueux hommages à Madame Barrès et de croire à mon attachement et à ma respectueuse affection.

                                        F. Mauriac.

A FRANCIS JAMMES

                                        27 juin 21.

   Mon bien cher Maître et ami, je ne vous ai pas répondu,
parce que m'étant informé de ce monsieur je n'ai obtenu
aucun renseignement. Vous vous faites une idée très fausse
de ma situation ici. Je vis en ermite et ne connais à peu près
personne. Oui, le monde est injuste et ne voit pas la
« Campanule ». Il y a tout de même, dans votre dernier
livre [1]... (je cherche un mot qui serait moins fort que
« bravade »).

Il est certain que, par exemple, cette histoire du mari trompé, vous la jetez aux Souday comme une boule de pain à une carpe gloutonne. Il vous plaît d'irriter son appétit anti-clérical. Depuis votre conversion, en plus de vos chefs-d'œuvre lyriques («En Dieu», *l'Eglise*..., les *Géorgiques*), vous avez écrit un livre de proses adorables : *Feuilles dans le vent* où la présence de Dieu est partout mais comme une eau souterraine ou comme le soleil à travers d'épaisses feuilles. Mais enfin vous êtes seul juge en effet de votre œuvre. Vous savez qu'il n'est rien de vous qui ne m'enchante mais j'y préfère tout ce qui ne prétend pas à une apologétique *directe* et qui est sans aucun doute plus efficace.

Que vous avez raison de ne pas marcher pour l'Académie! On ne vous sollicite que pour dévier les voix de l'un ou l'autre favori (Hermant, Madelin!!). Après la guerre, lorsqu'il y avait six ou sept fauteuils libres, l'Académie a perdu l'occasion unique d'accueillir tous ensemble les quelques maîtres de ce temps. Attendez une autre occasion. C'est l'inepte Madelin que Barrès, Poincaré et les maréchaux vont installer sous la coupole... mais quoi! P. Benoît est décoré et pas vous, ni Gide! L'essentiel est d'être Francis Jammes et d'avoir écrit des vers comme «Et le brasier de l'herbe en fleurs chante en dormant». Vos affaires s'arrangent-elles? Et serez-vous bientôt parmi vos bergeries et dans votre vallée[2]?

Ne vous inquiétez pas pour Blanche... j'avais été un peu inquiet de vos taquineries, à cause de la présence de Mme Blanche, très susceptible, très «à vif» dès qu'il s'agit de son époux. Notre Claudel vient de faire jouer un ballet où danse un homme tout nu parmi des cauchemars cubistes[3]. Il passe sa vie chez les plus ineptes gens du monde. C'est «partage d'après-midi» sans doute. Et il mourra pieusement et sous le froc. Mes hommages respectueux à ces dames et veuillez me croire votre fidèle ami.

Fr. Mauriac.

111

Vendredi *1921.*

Mon cher ami

Même après tout ce qu'on m'en avait dit, même après le pavé de Le Grix, votre livre, vos deux livres, m'ont paru de *grands* livres[1]. Le premier surtout est un chef-d'œuvre terrible et qui donne froid. Il n'y a rien qu'à admirer vos deux héros, si vivants qu'il se pourrait, mon cher ami, *qu'ils ne meurent plus.* Je ne ferais des réserves que sur ce qui les entoure, sur le côté « Kodak », sur le côté « photo pas au point ». Rien d'ailleurs ne donne l'illusion de la vie comme un cliché flou. S'il fallait critiquer votre livre, je dirais peut-être qu'on y souffre en maint endroit d'un défaut d'*interprétation,* d'un manque de transposition. Le Grix qui n'a rien lu trouve nouveau chez vous la « tranche de vie ». Il est vrai que vous la fîtes macérer, mariner en Russie. Le procédé « sténographie de conversations » et « photographie animée » n'a pu gâter *même un peu* votre ouvrage. Cela vient de la magnifique réalité des Pacaris. On ne sait lequel s'impose davantage. On la sent palpiter dans sa main comme un oiseau malade et trop serré. Le bourreau homme de lettres est à faire peur de vérité...

Cher ami, ces deux ouvrages (car ce sont deux romans) dépassent la production courante au point que tout vous est dû et non pas seulement comme prix Goncourt. Je vous avertis que Mme Muhlfeld, votre admiratrice passionnée, souhaite de vous connaître. Bien que rien ne serve que d'écrire de beaux livres, ce ne vous serait peut-être pas inutile. Je vous prie de dire à votre femme mon respectueux et amical souvenir. Ne vous verrons-nous pas, monsieur Chardone[2]? Ma femme se joint à moi pour vous dire toute notre « admirative » amitié.

Mauriac.

Vous dépassez de mille coudées Porto-Riche à qui l'on vous compare. Mais il est certain que vous avez un don merveilleux de dialogue. On voudrait supprimer tous les « dit-il » et « dit-elle » et il resterait des scènes nues déchi-

rantes, sans égales dans le théâtre contemporain. Réfléchissez à ce côté de votre   talent?
      génie?

87.   A MARCEL PROUST

           Vémars (S. et O.),
           le 10 juillet 1921.

  Cher ami,
  Pourquoi faut-il que vous songiez à me voir lorsque déjà
j'ai quitté Paris? Une plaine indéfinie de betteraves m'isole
du monde en une bonbonnière Second Empire que peuplent ma
belle-mère, ma femme et mes enfants. La chaleur – si terrible à la campagne – m'oblige à la retraite et à la réflexion.
Vous ignorez ce que c'est quand « on n'est pas comme les
autres » d'avoir « la vie de tout le monde ». L'étrangeté de
mes livres vient sans doute de ce que je m'y épanche – ne
pouvant me délivrer que là – mais avec prudence et circons-
pection parce que je suis inséré dans une famille et que j'ai
choisi de n'être pas libre. Aucun article sur mon livre – peu
de lettres. O vous, Marcel Proust plein de gloire, vous ne
savez pas ce qu'éprouve un auteur qui jette, comme une
pierre dans l'eau, son ouvrage dans le monde – comme une
pierre, sauf qu'il n'y a pas même un semblant de remous[1]...
Cher Marcel Proust, « la vie est là simple et tranquille »
alors qu'on n'a de goût en soi que pour une vie qui ne serait
ni tranquille ni simple. Ce n'est pas vrai qu'elle soit une
œuvre de choix ni qu'elle veuille beaucoup d'amour. Elle est
une œuvre imposée et n'exige rien que de la soumission. Et
pourtant si, si, j'ai une extrême tendresse pour les miens, une
tendresse vive et agissante – mais nous logeons en nous tant
d'êtres différents! et combien faut-il en juguler et en tuer
pour satisfaire le plus pieux et le plus sage! Je ne suis pas
admirable et je sens bien que vous a déplu le pathétique de
mon livre – le dramatique. Et rien de tout cela n'est important... Merci de l'avoir lu et de me dire que vous l'aimez et de
vous intéresser à moi. Je vous souhaite un été heureux et
vous serre avec affection les mains.

           Mauriac.

               113

Paris, 5 novembre 21.

Mon cher Grasset,

D'après le traité que vous m'avez adressé, je pense que « Péloueyre[1] » vous paraît moins impossible comme titre. Après tout, ça se prononce « Pélouaire » et même des Parisiens peuvent y arriver. Si, pourtant, vous persistiez à désirer un autre titre, j'ai pensé à celui d'un chapitre de la vie de saint François d'Assise, qui d'abord surprend mais qui s'accorderait très bien avec mon sujet, c'est : *le Baiser au Lépreux.* Il serait trop long de vous en exposer ici le sens (les efforts de mon héroïne pour aimer *physiquement* son mari – et la transfiguration de celui-ci aux derniers chapitres – comme ces lépreux des vies de saints qui prennent la figure du Christ, etc.). Il suffirait que j'ajoute trois lignes à un endroit de mon livre, pour éclairer le lecteur[2].

Je vous remercie de tout ce que vous me dites et je suis très flatté du désir que vous avez de m'avoir dans votre maison[3]. J'ai appris qu'un ministre intelligent vous a décoré. Veuillez trouver ici, mon cher Grasset, l'expression de mes très vives félicitations et de mes sentiments dévoués.

F. Mauriac.

P.S. Il faut régler cette question de titre, parce que j'aimerais avoir assez vite des épreuves pour revoir de très près mon ouvrage.

4 janvier 1922.

Mon cher Maître et ami,

L'indigence de ce petit article[1] me rend plus sensible à l'affection que vous me montrez. Pris de court et pour ne pas perdre une occasion qui s'offrait, j'ai dû livrer des notes au lieu d'une étude longuement méditée. Le pire fut qu'on négligea de me communiquer les épreuves... Mais l'essentiel est de ne pas vous avoir blessé. Moi qui sais qu'*il faut* choisir et qui ne choisis pas, comment vous jugerais-je? Maurice de Guérin comparait sa pensée à un feu du ciel qui frémit à l'horizon entre deux mondes[2]. Vous fûtes toujours pour moi ce feu du ciel entre le Royaume de Dieu et les nourritures terrestres. Ce feu m'a souvent éclairé jusque dans mes abîmes. Il ne m'a pas perdu. Ceux qui parfois me donnèrent le dégoût des choses divines, ce sont des moralistes, des sociologues, dupeurs et dupes, avec de fausses ailes d'ange et un sexe honteux. Mais, mon cher maître, je crois qu'il faut choisir d'être un saint. Vous nous avez enseigné une sincérité qui nous défend toute complaisance pour une attitude qui nous semble la seule logique, *hors la Foi.* La sottise d'un Massis est de prétendre appliquer à un incroyant la loi catholique et son mensonge est de feindre l'indignation parce que cet incroyant n'écrit pas comme s'il croyait! La « politique religieuse » d'un Barrès et d'un Maurras ne me choque pas – loin de là; mais je ne saurais me défendre de mieux aimer une âme incapable de pragmatisme. L'« utilisation » de l'inimaginable Trinité pour des fins sociales et morales me choque plus que le drame d'un cœur divisé, déchiré – sans doute parce que ce drame est le mien. Car le tout n'est pas de savoir qu'*il faut* choisir, hélas! De tout cela aussi j'aimerais causer avec vous.

Veuillez me croire, mon cher maître et ami, votre respectueux et dévoué.

François Mauriac.

90.   A EDMOND JALOUX

89, rue de la Pompe,
Début 1922.

Mon cher Jaloux,

Je ne saurais louer cet article[1] parce que ce serait me louer aussi. Mais enfin un témoignage comme le vôtre est ce qui pouvait me donner le plus d'espoir. Le roman est votre partie; vous vous y connaissez mieux qu'aucun homme de votre génération : vos jugements ont pour nous une importance extrême. Oserais-je vous dire aussi que je suis sensible à la sympathie et à l'intérêt que vous me montrez? Car vous pourriez accorder quelque estime à mon œuvre, sans lui consacrer une étude si importante et si complète. J'espère que, dans quelques jours, *le Baiser au lépreux* vous montrera que j'ai accompli quelques progrès dans un art où je sens combien je suis encore un écolier. L'approbation de l'auteur de *le Reste est silence* et de *Fumées dans la campagne* me délivre en partie du doute qui m'obsède sur ce que je vaux... Quant au « trouble » que vous notez en moi et à mon côté « jeune lévite au lupanar », c'est tout simplement la lutte éternelle de la chair et de la grâce et l'histoire du « jeune homme qui s'éloigna triste... »

Veuillez transmettre à Madame Jaloux l'hommage de mon profond respect et me croire pour toujours, mon cher ami, votre reconnaissant

François Mauriac.

91.   A MADAME FRANÇOIS MAURIAC

89, rue de la Pompe,
3 février 1922.

Ma chérie,

(...) Blanche me téléphone (après lecture du *Baiser* [1]) que je suis un *grand romancier.* La *N.R.F.* reproduit *intégralement* mon article sur Gide. Sonis dîne ce soir à la maison. Comme il fait un temps de chien, je doute que nous sortions [2]. Demain je dîne et vais au théâtre avec Grix. Brada [3] ne m'a pas donné signe de vie.

Quand penses-tu rentrer, ma chérie?

Je travaille beaucoup à mon roman [4]. Tu ne peux imaginer ce que sont maintenant Daniel Trassis et Mme de Villeron. C'est enivrant de voir naître et croître ces êtres sortis de vous. Je les enrichis le plus possible – et ce livre que je voulais a religieux sera, malgré moi, *chrétien.* Il m'est impossible de ne pas rendre témoignage. Sois assurée, quoi qu'en disent certains, que ce témoignage en vaut un autre. Je peins des êtres au fond de l'abîme. Mais, du fond de l'abîme, ils voient le ciel.

Je ne vois rien de plus à te raconter sinon que je t'attends et que je t'aime. Dans huit jours, je songe que tu seras ici.

Ton

Fr.

92.   A MADAME FRANÇOIS MAURIAC

Mardi *8 février 1922*[1].

Ma chérie, malgré ma hâte de vous revoir, je souhaiterais que vous profitiez le plus possible de ce beau froid. Quelques jours d'exercices de plein air sont sans doute nécessaires pour que vous ayez tout le profit de ce séjour. N'avez-vous plus de température le soir?

Toutes les lettres crient au chef-d'œuvre. *Même Valéry* trouve que c'est bien[2]. Quant à Grasset, si je veux lui promettre trois livres, il me versera tout de suite (en avril) 10 000 F pour les droits du premier – puis 10 000 F encore à l'apparition de chacun des deux autres : soit 30 000 F! (rien que pour les premiers tirages). Puis Grasset s'engagerait pour une somme de... à une grosse publicité qui ferait sûrement retirer plusieurs fois. Enfin il m'autoriserait à intercaler entre les trois un livre pour E.-Paul. C'est éblouissant... Mais 1) cela peut avoir une influence fâcheuse sur la qualité de mes livres. 2) Grasset est riche pour l'instant, mais où en sera-t-il dans deux ou trois ans? – D'un autre côté, quel agrément de n'être plus à « regarder » à mille francs près...

Réfléchis. Conseille-moi. Grix me conseille d'accepter en gardant E.-Paul pour la soif. En hâte.

Ton

Fr.

1922.

Cher Raymond,

Les 500 balles m'arrivent à l'instant, merci[1]. Merci encore d'aimer ce petit livre[2]. Tu as bien vu son défaut : mon Péloueyre est trop noir; je m'en rends compte à présent... Mais c'était difficile. Le succès d'« estime » est déjà très grand. Des éditeurs m'offrent des sommes importantes pour que je leur vende mon âme. Ce serait la large aisance enfin... Mais se dire qu'on *doit* des livres à un bonhomme! Il me semble que je ne pourrais plus écrire. Jeanne est avec une amie à Chamonix depuis quinze jours et va rentrer je pense avec quelques kilos de plus.

Mes coreligionnaires diront ce qu'ils voudront. La morale bien banale de cette histoire est celle-ci : 1) Nietzsche *a raison* de dire que le catholicisme est une religion de vaincus et d'esclaves. 2) Le catholicisme est une religion de vaincus et d'esclaves *parce qu'*il est la vraie religion. 3) En effet nous sommes *tous* des vaincus et des esclaves s'il est vrai que la plus belle vie du monde est toujours une partie perdue. Voilà!

Affection aux tiens et crois-moi ton

FM.

89, rue de la Pompe,
22 avril 22.

Cher ami,

Je vous assure qu'il n'y a dans cet oubli ou dans cette erreur de la poste aucune préméditation. Grasset m'a fait faire un service de presse affolant (j'ai reçu jusqu'à des cartes de Millerand et de Clemenceau!) et ma liste particulière a pu en souffrir...

Je suis content que vous aimiez ce petit livre[1]. Il a beaucoup de succès mais nous ne sommes pas de ceux que le succès contente parfaitement et je vous jure que rien ne m'inquiète plus que le retentissement de mon œuvre dans certaines âmes. Je crois que le conflit de l'esthétique et de la morale n'existe pas pour tous les artistes; mais il existe pour ceux qui comme moi travaillent à même la boue et sont fort empêchés de travailler ailleurs. Soyez en tout cas assuré que je mettrai tout mon effort à le résoudre comme vous le souhaitez.

Il me semble que *Préséances* – qui est peut-être en effet un livre raté et où je me suis laissé détourner de mon but principal : la critique du monde – a quelques mérites que vous n'avez pas vus. C'est, je le sens bien, un mot de Trissotin!...

Cher ami, il n'y a dans ma défense de Gide aucune pointe contre *les* convertis, mais contre *un* converti [2]. Je tomberais facilement d'accord avec Massis sur le fond du débat, mais c'est le *ton* qui m'a paru excessif. Il me semble qu'il faut toujours dans ces sortes de querelles penser à l'âme qui est en jeu. Je connais Gide moins que vous. Pourtant, je suis frappé de son inquiétude et comme le Christ est vivant pour lui et l'obsède. Ma réponse l'a beaucoup ému dans ce qu'elle proclamait qu'il aimait le Christ. Il m'a remercié de l'avoir dit et m'a lu des fragments de son journal à l'appui de cette affirmation [3]. Je déteste qu'on traite les gens de démoniaques – parce que je connais la portée de ce mot... Mais soyez sûr que dans nos conversations je n'ai fait à Gide aucune concession. J'ignore ses conférences. Peut-être a-t-il parlé de l'anti-catholicisme de Dostoïevski qui est en effet virulent dans *les Possédés*. Mais se l'est-il approprié?

Nous causerons de tout cela, n'est-ce pas? Venez donc nous demander à déjeuner ou à dîner un jour de cette semaine, en nous prévenant d'un mot. Ma femme sera enchantée de vous revoir... Nous avons lu dans le midi votre beau « miracle [4] ».

Merci de votre affectueuse lettre et croyez à ma sincère amitié.

F. Mauriac.

J'arrive du midi (Beaulieu) où j'ai rencontré une grande amie de Mme Dupouey.

Vémars (S. et O.),
31 juillet 22.

Cher ami,

Vous savez avec quelle impatience j'attendais ce livre[1]. Presque aucun poème ne m'était inconnu mais leur réunion réalise un ensemble unique. On est d'abord étonné de ce texte serré. Les poètes aiment tant « mettre de l'air » et gonfler de blanc leurs volumes! Puis on admire cette honnêteté, ce resserrement. Je ne vous redirai pas ce qui, comme tant d'autres garçons de mon âge, me fait aimer votre art... Qu'il vous suffise de savoir que c'est *vous-même* que je cherche et que je trouve (je crois) dans ces « psaumes[2] ». Car vous êtes sans cri et sans exhibition, votre poésie n'en est pas moins vous-même, et elle ne m'a jamais semblé impassible – mais au contraire pleine d'une angoisse sacrée.

J'ai passé quelques jours à Cabourg[3] avec une Sorcière éruptive (de toutes les façons)[4].

Veuillez mon cher ami (vous n'êtes pas un « cher Maître » – alors comment vous appeler?) présenter mes hommages respectueux à Madame Valéry, et croire que je vous suis attaché avec une admiration et une sympathie profondes.

Votre reconnaissant

Fr. Mauriac.

96.   A ANDRÉ GIDE

11 décembre 1922[1].

Mon cher maître et ami,

J'ai relu, sur votre conseil, *la Confession d'une jeune fille* – et regrette que ces pages m'aient échappé... Cet article[2], écrit hâtivement, pour qu'il pût paraître assez tôt, bénéficie d'une réminiscence dont je m'excuse auprès de vous : car c'est vous, je m'en souviens à présent, qui avez comparé à une forêt où il est délicieux de se perdre, l'œuvre de Proust. Il nous reste d'espérer beaucoup de ce *Temps retrouvé*[3] où Proust a retrouvé peut-être l'atmosphère d'éternité qui baigne le « côté de chez Swann ». Il semble que les gens du monde et les domestiques lui aient imposé, après *les Jeunes Filles en fleurs,* leur propre déchéance, il y a là une étrange influence de la bête étudiée sur l'homme qui étudie...

Mon cher maître et ami, les dernières lignes de votre lettre m'ont touché à un point que je ne saurais dire. Si Cuverville n'était pas si loin et pouvait être atteint entre deux trains, il me serait doux d'aller causer au coin de votre feu – et dans cette campagne de décembre de ne rien faire que vous écouter.

Il me semble que *le Fleuve de feu* pourra vous plaire par certains côtés. Sans doute n'en aimerez-vous pas la fin... Mais comment finir ? Et nous qui ne savons rien concilier en nous, notre œuvre ne saurait être que l'image de cette lutte sans issue, de ce débat dans notre cœur, entre Dieu et la passion à quoi Dieu nous soumet et qui pourtant est voulue de Lui.

Je suis heureux d'écrire à la *N.R.F.*[4]... après quinze ans, je retrouve un Rivière pareil à l'adolescent entrevu – c'est un diamant que la vie n'a pas rayé.

Veuillez croire, mon cher ami, à ma respectueuse et fidèle affection.

Fr. Mauriac.

97. A JACQUES RIVIÈRE

89, rue de la Pompe,
28 janvier 1923.

Cher ami,

Resongeant à notre conversation d'hier soir, je me demande si un homme résolu de n'appliquer plus aux choses de l'amour que les règles de sa raison et de le dépouiller de toute métaphysique n'aboutirait pas par ce chemin à une conception chrétienne de l'amour. Il y a dans le désir, dans cette faim terrible, dans cet appétit démesuré de quoi déconcerter la raison et vous vous rappelez le mot de Chesterton :

« *Lorsque nous trouvons quelque chose de singulier dans le christianisme, c'est finalement qu'il y a quelque chose de singulier dans la Réalité...* » Sur le plan du Réel vous vous heurterez à cette « singularité » de la chair et l'attitude chrétienne devant l'amour n'apparaît plus si déraisonnable. Votre Freud sépare avec raison l'instinct sexuel de l'instinct de reproduction. Aussi l'Eglise a développé par cette séparation fondamentale la vie mystique... Mais tout ceci serait trop long à développer[1]... Je vous serre affectueusement les mains.

FM.

98.   A JACQUES RIVIÈRE

89, rue de la Pompe,
18 février 1923.

Mon cher ami,

Je ne répondrai pas longuement à votre lettre[1] : elle m'a trop ému et j'y voudrais réfléchir – et pourtant je ne veux pas la laisser plus d'un jour sans réponse. Ce qu'il y a de terrible dans nos rapports avec Dieu, c'est notre solitude. Entre les mains de qui pourrions-nous faire la « renonciation totale et douce[2] »? Sans doute existe-t-il encore des directeurs – mais nous ne sommes plus d'une race de dirigés; nous connaissons trop de retraites en nous, où, même avec notre assentiment, il n'est donné à personne de pénétrer. Nous sommes seuls devant Dieu; d'où ces malentendus terribles comme celui qui vous a éloigné de Son amour.

Mais je suis désespéré que ce soit de moi que vous attendiez la lumière. Je suis si pauvre, si vous saviez! Ma foi n'est peut-être faite que d'une défense éperdue contre moi-même. Je prie Dieu qu'il vous épargne ce désir désolé et d'une incalculable puissance et capable de tout rompre. Mais si vous êtes mon frère, la conversion risque d'être pour vous, dès ici-bas, une question de vie ou de mort. Ne voyez-vous pas autour de vous que le péché tue, et qu'il est mortel, à la lettre?

Avant de renoncer tout à fait au sujet qui vous hante, n'y

aurait-il moyen de le transformer en y introduisant précisément *la Grâce* ? Si l'on admet la Grâce, il n'est pas de pire drame où elle ne puisse intervenir. La Grâce est un témoin actif. Mais nous recauserons de cela.

Vous connaissez Gide mieux que moi. Je crois que sa secrète faiblesse est moins manque d'amour pour les femmes que manque de curiosité[3] – car, étant femme lui-même (peut-être !), *il pourrait les mieux connaître qu'un homme normal.* L'impuissance créatrice des homosexuels doit donc avoir une source plus profonde et quasi physiologique. Car par transposition ils peuvent contrôler en eux-mêmes les réactions des deux sexes. Mais ils sont justement incapables de se fixer sur l'objet de leur mépris et de leur dégoût...

Cher ami, j'ai hâte de vous voir, de causer avec vous. Croyez à mon affection. Je trouverais, peut-être, en moi de quoi vous aider si vous vouliez. Je vous disais tout à l'heure que nous sommes seuls, devant Dieu... apparente solitude. Il y a Quelqu'un, tout de même. Et où serais-je sans lui ?

Votre

FM.

Grand bonheur pour moi que vous vouliez bien écrire cet article.

99.   A JACQUES RIVIÈRE

> Grand Hôtel O'Connor,
> Nice,
> Mercredi saint *28 mars 1923.*

Mon cher ami,
Ne pensez-vous pas que le subtil Du Bos parlerait mieux que moi de ce maître vénéré[1] ? Je vais tout vous dire. Il me semble que je serais capable d'écrire sur lui une bonne étude dans le genre féroce – mais mon devoir et mon intérêt s'accordent pour une fois à m'en détourner. Je retiens d'avance, si vous voulez bien, son article nécrologique...
Cher ami, je vous écris ces choses afin que vous me

méprisiez : il y a en moi en effet de ces calculs – et pourtant (comment expliquer cela?) joints à une indifférence secrète et désolée, à un détachement total. Mais les règles du jeu s'imposent à moi, comme si, engagé malgré moi dans une partie, il fallait bon gré mal gré éviter les fautes.

Ici, dans la situation de Daniel Trasis, (avant l'arrivée de Gisèle!) (mais Gisèle peut toujours survenir[2]...), seul, je sens douloureusement combien de royaumes nous ignorent, et j'erre entouré des fantômes encore flottants de mon prochain livre. Entre-temps, je surveille de près un ami qui songe à se tuer. Personne ne fait attention à personne. Mais nous qui, par profession, faisons attention à tous les êtres rencontrés, nous finissons par passer notre vie à les retenir au bord du désespoir[3]. Et pourtant on a bien assez de son propre poids. Et c'est une étrange manie de se charger encore et de raccrocher toutes les douleurs. Cher ami pendant votre absence, j'ai beaucoup pensé à vous et à votre sujet de roman – sans curiosité basse, mais avec affection et inquiétude. Le besoin de parler de vous m'a poussé à me rapprocher de Massis, avec qui, un soir, j'ai dîné. Etrange type à propos de qui on a raison de penser, de croire le mieux et le pire. Très sincère, très catholique, c'est certain – mais très dévoré aussi d'ambition et capable de haine. Vous, il ne vous hait pas, bien loin de là!

Je serai à Paris le lundi de *Quasimodo. Nous reparlerons de Bourget,* en attendant voulez-vous me mettre un ou deux livres de côté pour « notes »? Jusqu'à la publication de mon livre (au début de mai ; pensez à la note promise) j'aimerais avoir du travail...

Ici soleil adorable, musiques faciles; vie de retraite pourtant, de méditation, de silence. Savez-vous ce qu'est la gloire? J'ai fait ici la connaissance de Suzanne Lenglen (championne de tennis). Elle me dit : « Quand j'entre dans le hall de l'hôtel, *tous les Anglais se lèvent* ». – Je réponds : « C'est un grand peuple... » Un grand peuple de... mais la fin de la phrase, je la dis à voix basse.

Adieu. C'est une grande complication pour un chrétien d'être à Nice pendant les jours saints. Une complication apparente : il y a ici assez de « Maxim's », de vieilles cocottes et d'automobiles pour vous donner le goût de l'Eternité. Toute la crapule du monde est ici.

A mon retour, je voudrais vous montrer des vers de moi.

Vous verrez que c'est très différent des *Mains jointes*. Galli-
mard, je crois, le moment venu, accepterait ce petit livre[4].
Mes hommages respectueux à votre femme.
Croyez-moi à vous.

F. Mauriac

100.   A PIERRE MAURIAC

89, rue de la Pompe,
jeudi *décembre 1923.*

   Mon cher Pierre,
   Si, de loin, tu sens tout le tragique des événements actuels,
tu imagines ce qu'on peut éprouver à vivre en plein remous.
Hier, comme je quittais la chambre où Barrès – où ce qui fut
Barrès – reposait, j'ai croisé dans l'escalier, jaune, gras, terrible, le malheureux Léon Daudet, et je songeais aux paroles
moins pitoyables que terrifiées du chœur antique lorsque
Œdipe paraît. Oui, le plus infortuné des mortels : lis-tu *le
Libertaire?* Eux aussi ils pleurent leur « cher petit
Philippe », le héros qui voulait tuer son père – épargné,
disent-ils, grâce à eux... Si tu savais tout ce qui se chuchote
autour de ce drame effroyable, toutes les insinuations... il
paraît que cet enfant de quatorze ans se droguait... on imagine le reste. Dieu veuille que ce ne soit pas vrai et que
l'A.F.[1] ne se repente pas d'avoir demandé la lumière. En
dépit de nos petites réussites particulières, la vie devient un
cauchemar – et vraiment il me paraît étrange que tant d'êtres
ne se raccrochent pas à l'unique parole d'Espérance, à la
seule promesse qui ait jamais été faite à la malheureuse race
des hommes.
   Tu recevras bientôt *Genitrix*[2]. Le moment si troublé, le
prix Goncourt, les étrennes, tout cela ne constitue pas une
atmosphère bien favorable; mais tous ceux qui l'ont lu ont
trop aimé ce petit récit pour que je n'aie pas confiance. Puis
les 6000 Cahiers verts sont, pour ainsi dire, souscrits
d'avance et c'est un immense avantage de « partir » à la
douzième édition.
   (...) Telles sont les nouvelles, mon cher Pierre; la vie est

lourde – c'est certain – même quand en somme on est heureux... mais nous vivons dans un temps où même les gens heureux ont besoin d'espérance. J'ai eu des échos du « drag » par les Samazeuilles.

Tendrement avec vous deux.

F. Mauriac.

Non, il ne sera même pas question de moi au prix Goncourt.

101.   A RAYMOND MAURIAC

89, rue de la Pompe,
30/1/24.

Mon cher Raymond,

J'ai bien reçu les 2 500 frs. Mes succès ne sont point tels encore que je puisse dédaigner une telle aubaine! Mais enfin *Genitrix* se vend mieux qu'aux premiers jours : une presse excellente et nombreuse (jusqu'à un journal anglais, *the Nation,* qui consacre à mon livre un article intitulé « Un chef-d'œuvre »). C'est l'instant agréable d'une carrière – agréable et aussi un peu angoissant : tous ces jeunes gens qui vous écrivent, (vous) demandent un conseil, une direction – tous ces confrères qui vous guettent – et ces jeunes femmes qui veulent vous expliquer leur cœur! Et soudain, on prend conscience de ce qui est possible : faire une œuvre, laisser une œuvre... un peu de temps vous est donné pour cela ; tout peut être perdu encore... Je travaille à un livre *le Désert de l'amour* que je voudrais plus large, plus aéré que ce que j'ai fait encore. Tu recevras en mars une « Vie d'André Lafon ». Mais ne lis pas, en mai, un roman que publiera à grand fracas une nouvelle revue[1]. C'est un rossignol qui date de quatre ans et qu'un beau chèque m'a fait exhumer.

Je sais que tu as donné une jolie fête où tes filles ont brillé. J'espère que tes affaires vont, quoique tout soit bien menacé : et mon Grasset lui-même a moins le sourire que naguère...

Notre affectueux souvenir pour vous deux et merci.

Fr.

89, rue de la Pompe,
7 février 24.

Cher Monsieur,

Je ne saurais dire que votre note si subtile ne m'a donné que du plaisir[1]. Le meilleur des dentistes nous agace s'il touche le nerf ; mais nous n'en louons pas moins son savoir-faire, et il est certain qu'il y a dans toutes vos notes les signes d'une clairvoyance peu commune. Vous êtes de ces critiques qui s'adressent beaucoup plus à l'auteur qu'à son public. Vous écrivez pour une seule personne, pour l'artiste, avec l'évident souci de l'éclairer sur ses faiblesses : rôle bienfaisant mais ingrat ; c'est ainsi qu'il me faut un petit effort pour vous savoir gré de m'avertir que la scène de mon livre dont j'étais le plus content est justement la plus ratée. Je me garderai bien aussi de suivre votre conseil de méditer Balzac et de prendre ses manières – et enfin, franchise pour franchise, je trouve moins intelligent que ce qui précède votre conclusion touchant ce livre futur, qui sera mon chef-d'œuvre à condition d'avoir ceci du *Baiser au Lépreux,* cela du *Fleuve de feu* et encore ceci de *Genitrix!* Peut-être aussi n'êtes-vous pas assez un critique « sur la pointe des pieds » et faites-vous sonner vos talons avec un léger excès de contentement.

Ne m'en veuillez pas de vous taquiner, cher Monsieur : au fond rien de plus judicieux n'a été écrit sur mon livre et je ne suis pas si infatué que de ne pas sentir le prix de vos remarques comme celle qui a trait à mon impatience vers le point final, et à cette main crispée que je laisse trop voir... Et, ailleurs, quelle indulgence.

Cordialement vôtre et merci.

F. Mauriac.

Saint-Symphorien (Gironde),
1ᵉʳ mai 24.

Mon cher ami,
« Cette âme pénitente, saturée de tendresse et de larmes »
– c'est elle qui donne tout leur prix à ces pages[1]. Faites-lui
confiance, comme le voulait Alain-Fournier. Ainsi nous
sommes revenus tous les deux à nos sources perdues[2]... Existe-t-il encore des âmes de cette race? Deux jeunes hommes
causent-ils encore sur ce banc de Lakanal où votre ami et
vous étiez assis? Tristesse de ne plus connaître jamais cette
vie commune de l'intelligence et du cœur. Nous avons déjà
commencé de mourir seuls – nous dont l'unique devoir est
de dégager notre vision des êtres et du monde, qui ne doit
ressembler à aucune autre. Vous sentez comme moi cette
solitude exaltante et terrible de l'écrivain. Je travaille beaucoup ici, dans une ardeur de sentiments, un besoin de prière,
de pureté, de confiance qui me rend fraternelle l'âme de
votre ami... Dire que tous nos rapports furent un article
méchant de *Paris-Journal* en réponse à une étude imbécile
que j'avais écrite dans la *Revue hebdomadaire*[3]. Tous les
amis qu'on aurait pu avoir... tous les chemins qui ne se sont
pas croisés...
Adieu, cher ami. Dites à Madame Rivière que j'aime son
frère et penserai toujours à lui – et je vous aime beaucoup
aussi.

Mauriac.

104.   A JEAN-LOUIS VAUDOYER

89, rue de la Pompe,
(*1924*).

Mon cher ami,
Oui, *Peau d'ange* est un livre simple, direct – et soyez sûr
que votre art tout de modération, de discrétion, au milieu du

tapage actuel, commence de frapper certains esprits attentifs : (j'entends de ceux qui vous connaissaient peu et mal). Vous exprimez mieux que personne, dans ce temps d'érotisme morne, la pureté de la volupté. Je songeais pour *Peau d'ange* à cette épigraphe peu chrétienne « Rien ne souille le printemps. » Vous êtes un artiste que j'admire de plus en plus.
Cordialement vôtre.

Mauriac.

105.   A HENRI GHÉON

Saint-Symphorien (Gironde),
7 mai 1924.

Cher ami,
J'ai bien tardé à vous dire toute ma gratitude pour la belle étude que vous avez consacrée à mon André Lafon... (mais elle était aussi semée de coquilles qu'un chemin de votre banlieue!)
Montherlant a dû être bien navré de cette réclame compromise!
Oui, cher ami, la sainteté, c'est en effet ce que j'admire le plus au monde – et c'est aussi ce qui me semble le moins accessible...
J'attends la suite sur Montherlant avec impatience.
De tout cœur vôtre.

Mauriac.

106.   A HENRY DE MONTHERLANT

1924.

Mon cher ami,
Vous savez que j'ai toujours été un camarade loyal et que, dans l'humble mesure de mes forces, j'ai aidé à votre départ magnifique[1]. Pour ne l'avoir pas appris dans les stades[2], je

129

n'en possède pas moins, je crois, le sens de l'amitié, le goût de la fidélité. Aussi je tiens à savoir si vous aviez vu les épreuves de l'article que G. vous a consacré dans *les Nouvelles littéraires* de ce matin – certes j'ai le *sens* du péché (et c'est entre mille autres, une de nos différences) mais « le goût du péché », c'est tout de même autre chose! Et quelle est la page de moi qui puisse donner « la honte de rougir »? Je voudrais être assuré que vous n'êtes pour rien dans ce coup de pied sournois (car c'est ce « goût du péché » qu'on me colle au dos à l'académie et partout où il y a des gens qui ont peur que j'aie le prix du roman – et un grelot est toujours dangereux, même attaché par un imbécile...)

Affectueusement vôtre.

Mauriac.

107.   A CHARLES DU BOS

Saint-Symphorien (Gironde),
Juin 24.

Mon cher ami,

Je suis profondément touché de votre pensée. Veuillez transmettre mes remerciements à M. Desjardins et à Gide[1]. Mais vous avez eu raison de craindre que je ne sois pas libre en août : j'ai choisi de ne pas m'appartenir, et la vie me prend au mot[2]. Vous n'y perdez guère, d'ailleurs : il me semble que je ne sais plus parler. J'ignore si mon travail de ces mois-ci bénéficiera de cette vie refoulée ou s'il en deviendra plus mauvais. Il faut choisir entre la dispersion et l'étouffement.

Peut-être aurais-je pu paraître durant la dernière décade – mais ce n'est pas ma vitrine; et puis je sens bien que j'y entendrais des choses qui nuiraient à mon hygiène. Déjà le préambule de M. Desjardins, dans votre petit programme, donne la chair de poule : « Il n'y a pas d'étranger »! Cette candeur de conclure du particulier au général – et de l'aménité d'un intellectuel allemand à celle de toute une race – fait frémir. Hélas, tant du côté français que de l'autre, la guerre a montré surabondamment comme l'intelligence d'un pays se mobilise vite. C'est bien moins des raisonnements et des sentiments qui décident de la guerre que la surpopulation et la dépopulation juxtaposées, le besoin de débouchés etc. *et l'intelligence se met au service de ces nécessités.* Considérer un peuple comme une « personne morale » qu'on puisse convaincre et apaiser, c'est prétendre détourner un animal de suivre la loi de son instinct. Et certes je n'ignore pas le danger que représentent les armements, les systèmes d'alliance... etc. La guerre sort aussi bien d'une méfiance excessive que d'une confiance bêlante... Mais tout cela court les rues : pardonnez-moi d'être si bête.

Comment pouvez-vous croire que j'aie pu ne pas vous envoyer mon « Lafon »? Je suis bien sûr de vous en avoir dédicacé un exemplaire. Je réparerai, dès mon retour, cette erreur de la poste. Gide a bien fait de réunir tous les menus cailloux dont il sème sa route[3]. Il n'en est aucun qui ne contienne de l'or. Il excite merveilleusement l'intelligence. On ne peut se défendre de lui répondre, on entend ses objections. Comme il nourrit notre dialogue! Cet excès de bonne foi, qui est sa marque, me touche même lorsque je lui résiste.

Veuillez me croire, mon cher ami, votre reconnaissant et dévoué.

F. Mauriac.

Veuillez aussi ne pas nous oublier auprès de Madame Du Bos.

108. A ANDRÉ GIDE

89, rue de la Pompe,
28 juin 1924.

Mon cher ami,

Vous avez bien raison de ne rien laisser perdre de ce que vous écrivez. Vos moindres notes recèlent un miraculeux stimulant. Vous êtes de cette race d'esprits – à laquelle appartient Stendhal – et qui ne laissent pas une phrase, fût-ce la plus « incidente », sans radium. Merci de vos deux précieux livres[1].

J'ai lu l'autre, aussi : celui que vous ne m'avez pas envoyé[2]. Que vous en dire? Je ne saurais vous blâmer ni vous approuver sans mille restrictions. S'il n'existait que des homosexuels désespérés et voués au suicide, je vois bien la nécessité de leur montrer qu'il n'y a rien dans la nature qui ne soit naturel et qu'il peut être bon de les accoutumer à contempler leur corps et leur cœur sans dégoût... Mais il existe tous les autres, chaque jour plus nombreux et qui ne s'embarrassent pas d'être ce qu'ils sont.

Et puis j'entends mal votre distinction entre homosexuels et invertis... Quand je songe à tous ceux que je connais, je ne vois que des malheureux, des diminués, des êtres déchus, dans la mesure où ils ne luttent pas...

Mais c'est vrai qu'il y a là un grand mystère et que l'hypocrisie du monde a trop vite fait de ne pas méditer... Ce qui importe ce n'est pas ce que nous désirons – mais le renoncement à ce que nous désirons. L'objet de notre tentation, il ne dépend pas de nous que ce soit celui-ci ou celle-là – mais ce qui dépend de nous, c'est le refus...

J'ai lu hier ce petit livre sur un banc des Tuileries, songeant à tout ce qu'il représentait d'audaces, de reprises, de renoncements, de témérité, de douleurs. Etre bon et faire le mal; ne savoir qu'aimer et donner la mort spirituelle; comment échapper à ce dilemme? Je parle pour moi; en ce qui vous concerne, je m'empare avec joie du commandement : « Ne jugez pas » et je vous serre la main avec une respectueuse affection.

Fran. Mauriac.

109.   A MARCEL ARLAND

89, rue de la Pompe,
Fin 1924.

Etait-il vraisemblable, mon cher ami, que j'eusse lu une étude sur moi si importante, si pleine d'indulgence, de compréhension, sans vous en avoir exprimé ma gratitude[1]? Les qualités que vous voulez voir en moi sont celles que je souhaiterais le plus de posséder et en tout cas je suis touché que vous ayez compris mes intentions. Vous savez que vous appartenez à la race des êtres dont l'approbation compte seule à mes yeux et c'est pourquoi j'étais assez triste de votre silence...

L'article de Jaloux sur *Etienne*[2] vous a peut-être peiné.

Cherchez tout de même ce que sa critique peut contenir de juste et faites-en votre profit. Cette vieille scie de Bourget : la *crédibilité,* nous devons tout de même en tenir compte ; vos héros sont vivants, d'abord – et c'est l'essentiel, et c'est pourquoi vous êtes un romancier – mais vous les *contrariez,* vous forcez arbitrairement leur destinée. Il faut que ce soient eux qui vous mènent ; pas plus que le Dieu de Malebranche vous ne devez intervenir dans leur vie par des volontés particulières. Toute la science du romancier consiste à retrouver dans chacun de ses personnages cet illogisme secret qui est la vie même ; et à n'y pas mettre obstacle[3].

J'espère que vous aimerez *le Désert de l'amour.* Adieu et merci encore de votre belle étude. (Je ne connaissais pas ce « bois » ! Je ressemble là-dessus à Jean Péloueyre... Où l'a-t-on pris ?)

De tout cœur vôtre et à bientôt peut-être ?

Fr Mauriac.

110.   A JACQUES RIVIÈRE

89, rue de la Pompe,
8 janvier 1925.

Mon cher Jacques, je fais la part de votre amitié, de votre indulgence – mais tout de même votre approbation me donne du courage[1]... Parfois j'ai si peur que ce soit une « grande machine » terriblement ampoulée, que ce *Désert* ! et j'y ai mis tellement de mon secret, je l'ai tiré de ma chair ; j'aime ce livre comme un enfant de ma chair ; on ne pourra pas l'insulter sans m'atteindre... J'espère que vos grippes sont sur le déclin. J'imagine assez que vous avez pu comprendre, *vous,* mon docteur[2]. Vous aurez ma chronique et le compte rendu de Bost d'ici quatre ou cinq jours (vendredi ou samedi). Drieu et Montherlant dînent avec moi jeudi vers 8 heures. Voulez-vous venir, si vos malades vous laissent du répit ? Nous serons entre garçons. Répondez d'un coup de téléphone.

Votre

M

16 février 25.

Mon cher Robert,

Mon livre ne paraîtra que vers le 15 mars[1], ainsi vous avez tout le temps. Vous recevrez des bonnes feuilles au commencement du mois. Je lis avec un vif intérêt *la Clef du festin* et ferai une note. Mais le numéro d'avril devant être consacré à Rivière[2], cela nous renvoie à mai. Je suis très triste de la mauvaise opinion que vous avez de mon amitié. Quand vous serez à Paris vous vous rendrez compte combien vous me méconnaissez. Je vous quitte pour aller à l'enterrement de mon pauvre Rivière. Il a vu le prêtre et dans son délire disait : « J'étais dans les ténèbres et je vois maintenant la lumière... »

Tendrement vôtre.

F. Mauriac.

112. A ROBERT VALLERY-RADOT

Vendredi saint, 12/4/25.

Cher Robert,

Je crains de ne pouvoir vous remercier assez gentiment, mais comprenez-moi : *le Désert* est déféré à l'*index* – et je doute que votre article serve beaucoup ma cause[1]. Venant d'un ami, il regorge d'armes dont se servira peut-être l'adversaire. Mais je pense que cet orage s'éloignera. Je ne vois pas bien ce que des théologiens peuvent reprendre à ce *Désert*; et du point de vue des mœurs, il me semble qu'il y a dans mon livre de quoi éteindre les concupiscences les plus furieuses...

En union avec vous et croyez-moi vôtre.

FM.

A CHARLES DU BOS

89, rue de la Pompe,
Fin avril 1925.

Cher ami,
Votre note est parfaite[1]... sauf peut-être trop de louanges...
Je ne puis croire que je mérite une si totale adhésion et je ne
saurais vous dire comme votre ton chaleureux m'est allé au
cœur. Après tout, il est excellent pour un écrivain de sentir,
chez un critique de votre valeur, ce parti pris de non-résis-
tance, cet abandon au plaisir : cela le console et fait contrepoids à des injustices qui pourraient l'induire en tentations
de découragement et de doute. Il m'est singulièrement doux
que vous ayez associé mon nom à celui de Rivière, que vous
ayez rappelé que ce livre fut le dernier qu'il ait aimé. Je sais
trop tout ce que vous auriez pu dire de sévère. Merci de
n'avoir voulu être qu'un admirateur et un ami un peu aveugle.
Vu, avant-hier, Gide qui n'aime du *Désert* que les cent
premières pages sans que j'aie bien compris pourquoi il n'aimait pas les autres.
De tout cœur vôtre.

Mauriac

114.   A PAUL VALÉRY

Vémars, 25 juillet,
1925.

Merci, cher maître et ami : un document du ministère,
reçu hier, et les promesses réitérées du ministre à ceux de
mes camarades qui m'ont embarqué dans cette aventure, me
donnent grand espoir[1], bien que je sache que tous les « tu
l'auras » ne comptent guère en ces matières. C'est étrange :
voilà une « ambition » qui ne m'avait jamais tourmenté; il
suffit du coup de téléphone d'un ami pour que désormais je
me promène avec ce grelot. C'est la faute de mon imagina-

tion; j'imaginais, pour le jour où je serais promu, les têtes de ma mère, de mes gosses, du concierge, des bonnes – celle de Le Grix et des deux amis qui trouveront que « c'est un peu tôt » ou que « ce n'est pas très digne »... ou que « sans avoir l'air de rien, c'est inouï comme Mauriac se pousse... » Autre chose m'a bien étonné : Painlevé a discuté congrûment de mes livres; son chef de cabinet les a lus; Monzie savait que j'étais menacé de l'index : et il se peut que comme bien d'autres, je doive cette croix à l'Eglise (si jamais je l'obtiens...) Tout cela n'est-il pas étrange? Je vous supplie de ne rien dire de tout ceci : vous connaissez la jungle où il nous faut vivre, et tout ce que ces quelques lignes pourraient susciter de potins, d'entrefilets. Adieu : il pleut; je reste nez à nez avec mon chef-d'œuvre de l'année prochaine, et suis votre ami reconnaissant (votre admirateur, vous le savez!).

Franc Mauriac.

115.   A MADAME FRANÇOIS MAURIAC

Lundi *août 1925.*

Chérie,

C'est décidément délicieux[1]... après deux jours, on se connaît, on se confie. L'endroit est beau, fait pour la conversation. Il y a une belle bibliothèque – les entretiens pourraient prêter à rire; mais tout de même, que de vues profondes, excitantes – et que c'est « roboratif » ! Et puis il est bon de rencontrer des êtres d'un autre bord que le nôtre, d'un autre pays, d'une autre religion, et qui ont souvent plus de noblesse, de pureté, de désintéressement (: mon ancien maître M. Drouin[2]). Il y a là deux jeunes Rhénans vraiment lumineux et je vous jure qu'on n'éprouve aucune gêne devant ces boches... Le soir, des petits jeux qu'on ne peut jouer qu'ici : par exemple, 4 critiques, ou 4 romans, ou 4 personnages de romans sont représentés par Fernandez, Fayard, Fabre-Luce etc. et il faut en deviner les noms. Le docteur Courrèges, représenté par Fayard, était bien drôle : reniflant les odeurs et cherchant des recettes pour se faire aimer.

Sans doute mon plaisir vient aussi de me découvrir tant

d'admirations (une jeune romancière anglaise, *très laide*!!) –
un petit étonnement d'exister pour ces gens dont beaucoup
me dépassent tellement. (Je cause très peu : ils sont trop
forts!)

Martin du Gard est un être très noble, très simple; nous
causons beaucoup. J'ai fait la conquête du secrétaire de Marc
Sangnier!! C'est un normalien catholique[3]. Nous étions quatre à la messe, dimanche, sur cinquante – mais je dois dire
qu'on touche souvent aux questions religieuses avec la plus
intelligente et la plus respectueuse liberté.

Le beau temps sur tout cela!... mais je saigne du nez, ce qui
me gêne. D'ailleurs, état de santé parfait.

A samedi – je n'ai pas écrit à Jean. J'arriverai par le train si
vous ne m'avertissez pas que c'est arrangé. Dans ce cas vous
feriez bien de télégraphier car les lettres vont lentement.

Votre

FM.

Embrassez bien maman.

116.   A JACQUES DOUCET[1]

14 mai 1926.

Monsieur,

Le Baiser au lépreux dont vous détenez le manuscrit est le
premier de mes livres qui ait atteint le « public »; je déplore
aujourd'hui d'y avoir montré un Jean Péloueyre aussi laid :
je ne voulais pas écrire le roman de l'homme laid – mais de
l'homme que les femmes n'aiment pas; et l'histoire eût été
plus significative si mon héros n'avait pas été un monstre.

C'est, je crois, le seul de mes ouvrages où je me sois
efforcé de créer une correspondance entre les personnages et
la terre où ils vivent : les landes reflètent Jean Péloueyre; –
Jean n'est qu'un pin rabougri et blessé.

Veuillez croire, monsieur, à mes sentiments très distin-
gués.

François Mauriac.

Abbaye de Pontigny (Yonne),
Lundi *août 1926.*

Ma chérie,

Il est ici bien difficile d'écrire, tant on est pris entre les séances par des notes à rédiger, des conversations, des promenades. C'est autre chose que l'année dernière, très intéressant surtout à cause de la présence de Gide et de Brunschwicg, – mais, pour moi, moins prenant. Hier soir, j'ai eu les honneurs de la soirée avec la lecture de *Coups de Couteau*[1]. L'atmosphère avait été bien préparée par une admirable pianiste, (très connue mais dont j'oublie le nom étranger). Elle a fait transporter ici son piano et joue du Chopin et du Bach comme je n'en ai jamais entendu. Dans l'après-midi j'ai fait une promenade d'une heure, seul avec Brunschwicg[2], sans comprendre un traître mot de ce qu'il m'expliquait touchant les propriétés d'un certain triangle de Pascal : j'ai eu chaud mais, tout de même, je m'en suis tiré! Anne Heurgon est décidément vivante et gentille; très charmante aussi la fille de Roger Martin du Gard (catholique ardente). On dit ici que Marc Allegret console Mme de T., ça me paraît vraisemblable. Le temps est inaltérable mais je m'efforce de ne pas penser au grand danger suspendu sur nos pins.

Je n'ai encore écrit qu'un mot à Jussy!

Adieu, ma chérie. Je vous dis toute ma tendresse et vous prie d'embrasser maman et de m'excuser auprès d'elle, mais je ne peux pas écrire : le temps me manque.

FM.

30 septembre 26.

Mademoiselle, votre lettre me touche et me trouble : je trouve si accablant le rôle que j'ai usurpé à Pontigny[2]! Si votre père ne répond rien lorsque vous lui opposez mon nom et mon œuvre, c'est simple délicatesse et gentillesse – mais il doit songer : « En quoi ce catholique montre-t-il plus de sérénité que nous? Son œuvre est aussi trouble, aussi inquiète que la nôtre! Nous savons par lui qu'on peut boire de cette *Eau,* et avoir encore soif, en dépit de la Promesse... » Voyez-vous, je crois que ce qui nuit au catholicisme, c'est que ses vrais fruits, sur lesquels il serait nécessaire que le Monde le juge, sont cachés, invisibles – enfouis. Tout ce qui porte l'étiquette catholique (en littérature surtout) a quelque chose d'arrogant, d'offensant. Le Christ, quand il se retrouvait avec tel ou tel disciple plus subtil, peut-être brodait-il sur la parabole racontée au peuple et disait-il, par exemple : « Tout bon arbre peut porter de *mauvais* fruits apparents et de bons fruits cachés... » Je suis frappé, (dans notre petit milieu), de ce qu'un Massis, un Ghéon irritent, exaspèrent ceux qui ne les ont pas suivis. Une jeune fille pieuse, comme vous l'êtes, détient un pouvoir infini et qui est la prière. Je crois que c'est par la prière, plus que par aucun raisonnement, que vous pouvez éclairer ceux que vous aimez. Il faudrait que la question religieuse ne fût pas entre vous une question *irritante.*

Pour ce qui touche à la médiocrité de la littérature catholique, j'en reviens à ce que je vous disais plus haut des *fruits cachés.* Les êtres vraiment en Dieu n'écrivent plus. La sainteté est presque toujours le silence. Ceux qui paradent, ceux qui portent en écharpe leur beau cœur, ne sont pas de vrais chrétiens. Et si j'écris des romans charnels et tristes, c'est que je suis plein encore de tous ces désirs, de tous ces songes, dont je n'ai pas fait le sacrifice à Dieu.

Pourquoi nous le dissimuler? Le catholicisme (parce qu'il est la Vérité) est impitoyable : l'*Art,* les *Lettres,* lui importent peu; Racine à trente-sept ans renonce à troubler les cœurs. La splendeur catholique, il faut renoncer à la trouver aux « congrès des écrivains catholiques ». C'est un incendie qui ne se reflète que dans le ciel, et dont les livres ne nous disent rien. Tout ce que peuvent apporter des romans comme les miens, c'est une peinture de *la misère de l'homme sans Dieu;* – mais il n'y a pas de peinture qui ne comporte de la *délectation* et, au fond, je donne raison à l'abbé Bethléem : quand je me convertirai, je me tairai!

Veuillez me croire, Mademoiselle, votre respectueux ami.

François Mauriac.

Veuillez dire à votre père ma profonde sympathie – et mon désir de le revoir.

119.   A ROBERT VALLERY-RADOT

89, rue de la Pompe,
1926 ou 1927.

Mais, mon Robert, je ne confonds pas simplicité et grossièreté. « Les êtres vertueux n'ont pas d'histoire », je veux dire ne sont pas *romanesques.* Le roman est la peinture des passions. Là où il n'y a plus de passions, le diable et le romancier perdent leur droit. Et la preuve c'est que pour une réussite comme celle de Bernanos, comptez les échecs dans le roman catholique. Et Bernanos lui-même écrit, me disiez-vous, l'histoire d'un prêtre *qui perd la foi* [1]. Et voyez Green. C'est par là que le roman est un genre inférieur. Soyez assuré qu'...[2] est *le contraire* d'un héros romanesque. « Il n'a pas d'histoire » ou plutôt son histoire est *indicible.* De cela, je suis sûr; et vous souffrez vous-même de cette tragique impossibilité de vouloir décrire l'indescriptible.

Je le tenterai un jour, pourtant, et ce sera Thérèse, qui sera ma Sainte [3].

De tout cœur vôtre et à bientôt...

Fr.

Venez dîner, un soir de la semaine prochaine.

140

A EDOUARD ET DENISE BOURDET

89, rue de la Pompe,
2 mars *1927.*

Chers amis,

Je savais que ma misérable Thérèse trouverait auprès de vous un accueil indulgent; elle est si détachée de moi, déjà, que je ne sais trop s'il faut vous croire : je ne sais que penser d'elle et je la livre en tremblant aux regards étrangers[1].

Mais que vaut un homme qui arrache de son cœur de tels êtres? J'ai envie, parfois, de me tapir, dans un coin perdu, avec ma ménagerie de monstres. Il m'est doux de penser à votre amitié à la fois si aveugle et si lucide; et souvent j'ai été sur le point de vous télégraphier : « J'arrive[2]... » Et puis me voilà transformé en vieille reine des abeilles : celle qui pond, qui pond tout le temps... Les *Annales* renouvelées et rajeunies[3] m'achètent assez cher un roman : mais il faut commencer à paraître en avril... alors j'écris mes dix pages par jour. J'ai passé une huitaine, seul, au Trianon Palace, dans un bruit d'eau chaude et de bidets indiscrets, à écrire, écrire, écrire. Et une fois achevé ce roman (presque fini) qui s'appellera *Destins,* je me mettrai sans faire ouf à une *Vie de Racine* – ainsi je ressemble à ces rongeurs qui mourraient s'ils ne s'usaient indéfiniment les incisives ! Et moi mon porte-plume rythme les battements de mon cœur.

Vous êtes moins laborieux, cher Edouard, vous me scandalisez un peu – vous surtout qui ne pondez que des œufs d'or! J'ai hâte de connaître *Littérature* et le sujet de votre nouvelle pièce... Mais où serons-nous lorsque vous reviendrez? Si c'est au moment de Pâques, à Vémars, sans doute... vous y viendrez?

Nous partons mercredi pour Bordeaux, pour préparer les premiers arrangements de « Malagar[4] ». Mais nous ne resterons en Gironde que cinq ou six jours.

Merci, chers amis, d'aimer mon livre. Le premier article a paru (de R. Kemp)[5]. Il dit que je me suis inspiré de *Mlle de la Ferté,* mais que j'ai bien moins de profondeur que Pierre Benoit. Je suis ainsi fait que de tels propos me troublent. Nous dînons un peu en ville – mais peu. Quelques sorties avec les Vaudoyer, les Barbey. Nous fréquentons, le jeudi, le salon Bousquet assez amusant. Et déjà voici les beaux jours et leur langueur cafardeuse. On téléphone : c'est Georges B. On a besoin de café, partout. Je vous aime bien tous les deux et vous récrirai à chacun une petite lettre particulière.

Votre

Fr.

121.   A DENISE BOURDET

89, rue de la Pompe,
Lundi *1927.*

Chère Denise,

Après ma lettre « collective », voici mon « merci » personnel pour tout ce que vous avez su m'écrire et qui m'est allé au cœur. Je ne crois pas tout à fait que ce soit surtout votre ami François que vous regrettiez de ne pas voir, mais je crois tout de même que nous nous entendons « en profondeur » – et que le temps fortifiera notre amitié. Je vois déjà se rapprocher ces sombres bords où il ne faut plus compter que sur ceux qui aiment en nous ce qui ne périt point et qui savent retrouver dans des yeux flétris une toujours jeune tendresse.

Je regarde avec assez d'indifférence cette part de moi-même qu'est *Thérèse* passer de main en main. L'inattention et la légèreté des critiques, leur cécité, je m'en réjouis, bien loin de m'en plaindre. Un artiste est toujours l'image du Christ, homme ordinaire pour la foule des gens qui le croisaient – et dont un très petit nombre pressentait la nature divine. Hélas! Ce n'est rien de divin que nous dissimulons – mais pourtant, beaucoup d'ardeurs, de souffrances, de renoncements, de hontes : tout ce dont nous créons des êtres qui s'appellent Thérèse, par exemple... ou la Prisonnière[1]... ou Jean Azévédo[2]...

Revenez bientôt. Dites à Edouard que je vais lui écrire et croyez à ma fidèle affection.

F. Mauriac.

Nous arrivons de Malagar où nous avons préparé des « embellissements »...

142

Samedi *1927.*

Mon cher ami, vous êtes sans doute le seul critique aujourd'hui parce que vous êtes aussi un créateur, parce que vous connaissez les mystères de la conception et de l'enfantement d'une œuvre. Et l'œuvre peut être manquée ou mauvaise, mais c'est tout de même un peu de notre propre vie et de notre douleur. Comment ne souffrirait-on pas de certains articles? J'avoue que j'y réagis comme au premier jour...

J'écrivais avant-hier à l'un de mes frères qu'il manquait à *Thérèse* – je m'en aperçois trop tard – un chaînon essentiel; et c'est le même dont vous dénoncez l'absence. Oui, autre chose est de verser une fois le poison et de le verser cent fois. Le plus bête est que je sais fort bien comment Thérèse l'a fait et j'aurais su analyser « l'affreux devoir [1] »... Trop tard!

Cher ami, je pars pour Bordeaux mercredi jusqu'à lundi. Je voudrais bien à mon retour vous voir, déjeuner ou dîner avec vous. Je travaille à un roman pour *les Annales* [2] – plus lâché que ce que j'ai fait, où je m'abandonne plus. Je suis très fatigué et ce succès dont vous parlez dans votre article avec tant de gentillesse pour moi ne me sert de rien... ou plutôt si : c'est la ceinture de sauvetage peut-être, le liège grâce à quoi tout de même on flotte... Merci du plus profond de moi.

F. Mauriac.

Vémars, Vendredi *1927.*

Mon cher Pierre, *Les Nouvelles littéraires* ont *reproduit,* comme aurait pu le faire n'importe quel journal, la préface que j'ai écrite pour un tirage de luxe (cinq cents exemplaires) des *Mains jointes* [1]. Et je vois bien que j'abuse de l'ellipse puisque je suis compris de moins en moins.

Je ne renie pas la *religion,* loin de là; mais au contraire je m'accuse de l'abus que j'en ai fait. Je n'incrimine pas un *système d'éducation* : moi seul suis en cause là-dedans; j'étais lâche et veule; il se peut que tu ne l'aies pas été.

Je ne préconise pas la *débauche*, mais un certain esprit d'indépendance, de risque, de courage, de désintéressement qui peut aller de front avec la dévotion la plus sévère. Mon tort est de ne pas savoir, d'oublier que, même lorsque j'écris pour trois cents personnes, mes confidences sont reproduites et criées sur les toits. Je saurai me taire désormais et c'est bien assez de mes ouvrages d'imagination!

Si tu lis la seconde et la troisième partie de *Destins*, tu verras un catholique antipathique et un débauché plus sympathique, mais tout de même misérable et voué à la mort. Je ne prêche ni pour l'un, ni pour l'autre. Ce sont deux *destins*, deux ouvrages différents, mais cohérents, complets. Je sais tout ce que je dois à mon éducation, à mes barrières, à mes œillères. Je sais aussi tout ce qu'elles m'ont coûté; c'est l'éternel problème... D'ailleurs on ne sait ce qu'on aurait été sans cette éducation. La contre-épreuve est impossible. N'empêche que je déplore cette « reproduction ». Il faut me discipliner, apprendre le silence. Je prends des résolutions. Mais ne crois pas surtout que je m'éloigne de Dieu.

Bien affectueusement.

FM.

124.   A ROGER MARTIN DU GARD

> 89, rue de la Pompe,
> 7 avril 27.

Cher ami,

J'ai lu et relu votre lettre[1] : vous savez le prix que j'attache à votre jugement. Mon « habileté » est bien moins concertée que vous le pourriez penser. J'ai dû avoir un ancêtre employé quelque part à bien ficeler les paquets et c'est lui qui boucle si adroitement mes petites histoires, sans doute!

Mais je crois profondément juste votre distinction entre le romancier et le poète... quoique beaucoup de mes personnages procèdent des deux, ne croyez-vous pas? Je suis gêné de parler ainsi de moi, et c'est vous qui m'y entraînez...

J'espère qu'à Bellême[2], rien ne vous détourne du travail. Pour moi je ne suis plus qu'une vieille reine des abeilles qui ne s'interrompt plus de pondre... Veuillez ne pas m'oublier auprès de Mademoiselle Martin du Gard et croire, mon cher ami, que je vous suis très attaché.

François Mauriac.

125.   A MARCEL ARLAND

89, rue de la Pompe,
30 avril 27.

Mon cher ami,
Je n'ai lu encore que les deux premiers récits de votre recueil. Je ne crois pas que vous ayez rien écrit encore de plus hallucinant que l'histoire de cette pension de famille dans cette banlieue[1]. Vous êtes tous, dans votre génération, occupés à pourchasser, à poursuivre cet étrange garçon inconnu de soi-même et pourtant lucide, fait pour la grandeur et uniquement appliqué à se défaire, à se détruire, à se perdre... Mais c'est vous qui le serrez de plus près : vous donnez la vie à ces êtres épars dont votre ami Malraux me paraît mûr pour écrire, si j'ose dire, la théorie. Ce qui me frappe aussi chez vous, c'est la renaissance d'une conception idéaliste de la femme. Gide ne se doute pas qu'il travaille pour la femme. Dans le roman homosexuel de Crevel (*la Mort difficile*), il y avait une très curieuse figure de jeune fille humiliée, douce, désintéressée, telle enfin qu'une génération détachée des femmes peut en créer à son usage. Mais votre Marthe est plus humaine, plus vraie. Elle ne peut trouver d'appui, de sécurité, de permanence, que dans un sombre crétin, que dans ce morne imbécile – parce que tout être, aujourd'hui, qui a quelque vie intérieure, est voué à la destruction. Je suis content que votre talent s'affermisse; vous savez que je l'ai aimé à son aurore.
De tout cœur vôtre.

F. Mauriac.

A PIERRE BRISSON

> Malagar,
> Saint-Maixant (Gironde),
> 1 octobre *1927*.

Je trouve fort mauvais, monsieur, que m'ayant vu passer devant le théâtre de Bordeaux, vous ne m'ayez pas fait l'honneur de me courir sus, et je suis décidé à prendre fort mal votre moquerie de n'avoir pu attraper à la course un auteur qui a une triste raison d'être moins agile que vous, puisqu'il a eu le malheur de naître bien avant qu'il fût question de vous dans le monde. Et ne savez-vous pas qu'à dix lieues de Bordeaux j'habite une terre où vous eussiez été reçu comme le doit être tout collaborateur du *Temps* qui ne s'appelle pas Souday[1]?

Mais votre punition, Monsieur, sera de n'avoir pas mon *Racine* qui est vendu, pour une modique somme, au sieur Massis. Je vous laisse un espoir, cependant : il se peut que le dit Massis ne veuille point de ce tragique désaffublé de sa perruque – et à vrai dire tout nu. Dès qu'il s'agit de peindre un auteur de ce siècle, toute la question est de savoir s'il faut ou non lui laisser sa perruque. Je me suis décidé pour la négative. Mais on me passe tout; et Massis lui-même acceptera, sans doute, mon grand homme en bannière[2].

Adieu, Monsieur. Veuillez offrir à Madame Brisson mes respectueux hommages et croire à ma rancune et à mon amitié.

F. Mauriac.

Je serai à Paris dans huit jours.

A FRANCIS JAMMES

> 22 novembre *1927*.

Mon cher maître et ami,
Voilà des mois que j'aurais dû vous remercier de l'admirable *Lavigerie* et je reçois à l'instant le *Rêve franciscain.* Mais on

renvoie toujours à un lendemain moins encombré les lettres qu'on voudrait écrire à tête et à cœur reposés. Les soucis nous rongent et nous détruisent vivants, du moins dans cette vie qui est la mort et qu'il faut coûte que coûte mener ici.

Mais j'ai fait le rêve de vous voir, de reprendre contact avec vous dans une atmosphère de calme et de recueillement. Ma mère m'a donné cette propriété de Malagar (qu'André Lafon aimait tant) et qui est située sur le coteau de Verdelais où vous avez découvert, un jour de votre adolescence, une fleur que vous n'avez jamais revue... Il faudra, aux grandes vacances prochaines, que vous me fassiez l'honneur de vous reposer sous mon humble toit. Il me semble que vous aimerez cette charmille et cette terrasse où André et moi avons lu vos vers à haute voix – et aussi ce vignoble où j'ai bien souvent retrouvé cette « torpeur des vignes » dont vous avez parlé...

Tout mon petit monde avance en âge et non en sagesse. Pour moi ce qui me reste de cheveux grisonne et je regrette « la Joueuse de croquet ». Vous voyez que je « jammise » toujours, et que c'est toujours votre poésie qui exprime le mieux ce que j'éprouve.

Je travaille mais trop fièvreusement, dans cette atmosphère de hâte, de bâclage qui est celle de ma génération; encore y fais-je figure de provincial!

Je vous prie d'exprimer mon profond respect à Madame votre mère, et vous assure ainsi que Madame Jammes de notre fidèle, respectueux et tendre souvenir.

François Mauriac.

128.   A MARCEL ARLAND

1928.

Cher ami,

Je suis très content que vous aimiez *Destins* [1]. Pour *Racine*, Gide le loue, comme les gens qui n'aiment pas les romans de Bourget portent aux nues ses *Essais de psychologie*. Je ne me fais pas une grande idée de mon *Racine*. Mais votre critique m'étonne un peu. Car le centre du livre demeure pour moi les vingt pages sur *Phèdre* – et tout ce que j'ai dit du personnage composite Hermione-Roxane-Phèdre-Athalie. Thibaudet ne veut retenir du livre que ces pages-là. Et ce qui vous choque dans mon *Racine,* (l'œuvre négligée), c'est justement ce que je n'aime pas dans *Ariel* et ce que je voulais éviter... Enfin! Je pense que vous travaillez. Je suis passé en auto, dimanche, près du Montcel[2] et j'ai pensé à vous. Je pense souvent à vous et m'en veux de ne vous avoir pas écrit après la lecture de *Où le Cœur se partage.* Je l'avais lu d'un œil un peu distrait et rapide. Je l'ai repris, un soir; et je me demande si vous n'avez rien écrit de plus *direct.* Vous y êtes tout entier dans une nudité qui n'est pas « misérable », comme vous l'écrivez – simplement humaine.

A un jour, j'espère. Croyez-moi vôtre.

F. Mauriac.

Je m'absente et rentrerai vers le 3 juin.

129.　　　　　　　A ANDRÉ GIDE

Mai 1928.

Mon cher ami,

Comment ne serais-je pas heureux de voir cette lettre imprimée[1]? Peut-être appellera-t-elle une réponse. Malgré la répugnance que j'éprouve, il faudra bien que je m'explique, un jour, sur ma position religieuse. Il y a d'abord ceci : je n'ai pas *choisi* le christianisme; il m'a été inoculé dès ma naissance – et avant même que je sois né. A quarante-deux ans, je suis assuré que je ne l'éliminerai jamais. Vous vous rappelez ce fragment de Pascal (je cite de mémoire) « On a beau dire, il y a de l'extraordinaire dans le christianisme – C'est parce que vous y êtes né, me dira-t-on... – Non, car justement parce que j'y suis né, je me gendarme contre; mais bien que j'y sois né[2]... etc. » Un *Maritain,* un *Ghéon,* venus de l'autre rive, ne peuvent comprendre cette fureur. Je secoue d'autant plus violemment les barreaux que je les sais indestructibles. Je ne crois pas, je ne veux pas croire à votre tranquillité. Du point de vue chrétien, elle serait le signe de l'abandon à vous-même – du découragement de Dieu en ce qui vous concerne... Mais je vous *vois* sourire. Si vous saviez comme j'entre facilement dans votre état d'esprit! Oui, j'ai pensé à vous, je pense souvent à vous. Votre *parti pris* me paraît ce qu'il y a de plus tragique, dans le monde actuel. Votre « cas » a une signification qui me fascine.

Si je ne vous ai pas revu, c'est que je ne pensais pas (et je ne pense pas encore) vous intéresser. J'en juge par moi-même : un homme, même si je l'admire, m'ennuie dès qu'il a montré tout son jeu... Vous, je persiste à penser que vous avez encore une carte ou deux cachées dans votre manche... Et puis je vous aime bien.

Je n'ai pas répondu à votre lettre au sujet de mon petit article sur « Gide et l'Evangile ». Mon silence est un acquiescement. D'ailleurs il ne faudrait jamais parler de ces choses-là – on est sûr de trahir la vérité. Merci d'aimer *Racine*. Vous savez qu'aucune approbation ne peut avoir à mes yeux plus de prix que la vôtre. Si vous voulez me faire signe, j'accourrai avec joie. Je suis de tout cœur vôtre.

F. Mauriac.

130.   A ALBERT DUBOURG[1]

31 mai 1928.

Je suis désolé des mauvaises nouvelles que vous me donnez. J'espère que le soleil de ces derniers jours a un peu réparé le mal? Tenez-moi au courant. Dites-moi si la vigne reprend meilleur aspect.

J'imagine qu'avec la chaleur revenue, il faut perdre l'espoir de vendre le vin avant l'automne. Je suis ennuyé aussi de cette « augmentation » que vous me faites entrevoir. Le jour où Malagar sera trop lourd pour moi, je serai bien tenté de prêter l'oreille aux offres très avantageuses que me font certains acheteurs éventuels.

En attendant, vous avez raison de ne pas ménager soufre et sulfate, et de faire l'impossible pour sauver la récolte.

Je vais vous faire parvenir de l'argent demain. (...)

Cordialement[2].

François Mauriac.

89, rue de la Pompe,
10 juillet *1928*.

Mon cher ami,
Impossible de me déplacer au mois d'août. Je suis retenu
par mes vignes. J'aurais aimé vous voir, causer avec vous. La
suite des *Thibault* m'a beaucoup retenu. C'est magistral. La
difficulté est de peindre un « homme moyen » comme votre
docteur : sans sommet, sans abîme. Vous l'avez prodigieusement réussi. C'est si facile à faire, les « monstres », les
passionnés! Et l'agonie du père Thibault est d'une réalité
atroce. C'est cela qui nous atteint.

Je n'ai pas répondu à votre lettre sur *Destins* : j'aurais eu
trop à dire[1]. A quoi bon s'expliquer? C'est comme les lettres
de Gide... Il vaut mieux se taire[2].

Dites, je vous prie, à Mademoiselle Martin du Gard combien j'aurais été heureux de causer avec elle, cet été. Je crois
qu'elle me fait confiance, malgré tout, et qu'elle discerne
dans mes livres moins de calcul, plus de véritable
« imprudence » que dans ceux de Gide – et une profonde
sincérité.

Je suis vôtre.

Fr Mauriac.

132.   A L'ABBÉ JEAN MAURIAC

89, rue de la Pompe,
18 janvier *1929*.

Mon bien cher Jean,
Rassure-toi : la lettre qui t'inquiète a été *immédiatement*
brûlée. Aussi méfiant que tu puisses être, quand tu connaî-
tras l'abbé A.[1] tu te rendras compte qu'il est impossible de ne
pas croire à la parole qu'il m'en a donnée. Sois sûr que je n'ai
rien perdu de mon esprit critique. Je connais les défauts, les
travers, les survivances sémitiques de ce prêtre; il n'est certes

pas ce qui s'appelle un « saint »; il est *un « saint prêtre »,
dirigé par un véritable saint* [2]. Voilà exactement sa formule.

Certes, il faut ne jamais perdre de vue la devise de
Mérimée : « Souviens-toi de te méfier. » Mais l'homme sur-
naturalisé et qui s'applique à ressusciter en lui le Christ, n'y
arriverait-il qu'à peine, que très peu, n'en est pas moins divin
– et chez les plus charnels, comme les traces de Dieu sont
visibles souvent! On songe à des pas dans la boue...

Vois-tu, si nous comprenions l'admirable synthèse du
« second commandement qui est semblable au premier », si
nous ne séparions pas les créatures que nous aimons de ce
Jésus qui nous aime, nous ne serions ni déçus, ni trahis.
Obscurément ce que nous exigeons des autres, cet attachement, cette tendresse est viciée dans sa source. Il faut aimer,
sans rien demander en échange, et obtenir de Jésus qu'il nous
paye de tout. Ainsi fait-Il pour moi qui n'ai rien fait pour
Lui. Et toi qui as tant donné, qui as presque tout donné, que
ne devras-tu recevoir! J'ai l'impression, parfois, que tu mets
trop l'accent sur les « joies » du monde qui nous sont défendues et pas assez sur la joie chrétienne – mais pardonne-moi
d'oser te parler de ces choses que tu connais mieux que moi.

Je connais des jours plus difficiles. Mais la grâce m'apparaît de plus en plus tangible. Il m'arrive par exemple de faire
des communions très froides, très misérables... et c'est dans
l'après-midi, pendant que je travaille et que j'y pense le
moins, que soudain j'ai la perception d'une présence qui
m'oblige de tout laisser... Je me répète que cela ne durera
pas, mais il ne s'agit que de réussir chaque journée.

Cher Jean, il faut faire confiance à cet incommensurable
amour. Sois heureux d'être ce que tu es, sois fier d'appartenir
à ce Jésus qui nous a tous deux si miséricordieusement gué-
ris. Je connais, mieux que toi, la voie contraire; si tu voyais
ce qu'est le monde où je vis, si tu savais la misère de ces
âmes... Je voudrais que tu sois délivré de cette amertume; je
voudrais que tes sacrifices suscitent en toi la sainte Joie. Pardonne-moi de te parler ainsi. Je vois tellement, aujourd'hui,
ce qu'est un *vrai* prêtre! Un de mes souvenirs les plus affeux
est celui de Lacaze appelant *maître* un philosophe incroyant...

Prie pour moi qui prie tous les jours pour toi avec une
profonde et tendre affection.

Fr M.

5 février 29.

Mon cher Gide,

Non, je ne crois pas que vous ayez *voulu* être perfide[1] – et moi-même je n'ai été sensible à la malice de votre lettre que lorsque je l'ai lue dans la *N.R.F.* C'est le danger de ces correspondances livrées au public. Vous conviendrez que la même phrase rende un son différent selon qu'elle est dite dans le privé ou qu'elle nous est adressée à la face du monde! Mais dimanche, vous avez dû voir, comprendre, à quel point je vous demeure attaché. *Dieu et Mammon* ne contiendra ni plus ni moins d'allusions à vous et à votre œuvre que mes autres « examens de conscience ». Vous demeurez pour moi, au sens le plus noble du mot, l'adversaire, celui qui aurait pu me vaincre, qui pourrait me vaincre[2]. Mais, moi aussi, « j'y ai mis bon ordre ». Vous m'aidez à prendre conscience de moi-même. Votre pensée m'a toujours servi de repère. J'ai quarante-trois ans. Je n'en peux plus d'être écartelé. Je cède à mon plus grand amour. Mais plus j'y cède et plus je me sens guéri de cette indifférence aux autres qui naguère m'aidait à vivre. Je me range du côté du plus faible – du Christ –, mais non pour combattre – pour aimer.

Ce n'est pas faiblesse, « vacillement »; c'est vraiment appel profond, que rien n'a pu recouvrir.

Je ne me séparerai pas de vous ni de vos amis, bien que chaque n° de la *N.R.F.* semble prendre position contre Jésus-Christ. Puisque vous semblez tous avoir un peu d'amitié pour moi, je veux rester, au milieu de vous, comme le pauvre ambassadeur d'une Puissance méconnue.

Cher Gide, la question n'est pas de savoir si nous aimons celui-ci ou celle-là – ou du moins c'est une question qui, à mesure que nous approchons de l'estuaire et de l'océan, perd chaque jour de son importance. La question est de savoir si vieillir ne doit pas être se sanctifier. Cette chair, qui ne peut être aimée de personne, nous détournera-t-elle plus longtemps de cet Esprit qui échappe au temps et qui lui aussi, lui surtout, lui uniquement est fait pour aimer – est amour?

Je ne vous juge pas. J'ai toujours exécré les « jugements[3] ».

Je me juge moi-même, et cela me suffit. Je ne crois pas d'ailleurs que votre « histoire » soit finie.

Cette lettre est pour vous seul et vous n'y ferez pas de réponse publique, n'est-ce pas? Donc, chaque fois que je parlerai de vous ou que je ferai allusion à vous, vous saurez que c'est un ami qui pense à votre destin, bien plus souvent que vous ne pouvez l'imaginer.

François M.

134.   A PAUL CLAUDEL

89, rue de la Pompe,
5 février 29.

Mon cher Claudel,

Peut-être avez-vous reçu les lettres que j'ai demandé à Jammes et à Massignon de vous adresser? Il est pénible de parler de soi. Il est difficile de dire : je suis un autre que celui que vous aviez raison de mépriser. Pourtant ces pages *Souffrances du chrétien* sur lesquelles vous m'avez condamné, ont été l'occasion d'un immense changement[1] : Dieu a jugé que c'était assez, j'ai été pris, mis en face d'un signe, acculé au *oui* ou au *non*. Mon seul mérite a été de ne pas me débattre... Enfin, je vous demande de me croire sur parole, de me faire confiance.

Maintenant, voici : avec Maritain, Massignon et quelques autres, je fonde chez Grasset une revue trimestrielle du type *Commerce*, catholique mais ouverte aux seuls écrivains et artistes dignes de ce nom. Il s'agit de faire contrepoids à l'esprit *N.R.F.* Toutes les questions soulevées durant le trimestre seront envisagées du point de vue catholique. Un prêtre est parmi nous, d'une science théologique éprouvée, et d'une sainteté à laquelle je dois tout. Vous comprenez que dans notre esprit, cette revue sera *votre* revue. Grasset compte payer convenablement les auteurs, et je crois que la « tenue » pourra l'emporter sur celle de la *N.R.F.* Dans quelle mesure devrons-nous accepter les collaborations non catholiques? J'aimerais avoir votre avis sur ce point; et aussi j'aimerais que vous nous donniez l'idée d'un titre si vous en

avez un...
Témoignages
Vigile
Ecrits...[2]?

Nous voudrions commencer en juin et que ce premier numéro soit consacré par un texte de vous.

Mon cher Claudel, c'est une œuvre *urgente*. Chaque numéro de la *N.R.F.* soufflette Jésus. Ils vont publier dans quelques mois je ne sais quel chapitre de Flavius Josèphe, retrouvé par les Soviets d'où il ressort que le Christ était bossu!!! Ils ajoutent aux pires outrages. J'ai le sentiment profond que cet effort m'est demandé. Aidez-moi à réparer le mal que j'ai pu faire. Pensez-y devant Dieu. Vous comprenez bien que ce n'est pas mon intérêt humain de « romancier à la mode »!! Tous vos conseils, toutes vos suggestions nous seront précieuses.

Je suis avec un profond respect de tout mon cœur vôtre en Celui que nous aimons.

François Mauriac.

135.   A MADAME JEAN-PAUL MAURIAC

89, rue de la Pompe,
6 février *1929*.

Ma chère maman,

J'attendais moi-même de tes nouvelles car tu n'as pas répondu à ma dernière lettre. Peut-être ne l'as-tu pas reçue? Nous avons été en effet légèrement grippés. Je reste un peu fatigué et c'est pourquoi j'ai accepté d'aller passer quelques jours à Tamaris. Mais rassure-toi : les journées ne commencent là-bas qu'à midi; j'aurai mes matinées et une petite chapelle est tout près de la maison. J'y serai après-demain (chez M. E. Bourdet, Villa Blanche, Tamaris/s/mer, Var) et rentrerai vers le 20 ou 25. J'ajoute que le voisinage de Marcelle D.[1] qui est à Bandol, près de Toulon, m'attire beaucoup et que je compte la voir souvent.

Chère maman, Dieu nous aiderait si nous l'aimions un peu plus... Songe à ce que signifie notre horreur de la solitude :

nous ne pouvons veiller une heure avec Lui – nous nous ennuyons avec Lui, il n'est personne que nous ne préférions à Lui. Il nous rend au centuple le moindre mouvement d'amour – mais que nous en sommes avares[2]! « Dieu est Amour », tout tient dans ces trois mots qui expliquent à la fois la vie des Saints et la misère de la nôtre. Le plus humble d'entre nous est appelé à la vie contemplative : l'éternité est déjà commencée pour nous – et elle ne sera qu'une éternelle contemplation de Dieu. Mais je m'aperçois que j'ai le toupet de te prêcher! Chacun a ses difficultés : moi, c'est la foi ; j'ai tant joué avec le feu que je suis obsédé par mille difficultés. En revanche, j'ai un peu d'amour; et c'est vraiment étrange que de douter de l'objet de son amour. J'en suis réduit à dire : « Je crois en vous puisque je vous aime... »

Je m'occupe de rien de mieux que de fonder une Nouvelle Revue française catholique. Ça marche.

Laissons les gens parler de ma « crise ». Je vais de l'avant. L'étrange vie que la mienne : je communie le matin et dîne, le soir, chez les Rothschild avec Poincaré! A la grâce de Dieu!

Au courage, chère maman. Je suis avec toi de tout mon cœur. Nous serons bientôt réunis à Malagar.

Je suis ton

François.

136.   A MADAME JEAN-PAUL MAURIAC

Vendredi *mars 1929.*

Chère maman,

Je te remercie de ta bonne lettre. Ici tout continue d'aller à peu près bien. Jeanne part ce soir pour Bandol, mais sera rentrée jeudi prochain. Je préfère aussi que l'on commente le moins possible *Dieu et Mammon.* Ce n'est pas respect humain, mais il est dur de livrer à tous ce que l'on voudrait tenir secret sauf pour quelques amis. Encore *Dieu et Mammon* est-il un tirage restreint. Mais le n° de Pâques de la *Nouvelle Revue française* publiera, sous ma signature, *Bonheur du Chrétien* où je me réfute moi-même[1]. Cela a été exigé et me coûte beaucoup. De même mes trois nouvelles seront précédées d'une préface assez nette quoique moins « profession de foi[2] ». Après cela, je n'aurai qu'à travailler tranquille sous le regard de Dieu. D'ailleurs je continue d'être paisible, calme et vraiment « visité ». Ma revue est sur pied et commence de paraître en octobre (4 numéros par an – mais très épais et rien que le dessus du panier comme collaboration).

(...) Il y a beaucoup ici de ces cas d'infection foudroyante. La sœur de Mme de Noailles, la princesse de Chimay a été emportée en quatre jours et on l'enterrait ce matin. Ce qui devrait nous étonner, ce n'est pas de mourir, mais de vivre en dépit de ces cent mille maladies qui nous guettent. Le sentiment d'être dans les mains de Dieu simplifie bien tout cela. Je comprends très bien, aujourd'hui, ce que j'appelais autrefois niaiserie, et qui est l'enfance spirituelle. Tout ce qu'a dit Jésus est vrai *à la lettre;* il faut devenir un petit enfant : donner la main, fermer les yeux. C'est la voie de la petite sœur Thérèse et de cette Thérèse Neumann, la stigmatisée de Bavière, (qui constitue, je crois, un cas très sérieux). Il se fait autour de moi (pas chez moi, hélas) un grand changement dans certaines âmes. Le saint qui dirige mon directeur lui a dit : « Vous êtes à une place où les grâces vont pleuvoir... » Notre revue va devenir le centre d'une vie spirituelle profonde, je le voudrais, du moins.

Je crois que tu aimeras *Bonheur du chrétien.* Je n'ai rien écrit avec plus d'amour. Le directeur de la *N.R.F.* a été stupéfait – mais aussi troublé[3]. Il serait pourtant temps de troubler les âmes de cette façon-là, après les avoir troublées d'une autre manière... Ce serait à frémir (quand j'y songe) si de telles preuves de miséricorde et d'amour ne m'étaient données. Au moins m'est-il facile de me tenir à ma vraie place – la dernière. Je n'oublie jamais que de tous ceux qui s'approchent avec moi de la Sainte Table, il y a des chances pour que je sois celui qui a fait le plus de mal... A bientôt, chère maman – et de tout mon cœur, ton

Fr *in Christo Jesu.*

89, rue de la Pompe,
Début mars 1929.

Cher ami,

Je comprends votre résistance : j'ai donné d'une vérité –
qui est notre désir d'amour et de solitude, de dualité et
d'unité – une expression bien imparfaite. Vous ne nierez pas
que la présence perpétuelle, que la cohabitation ne soient un
obstacle à l'amour[1]. Ce « bonheur » dont j'ai parlé trouve
l'une de ses sources dans ce sentiment d'une *solitude divinement peuplée.* Mais ce serait mentir que de prétendre qu'une
fois obtenu, il ne nous quitte plus.

Cher ami, si ce Caster souhaitait causer avec un catholique, je pourrais au moins le diriger vers tels de nos amis.
Mais, au fait, vous les connaissez comme moi. Voyez, je vous
parle comme si vous n'étiez pas un « adversaire ». En êtes-
vous un? Je crois discerner dans la *N.R.F.* une hostilité qui
n'est pas préconçue, mais qui résulte nécessairement de l'état
d'esprit de presque tous ses collaborateurs. Un témoignage
comme *Carence de la spiritualité* n'en a que plus de portée.

Je vous remercie de votre lettre et vous serre affectueusement la main.

Franc. Mr.

Pourrai-je recevoir, dès qu'il paraîtra, ce « document »
publié par les Soviets, dont m'a parlé Malraux, touchant un
chapitre inédit de Flavius Josèphe? Est-ce *sérieux*? Il ne faut
pas perdre de vue que dans les milieux juifs, et dès le commencement, la personne du Christ a été violemment diffa-
mée.

89, rue de la Pompe,
16 mars 29.

Mon cher ami,
Certes j'ai lu et relu le « Carnet du Spectateur[1] ». Ce qui
m'a retenu de vous en parler c'est une sincère défiance : je
ne suis pas un esprit subtil. Ne voyez là ni fausse humilité, ni
surtout la moindre ironie. Là où je ne découvrais rien, votre
lucidité me découvre un monde. Vous donnez aux non-sub-
tils la sensation de trop de clarté : ils croient n'y voir plus
rien, tant tout ce que vous dites est clair. Le sophisme de
Valéry, vous le réduisez par un raisonnement si fort et si
simple que je n'en reviens pas que personne, avant vous, ne
s'en soit avisé.

Mais j'en arrive à votre question : « Avez-vous l'impression que ce carnet est écrit par un incroyant? » Ceci me frappe :
le point de vue de Valéry sur la littérature, appliqué aux
manifestations de la vie religieuse, les réduit à un pire mensonge. La Foi et son expression : la prière, lui doivent apparaître de toutes les conventions, si j'ose dire, les plus conven-
tionnelles. (On imagine le parti à tirer de ce que dit Pascal :
« inclinez l'automate »...) Eh bien, cher ami, à travers la
« sincérité » de l'écrivain, n'est-ce pas celle du chrétien que
vous défendez? Faussaire et comédien, le croyant, prosélyte
et prêcheur, doit apparaître tel à Valéry, bien plus encore que
l'écrivain entraîné par son œuvre future. Incroyant? Je ne
sais si vous l'êtes, *mais je vois, dans les démarches de votre
esprit, le souci de ne permettre à personne de miner d'avance
le sol où la Foi pourrait un jour pousser des racines.*

Maintenant, que se passerait-il le jour où votre puissance
d'attention serait concentrée sur le christianisme? Je vois que
déjà la « méthode » catholique y a résisté et que vous l'admirez. Mais le catholicisme n'est que secondairement une
méthode. L'essentiel échappe à l'analyse où vous vous com-
plaisez. Je n'ose aller plus loin : un esprit comme le vôtre
enseigne aux bavards de mon espèce la prudence. Je vous
devrai, dans l'avenir, le souci de peser mes mots.

Pourtant je songe à cette réflexion de M. G. Bellot que notre Gabriel Marcel a bien raison de trouver comique. Mais

elle serait davantage tragique, si Dieu s'était en effet refusé à se communiquer aux hommes : la logique de cet inspecteur général me paraît conforme à la logique divine; ceci pour attirer votre attention sur le fait du Christ : ce procès éternel. Cet Homme toujours là. Cher ami je voudrais me retenir de glisser au sentiment. Je crains votre agacement, votre sourire... Comprenez-moi : la Foi m'est devenue une connaissance. Dans l'amour, je connais ce Jésus en qui j'ai foi. Vous qui êtes si fort contre le sophisme, vous qui avez mesuré l'abîme où se détruisent les fils spirituels de Valéry, vous qui jugez le geste de l'autre « maître » : cet homme de soixante ans inquiet de rallier la jeunesse autour de ce lamentable drapeau sexuel... écoutez la parole de l'Evangile d'aujourd'hui (samedi de la IXe semaine du Carême) : « Ego sum lux mundi : qui sequitur me, non ambulat in tenebris, sed habebit lumen vitae... ». « Jésus dit ces paroles, enseignant dans le Temple, dans le parvis du Trésor. »

Cher ami, vous aimez la Lumière : puissiez-vous la nommer un jour de ce nom qui est au-dessus de tout nom.

Je suis vôtre.

Fr.

P.S. Vous avez raison pour l'amour heureux – *également* partagé. Mais dès que l'on aime plus que l'autre, ou d'une autre façon que l'autre (et c'est la règle) la cohabitation, la présence, engendrent la souffrance.

Je vous demande grâce pour *Poussière*[2]. Impossible pour moi de lire des romans...

139.   A ROGER MARTIN DU GARD

89, rue de la Pompe,
Lundi *mai 1929.*

Mon cher ami,

Votre carte de Bordeaux m'a beaucoup touché et je n'en ai éprouvé que plus de remords de ne vous avoir pas encore remercié de votre livre (dont la dédicace correspond si exactement à mes sentiments pour vous[1]). La vérité est que, pour beaucoup d'autres raisons (dont les plus profondes ne sont pas d'ordre littéraire), je l'ai moins goûté que les deux précédents.

Que tout ce qui touche la mort de M. Thibault constitue un « morceau » admirablement réussi, c'est évident. Mais tout en moi se hérisse contre l'abus des moyens « naturalistes »... Et puis, au fond, non... il faut chercher ailleurs les raisons de ma résistance à votre livre. Vous les devinez. Lorsque l'on connaît, lorsque l'on vit, lorsque l'on respire une Vérité ineffable, comment souffrir sans chagrin qu'elle apparaisse, à un ami qu'on admire, sous un aspect si ridicule, si odieux...? Et ce qui me gêne, c'est, à chaque instant, le coup de pouce que vous donnez pour déformer cette Vérité. Par exemple, il existe une admirable prière des agonisants récitée au chevet de tous les chrétiens près de mourir, et dont j'espère entendre les adjurations suprêmes : « *Oubliez,* Seigneur, les égarements de sa jeunesse, car il n'a nié ni le Père, ni le Fils, ni l'Esprit, mais il y a cru... » Et vous y avez substitué une effroyable prière, dont j'ignorais l'existence, mais qui n'est pas la prière des agonisants puisqu'elle est à la première personne, et qu'elle est au futur. Vous supprimez l'extrême-onction que M. Thibault a dû recevoir et dont les formules, même pour des incroyants, sont admirables; et vous supprimez surtout la dernière communion, ce don dernier du Christ au corps martyrisé.

Enfin, mon cher ami, puique je vous dis « tout ce que j'ai sur le cœur », laissez-moi attirer votre attention sur le contraste entre l'honnêteté foncière d'Antoine et l'acte effroyable qu'il commet en « achevant » son père. Je dis bien « effroyable », car il agit bien moins pour mettre fin au martyre de l'agonisant, que parce que lui-même n'en peut plus; parce que Jacques[2] est à bout de forces. Rien ne montre mieux le désarroi d'une âme naturellement noble lorsqu'elle a perdu la Lumière.

Ne vous irritez pas, ne m'en veuillez pas. Je ne suis ni exalté, ni fanatisé[3]. Je n'ai jamais vécu si retiré, si calme. Je pense à vous, à d'autres, en même temps qu'à moi. Je ne me suis jamais senti à ce point *solidaire.* Tout se passe pour moi au-delà des apparences qui vous irritent. Que m'importent les dévots et les dévotes du genre Thibault, les curés et tout « le tremblement » (c'est le cas de le dire!)... Mais vous avez

lu *Bonheur du chrétien,* sans doute... Et qu'y ajouter?
Ne m'en veuillez pas. Gardez-moi votre sympathie. Et
croyez à toute mon amitié.

                                              Fr. Mauriac.

140.   A PAUL CLAUDEL

                    89, rue de la Pompe,
                    Dimanche dans l'octave de l'Ascension,
                    12 mai 29.

    Mon cher maître et ami,
    – J'achève, à l'instant, de lire ces pages si riches[1] – où
mieux peut-être que dans des œuvres composées, nous assistons au travail de votre pensée, à l'élaboration des images et
à leurs associations. C'est très beau. Je voudrais qu'un texte
de Maritain accompagnât le vôtre.
    – Pour la question « argent », comptez sur moi : je la ferai
régler au mieux.
    – Oui, il s'agit pour moi de réapprendre la joie. Le matin,
en sortant de la messe, je retrouve à voir le ciel entre les maisons, un plaisir candide, pareil à celui de mon enfance –
mais je ne sais quelle bête, en moi, a vite fait de déterrer le
vieux chagrin enfoui... Comme c'est étrange que nous n'aimions pas le bonheur! Et pourtant, depuis six mois, je ne
peux pas faire le plus petit signe vers Dieu, sans qu'il m'en
inonde... Encore ce matin, en chantant l'*introït* : « Dominus
illuminatio mea et salus mea : quem timebo? »
    Quand vous recevrez cette lettre, je serai en auto sur les
routes d'Espagne : je vais faire une conférence à Madrid et à
Barcelone. Titre idiot : « Deux réponses à l'inquiétude
moderne. » Fernandez fera son topo sur l'« humanisme ».
Et moi vous devinez de Qui je vais parler. J'espère que vous
ne m'en voudrez pas si je finis sur un extrait de votre
« Samedi » – l'admirable passage sur *la joie.*
    Je voudrais que vous soyez content de votre[2] revue. Savez-
vous ce que vous êtes pour nous? Notre exemple, mais aussi
notre orgueil. Vous et Maritain (je parle ici du point de

vue spirituel), vous êtes les seuls qu'on ne discute pas.
Veuillez croire que je suis avec un profond respect
votre

François Mauriac.

J'ai vu avec tristesse que ce triste *Destins* paraît ces
temps-ci en Amérique[3]...

141.   A JEAN PAULHAN

89, rue de la Pompe,
18 mai *1929.*

Cher ami,
J'entre dans toutes vos objections, mais comprenez qu'il
n'est rien de moins « concerté » que *Dieu et Mammon*. Je
pense que ce serait en effet un livre maladroit, si j'avais eu la
moindre idée de m'y montrer habile. En ces sortes d'ouvrages, la suprême adresse est de n'en pas avoir, car si le lecteur
est un « spectateur » intelligent, curieux, soucieux de comprendre, il n'est pas de « raisons », il n'est pas de raisonnements d'une portée générale, que sa subtilité, sa sagacité n'arrive à démonter ; au contraire, il reste une chance qu'un cri
spontané, qu'un aveu plein de larmes lui donne le sentiment,
ou même la sensation, du surnaturel, le pressentiment que
quelque chose se passe dans l'âme – quelque chose qui ne lui
est d'ailleurs pas tout à fait étranger, dont à certains instants
il a cru reconnaître en lui l'équivalent.
Croyez-vous qu'un homme de ma sorte espère jamais
écrire quelque chose d'habile pour les *habiles*? Mon seul
espoir, c'est que l'aveu de mon cas, la peinture de ce qui
m'est le plus particulier, éveille dans tel ou tel lecteur le
sentiment d'une ressemblance.
Vous voulez comprendre, vous êtes curieux de ces choses
(je pense à tel Carnet du Spectateur que vous écrivez pour
vous seul). Mon unique chance est d'éveiller en vous, ou de
réveiller ce pressentiment du « secret », du « mystère », ce
« mysterium fidei », ce mystère que j'ai touché du doigt, ce
matin, au baptême d'un étudiant annamite. Il y a une curio-

sité qui ne peut pas aller au-delà des apparences de la religion – mais il existe une curiosité *sacrée* qui est déjà une faim, qui est déjà l'amour, et celle-là mène un homme où il ne voulait pas aller...

Cher ami, je pars mardi pour l'Espagne où me rejoindra Ramon. Mais je rentrerai vers le 10.

Adieu. Merci de votre lettre. Je suis vôtre.

Fr Mauriac.

142. A MARCEL ARLAND

2 juillet *1929.*

Mon cher Arland,

J'ai dû interrompre la lecture de *l'Ordre,* rappelé à Bordeaux par la mort de ma mère[1]. Et à mon retour j'ai repris votre livre, comme la seule lecture où ma détresse ne fût pas dépaysée.

Je ne vous répéterai pas ce que vous a dit si exactement Fernandez dans sa note de la *N.R.F.* J'y ajouterai simplement ce témoignage qu'à un instant de ma vie où rien ne pouvait me détourner d'une vision atroce, j'ai pu vous suivre, vous écouter... Il me semble que nous marchons côte à côte jusqu'à une extrême pointe du désespoir humain où vous demeurez immobile et moi je vais de l'avant vers une lumière dont vous pensez qu'elle *devrait* être là, mais vous ne la voyez pas. Et moi, je la vois.

J'imagine ce qu'aurait pu être le dialogue entre votre héros mourant et ce prêtre mystérieux[2]. Je pensais à la mort de Rimbaud – Peut-être avez-vous connu un cas analogue à celui de Roger : un chrétien fervent qui défaille à la fin[3]. Mais cela encore, c'est le Christ – c'est le mystère du cri dernier : « Père, pourquoi m'avez-vous abandonné? » Le Christ a connu, a subi cela *aussi.* Mon cher Arland, pardonnez-moi cette lettre décousue.

Je suis bien affectueusement vôtre.

François Mauriac.

Malagar,
25 juillet 29.

Cher ami,

J'ai pensé que vous pardonneriez mon silence. Il a fallu écrire à beaucoup de gens, remercier etc. Et maintenant je vis avec le souvenir de ma mère dans ce Malagar qu'elle a tant aimé. Sa mort fut si douce, si paisible que je me réjouis de ce qu'elle a passé dans une telle sérénité ce seuil redoutable. Et moi je suis paisible aussi ; d'une paix qui est au-delà d'un certain désespoir humain – fait en partie d'un goût âcre du néant de ce que j'ai le plus désiré ici-bas. J'ai de durs moments – mais toujours Dieu demeure et me soutient. Oui, cette petite Hostie vous « centre » merveilleusement, n'est-ce pas ? Il n'y a qu'Elle au monde – que Jésus Christ. Il est la seule vérité.

Bernard B.[1] est venu trois jours. Nous sommes allés, par un de ces soirs torrides, dîner à Casteljaloux, chez Lassus (fameux !). Retour au clair de lune par cette route merveilleuse.

Aujourd'hui, fraîcheur soudaine, temps couvert. Longues heures de travail en perspective...

Votre

Fr M.

Malagar, 12 août 29.

Cher ami,

Je suis très touché de votre amitié et de votre approbation. Oui, je vais à Pontigny : du 21 au 31. Il faut que vous veniez. Nous serons seuls, Charles Du Bos et moi, à prier celui pour qui fut construite cette Abbaye. Votre présence nous serait d'un grand réconfort. La charité intellectuelle, que vous me recommandez en termes si émouvants, est une vertu difficile : l'intention n'y suffit pas – mais un certain tact, une main légère. Sans doute avons-nous blessé Gide – bien qu'il doive sentir ce que cette préoccupation, cette obsession signifie d'attachement et d'amitié.

Cette phrase que vous admirez dans *Dieu et Mammon,* la vérité m'oblige à vous dire que toute sa beauté est empruntée à Pascal qui parle de « l'usage délicieux et criminel du monde » (dans la prière pour le bon usage des maladies, je crois[1]).

Je préférerais que ce fût Christiane qu'Hélène[2] qui vous ait écrit.

A bientôt à Pontigny, cher ami. Le Grix qui a son auto pourrait au besoin vous chercher. Je serai à Malagar du 3 sept. au 15 octobre, sauf un court pèlerinage à Lourdes avec mes gosses. Et vous pourrez venir, si le cœur vous en dit, quand vous voudrez. Quel bonheur pour moi!

Reçu longue lettre de Denise[3], de Megève, où Edouard travaille dans le calme. Ils seront de retour à Toulon, après le 15 août.

A bientôt et de tout cœur vôtre.

F. Mauriac.

145.　　A MADAME FRANÇOIS MAURIAC

Pontigny, 27 août *1929.*

Ma chérie, vous trouverez sans doute que je vous écris peu. Mais le vrai est que la vie ici est très coupée et que c'est une décade assez terne. Ou plutôt est-ce moi qui suis terne. J'y brille aussi peu que possible et je me sens beaucoup moins entouré, beaucoup plus seul que les autres fois. Ch.[1] est tout à la joie d'être en accord avec Gide. Ce sont de vraies « retrouvailles » et son euphorie pontignacienne l'empêche de m'être d'un grand secours. Grix, vous savez combien il est peu pour moi, au fond. Et par-dessus tout, cette grande mélancolie de se croire dans la vérité – presque seul au milieu d'une foule qui adore mille autres dieux. Et pourtant, je ne crois pas y être venu tout à fait en vain (sauf pour celle qui m'intéressait davantage et que je n'ai pu aborder).

Quelqu'un de bien étonnant, de presque génial et de
« tragique », c'est Malraux.

Entrevu les X... Elle avec ce geste, oublié ici, de se regarder toutes les deux minutes et de rehausser son teint de fromage croûte rouge. Quelles ridicules singesses sont devenues ces femmes! Nous sommes habitués à ces gestes affreux; mais dès qu'on se trouve dans un milieu différent, ils prennent une valeur de grotesque accablant.

Je suis fatigué, ne donnant pas assez et « fonctionnant » mal – mais cela reste en surface.

Et voilà. Il y a de bons moments tout de même. Ce soir Y. Guller jouera du piano. Je cause beaucoup avec Gide.

Je vous dis ma tendresse et ma joie de vous retrouver.

Fr.

146.   A PAUL CLAUDEL

89, rue de la Pompe,
12 octobre 1929.

Mon cher maître et ami,

Votre lettre m'a beaucoup touché. Oui, il faut connaître sa misère et ne pas viser le soleil [1]. Je n'y ai aucune peine quant à moi : je ne me plais pas à moi-même et les souvenirs de ma vie me sont odieux. Ce qui me rassure aussi contre les retours au vomissement, c'est ce besoin, cette exigence chaque jour plus forte de la « pax Dei » – cette paix, ce silence vivant en nous – ce prolongement de la présence eucharistique du matin à travers toute la journée. Je ne m'en passe plus sans souffrance. Mais peut-être ces grâces du début me seront-elles bientôt retirées? Grâces intérieures et aussi extérieures : signes sensibles que j'étais pardonné (je songe surtout au bonheur d'avoir été, à peine converti, le parrain de Gabriel Marcel, d'un étudiant annamite – comme si, dès le premier mouvement vers Lui, Dieu me montrait qu'Il voulait se servir de moi...). Je n'ai servi de rien, dans ces événements, mais j'avais le sentiment intérieur qu'un rôle m'y était dévolu, pour que je me rassure, pour que je prenne confiance.

Votre manuscrit partira la semaine prochaine pour l'imprimerie. Personne n'est rentré encore. Nous serons peut-être retardés, et je me débats dans le vide. Veuillez vous montrer indulgent : tout début est difficile – même la mise en train d'une revue trimestrielle.

Je ne connais personne à Arcachon, l'hiver. Faites attention de ne pas envoyer votre fille dans un milieu contaminé : la plupart des hivernants d'Arcachon sont des phtisiques.

La vraie vie n'est pas absente, mais elle est cachée[2]. Je m'efforce dans le livre que j'écris[3] de rendre sensible ce courant souterrain. Tout est simple au fond. Il ne s'agit que de bien vivre, il ne s'agit que d'être pur. Nous compliquons le problème comme le poisson trouble l'eau pour se défiler. La Pureté. C'est admirable qu'elle nous puisse être rendue. Après tant de souillures, se retrouver exactement pareil à l'enfant scrupuleux, inquiet des moindres taches...

Je relis ma lettre et crains que vous n'y trouviez « cette complaisance, cette satisfaction » contre laquelle vous nous mettiez en garde, autrefois (dans une admirable lettre au *Temps*). N'y voyez que l'éblouissement du lépreux guéri lorsqu'il regardait ses mains.

Je vous dis ma gratitude profonde et ma respectueuse affection.

François Mauriac.

147.   A MARCEL ARLAND

89, rue de la Pompe,
18 octobre 1929.

Mon cher Arland,

Je rentre à Paris et trouve. le précieux petit livre que vous avez signé pour moi et qui sans doute m'y attend depuis des semaines. Je ne saurais vous dire combien m'a touché ce mot « affection » que j'ai lu à la première page. Et comme nous ne nous voyons plus depuis des années, j'imagine que cette « affection » ne s'adresse pas à moi, mais peut-être à la direction que j'ai choisie, à cette lumière que j'entrevois et qui baigne peut-être faiblement les dernières pages que j'ai écrites. Je pensais en lisant votre roman que *l'Ordre* n'est pas ce que vous appelez l'ordre et que le malheureux et désordonné garçon de votre livre est plus rapproché que son sage frère de l'ordre véritable. Il sait confusément qu'il faut perdre sa vie pour la trouver, perdre son âme pour la sauver. Mais vous savez pour qui, vous savez dans quelle profonde union...

J'ai un peu causé cet été à Pontigny avec votre ami A.M.[1] J'avais toujours supposé qu'il devait être pour vous (de mon point de vue!) un compagnon redoutable. Mais jamais je n'avais touché, si j'ose dire, le désespoir total, comme je l'ai fait en lui. Cette intelligence si belle, et ce désespoir lucide, ce culte de la destruction et de la mort,... il me semble qu'il y a là, pour un témoin de votre race, « une grande et terrible leçon ». Lui-même a la notion du « salut ». Il me disait : « Le Christ n'est pas mort pour moi. » Il se sent rejeté, séparé. Un adversaire de cette taille nous confirme dans notre foi au surnaturel, par sa négation même, par sa solitude affreuse, par sa déréliction. Ne sentez-vous pas qu'il faut le *sauver*? « Le Fils de l'Homme est venu sauver ce qui était perdu...[2] »

Cher ami, ne me répondez pas si cette lettre vous choque ou vous déplaît, et croyez que mon affection répond à la vôtre.

Fr Mauriac.

148.   A RAMON FERNANDEZ

28 octobre 29.

Je vous admire, mon cher ami, de ne m'avoir pas plus querellé pour ma négligence à lire votre *Molière*[1]. Je ne devrais point me réjouir de voir les progrès étonnants d'un libertin de votre espèce : dans une génération qui se glorifie de son ignorance et qui bâcle honteusement, votre conscience professionnelle vous mènera loin. Vous avez fait des progrès immenses dans l'expression. Votre « vision » s'incarne – ce dont je ne vous eusse jamais cru capable. Votre Molière aigu, « oppressé », se fixe dans l'esprit et n'en sortira plus. Votre commentaire de *Tartuffe,* sur lequel il faudra que je revienne, tant il me frappe, est un modèle d'intelligence; et il est certain que vous avez réussi à travers l'œuvre à toucher l'homme – cet homme qui ne m'intéressait pas, et qui maintenant m'obsède au même titre que Pascal : il est l'*autre* parieur, mais au fond plus tragique. Oui, il faudra revenir là-dessus. (...)

Je suis si ignorant que je ne connaissais pas le rapport anonyme sur la conversation Molière-Chapelle. Que c'est beau! Comme il est plus humain que Racine! Et cette dernière parole sur les pauvres ouvriers, quelle réponse à l'anathème de Bossuet! Il y a là un acte de charité parfaite, le soir même de sa mort, qui a une signification plus qu'humaine[2].

Cher ami, je me réjouis de vous voir dépasser si vite ce que j'attendais de vous. Ne m'oubliez pas auprès de votre charmante et intimidante femme. A bientôt, j'espère.

Fr Mauriac.

149.   A ROBERT VALLERY-RADOT

Trépassés 29.

Cher Robert,

Depuis que je vous ai vu, j'ai achevé votre livre[1]. Comme dans tous vos romans, on y souffre d'un déséquilibre entre la fiction, parfois un peu sommaire, un peu « incroyable », et une puissante, une admirable vie intérieure. On voudrait que ce feu arrivât directement – que tant de douleurs, de sacrifices, surgissent dénudés, terribles... Mais je comprends votre pudeur. Chaque fois que vous exprimez l'absolu de la croix, vous me contentez profondément; j'aime moins ce que vous y opposez – ces noceurs, ces déliquescents que vous peignez ne sont pas nos vrais adversaires; ils portent pierre, ils sont le mal, l'ombre, ils font partie du « système ». Ce qui enlève à votre roman la portée qu'il pourrait avoir, c'est l'absence, en face de notre « Folie », de la Sagesse que cherchaient les Grecs – non pas ridiculisée, caricaturée, mais telle qu'elle éclate dans un Montaigne, et dans un Brunschwicg ou un Fernandez. Vous montrez la Folie et riez du reste. Mais ce

reste existe, et non méprisable, et puissant terriblement...
Ne vous inquiétez pas. Je résiste à ses prestiges. Car ma
Sagesse a besoin de cette folie – et cette Folie me prend,
m'occupe, m'enivre de plus en plus. Mais je voudrais la montrer dans une réalité quotidienne, presque usuelle, à portée
de la main... ordinaire.

Cher Robert, j'ai été heureux de vous retrouver l'autre soir.
Croyez que je vous aime bien. C'est toujours dans le Christ
Jésus que nous nous sommes retrouvés n'est-ce pas? Et je ne
me suis jamais éloigné de vous sans m'éloigner aussi de lui.
Et je ne peux le retrouver sans vous rejoindre.

Prions l'un pour l'autre. Demandez à votre François de
m'introduire dans le cercle intime de ses amis lorsqu'il
implore pour eux la grâce du Seigneur[2]. Je suis malgré tout si
faible, si menacé.

De tout cœur vôtre.

Fr M.

150.   A RAYMOND MAURIAC

38, rue Théophile-Gautier,
1930.

Cher Raymond,
Je te répondrai simplement avec Chesterton que lorsqu'il y
a des choses extraordinaires et choquantes dans la religion,
toujours des choses extraordinaires et choquantes y corres-
pondent dans la réalité. Que nous soyons créés pour l'amour,
tout notre cœur en témoigne, mais que la nature en nous soit
corrompue, ou plutôt (car ceci est trop janséniste) que la
nature soit blessée, tu le vois bien. Le christianisme correspond au mystère humain. Cela ne suffit pas pour y croire.
Mais, pour moi, tout est beaucoup plus simple : Quelqu'un
est venu, à un moment de l'histoire, il a fait des promesses;
et j'expérimente, chaque jour, qu'Il les tient. La prodigieuse
puissance de renouvellement, de renaissance, qu'il y a dans
le Christ, s'est affirmée dès sa mort (songe aux persécutions
de Néron contemporain des apôtres) et ce levain continue de
travailler la pâte humaine. Le plus misérable cœur peut *tout*
dans et par le Christ. C'est un fait. La vie sacramentelle

réalise, dans un cœur de boue, un miracle quotidien. Mais tu le sais. J'ai retrouvé des lettres de toi, écrites pendant la guerre : alors la souffrance t'avait rapproché de la croix... Sans la croix, notre douleur est une masse informe qui nous écrase. Mais quand elle devient cette étoile que créent deux morceaux de bois mis l'un sur l'autre, alors nous comprenons ce qu'elle signifie. Que la souffrance puisse être bonne dès qu'elle est la croix, je le constate : c'est un fait; comme c'est un fait aussi que le plaisir, que la recherche sensuelle entraîne l'être humain dans un abîme (si tu savais ce que l'on voit ici!) – et sinon dans un abîme, au moins dans des flaques, dans des marécages de misère médiocre où il faut se traîner jusqu'à la mort... Si tu savais combien le Christ est doux, comme il se révèle aux pauvres cœurs souillés et trébuchants! L'Amour existe, il est la seule réalité. « Nous sommes créés pour cet amour », disait saint Jean de la Croix et encore : « Au dernier jour, vous serez jugés sur l'Amour. » Etre un avoué au tribunal, être un romancier de chez Grasset et puis mourir : quelle défaite! Mais il y a autre chose; mais l'essentiel est en nous; mais il n'est jamais trop tard pour essayer de devenir des saints; mais le plus affreux pécheur, qui a rejeté tous ses crimes sur le Christ, qui s'en est débarrassé, peut aspirer à la pureté et à la perfection. La petite Thérèse de l'Enfant Jésus, dont, à travers toutes les déformations imbéciles et toutes les roses en pâtisserie, j'ai enfin découvert le visage martyrisé et la merveilleuse enfance, disait que si elle avait commis tous les péchés mortels du monde, elle n'aurait pas moins de confiance et d'amour... Non, ne crois pas que je tremble devant un Dieu terrible. « Je ne m'appelle pas Celui qui damne, mon Nom est Jésus... », dit un jour le Christ à saint François de Sales qui était dans les plus grandes épreuves intérieures...

Pardonne-moi cette lettre... c'est une réponse à la tienne. Quant à l'indiscrétion de mon livre, j'en ai souffert *à en être malade* : le martyre de la nudité[1].

A bientôt, mon cher Raymond. Je te dis toute mon affection.

F.M.

Aucune nouvelle de ton jeune ménage. Je serai à Malagar vers le 20.

+
Vendredi saint *1930.*

Cher ami,

Voici la fin de ce roman[1]... Même si vous en pensez du mal, j'aimerais à connaître vos critiques et serais heureux si vous pouviez (sans fatigue) me les faire parvenir (Malagar, Saint-Maixant, Gironde). Elles pourraient me servir, d'ailleurs, car je n'ai pas encore mes épreuves de Grasset.

Hier soir, je vous ai rejoint en Baudelaire. C'est notre commune patrie – c'est le poète des pauvres pécheurs et des cœurs qui n'ont même plus à se mettre à nu. Et j'ai pensé avec émotion que ce perpétuel rappel du thème de la souffrance et de sa « noblesse unique » n'était chez vous que le signe discret de votre quotidienne épreuve... Cher ami, vous n'avez pas à aller loin pour penser à la croix aujourd'hui.

Ne vous tourmentez pas pour cet article. Nous avons une tendance à grossir ces sortes d'événements. Notre ami A. est avant tout à nos yeux un prêtre, le prêtre, celui qui nous transmet la Grâce. Pour le reste,... quelle créature ne nous a pas déçus, un jour ou l'autre[2]? Et s'il n'y avait le Christ dont nous sommes les sarments, comme je comprendrais cette affreuse lucidité de Proust, à la fin de sa vie... Mais ayant foi dans le Christ, nous avons foi aussi dans ceux qui ont germé et qui se sont épanouis en lui. C'est dans la lumière et dans l'amour du Sauveur que m'apparaît et que m'apparaîtra toujours notre saint ami.

Je dois faire un plus grand effort pour montrer de la sympathie à cet Eliacin chauve et terrible, à cet ange exterminateur, apôtre (comme l'étaient Céphas et Jacques le frère du Seigneur) de la circoncision imposée à tous (les artistes).

De tout mon cœur vôtre.

F.M.

Malagar, 13 avril 30.

Mon cher maître et ami,

Ni après l'envoi de *Monsieur Teste*, ni après l'envoi de *Variété II,* je ne vous ai remercié... Ce n'était ni indifférence, ni négligence - mais au contraire, tout ce que vous écrivez m'atteint au vif, *m'enchante* et *m'irrite* et je me tais pour ne pas crier!

Je pense beaucoup à vous en prenant des notes pour un *Pascal* que l'on m'a « commandé » (car de moi-même, je n'eusse pas osé...)

Croyez en tout cas que je vous admire et vous aime toujours. Mais vous me faites sentir plus qu'aucun autre ce que notre expérience a d'incommunicable...

Veuillez ne point douter de mon respectueux et fidèle attachement.

Franc. Mauriac.

153.   A JACQUES CHARDONNE

25 juin *1930.*

Merci, cher ami, du beau livre, de la dédicace trop flatteuse.

Vous êtes de ceux – je serais presque tenté de dire : vous êtes celui que je ne me lasse pas de lire, comme on ne se fatigue pas des paysages de *Dominique* et des cœurs qui se font souffrir... Quelle cruauté que ce *Journal interrompu*! Quel comique amer et affreux!

Mes hommages très affectueux à votre femme. Croyez-moi à vous.

Fr. Mauriac.

Malagar,
Saint-Maixant (Gironde),
14 août 30.

Mon cher ami,

J'ai bien tardé à vous remercier du soin que vous prenez de *Vigile*. Les Pascal[1] me laissent pourtant quelques loisirs dans cette maison où je vis seul, par cet été lugubre: assez fier de ne pas « perdre cœur ». Non, ne vous inquiétez pas de m'envoyer les manuscrits. J'aime autant « avoir la surprise ».

Que vous dire? Il ne m'arrive rien que de me demander ce qu'est un « lemme », ce qu'on peut faire d'une « section de cône »... au fond Pascal n'aimait que cela au monde. Inutile de vous dire que je m'en « tirerai » plus ou moins mal; mais assez bien pour avoir un bon « Thibaudet ». C'est pitoyable. Je ne suis pas content de moi.

Oui, tous ces articles sont « décents » comme vous dites. Ce n'est pas l'auteur qu'ils blessent, c'est l'homme. Mon malheur est de m'engager tout entier, à chaque fois. Mes anciens livres sont de vieilles blessures cicatrisées; mais *Ce qui était perdu* est une blessure encore fraîche, avec des mouches dessus. Le silence est un luxe que j'envie. Je voudrais bien me taire!

Je serai à Lourdes entre le 26 et le 1er et penserai à vous, à nous. Ecrivez-moi, si vous avez du temps, un mot de Pontigny.

Et croyez-moi à vous.

Fr.

Malagar,
Saint-Maixant (Gironde),
3 oct. 30.

Cher ami,

Je suis confus d'être resté si longtemps silencieux. Vous avez compris que je suis « enseveli » dans ce travail dont je commence à voir la fin. Mon livre s'appellera : *Blaise et Jacqueline Pascal.* C'est l'histoire du couple fraternel que j'ai essayé d'écrire – en m'efforçant de me tenir sur le plan psychologique où j'étais moins déplacé et moins démuni. Vous jugerez du résultat... Pour moi, je ne sais trop qu'en penser.

Je suis inquiet de vous, de *Vigile*... aucune « épreuve »! Par ailleurs, *Flaubert*[1] paraîtra en volume au début de novembre. J'avais cru pouvoir m'engager... Tant pis; mais c'est ennuyeux. Je doute que vous puissiez remplacer cette étude. Ces incertitudes et ces perpétuels changements, dont nous ne sommes pas responsables, rendent cette revue de moins en moins viable, à mon avis. (Comme d'ailleurs ce volume sera de demi-luxe, à tirage restreint, je pense qu'il faut s'y résigner... Savez-vous la date approximative pour ce numéro? Je tâcherai de faire patienter l'éditeur.)

J'aimerais avoir un mot de vous, ici où je suis encore pour une dizaine de jours. Parlez-moi de votre santé, de votre été, de vos travaux – enfin de *vous*.

J'ai été assez troublé par la *terrible presse catholique* que j'ai eue. Ça se tasse, maintenant – et Dieu est toujours là. Quel miracle que cette continuité de grâce! Voici bientôt deux ans que vous m'avez tendu une main de frère. Puissions-nous jusqu'à la fin demeurer unis dans ce même Amour.

Il me tarde de vous voir. Mon affectueux et respectueux souvenir à votre femme et croyez que je suis vôtre.

François Mauriac.

89 rue de la Pompe,
12 déc. 30.

Mon cher Martin du Gard,

Je vous remercie de ce témoignage si amical. Mais pourquoi parler de « ce qui nous sépare de plus en plus » ? Vous
ne croyez pas ce que je crois : c'est un absolu qui ne saurait
croître... A moins que le « de plus en plus » s'applique à vos
sentiments... Mais je suis sûr que vous haïssez des choses qui
ne sont pas le Christ. Vous êtes comme cette femme de mon
dernier livre qui disait : « le catholicisme, c'est ma
belle-mère[1]... » Pour vous c'est *l'Echo de Paris*... et que sais-je
encore! Croyez-vous que lorsque l'Argus m'apporte un éreintement fielleux de *la Croix* ou des *Etudes* des Pères Jésuites,
je sente moins la force, la paix, l'amour de ma communion
du matin? Maintenant je vis dans l'équilibre. J'arrive à
demeurer pur, même en pensées – moi qui naturellement
suis l'impureté même. La grâce est une réalité plus effective,
plus tangible que tout le monde visible. Cela dure depuis
deux ans. Ni les hommes, ni les institutions ne me cachent le
Christ. L'Eglise éternelle, celle qui perpétue, par les sacre-
ments, la vie du Christ en ce monde, et qui est encore admirablement sainte, dans le secret de sa vie (mais les saints
sont, par définition, ceux qui se cachent et qu'on ne voit pas),
cette Eglise compte seule pour moi. Si vous saviez ce que les
« abus », les hypocrisies, les égoïsmes, les ridicules, les niai-
series me laissent indifférent...

Mais si vous connaissiez ce que je connais, vous ne le
tairiez pas... Je pense à vous avec toute l'affection et toute
l'admiration que vous méritez. Il ne dépend pas de nos
« différences » de nous séparer. Jamais je ne me suis senti si
près, si *dépendant* de tous mes amis, de tous mes camarades[2].

A vous de tout cœur, et merci encore.

F. Mauriac.

A PAUL VALÉRY

> 38, rue Théophile-Gautier, XVIᵉ,
> 27/1/31.

Cher ami,

Je ne puis résister au désir d'ajouter une lettre à toutes celles que vous avez dû recevoir après ce discours admirable[1]. Je l'ai lu à mes enfants : aucune œuvre, à ma connaissance, ne pouvait au même degré, leur donner le sentiment de l'*exacte* grandeur de la France. C'est cet équilibre, cette équité, rendues sensibles par la vertu du langage même que j'admire surtout dans ce chef-d'œuvre. Et en même temps, et sans le vouloir, vous leur montriez ce qui est l'essence de notre gloire : ce discours est ce qui ne peut être fait nulle part ailleurs qu'ici. Ils ont compris. Ils vous admirent comme le fait leur père (qui pensait à un titre : M. Teste petit-fils de Bossuet!)

De tout cœur vôtre.

> F. Mauriac.

A JEAN PAULHAN

> 38, rue Théophile-Gautier, XVIᵉ,
> 30 octobre 1931[1].

Mon cher ami,

Je ne suis pas convaincu par votre lettre, car d'une part il y a cet acte très précis, cet article sanglant, et d'autre part ce que vous appelez une « campagne » tendant à présenter Jacques[2] comme diminué; cela est bien vague, bien tendancieux, ne correspond à rien de ce que j'ai entendu, ni observé chez sa femme qui l'admirait passionnément.

Et puis, à vous entendre, on finirait par croire que tout ce qui a été publié de lui n'est pas son œuvre... Il avait changé, c'est entendu; mais il y a un dernier changement dont vous ne parlez jamais. Je sais bien qu'en ce qui concerne les conversions au dernier moment, notre point de vue ne peut être le même : pour vous, signe d'affaiblissement, demi-délire, pression de la famille, etc. Pour nous, grâce dernière.

Et après tout cela, je vous accorde qu'il est regrettable que *Florence* n'ait pas paru avec le reste – non pas pour Jacques, ni pour sa mémoire, ni pour sa gloire, mais dans l'intérêt de la justice.

Je pourrais d'ailleurs vous montrer des lettres de 1923 où apparaîtrait un Rivière plus chrétien que vous ne le croyez[3] : la vérité est qu'il se montrait un peu différent, inconsciemment, selon les interlocuteurs; mais nous sommes presque tous ainsi.

Bien amicalement vôtre.

Fr. M.

Je viens de lire, d'un trait, ces lettres de jeunes Allemands... Peut-être, dans cette guerre qui continue, sur le plan spirituel, ne sommes-nous pas plus différents les uns des autres que n'étaient ces deux jeunesses dont les lettres sont interchangeables... Nous aimons tous la vérité, la sincérité; nous croyons à la vie, nous voudrions être aimés, compris. Chacun de nous envisage les adversaires du côté qui lui donne raison. Nous sommes de bonne foi. Vous aimez abstraitement tout ce que le Christ incarne et j'aime dans Jésus ce que vous aimez dans les hommes. Les Béatitudes du Sermon sur la Montagne qui seront chantées, dimanche, dans toutes les églises du monde, un Nietzsche lui-même au fond y adhérait. Et pourtant... il faudra s'en aller vieillir de plus en plus loin les uns des autres, dans des camps ennemis (alors que souvent ceux qui nous comprennent le mieux sont ces prétendus ennemis...)

A BERNARD BARBEY[1]

+
Pax
38, rue Théophile-Gautier, XVI⁰,
12 nov. *1931.*

Cher Bernard,
    Je ne résiste pas à vous répondre un mot au sujet de ce que vous m'avez dit, l'autre soir, en descendant du métro... Comprenez que la *Vérité* est une. Par exemple, si Luther enseigne que le Christ est présent réellement dans l'Eucharistie et si votre Œcolampade enseigne qu'il n'y réside qu'en figure, l'un des deux se trompe[2]. Si un pasteur enseigne que le Christ est la seconde personne de la Sainte Trinité et si un autre pasteur enseigne qu'il ne fut que le plus saint et le plus inspiré de tous les hommes, l'un des deux se trompe – et ainsi de suite : *la diversité dans la doctrine est à la source de votre multiplicité et c'est là qu'est le signe de l'erreur.* C'est en partant de là qu'il faut comprendre la portée de la question que déjà Tertullien posait aux hérétiques de son temps : « Montrez-nous l'origine de vos Eglises... » Et que répondre à Bossuet lorsqu'il affirme qu'il faut ramener toutes les sectes séparées à leur origine? « On trouvera toujours aisément et sans aucun doute, dit-il, le temps précis de l'interruption : *le point de la rupture demeurera, pour ainsi dire, toujours sanglant;* et ce caractère de nouveauté que toutes les sectes séparées porteront éternellement sur le front, sans que cette empreinte se puisse effacer, les rendra toujours reconnaissables... »
    Vous pourriez trouver pire que l'histoire de Jeanne d'Arc, dans l'histoire du catholicisme, car l'Eglise est sainte mais avec des membres pécheurs. Ce qui compte, c'est que de Pie XI à Pierre vous remontez jusqu'à la promesse : « Tu es Pierre et sur cette Pierre je bâtirai mon Eglise... » Et de fait, le dépôt des vérités essentielles, en dix-neuf siècles, est demeuré intact *là seulement où est Pierre.* Prenez le plus abominable des papes, Alexandre VI Borgia, et étudiez son « bullaire » : il n'a rien promulgué que ne pût et que ne dût enseigner le plus saint des papes. Confrontez l'enseignement doctrinal des Epîtres de Paul et de Jean et celui des diverses

sectes protestantes et celui de l'Eglise catholique, vous verrez quels sont ceux qui ont gardé le dépôt du Christ Jésus et ceux qui l'ont dilapidé...

Ne m'en veuillez pas, cher Bernard, de vous répondre : je n'avais pas eu le temps de le faire dans le métro... Je me garde de jamais vous parler le premier; mais il m'est impossible de vous laisser croire qu'un catholique admet comme légitime et souhaitable la diversité des Eglises. L'Eglise du Christ est celle qui n'a pas varié dans sa foi; elle est une, comme son Credo. Enseigner, comme vous faites, des doctrines contradictoires sur ce qui est la base même du christianisme, c'est se dénoncer soi-même comme hérétique. Et, bien entendu, cela n'enlève rien à la sainteté d'un grand nombre d'âmes protestantes. Il vous reste la prière, les inspirations, la grâce que le Christ ne refuse jamais à ceux qui l'aiment et qui le suivent. Il est au milieu de vous quand vous vous réunissez en son nom – mais de quelles richesses incalculables aurez-vous été frustrés par ceux qui ont consommé la rupture!

Pardon et à vous.

Fr M.

160.   A HENRI GUILLEMIN

38, rue Théophile-Gautier, XVIᵉ,
13 nov. 31.

Mon cher ami,

J'ai téléphoné deux fois (en vain) chez Sangnier[1] pendant que vous étiez à Paris : c'est vous dire que je ne vous oublie pas. Mais il est vrai qu'écrire me devient de plus en plus pénible. A votre âge j'avais le goût des lettres et j'en noircissais des quantités... Et maintenant – est-ce d'en avoir fait métier pendant tant d'années? – l'écriture me paraît toujours menteuse – la parole écrite toujours concertée, apprêtée, fausse. A quoi sert de fabriquer ainsi une petite histoire de soi, composée donc arbitraire, et qui même si elle était vraie au départ ne le serait plus en arrivant à destination?

Je suis « noir » aujourd'hui : fatigue toute physique. Je

commence à sentir le *poids* de l'âge : sensation très nouvelle qui n'a rien à voir avec les malaises de la jeunesse.

Je vois que vous luttez toujours contre mille difficultés, pauvre Henri... L'Université ne finira-t-elle par se lasser de toutes vos exigences contradictoires?

Mais j'augure bien de votre thèse et m'en réjouis[2].

Une conversation avec Richaud m'a fait mieux comprendre la folie que c'était de vous établir avec votre petite femme dans cette caverne de... j'ai oublié le nom (je deviens gâteux!) Lourmarin.

A bientôt. Je pense à vous. Priez pour moi et croyez-moi vôtre.

F.M.

161.   A BERNARD BARBEY

+
Pax
38, rue Théophile-Gautier, XVIe,
14 novembre 31.

Cher Bernard,

Je pourrais vous répondre que nous sommes au pays de Descartes où l'évidence demeure le critère du vrai : si *X* et *Y* professent sur un point de la foi deux doctrines *contradictoires,* il en est une de fausse et deux sectes naissent de cette contradiction. Je pourrais ajouter qu'une religion qui professe que tout repose sur l'Ecriture et qui se réclame en même temps du libre examen, livre celle-ci à celui-là, et détruit de ses propres mains ses fondements, ainsi que le prouve l'histoire du protestantisme libéral. « La personne du Christ révélée par l'Evangile, divinement inspiré... » Vous écrivez cette phrase dont il n'est pas un mot que d'autres protestants ne seraient en droit de contester (surtout les deux derniers...) Mais à quoi bon? Mon cher Bernard tous ces débats ne servent qu'à aigrir et qu'à séparer. Rendez-moi cette justice que c'est la première fois que je m'y laisse entraîner, on n'a le droit de parler à une âme de ces choses que lorsque Dieu a commencé son œuvre en elle. Alors on peut diriger, aider au cheminement de la lumière. Mais Dieu ne se trouve pas au bout d'un raisonnement.

Je souhaite de tout cœur que vous trouviez dans le protestantisme les richesses nécessaires pour devenir meilleur chrétien. Le jour où je verrai en vous un changement, où je discernerai que vous vous orientez vers la Lumière, que vous retrouvez le goût de la pureté, la tentation de la vie parfaite, le jour où dans la certitude que vos péchés vous sont remis, vous avancerez, soutenu, réconforté par cette nourriture dont Jésus a dit « le pain que je donnerai au monde, c'est ma chair... », je m'en réjouirai, sans me demander si vous êtes dans l'erreur : car il vaut mieux être un bon protestant qu'un mauvais catholique. Mais je suis persuadé que ce jour-là vous ne seriez plus *satisfait,* il vous manquerait quelque chose, vous chercheriez ce qui vous ferait défaut dans ce bercail où vous êtes né, vous regarderiez vers le grand pâturage abandonné par vos pères.

Ne parlons plus de tout cela, cher Bernard. Il ne faut pas qu'il y ait entre nous de « guerre de religion ». Nous portons en nous, sans nous en douter, un héritage de vieilles haines qui s'éveilleraient vite. Cherchons, chacun selon ses forces, le royaume de Dieu et sa justice, et prions l'un pour l'autre. (1)

A vous.

Fr.

(1) Je n'ai jamais communié depuis trois ans, sans avoir prononcé votre nom, vos deux noms, car je n'oublie pas Andrée... Ces jours-ci – anniversaire du changement [1].

162.   A JACQUES COPEAU

+
Pax
5 janv 32.

Mon cher Copeau,
Oui, il semble qu'aux yeux de Dieu, ce ne soit plus la peine de créer des amitiés aux approches de la mort [1] – comme s'Il pensait que nous aurons l'Eternité pour nous

connaître et nous aimer dans Sa lumière. Et pourtant, on est bien seul, même au milieu de ses frères...

Je vois que vous n'avez pas reçu *Souffrances et bonheur du chrétien* qui contient les pages de la *N.R.F.* que vous avez aimées. Je vais tâcher de vous les faire parvenir avec un *Jeudi-Saint* où j'ai osé parler de l'Eucharistie.

Les journaux dévots m'arrosent de compliments et d'eau de rose... Que vont-ils penser du *Nœud de vipères,* qui paraît au printemps? Avec les gens de ma sorte, on a toujours tort de tuer le veau gras... voilà ce qu'ils penseront! Et pourtant, j'y ai mis toute ma foi...

Où serai-je fin janvier? Le médecin veut que j'aille dans la montagne... et il se peut que je finisse par m'y résigner malgré mon horreur de la neige.

J'essaye d'imaginer votre vie à Pernand[2]... et je m'aperçois que je ne m'en fais aucune idée même lointaine... Ce qu'il faudrait, c'est se donner rendez-vous au printemps pour un pèlerinage à Ars ou à la Salette...

Adieu cher ami. Merci d'avoir pensé à m'écrire. Croyez que je suis vôtre.

Fr. Mauriac.

– Et *Vigile*? L'oubliez-vous? Vous condamnez cette revue à l'illisible, en n'y écrivant pas.

163. A JEAN PAULHAN

5 janvier 32.

Cher ami,

Je vous remercie de votre lettre. Elle m'a rendu heureux, surtout, à cause de ce que vous me dites de Jouhandeau.

Ne croyez pas qu'il y ait de l'hostilité dans mon attitude à l'égard de la *N.R.F.* Mais la question est moins simple que vous ne le pensez[1]. Je crois, avec vous, que les catholiques doivent se maintenir sur tous les terrains et faire rayonner de partout la grâce qu'ils ont reçue en dépôt. Mais il y a un autre point de vue, qui est celui de Claudel : nous risquons de « couvrir » de terribles « marchandises ». Collaborer, c'est apporter sa pierre à un édifice qui, *dans son ensemble* est dédié à des forces, à des puissances hostiles – à cet « esprit » dont nous ne sommes pas – nous qui sommes au Christ.

Voyez : je vous parle en ami – non en partisan. Je ne suis pas un partisan. Ma seule épreuve, depuis trois ans, c'est de me sentir loin de mes frères. Je n'ai pas la haine de notre époque, de notre génération, bien loin de là. Mais quelqu'un, que vous connaissez bien, sépare, divise, « met à part » : les individus qu'il a choisis, les races aussi. Cette idée de l'« élection », du « troupeau », de la « bergerie »... il y aurait beaucoup à écrire là-dessus.

Ne m'en veuillez pas. Ne brusquons rien. Je ne laisserai pas passer l'occasion, si l'inspiration me vient d'écrire des pages qui me sembleront à leur place chez vous.

Tous mes vœux, cher Paulhan et croyez-moi vôtre.

Fr. Mauriac.

164.   A GASTON DUTHURON[1]

+
Pax
9 janvier 1932.

Mon cher ami,

Votre lettre me prouve du moins que le temps se tire pour vous sans catastrophe. C'est déjà très beau, cette complaisance, cette inconsciente charité que vous admirez dans vos camarades[2]. Pour le reste, il faut beaucoup compter avec leur ignorance, le respect humain aussi. Ils sont moins loin du royaume de Dieu que nous ne le croyons et qu'ils ne le savent eux-mêmes...

Je pense que c'est l'orgueil qui me rend si pénible cette idée de « retour » appliquée à mon cas – moi qui me suis toujours mû dans le catholicisme et dont les romans les plus « charnels » ne le sont que parce que je suis et ai toujours été un enfant de Dieu et de l'Eglise!... Il y a eu flux et reflux de ma destinée autour de la croix, voilà le vrai...

Je pense partir dès que je serai débarrassé de mes

« épreuves » de *Candide* et de Grasset[3], car je suis à bout de forces. Les gens de ma sorte se meurent de ne pouvoir se reposer : ma pauvre cervelle, mes pauvres nerfs, mon pauvre cœur ne font jamais relâche, même la nuit – cela finira par finir mal! Je vais tâcher de trouver un pic... mais Font-Romeu est fermé et il va falloir aller dans cette horrible Suisse huguenote.

Cher ami, je plains votre jeunesse; je pense à vos scrupules, à vos ratiocinations dans la chambrée puante, à votre solitude... Vous êtes un pauvre enfant mais que le Christ ne quitte pas des yeux – et c'est ce qui doit vous donner confiance. Abandonnez-vous, laissez-le agir en vous. Vous voyez bien que tout seul vous ne saurez jamais que vous tordre les pieds dans toutes les ornières. Vous n'êtes qu'un enfant – c'est ce qu'il y a de beau en vous – et un enfant doit être confiant, se laisser porter. Je crois que Celui qui vous donne des rendez-vous dans la crypte de Saint-Martin, le soir, ne vous abandonnera jamais, si vous lui demeurez fidèle, à travers tout. Il vous veut *tel* que vous êtes. Acceptez-vous vous-même, puisque c'est ainsi qu'Il vous aime, avec votre maladresse infaillible. Elle vous mènera plus haut et plus loin que les plus rusés, croyez-moi.

Je vous envoie par le même courrier *le Jeudi saint*[4].

Malagar continue de me ruiner. Mais je ne me plains pas. Que de misère partout...

Présentez mon souvenir respectueux à ce prêtre qui m'aime et qui vous aime. Demandez-lui de penser à l'écrivain misérable et troublé qui piétine au lieu d'avancer sur le chemin du ciel. Et remerciez-le de son amitié.

Je suis vôtre.

Fr. Mauriac.

38, rue Théophile-Gautier,
16 février *1932*.

Mon cher ami,
Le Cercle de famille est un beau et grand livre – plus riche que les précédents et que j'ai lu avec passion. La seconde partie, quelquefois critiquée, m'a paru être au contraire un épanouissement. On y saisit ce bonheur que vous avez de détenir ce don qui fut celui de France : ne pas rabaisser l'intelligence jusqu'au public, mais élever le public jusqu'à l'intelligence : c'est un miracle qui n'a rien à voir avec la « vulgarisation »...

Que des personnes exècrent votre héroïne[1] et que d'autres l'aiment, c'est le signe qu'elle est vivante. Il faut qu'elle le soit pour « résister » à l'explication, selon moi trop précise, que vous donnez de sa destinée. Mais après tout, ce n'est pas vous, c'est elle-même et le romancier de votre livre qui brandissent cette « clef ». Pour ma part, je croirais que la scène surprise par la petite fille a éveillé en elle une formidable sensualité qui s'y trouvait déjà en puissance. Elle a d'abord été jalouse du plaisir de sa mère. Ça aurait pu au contraire la dégoûter de l'amour physique – éveiller en elle une Amazone – ou pire... Voilà des hypothèses. Mais j'aimerais mieux que rien de cela ne fût formulé. En tout cas votre Denise n'en souffre nullement. Et je suis de ceux qui subissent son charme – tout en la trouvant terriblement intellectuelle. Je l'aime dans le livre – et dans la vie, ce genre de femmes me paraît redoutable! En tout cas nous en sommes entourés. Oui, ce *Cercle* est un très beau chapitre, et très véridique, de l'*Histoire contemporaine*.

Votre femme a demandé des épreuves de mon livre[2]... C'est plein de fautes – et la lettre finale (qui m'a été demandée pour des raisons... morales) sera allégée de moitié[3]. Mon livre finit en réalité avec la première lettre.

Autre chose, ma petite nièce Madeleine Mauriac, dont je vous avais parlé, est navrée de n'avoir reçu aucune réponse de Cambridge. (...) S'il n'y a rien à faire, ne vous donnez pas la peine d'écrire... Pardon de vous ennuyer. Et encore toutes mes félicitations pour ce beau livre qu'on s'arrache autour de moi.

Mon respectueux et amical souvenir à votre femme.

Votre

Fr. M.

166.   A PAUL VALÉRY

38, rue Théophile-Gautier, XVIᵉ,
26/4/32

Cher ami,

J'ai senti votre cœur dans cette lettre : vous ne pouvez savoir comme elle m'a touché. Cela m'inquiète de vous sentir si fatigué, si las. Il faudrait pouvoir se reposer. Mais nous sommes de vieilles locomotives qui tirent des wagons et qui « patinent »... Je m'aperçois que ma comparaison est fort irrespectueuse !

Je remonte la pente[1]. Mais ma gueule de Macchabée me terrifie dans les glaces. J'ai horreur et honte de mon squelette... « les sentiments chrétiens, mon frère, que voilà ! » Pourtant la souffrance physique m'a beaucoup appris. Et cette opération, au moment précis du *Nœud de vipères* et de mon élection[2], a pris un tel sens... Notre âme, à chaque instant, peut nous être redemandée. Et moi, je parlais de la croix, mais je m'installais dans la réussite et le confort...

Je suis rudement fier de ce que vous m'écrivez de mon livre... Je sais bien qu'on est toujours gentil avec les malades... mais ça me fait tellement plaisir de vous croire...

Je vous dis, cher ami, ma respectueuse et reconnaissante affection.

François Mauriac.

28 avril 32.

Cher Raymond, tu es bien gentil de t'inquiéter de moi. A travers ces « incidents de convalescence » : colibacilles etc., je fais de lents progrès, mais c'est beaucoup que d'avoir retrouvé le sommeil, l'appétit. Malheureusement, la viande me donne la fièvre. C'est bien compliqué de se remonter dans ces conditions.

Ma plaie se referme. Je pense que les derniers millimètres seront cicatrisés d'ici peu de jours. Alors je partirai – Vémars d'abord, puis la montagne. Le moral va à peu près. Il me tarde de partir. Les visites m'assomment...

Oui, nous sommes accablés – mais le plus triste est de voir la jeunesse plus accablée encore. Nous aurons été bien gâtés en comparaison de nos enfants. Je suis peu sensible au gros succès littéraire et matériel de mon livre[1]. On prépare un troisième tirage : en deux mois, c'est très beau. Ça ne m'était jamais arrivé. Mais tout est empoisonné...

Ce que nous observons de tout près, dans notre famille, c'est l'anéantissement de la classe moyenne – qui est un fait accompli en Allemagne. Nos enfants seront des besogneux s'ils ne sont pas armés. Il faut apprendre à être à la fois heureux et pauvre. Pour nous, c'est trop tard. Mais eux peut-être...

Adieu, cher Raymond. Je t'envoie mon plus affectueux souvenir ainsi qu'à tous les tiens.

F.M.

168.   A PAUL CLAUDEL

38, rue Théophile-Gautier,
28 avril 32.

Mon cher maître et ami,
Si vous n'avez pas reçu de ma main *le Nœud de vipères,* c'est qu'au moment même où ce livre paraissait, je subissais

une assez sérieuse opération à la gorge – qui a été grave surtout à cause de complications dont je vous fais grâce, qui m'ont amené, comme on dit, aux portes du tombeau. Je remonte la côte avec des hauts et des bas. Dieu fait bien ce qu'il fait : je m'attablais trop – et maintenant je n'ai plus à me détacher : la maladie et l'incertitude vont s'en charger. Je suis content que vous aimiez mon livre, tout de même...

Quant à *Vigile,* sachez que dès le second numéro j'en ai été pratiquement éliminé : en effet, du moment que nous nous soumettions à un censeur ecclésiastique, il devenait par le fait même le maître absolu de la publication – d'autant plus que (comme c'était le cas de l'abbé A.) il était un ancien « littérateur ». De plus, j'ai eu le tort d'exiger que tous nos collaborateurs soient des catholiques pratiquants, sans songer qu'il serait impossible, dès lors, de *choisir,* et que nous aurions toutes les peines du monde à remplir ces énormes fascicules[1]. (...)

Telle est ma nature que quand une chose est ratée, je m'en détourne et n'y pense plus. Je croyais que *Vigile* mourrait de sa belle mort – mourrait d'apoplexie et d'obstruction intestinale. Grasset en a eu assez très vite, mais par quel miracle Desclée[2] marche-t-il encore? C'est le mystère de ces éditeurs d'ouvrages pieux...

Mon cher maître et ami, je vous conjure de garder tout cela pour vous, car j'aime profondément les deux directeurs de *Vigile* qui sont persuadés que c'est une réussite magnifique et qui sont de ces gens « qui n'entendent pas raison », et que l'on blesse à mort avec une seule parole. Priez pour moi, pour ma guérison, s'il plaît à Dieu. Je remonte d'ailleurs la pente.

De tout cœur vôtre.

Fr. Mauriac.

Pentecôte 32.

Cher Jean,
Je te remercie de ta longue et bonne lettre. Quand une convalescence part de zéro, elle est lente – mais je me rends compte que j'eusse été bien incapable de faire, il y a quinze jours, ce que j'ai fait hier et aujourd'hui. Je demande à Dieu de devenir assez fort pour penser à autre chose qu'à cette pauvre santé et qu'à ce corps : qu'il est humiliant de sentir la part la plus haute de nous-même, à ce point dépendante de « la chair et du sang ». En somme, je prends du poids, je n'ai plus de fièvre, ma plaie est cicatrisée. Le reste est entre les mains du Père.

Quant à vendre des titres, mon pauvre frère, je vendrais les miens, le cas échéant! Si tu avais eu de l'argent liquide, peut-être... et encore, pour l'instant, je n'ai besoin de rien; mon chirurgien n'a pas encore envoyé sa note – et nous sommes si amis que je serai sans doute fort surpris de ce qui va me tomber sur la tête!

Rien de nouveau ici; en dehors des événements politiques, tout paraît bien gris. Mon livre, en dépit de la crise, est un gros succès. Un troisième tirage aura lieu bientôt. J'en écris un autre qui n'est que douceur et pourrait s'appeler « le Nid de colombes[1]. » Vous y retrouverez, transposés, bien des souvenirs des jours finis.

Remercie Pierre de la bonne lettre que je reçois aujourd'hui. Dis-lui que je me sens plein de courage.

A bientôt, je t'embrasse tendrement.

Fr.

Je pense avec ces émotions à tous ces cœurs d'enfant qui te feront cortège dans le ciel[2].

38, rue Théophile-Gautier, XVIᵉ,
Lundi 7 juin 1932.

Cher ami,

Je trouve aujourd'hui, en rentrant, ces nouvelles *Approximations* – dont presque tout m'est déjà connu – mais vous êtes de ceux qu'il *faut* relire, si l'on veut être assuré d'avoir atteint le fond...

Et ma joie a été renouvelée de lire mon nom en tête de l'essai qui touche à l'homme dont je me sens peut-être le plus proche – ce qui ne signifie point que je le préfère, à cause de cela (je finis par haïr Baudelaire comme moi-même).

Cher ami, bien que j'aie réagi, comme vous, au dernier *journal* de Gide [1], ne pensez-vous pas que dans la condamnation *absolue* que vous portez contre lui à ce sujet, vous ne tenez pas assez compte d'une circonstance atténuante, et qui est votre « *dialogue* [2] » terrible et admirable (terrible *parce que* admirable)? Plus que jamais, je crois à la *nécessité* de ce livre – mais Gide, eût-il été chrétien, n'aurait pu vous le pardonner. Il commence toujours par avoir l'air d'accepter, parce qu'il est féminin, et faible, et fuyant – et aussi par goût, par désir de l'attitude noble qui lui donne un avantage sur l'adversaire. Mais il ne la soutient jamais longtemps. Votre livre lui est resté sur le cœur et s'y « aigrit », chaque jour un peu plus... Peut-être ai-je tort de vous écrire cela? – peut-être cédé-je à ce goût du vieil homme en moi, pour ce satanique docteur?

Je vous prie de croire, cher ami, à toute ma gratitude pour l'envoi de ce beau livre et à mon affection.

Fr. Mauriac.

ches les Bourdet

La Villa Blanche,
Tamaris s/mer (Var)[1],
Dimanche 3 juillet *1932.*

Ma chérie,
Un beau dimanche, pas de vent – nous avons déjeuné dehors; c'est vous dire que l'on ne souffre pas non plus de la chaleur. Notre petit ménage s'organise le mieux du monde. Denise, toute gonflée de confidences, que j'écoute en tâchant d'oublier mon métier... Mais c'est vraiment trop beau d'avoir là cette femme qui sait raconter, comprendre, juger ce qu'elle a senti, et si dépourvue de fausse honte – à la fois si attachée au luxe, au plaisir, à l'amour et si détachée, si indifférente, si lucide. Je serais sans excuse, sous prétexte de métier, d'aller traîner dans certains milieux : tout m'est servi d'un coup, dans ce beau jardin qui sent le romarin chauffé.

Nous allons, ce soir, dîner dans un restaurant du port « pour voir passer les gens ». Denise s'en réjouit comme s'il s'agissait d'une fête. Edouard a téléphoné que mon article de *l'Echo* était magnifique. Au fond les gens aiment les grandes orgues, la solennité du ton. Et puis j'ai cette chance, ou ce malheur, de m'engager tout entier dans le moindre article. Et c'est peut-être ce qu'il y a en moi de moins antipathique. Vous m'avez quelquefois traité de menteur; je crois qu'au total j'aurai été terriblement sincère et livré.

Je ne pense pas moins, ici, aux choses tristes... Mais c'est étrange que cette mer, ces montagnes, tout cet arrangement sublime ne vous rattachent pas à la vie. Les gens qui vivent là sont justement ceux qui se droguent et qui se tuent. Que la drogue soit un suicide au premier degré, il ne faut pas en douter – un suicide larvé. Mais c'est entre sa femme, ses enfants, les pauvres soucis du foyer, qu'on sent le prix de vivre, la nécessité de vivre encore.

Je vous embrasse tendrement ma chérie et suis à vous.

Fr.

Hier matin, depuis le train, j'ai vu Bandol et cette prairie où je m'étais assis avec Marcelle[2], et son triste hôtel... et derrière son cher souvenir, j'ai imaginé Katherine Mansfield; elles se confondaient...

172.   A DENISE BOURDET

Font-Romeu (Pyrénées-Orientales),
Lundi *juillet 1932.*

Chère Denise,
Il a fallu prendre *4* trains! Mais m'y voilà[1]. Et chaque gorgée d'air est un délice.
Vous avez été si gentille hier... que je ne vous en veux plus du tout. Et j'ai été tout de même bien content de vous voir... avec le regret de ne pas avoir osé vous dire certaines choses... mais ça n'aurait servi de rien. Ce n'est pas leur « vice » qui est redoutable (je pense à vos amis) mais *leur désespoir.* Ils sont du parti de la mort; – ils sont la mort. Il faut être du côté de la vie – parce qu'elle est éternelle.
Chère Denise, que cette traversée de l'été se fasse sans encombre. Dites à Edouard que j'ai aimé ses deux derniers actes plus que je ne le lui ai dit. J'étais si abruti! Ce sombre auteur comique! Mais Molière était triste[2].
Je suis vôtre.

Fr.

173.   A JEAN PAULHAN

Malagar,
Saint-Maixant (Gironde),
13 septembre 32.

Mon cher Paulhan,
Depuis que vous m'avez écrit, vous avez dû lire la réponse que j'ai cru devoir faire dans *l'Echo de Paris* aux attaques violentes et répétées de Gide. J'en ai, à dessein, enlevé tout ce qui pouvait ressembler à la complaisance et à la sympathie[1]. Je trouverais donc très naturel que vous ne vous don-

niez pas la peine de me communiquer ces épreuves de Benda. Vous nous rendrez cette justice que sans cesse nous sommes provoqués. Il n'est pas un n° de la *N.R.F.* qui ne renferme une attaque. J'estime que le dernier *Journal* de Gide dépasse vraiment la mesure. Je ne sais ce que vous pensez de ces pages. Elles m'attristent parce que je l'aime, malgré tout. S'il était un « ennemi », j'aurais bien plutôt la tentation de m'en réjouir. Quelle frénésie! Quel désarroi!

Croyez, mon cher Paulhan, à mes regrets et à ma sympathie.

François Mauriac.

174.   A JEAN PAULHAN

Jeudi *1932.*

Mon cher Paulhan,

Vous pouvez très bien publier ma lettre en petits caractères. Merci.

Nos précédentes lettres se sont croisées. Mettons que je parlais d'un personnage « synthétique » *N.R.F.,* mais surtout n'oubliez pas que cet article a été une *explosion* après une longue suite – une suite ininterrompue d'attaques contre « ces gens-là », dont je suis. Je vous avoue que votre extrême susceptibilité, en la circonstance, m'étonne un peu. On tend la joue gauche, puis la joue droite, puis encore la joue gauche – et enfin on envoie un coup de poing... telle est notre pauvre nature!

Je n'attacherais aucune importance au bolchevisme de Gide, si ce qui l'y attirait n'était, précisément, l'*antéchrist,* ou, pour être plus exact, l'antireligion – si, pour lui, la question n'était avant tout religieuse...

Veuillez me croire vôtre.

Fr. Mauriac.

Malagar,
Saint-Maixant (Gironde),
29 septembre 32.

Chère Denise,
Votre lettre, que je n'espérais plus, m'a apporté une grande joie. Je m'étais persuadé que vous et Edouard ne me pardonniez pas cet article fâcheux [1]... Je l'avais écrit d'un trait à Font-Romeu : j'ai l'habitude de corriger beaucoup sur la dictée dactylographiée et ensuite sur épreuves. Cette fois, j'avais dû expédier au journal ma « copie » sans l'avoir revue. Et j'ai été moi-même désolé quand j'ai reçu l'*Echo* : comme je n'avais rien écrit que ce que vous aviez dit et qu'il s'agissait, en somme, d'un résumé de nos conversations, je ne m'étais pas méfié du « ton » général de l'article et de cette éloquence de Père de l'Eglise qui enfle bien fâcheusement mon style depuis quelque temps. Enfin, j'espère que votre indulgente amitié m'a pardonné. Ce qui m'attristerait c'est de vous avoir fait de la peine à l'un et à l'autre. Mais l'auteur de *la Fleur des pois* a d'autres soucis en tête... J'espère que la répétition générale sera un peu moins tôt que les journaux ne l'annoncent. En tout cas, je m'y précipiterai, dès mon arrivée à Paris.

Font-Romeu m'a fait un bien immense. Mais j'ai eu mille petits ennuis. Pour l'essentiel (larynx), Hautant me déclare guéri. Mais j'ai eu des ennuis du côté de ma cicatrice, dont je vous fais grâce. Vendredi, j'étais encore à Paris en train de me faire enlever des « bourgeons » qui empêchent ma voix de revenir. Etat général excellent. Nous avons passé de calmes vacances. Malagar était agréable, par ces grandes chaleurs. Beaucoup de visites : famille, et les hobereaux des environs. Nous attendons cet après-midi Chadourne et Lisette Ullmann.

Il me semble que je n'ai plus cette tête de vieux vautour plumé que l'on me voit sur les photos (dont je vous remercie).

A bientôt, chère Denise. Le pessimisme d'Edouard ne doit pas nous troubler, et le succès sera très grand. Ecrivez-moi encore, si vous avez un moment. Dites-moi si Edouard me déteste?

Je vous embrasse tous deux.

Fr.

176.   A RAMON FERNANDEZ

6 décembre 32[1].

Cher ami,

C'est un des spectacles les plus affligeants de notre temps que de voir tant de couronnes distribuées, par la société, à des esprits aussi dangereux que le vôtre; et le plus étrange est de voir le président de la Société des Gens de Lettres lui-même s'esbaudir et se réjouir et applaudir les dames heureuses[2]. Le bruit court que vous les avez conquises une à une, sans avoir égard à l'âge et que leur bonheur n'est plus seulement un titre honorifique, mais une mirifique réalité. Inutile de vous dire que j'use de toute mon autorité morale pour couper les ailes à ce canard. Et cependant, je n'ai pas reçu *le Pari*. Je vais l'*acheter* : ce qui sera la plus grande preuve d'affection que j'aie encore donnée à un de mes cadets!

Sérieusement, cher Ramon, je me réjouis du fond du cœur : c'est très important pour vous, – un formidable coup d'épaule. Vous le méritiez comme écrivain – cela va sans dire – comme homme aussi, par ce qu'il y a chez vous de « volontaire » au sens le plus noble. Et je pense à la fierté de votre mère, à la joie de votre femme, qui est un ange déguisé en Minerve.

De tout cœur vôtre.

Fr. M.

196

1933.

Mon cher Raymond,

Je n'ai pas à te pardonner cette lettre ; le difficile sera de l'oublier. Elle m'a été présentée, sur le même plateau, avec quelques mots plutôt « frais » de Jean, et quelques lignes où Germaine exprime son regret « que j'aie réveillé le souvenir de tante Clara »!! Ainsi ce livre [1], qui émeut et qui touche tant d'inconnus, et dont j'avais la naïveté de penser qu'il vous fendrait le cœur, vous trouve insensibles – et même, en ce qui te concerne – furieux. Cette haine de ton enfance! Cette vision de maman, reniant sa vie devant la mort! Eh bien, je t'accorde tout : rien n'est beau, hors ce que les poètes recréent. Mais ils devraient prendre garde, quand ils transfigurent leur enfance, qu'un triste témoin ne demeure pas, pour leur mettre le nez dans leur mensonge trop beau. Sur un point, pourtant, tu te trompes : la religion ne m'a pas été offerte dans cette « écuelle » commune. J'ai été servi à part.

Voici donc ma dernière baudruche crevée. Cette famille, que j'ai tant aimée, n'existe pas. Ce livre, qui bouleverse tant de cœurs, est un faux, et j'éclate de rire quand on m'en parle. Il n'y a que Dieu qui ne soit pas inventé.

F.M.

178.   A RAYMOND MAURIAC

38, rue Théophile-Gautier,
Dimanche *1933.*

Cher et bien-aimé Raymond,

Je ne regrette pas de m'être laissé aller à mon irritation et à mon chagrin. Si j'avais gardé le silence, comme j'en ai eu d'abord l'intention, il n'y aurait pas eu entre nous cette explication et j'aurais remâché mes griefs. Je te remercie, je t'embrasse, et je te *comprends*. Ta première lettre était aussi vraie que les autres. Et Bidou, dans les *Débats*, s'est fait un malin plaisir de prouver (sans peine) que *le Mystère Fronte-nac* est un livre aussi atroce que *le Nœud de vipères*. Chaque être, chaque famille, peuvent être pris par des versants opposés. Maman regrettait, au fond, bien moins les quelques voyages qu'elle n'avait pas faits (et qu'elle n'avait pas eu envie de faire) qu'une vie plus ardente, plus pleine d'amour. Elle n'avait pas été *trop* religieuse, mais pas assez : donnant trop à la pratique, à la lettre. Dieu est amour. Elle l'avait compris, à la fin. Et nous?... Chacun se tire comme il peut de cette dure partie. Chacun la joue avec les cartes qu'il a en mains. Notre caractère, c'est notre destinée...

Je t'embrasse, mon cher Raymond, toi qui me lisais quand j'étais encore presque un enfant *la Maison du Berger* et à qui je dois tant. Rien ne reste de ce nuage et cela existe, ce lien entre nous : c'est peut-être la seule réalité *humaine* dont nous demeurions sûrs...

A toi de tout mon cœur. Pardon et merci.

F.M.

179.   A RAMON FERNANDEZ

Mars 1933.

Merci, cher ami... de n'avoir pas par-dessus les oreilles des romans de Mauriac... mais peut-être après tout...

Je m'étonne et j'admire que vous n'ayez pas pris dans ce petit livre[1] les éléments d'un pamphlet antifamilial plus féroce que tous ceux que j'ai écrits... Aurais-je dû développer le côté Paris, amours etc.? Enfin, pensons au suivant.

Votre

F.M.

38, avenue Théophile-Gautier, XVIᵉ,
16 mai 33.

Mon cher ami,
Je ne puis que vous répéter ce que je vous ai dit souvent :
l'admiration des amis inconnus, certes, je ne la dédaigne pas
et un écrivain qui a, comme je l'ai, le sentiment d'atteindre
les âmes, d'éveiller de profonds échos, peut bénir Dieu de lui
avoir départi ce périlleux bonheur.

Mais c'est d'un autre ordre que l'amitié – cela aide à supporter la solitude, sans la réduire aussi peu que ce soit; et
l'admiration ou même la tendresse anonymes de mes lecteurs
inconnus ne pèse guère, à mes yeux, auprès de votre cœur
fidèle. Ne soyez donc ni inquiet, ni triste. Ne mesurez pas
votre place, dans mon affection, à la rareté de mes lettres, ni
au peu d'empressement que je semble mettre à susciter les
occasions de nous voir. Que dirais-je qui vous puisse rassurer? Eh bien, souvent, quand je pense à la nécessité (à
laquelle je n'ai pu encore me résoudre) d'avoir auprès de moi
un secrétaire en qui je mettrais toute ma confiance, c'est
toujours à vous que je pense. Et si je ne vous en ai jamais
parlé, c'est que je pense, après Pascal, que « je ne suis la fin
de personne » – et qu'il y a une grave responsabilité à acca-
parer un jeune destin, à bénéficier indûment de l'admiration
et de l'attachement d'un garçon de votre âge, de s'en servir,
en somme, alors que Dieu veut que je vous serve et vous
aide[1]...

Si je suis élu le 1er juin, je resterai quelques semaines à
Paris, mais je compte me réfugier très tôt à Malagar : dès les
premiers jours de juillet. Quand comptez-vous être à Langon? Après une année de séparation, soyez assuré que je
retrouverai avec joie nos bonnes causeries de l'été dernier,
devant ces collines que vous regardez avec les yeux d'André
Lafon et avec le même cœur pur et bon.

Votre

Fr.M.

A JEAN COCTEAU

38, avenue Théophile-Gautier, XVIe,
Dimanche *1933.*

Mon cher Jean,

Cette lettre, écrite la nuit dans ta chambre solitaire, je t'assure que je l'ai lue d'un cœur accordé au tien. De loin, je n'ai jamais cessé de penser à toi dont le « drame » demeure une de mes inquiétudes. Ne crains pas que je veuille te prêcher, te conseiller... Voilà beau temps que je ne crois plus qu'on change les autres – bien que je croie qu'on peut beaucoup pour eux sur un certain plan.

Tu souffres tellement que cela te rassure. Voilà ton erreur : ce sentiment de « payer » à chaque instant. Plus une larme, plus une goutte de sang à donner, crois-tu, le jour où le total de ta vie sera là : tous tes actes, depuis l'enfance... Non, la douleur ne porte pas avec soi une justification et le crime est peut-être de la préférer – de faire semblant de ne pas voir que ce corps adoré, ce visage, ces yeux flottent devant un abîme où nous roulons *seul*...

Non, je ne songe plus à faire cette distinction dont tu me parles, de la part de Dieu et de celle du diable dans mon passé : je livre tout à Dieu en vrac; je m'en débarrasse d'un coup – comme un pauvre fait de son sac de vieilles croûtes...

Cher Jean, il faudra bien qu'avec ceux qui auront tant souffert, l'Amour ait le dernier mot. J'ai l'air de me contredire : mais ce n'est ici qu'une humble espérance. Je te remercie de ne pas attacher d'importance aux « honneurs » qui m'arrivent, et de deviner les entrailles sous les caparaçons du vieux cheval de corrida (le « poulain » d'autrefois[1]...)

Ton vieil ami

F.M.

+
Pax
38, avenue Théophile-Gautier, XVIe,
24 juin 33.

Madame,
Cet article de l'*Echo de Paris*[1] devait, dans mon esprit, relater le voyage que ma mère fit, pour vous entendre réciter de mes vers à la Sorbonne[2] ; vous souvenez-vous de cette joie que vous lui avez donnée, et dont elle m'a souvent reparlé ? J'ai supprimé, par discrétion, ce souvenir... Mais il est étonnant que vous ayez deviné, dans cet article, votre présence invisible. Vous étiez là, Madame, dans ma pensée, dans mon cœur, tous ces jours-ci... Je suis confus que vous m'ayez prévenu : c'était moi qui aurais dû vous écrire le premier, à vous dont la voix inoubliable me désignait au destin, à vous qui m'avez permis d'écrire sur Racine des pages dont j'eusse été incapable si je n'avais vu de mes yeux, entendu de mes oreilles Andromaque et Bérénice.
Je vous prie, Madame, en souvenir de ces beaux soirs, de bien vouloir agréer l'hommage de ce petit livre[3], indigne de l'irremplaçable interprète de Racine, dont nous admirons la retraite et le silence, sans pouvoir nous en consoler.
Votre ami respectueux

François Mauriac.

183.   A BERNARD BARBEY

Malagar,
Saint-Maixant (Gironde),
21 juillet 33.

Cher Bernard,
Je me réjouis beaucoup pour vous de cette parution à *Candide.* Vous brisez enfin le cercle « enchanté » de la *Revue hebdomadaire* et vous atteindrez le grand public avec

une œuvre où votre maîtrise s'affirme. Je n'ai jamais douté de vos dons. Mais peut-être vous aimais-je trop pour être tout à fait juste. Je suis sûr depuis vos nouvelles, et surtout depuis *Ambassadeur de France,* qu'il y a une certaine « note » qui n'est qu'à vous, que vous seul pouvez donner. Il est probable que votre ruine (provisoire) vous a enrichi, en changeant les conditions de votre vie.

Je rejoins demain les miens au train des Pyrénées, après dix jours de solitude dans un Malagar si beau qu'il paraissait copier certains chapitres de mes livres. Je m'y suis retrouvé et j'y ai vécu profondément, dans un état de désespoir, qui vous semblerait choquant et démesuré, si vous le connaissiez. Mais désespoir salubre, au fond ; cette nuit, seul dans cette maison morte, j'entendais la meute lâchée des orages sur l'immense plaine que vous avez contemplée après tant d'autres, qui, depuis mon adolescence, passe de regards en regards et qui est aussi immuable que cette terrible puissance en moi pour m'attacher et pour souffrir.

Claude, admissible, passe aujourd'hui son oral.

Ma santé est très bonne. J'ai repris mes « exercices » du matin, ce que je n'avais pas fait depuis mon opération.

La seule vue de votre écriture sur une enveloppe timbrée de Suisse, et que j'ai déchirée à ce même tournant de l'allée qui va à la terrasse, m'a donné une extraordinaire impression de « revécu ».

Adieu, cher Bernard. Tout ce « charme », qui est en vous, va se fixer dans vos créatures. Je m'en réjouis... Vous voyez, j'oublie (à quel point!) l'Académie... Cela ne me concerne plus. C'est rien, c'est moins que rien. Le danger vient des autres qui se mettent au garde-à-vous et vous imposent une attitude.

Et voyez mon bonheur. Cartier me fait (sans vouloir rien toucher pour lui) une épée *en or*!!! Une épée Watermann, quoi!

Je vous embrasse tous les deux, tous les quatre. Je vous aime tous, comme si vous étiez miens.

Fr.

J'ai vu à Bordeaux le 14 juillet une corrida avec le fameux Lalanda... Que la tauromachie est devenue difficile! Les as de ma jeunesse, aujourd'hui, seraient sifflés. Lalanda ne bouge pas. Il joue avec le tauro, les pieds joints, c'est inoui. Mais les « à côté », les chevaux, quelle barbarie! Pourtant je n'avais pas de vraie pitié. Je me forçais...

Jusqu'au 20 août, Hôtel du Vignemale, Gavarnie (Hautes-Pyrénées).

184.   A ANDRÉ GIDE

16 août 33.

Mon bien cher Gide,

Je ne sais ce que vous auriez écrit dans ce N° d'« hommages [1] » – mais, en tout cas, je n'aurais pu en éprouver plus de plaisir et d'émotion que je n'en ressens de votre lettre. Vous avez bien compris que mes réactions violentes à tout ce que vous écrivez contre ce qui est, à mes yeux, la Vérité, sont l'exacte mesure de mon affection. Rien de vous ne me laisse, ni ne me laissera jamais insensible...

Pourquoi ne nous voyons-nous jamais? Je crains que vous ne me preniez pour un indiscret « convertisseur ». Au vrai, je n'ai jamais cru que l'on puisse convertir personne. « Dieu et moi » répétait Newman. Oui « Dieu et Gide » – « Dieu et Mauriac »... *Le combat est toujours singulier.*

Les amis peuvent prier et, s'ils en sont dignes, souffrir, mériter pour leur ami; mais cela les concerne seuls – et le reste est le silence.

Si je vous réponds, quelquefois (je compte le faire sur le sujet de l'Eglise et de la Richesse) c'est à cause de certains lecteurs que vous avez inquiétés, non avec la prétention de vous « changer ».

Cher Gide je vous remercie de ne pas avoir fait flèche contre moi de ma réussite temporelle : c'eût été si facile! ne vous inquiétez pas des calomnies. Elles n'ont aucune prise sur vous. On ne peut rien contre un homme aussi « livré » que vous l'êtes. Mais ne doutez pas que ceux qui vous aiment vraiment soient parmi vos adversaires apparents. Je vous redis toute ma profonde affection.

Fr. M.

Malagar,
Saint-Maixant (Gironde),
25 août 33[1].

Mon cher Robert,
Je vous remercie beaucoup de vos aimables cartes et, si Madeleine est auprès de vous, qu'elle partage avec vos enfants mes vives amitiés. Après un séjour à l'hôtel qui m'a paru bien long, j'ai retrouvé la paix de mon vieux Malagar où je m'efforce d'oublier Brieux pour parler dignement de lui[2]. J'attends la visite de Le Grix d'un jour à l'autre... Ne viendrez-vous pas par ici? Jeanne y restera jusqu'à la fin de septembre, et moi jusque vers le milieu d'octobre. Je viens d'envoyer à *Candide* une nouvelle où j'imagine la rencontre de Thérèse Desqueyroux et de François Vallery-Radot[3]. Je vous embrasse tous.

François Mauriac.

186.   A JEAN GUÉHENNO

+
Pax
38, avenue Théophile-Gautier, XVIe,
28 novembre 33.

Cher Monsieur et ami,
Pardonnez-moi de vous répondre si tardivement. Mais je suis « submergé » par les lettres... La vôtre m'a fait un plaisir profond – parce que je souffre beaucoup d'être séparé de certaines âmes dont, par ailleurs, je me sens très proche... Vous me comprenez? Il y a des esprits antagonistes – des hommes qui nous sont étrangers et qui pourtant paraissent être du même côté que nous – et en revanche, chez l'adversaire, nous savons que tel et tel, en dépit des apparences, est notre frère. Si j'avais un jour à vous recevoir à l'Académie[1],

je n'aurais pas à fouiller très profondément dans votre cœur pour trouver le signe – comme sainte Hélène retrouva la vraie Croix... Mais chez vous la lumière transparaît dans tout ce que vous écrivez et aussi dans votre regard...

Il y avait de justes critiques dans la réponse de Chaumeix[2]; et pourtant je songeais que ce qui lui déplaisait surtout, à son insu sans doute, c'est que je suis catholique parce que je crois que *c'est vrai*. (Je le crois et je le sais...) Si je ne le croyais pas, je me moquerais pas mal d'une religion quelconque, en dépit de tous les services qu'elle peut rendre... Et c'est ce qu'un Chaumeix trouve scandaleux...

Je vous prie, cher Monsieur, de croire à ma gratitude et à ma sympathie.

François Mauriac.

187.   A JACQUES COPEAU

38, avenue Théophile-Gautier, XVIe,
Novembre 1933.

Mon cher ami,
Je ne puis que vous assurer de ma profonde gratitude et du désir que j'ai de ne pas vous décevoir[1]...
Hélas... je suis dans les coulisses de ma vie, si j'ose dire... et je vois l'envers de toute cette parade... Et Dieu aussi le voit...
Qu'Il me prenne en pitié.
De tout cœur vôtre.

Fr. M.

188.   A FRANCIS JAMMES

38, avenue Théophile-Gautier, XVIe,
29 novembre 33.

Mon bien cher ami,
Ma femme et moi nous sommes creusé la tête pour trouver la raison de cette extraordinaire lettre que vous m'avez

adressée à l'occasion de la cérémonie du 16 novembre[1]...
Moi, me raidir contre le pécheur? Je ne crois pas que cela
soit dans mon caractère... Et mon discours, justement, montre la prééminence de la charité sur tout le reste... Peut-être
faut-il penser que la forte éloquence de Chaumeix et son
irrésistible accent chrétien vous ont convaincu... Mais si je
suis un pauvre homme, entre tous les pauvres hommes, je ne
retrouve pas au fond de moi, ce sombre personnage suant
sous le cilice que l'on a proposé, tous ces temps-ci, à l'admiration et à l'horreur des foules. C'est beaucoup plus simple,
beaucoup plus ordinaire... je suis ce que vous êtes, mon cher
Jammes, voilà ce dont personne ne se doute et il ne faut pas
le répéter. Mais vous et moi, en dépit de tout, (et il n'y a que
Dieu qui le sait) nous sommes deux enfants.

Je vous embrasse avec toute ma respectueuse affection.

François Mauriac.

189.   A PIERRE MAURIAC

Jeudi *29/12/33*[1].

    Mon cher Pierre,
    Oui, j'ai eu quelques jours – ou plutôt quelques heures
d'angoisse[2]. Hautant était décidé à ne pas faire ce traitement
et c'est la biopsie qui l'y a décidé. Il a tout de même trouvé
« gros comme une tête d'épingle » de ces cellules qui « sur la
figure des vieillards... » etc. etc.
    Depuis, j'ai retrouvé la paix – une certaine paix; et aussi
l'espérance. Au fond, je crois – pour des raisons d'ordre
spirituel, que je vivrai toujours en alerte et que c'est la plus
grande grâce dont puisse bénéficier mon misérable cœur.
    J'ai eu déjà trois séances – sans éprouver encore aucune
des fatigues annoncées – mais j'en ai, sans doute, jusqu'en
février.
    Je t'écris pendant la séance du jeudi[3], au milieu de gens
qui ne pensent qu'à la mort et ne parlent que d'elle (La Force
est au plus mal).
    Et moi j'ai la foi, j'ai même – un petit peu – l'amour. Mais
c'est terrible d'avoir tant d'imagination...

206

Cher Pierre, c'est merveilleux que tu aies senti mon angoisse, dans le moment même où tu avais dans ton cœur Celui à qui je l'avais confiée. Qu'Il nous garde et nous réunisse tous dans son amour.

A très bientôt et de tout mon cœur avec vous tous.

François.

190.   A RAMON FERNANDEZ

38, avenue Théophile-Gautier, XVIe,
1934.

Cher ami,

Ai-je vraiment trahi votre pensée? Je soutiens contre vous que c'est un sentiment d'*horreur* qui domine, aujourd'hui encore, l'esprit public dans son ensemble, comme le six février. Je vous accorderai que certains partis *peuvent* songer à utiliser cette horreur; mais là-dessus j'ai une conviction très nette : la victoire n'ira à ce que vous appelez les droites que dans la mesure où, comme Mussolini et Hitler, elles s'appuieront sur le peuple, où les premières mesures draconiennes seront prises contre le chômage, où le syndicalisme ne sera pas combattu dans son essence, mais *séparé* de la politique. Dans le cas contraire, c'est *vous* qui triompherez[1] et ce sera tant pis pour *nous.*

J'ai l'impression, cher ami, que vous avez une opinion sur l'esprit public français, faussée par votre situation sociale qui est très particulière : il y a pour vous le Monde, les quelques familles aristocratiques et richissimes où vous avez passé votre brillante jeunesse – et les « gauches », la classe ouvrière etc. Ce qui vous échappe c'est la connaissance de cette immense classe dont je suis, où j'ai mes racines et qui, vouée à la ruine et au désespoir, est en train de former un nouveau prolétariat, moins organisé que l'autre – et, il faut le dire aussi, moins résigné, moins adapté à la privation et à la misère. En prenant un point particulier du territoire, comme Bordeaux par exemple, je pourrais vous montrer les filles des Chartrons devenues commises de libraires ou de marchands de souliers – un déclassement presque général... Enfin, il y

207

aurait beaucoup à dire là-dessus. Accordons-nous en tout cas pour haïr la guerre civile, car ce ne serait pas vingt morts, mais des centaines qui joncheraient les rues, le jour où l'on y redescendrait.

Non, n'admettons pas, d'avance, qu'*on* ne peut plus causer et que l'atmosphère Dreyfus est de nouveau celle de la France. Tâchons de nous comprendre. Mais je protesterai chaque fois que vous vous efforcerez de créer l'équivoque : « les ennemis du ...[2] » sont ceux de la classe ouvrière, non et non!

De tout cœur vôtre.

F.M.

191.   A EDOUARD BOURDET

38, avenue Théophile-Gautier, XVIe,
20 février 34.

Cher Edouard,

Quelle belle soirée! La salle était comble et visiblement enchantée. Les gens se passent bien de taxis quand il s'agit d'une pièce de vous[1]!

J'ai retrouvé tout mon plaisir de la lecture : mes seules réserves portent sur le jeu trop appuyé de Dalio, mais vous aviez sans doute vos raisons pour l'exiger de lui. Comme il n'est pas ataxique, je m'explique mal sa démarche (... pourtant, si! Je me rappelle un camarade...)

Les trois premiers actes sont *parfaits* – et je crois que ce qui nous gêne au quatrième (en dehors de Bob) : toute cette famille réunie à six heures du matin dans cette chambre, eût paru très naturel, il y a vingt ans. C'est sur ce point précis que le cinéma a rendu difficile la pratique de votre art : *la convention dans le réalisme nous gêne*[2]. Il y a un certain « réalisme irréel » qui nous empêche de marcher à fond. C'est pourquoi, sans doute, vos jeunes confrères cherchent-ils une issue du côté de la « fantaisie » et du féerique, (et n'arrivent qu'à créer un poncif...)

Mais vous avez réussi ce que vous vouliez faire : des gens vivants, une famille, pareils à ceux que nous voyons tous les jours, ni meilleurs ni pires; vous êtes seul à réussir ce tour de force, aujourd'hui. Et quel dialogue! Simple, direct : chaque mot porte.

Claude était bien content et vous admire beaucoup.

Pour moi, je vais bien – mais voué au silence jusqu'au début de mars. Les journaux commencent à reparler de ma mort. Je pense que je pourrais connaître mes articles nécrologiques, qui doivent être tout préparés!

Adieu, cher et glorieux Edouard, dont ni les grèves, ni les révolutions ne découragent les admirateurs!... Encore merci et de tout cœur vôtre.

Fr.M.

192.   A JEAN GUÉHENNO

20 avril 1934.

Mon cher Guéhenno,

Il y a une façon de « tricher » qui est aussi très répandue : simplifier à l'excès la pensée de l'adversaire, l'exposer en donnant le coup de pouce nécessaire pour la rendre ridicule.

J'ajoute que je ne serais pas catholique si je n'attribuais pas à l'intelligence et à la raison humaine le rôle essentiel qui est le leur dans la connaissance des vérités de la foi. Il y a ce que la raison humaine peut atteindre mais il y a aussi l'ordre du cœur. « Les philosophes et les savants » se sont élevés presque tous, par les seuls moyens de leur raison, jusqu'à la connaissance de Dieu. « Mais qu'il y a loin, dit Pascal, de connaître Dieu à l'aimer![1] ». C'est ce passage qui constitue le drame intérieur à deux personnages « moi-même et mon créateur ».

Bien amicalement vôtre.

F. Mauriac.

6 mai 34.

Cher Raymond,

J'ai reçu en même temps que ta lettre une lettre de Dubourg me demandant ce qu'il doit faire. Je lui conseille d'aller te voir. Trouves-tu que je doive me charger de cette tuile? *Je n'ai pas vendu mon vin;* j'ai à payer mon nouveau cuvier, mes barriques etc. La littérature a beau marcher, je tire la langue; et si quelqu'un doit perdre, dans cette histoire, j'aime autant que ce soit l'instituteur! Qu'est-ce qui menacerait Dubourg en cas de non-payement? Je crois qu'il a pris ses précautions... enfin ce serait à voir avec lui.

J'ai lu plusieurs articles sur *Individu*[1], car je reçois ceux où je suis nommé. Dans l'ensemble, tu as lieu d'être plus content de ta presse. Il arrive pour *Individu* ce qui est de règle avec les ouvrages dont la valeur est d'ordre *poétique :* on a la grâce ou on ne l'a pas – d'où ces différences de jugement. J'en ai eu un exemple frappant avec le *Mystère Frontenac* qui est, au fond, un poème. Certains ont pour ce livre un culte que n'a jamais suscité aucun autre de mes romans. Par ailleurs, beaucoup ont trouvé (même parmi mes admirateurs) que c'est ce que j'ai écrit de plus faible... De ce que j'ai lu te concernant, le papier de Brasillach dans *l'Action française* est ce que j'ai trouvé de plus intelligent, et le rapprochement entre nous très suggestif. Thérive n'a *rien* compris. Quant à Fernandez avec qui je m'asticote au sujet de la politique, il a cru me porter un coup terrible en te mettant au-dessus de moi (ce qui n'est pas peu dire, car il m'a assez encensé depuis quinze ans!). Mais il ignore l'esprit *Frontenac* et que rien ne pouvait me faire plus de plaisir que cet article!

Je suis beaucoup mieux, ces jours-ci – comme état général – et le moral s'en ressent. Mais au fond on ne s'installe pas dans l'insécurité... Il faut vivre sans le goût de vivre...

Je viendrai à Bordeaux le 12 juin.

Affectueusement.

F.M.

A PAUL CLAUDEL

> 38, avenue Théophile-Gautier, XVIe
> 7 juin 34.

Cher ami,
Je vous demande seulement la permission de continuer, *pour mon propre compte,* à tâter le terrain¹. Et, le cas échéant, je vous dirai : « Nous sommes assez nombreux à vous désirer parmi nous pour que vous puissiez, sans risque, poser votre candidature... » Ne croyez pas qu'il y ait contre vous une mauvaise volonté générale : vous ne voudriez tout de même pas plaire à M. Doumic! La vérité, c'est que l'Académie, au fond, ne désire *personne.* Elle se résigne à l'inévitable, mais le plus tard possible, quand la mort fait des vides... Et elle n'aime pas, non plus, qu'on soit trop grand...

Et moi, cher et grand Claudel, je ne serai content d'« en être » que lorsque j'aurai l'honneur de siéger à côté de vous.

Donc, je continue de surveiller les événements et vous assure de mon respectueux et profond attachement.

François Mauriac.

A CHARLES DU BOS

> 3, Piazza Aracoeli, Roma,
> 5 janvier 1935.

Cher Charley,
Je voudrais bien avoir de vos nouvelles. Je pense à vous dans toutes les églises de Rome¹. Aucune des impressions que je redoutais ne m'atteint ici : je n'aurais jamais cru qu'on y touchât de la main l'église primitive comme je le fais chaque jour dans les catacombes et les basiliques. Ces « graffiti », ces invocations à Pierre et Paul tracés par les chrétiens du second siècle dans la même forme, avec les mêmes mots dont nous usons : je trouve ce témoignage formidable contre le protestantisme. Je ne sais l'impression que j'aurai devant le Pape qui me reçoit tout seul tout à l'heure, mais le cardinal

secrétaire d'Etat (Pacelli) est impressionnant de noblesse, de sainteté[2]. Comme toujours, Dieu m'a fait la grâce (ou plutôt la Vierge qui règne ici avec une mystérieuse évidence) de m'envoyer un prêtre : un ancien ami à moi perdu de vue depuis des années, André de Bavier. Je l'ai choisi comme confesseur et je ne saurais dire ce que je lui dois... Ah! les prêtres! Ce que nous leur devons! Figurez-vous que celui-là, après avoir entendu ma confession *à genoux*, a tenu à me faire la sienne... Je ne puis vous dire l'extraordinaire émotion que j'en ai éprouvée. André de Bavier est un protestant converti et je ne sais si ce qu'il a fait là n'est pas un peu étrange – mais ici, à Rome, ce geste d'humilité et en même temps de tendresse fraternelle m'a bouleversé[3]. J'ajoute qu'il a pour vous une profonde admiration et qu'il doit prier pour vous spécialement mercredi en disant la messe devant l'image miraculeuse de « Mater admirabilis », à la Trinité des Monts. Toutes ces émotions se mêlent à mille fêtes, réceptions, dîners, à un tohu-bohu, à tout ce carnaval de la vie du monde. Je dîne lundi soir à l'ambassade auprès du Saint-Siège avec Laval et le cardinal Pacelli. Quelle étrange rencontre!

Cher Charley, je pense à vous avec tendresse. Dès mon retour, j'irai vous voir : vers le 15...

De tout mon cœur vôtre.

Fr.

Mes respectueuses et affectueuses pensées pour votre chère Zézette[4].

196.   A MADAME FRANÇOIS MAURIAC

> 3 piazza Aracoeli,
> Roma,
> Dimanche, 6 janvier 35.

Ma chère amie et femme,
Depuis votre départ, les êtres portent tort aux choses et l'arrivée de Laval bouscule tout.
Hier matin audience de vingt minutes du Saint Père.

J'avais beau m'attendre à être déçu... Hélas! Il suffirait d'un mot, d'un geste, d'un regard quand on est le pape pour bouleverser un chrétien. Mais ce vieillard glacé, cette espèce de père Plazenet sans le sourire... Enfin cela n'altère en rien « la grâce de Rome » que je ressens de plus en plus et dont j'avais besoin... Ce n'est pas au hasard que je suis venu ici. Je vous parlerai d'André de Bavier...

Hier soir fête au palais de Venise (après dîner). Dans la cohue, un grand cercle vide qui bouge à mesure que le Duce avance. Je l'ai contemplé à loisir. Un drôle de petit homme qui joue de son admirable prunelle. Quand il fixe quelqu'un, il fait converger sur lui seul son regard d'un voltage formidable... Et tous comme des chiens autour de lui... Très napoléonien, très bel acteur comme l'était Napoléon. Mme de Dampierre me nomme à lui. A peine a-t-il entendu mon nom qu'il répond sans hésiter : « Ah! oui, j'ai fait demander vos articles sur Rome... » Ne trouvez-vous pas cela étonnant, dans cette cohue, en pleine négociation?

Ce soir au palais Farnèse je n'étais invité qu'après le dîner. Je dis en plaisantant à Mme de Dampierre : « Un seul dîner comptera dans l'histoire : celui auquel j'aurai assisté. "Le dîner au palais Taverna", quel beau titre d'article! » Trois minutes après l'ambassadrice accourt : « Cher ami, eh quoi! On ne vous a pas transmis mon invitation à dîner! etc. » Puis Achille, puis l'ambassadeur lui-même... J'étais honteux... pour moi, pour eux... Enfin j'assisterai au dîner... (...)

Cette rage de Maurras, simplement parce qu'on est d'un avis différent de lui sur la politique du Pape dans la Sarre! Il m'appelle « écrivain distingué » – ça, je ne le lui pardonnerai jamais ni à lui, ni aux siens (je plaisante!).

Je pars pour la messe. Tendrement avec vous tous, ma chérie.

Fr.

> 3 Piazza Aracoeli,
> Roma,
> Mardi soir (11 h 1/2),
> *8 janvier 1935.*

Je rentre du palais Taverna. J'étais à la table présidée par le cardinal Pacelli et Laval. Il a fait un grand signe de croix au benedicite! Le Pape l'a gardé cinquante minutes, ce qui n'arrive jamais. Il a dit au cardinal : « Ma mère serait bien contente de savoir que j'ai été reçu par le Pape! » A Saint-Pierre, il a fait des génuflexions très convenablement (je n'y étais pas). Il a répondu au Pape qui parlait « de la fille aînée de l'Eglise » : « la France est le plus vieux pays catholique du monde... » Enfin, vous voyez d'ici son succès! Hier, au palais Farnèse, le dîner se ressentait de ce que l'on négociait encore. Après le dîner, Mussolini, Laval et Léger[1] se sont enfermés dans un salon et la foule s'accumulait contre les vantaux... Aujourd'hui, tout est signé et l'accord, m'a dit Léger, va très loin.

Je pars demain pour Subiaco avec Bavier et ma place est retenue pour dimanche. Léger m'a dit que j'étais un excellent diplomate « in partibus ». Monsignor Pecci qui s'occupe de la presse au Vatican a demandé à me voir. Le cardinal secrétaire d'Etat m'a montré aussi beaucoup de bonté. Il a vivement frappé Laval. Enfin ce sont des journées historiques pour les deux pays et pour l'Eglise.

Je vous écris tout ceci en désordre avant de me mettre au lit. Naturellement vous ne faites plus suivre le courrier?

La petite Laval montrait partout le beau chapelet que lui a donné le Pape, avec une joie très gentille.

Je vous embrasse tendrement ma chérie ainsi que les enfants. Il est temps que je parte car je suis trop bousculé.

De tout mon cœur vôtre.

> Fr.

A lundi!

38, avenue Théophile-Gautier, XVIᵉ,
21 mars *1935*.

Cher grand ami,

Vous ne pouvez imaginer les manœuvres qui ont amené
l'élection de Farrère[1]. La maladie et l'absence de Chaumeix
ont fait le reste...

Vous êtes Claudel et que vous importe au fond? Je ne crois
pas que votre place ait été parmi ces gens-là. Pardonnez-moi
d'avoir été si maladroit... mais je me demande si le manœu-
vrier le plus habile eût pu vaincre cette jalousie, cette ran-
cœur chez des êtres qui *savent* que vous les méprisez.

Vous n'êtes pas au monde – et le monde ne vous connaît
pas. Il y a des heures où le dégoût se fait fiel et vous remplit
la bouche : Lecomte! Bertrand! Benoit! Prévost! Farrère!
Quelle croisade contre Claudel!

Je n'en puis plus de rage. Je vous demande pardon encore
et vous embrasse.

Fr.M.

38, avenue Théophile-Gautier, XVIᵉ,
4 avril *1935*.

Cher Ami,

Voici tout ce que j'ai trouvé... J'ose espérer qu'il s'agit
d'une bombe... posthume? Il ne faudrait pas leur faire croire
que vous êtes touché par ce scrutin dont aujourd'hui ils ont
honte[1].

(...) Je prends la liberté de vous rappeler que les fameuses
« visites » de Vigny ont paru dans le *Journal d'un poète*
publié après sa mort.

Et puis, autant je vous félicite de ne plus vous représenter,
autant je souhaiterais que vous ne coupiez pas les ponts, car
on ne peut imaginer que dans x années, l'Académie étant en

grande partie renouvelée, nous allions vous chercher solennellement comme un vieux Goethe chrétien[2]...

Et maintenant qu'on vous a remis à votre *Place*, cher grand Ami, vous allez pouvoir dire librement ce que vous avez à dire dans ce monde où il n'y a plus personne.

J'espère, si vous habitez Paris, que nous nous verrons quelquefois – et que nous nous rejoindrons... Vous êtes un des rares hommes qui me replacez dans cet état d'hébétude et de stupeur que j'éprouvais, adolescent, devant les êtres, hommes ou femmes, que j'admirais...

De tout mon cœur.

Fr. Mauriac.

200.　　　　A SA FILLE CLAIRE MAURIAC[1]

Le grand Hôtel,
Marseille,
24/4/1935.

Ma chérie,

Comme ta lettre m'a fait plaisir! Je sais que tu as un cœur très tendre et que tu nous aimes bien. Je sais même ce que tu ne sais pas : c'est que quand tu auras quelqu'un d'autre que nous à chérir, tu croiras peut-être nous aimer moins. Et puis plus tard, beaucoup plus tard – quand nous ne serons plus là – tu retrouveras en toi, intacte et toujours vivante, ta tendresse pour tes parents. J'ai presque oublié bien des êtres que j'aimais plus que mon âme; mais quand je pense à ma mère, aujourd'hui, c'est avec le même cœur d'enfant passionné qui pleurait de douleur lorsqu'il fallait me séparer d'elle pour deux ou trois jours... La vie nous révèle que nous ne fûmes jamais aimés jusqu'au don total de soi que par notre mère...

Mais ce n'est pas que la vie soit aussi décevante que le disent les romanciers... Il y a de belles heures, et tu les vivras, ma chérie. Il y en a de tristes aussi et tu les supporteras en union avec ce Dieu que tu as appris à aimer Lui aussi – et qui Lui aussi ne nous quitte jamais : comment nous quitterait-Il, celui qui a des pieds cloués pour nous attendre?

On a le droit d'avoir ses préférences. Il faut que Luce et toi vous aimiez beaucoup pour n'en être pas venues à vous détester. L'an prochain, vous serez d'autant plus amies que vous serez séparées.

Tes insuccès scolaires ne prouvent rien. Tu verras, l'an prochain, je m'occuperai un peu de toi ; et tu seras une jeune fille plus avertie que beaucoup de diplômées. Tu liras les bons auteurs, tu entendras de la bonne musique : c'est la seule éducation qui vaille.

Je t'embrasse de tout mon cœur, mon adorée.

Fr.M.

Je serai jeudi à Malagar avec maman.

201.　　　A PAUL CLAUDEL

38, avenue Théophile-Gautier, XVIᵉ,
4 mars *1936.*

Mon bien cher Maître et Ami[1],

Je suis très touché de l'empressement que vous avez mis à me lire... J'étais très intimidé à la pensée de vous envoyer cette *Vie de Jésus* (vous la recevrez dans quelques jours) que vous seul parmi les vivants êtes digne d'écrire...

J'avoue qu'après avoir entendu les commentaires de M. Vignon (avec photos à l'appui...) sur le Saint Suaire, et malgré bien des remarques qui m'ont ému et séduit, je demeure sceptique à cause justement de cette trop belle tête, de ce visage évidemment byzantin, hiératique, royal, glorifié[2]. L'échec total (en apparence) de Jésus, la tranquillité de ses adversaires dans leur mépris et dans leur refus, la déception de Hérode et de sa cour, le fait certain qu'il n'avait aucun caractère saillant, propre à le faire reconnaître (plusieurs épisodes en font foi...), tout m'incline à le voir tel que l'a vue Isaïe. Mais nous en sommes réduits aux conjectures et l'interprétation est libre.

J'ai eu l'*imprimatur* : mon correcteur, le Père Lebreton S.J., qui passe pour très sévère, a été d'une indulgence extrême...

A bientôt, j'espère... L'académie me dégoûte de plus en plus : Mgr Grente et l'amiral Lacaze sont les nouveaux poulains de Chaumeix. L'amour du néant, chez mes confrères, la haine des lettres et de tout ce qui domine atteint à une sphère de grandeur; la plus basse passion politique aussi, le souci de ne laisser entrer que des clients, des gens qu'on tiendra en mains. Tâchons, même là, de devenir les plus forts. Je vous serre les mains avec une respectueuse et profonde affection.

F. Mauriac.

202.   A MARCEL JOUHANDEAU

38, avenue Théophile-Gautier, XVI*,
Lundi *1936.*

Je suis de tout mon cœur avec vous, mon cher Jouhandeau, dans ce deuil[1] qui n'est pareil à aucun autre, qui nous atteint le plus directement puisque notre mère s'écarte pour démasquer la mort, notre mort. Il n'y a plus personne au monde (même si nous sommes très aimés) pour nous aimer *absolument*. Ce sentiment qui avait survécu à l'enfance, que rien de grave ne pouvait nous atteindre tant que sa main était sur notre front, nous l'avions ancré dans la chair...

Mort d'autant plus affreuse qu'elle est selon la loi, que c'est régulier, qu'on ne peut même crier au scandale comme devant celle d'un enfant. Un de mes amis avait cessé de pratiquer, parce qu'une grand-mère qu'il chérissait était morte. Révolte inepte et que je comprenais...

Je devrais vous consoler et c'est de toute ma foi, de toute mon expérience que j'ajoute que vous n'avez pas perdu votre mère et qu'elle vous sauvera plus sûrement qu'elle ne pouvait faire vivante; car elle se tient désormais à la source de la Miséricorde dont nous avons besoin plus que personne au monde, nous les écrivains du péché...

De tout mon cœur.

Fr. Mauriac.

A LOUIS CLAYEUX[1]

> Parkhotel Nelböck,
> Salzburg,
> Samedi *1936.*

Cher Louis,

Ta lettre m'a donné de la joie et de la peine. En écoutant l'*Héroïque*, hier soir, dirigée par Bruno Walter, je la tenais dans ma main, cette lettre, avec le désir de te communiquer à distance cette merveilleuse impression de « *destin surmonté* » dont me remplissait ce vieux sourd sublime. Pauvre Beethoven! Il tient sa place ici en dépit de l'adorable Wolfgang. Avant-hier soir, au Mozarteum, le petit orchestre de Salzburg (bien plus « étonnant » selon moi que les grands orchestres de Vienne), entre deux sérénades divines de Mozart, a accompagné un concerto pour piano de Beethoven que je ne connaissais pas (et qui est très peu connu). Une certaine Lili était au piano. C'était aussi beau que « *l'archiduc* ». Une minute inoubliable... Que tu aurais été heureux ici, mon petit enfant...

Je ne puis exprimer le charme de Salzburg... Une ville du XVIIᵉ siècle tout en palais, en jardins, en églises rococo et cette musique sublime du matin au soir... Et ce peuple autrichien si tendre, si chrétien, si malheureux. Je ne sais ce que tu penserais de ces filles qui ressemblent à Gretchen et de tous ces garçons aux culottes de peau arrêtées à mi-cuisse, jambes nues : beaucoup de chômeurs hélas parmi eux et que l'on devine prêts à tout. C'est une chose horrible à penser. Pauvre jeunesse...

Tu devrais demander à tes parents de t'offrir ce voyage. Tu serais fou de musique.

Chaque dimanche, les bénédictins (c'est plein de couvents ici) chantent une messe différente... de Mozart! (...)

De tout cœur avec toi.

> F.

1936.

Mes chères petites filles,

Je vous envoie le portrait d'un merveilleux acteur et chanteur Ezio Pinza qui, hier, a fait délirer une salle comble où tout l'univers était représenté[1]. Il faut que vous appreniez à aimer la musique. J'ai mis quarante-huit ans à l'aimer vraiment et c'est ce qu'il y a de plus beau au monde. Quand je pense que je noircis du papier, alors que l'on peut comme Mozart faire descendre le ciel sur la terre! Mon métier est un métier de bougnat au prix de ce qu'ont fait ces grands hommes : Mozart, Beethoven.

Le beau temps est revenu. Je pense que vous devez vous en donner! Embrassez tout le monde pour moi – non, tout de même, pas tout le monde! ce serait fatigant – mais tante Suzanne[2], puisqu'il faut choisir!

De tout mon cœur vôtre.

Fr.

205. A JEAN PAULHAN

Pavillon Sévigné,
Vichy,
21 juillet *1936.*

Cher ami,

Je ne pensais pas plus à Chamson qu'à Giono ou qu'à Bost et « petit » n'était nullement péjoratif sous ma plume – mais c'était par opposition à Louis XIV que j'ai usé de « petit » qui devrait sembler flatteur il me semble à des écrivains de gauche.

Et puisque nous en sommes aux reproches, permettez-moi de vous dire que le coup de pied au cadavre de Régnier[1], dont s'est rendue coupable la *N.R.F.* a attristé vos amis et réjoui vos ennemis. Geste indéfendable, avouez-le.

Je ne travaille pas; abruti, je dois le dire, par l'atmosphère de ces tristes jours[2]; découragé pour ne pas dire plus; ce serait le moment de la retraite – au moins pour un temps – si on était libre. Mais tout ici-bas : la Foi, le talent, l'amour, devient pour l'homme de lettres professionnel un affreux harnais – et la mort sera le seul événement de sa vie qu'il pourra enfin ne pas commenter.

Entre nous, ces numéros spéciaux sont assommants. Trente articles à la file sur le même monsieur – fût-il le cher Thibaudet ou le grand Claudel – trente articles, non pas de critiques, mais d'éloges, forment un ensemble illisible : c'est un fait. Je ne connais guère que vos deux numéros sur Proust et sur Rivière qui aient échappé à cette illisibilité.

Dès que j'aurai quelque chose, je penserai à vous : ce sera sans doute un « Journal » : ce qu'on n'ose dire ailleurs. Vous êtes le seul mauvais lieu où je puisse dire certaines choses...

Bien amicalement vôtre.

François Mauriac.

Etes-vous en bons termes avec Jules Romains? Pourriez-vous, au cas où vous le connaîtriez bien, savoir si son livre signifie un *non* définitif à l'Académie? Puisqu'elle existe, pourquoi ne pas s'efforcer d'y réunir les vrais talents?

206.   A X...

Pavillon Sévigné,
Vichy,
Août 1936.

Mon cher confrère[1],

Un écrivain n'a pas seulement le droit, il a le devoir de ne rien écrire qui ne soit *vrai*; et tout bon écrivain ne peut que rendre au public ce que le public lui a prêté.

Mais avec ces éléments reçus du dehors et incorporés à son être le plus profond, il recompose, il recrée des personnages qui n'appartiennent qu'à lui et dans lesquels personne n'a le droit de se reconnaître.

Le cas de Montherlant est particulier. Ce grand écrivain ne s'exprime vraiment que dans le cynisme. Le cynisme est une sincérité au premier degré. Ce qu'il y a de curieux dans *les Jeunes Filles*, c'est le contraste entre ce que Montherlant nous livre de lui-même (dans l'exacte mesure où son talent l'exige) et toutes les habiletés auxquelles il a recours pour brouiller ses pistes.

Résumons-nous : je pense qu'il faudrait mettre en exergue des *Jeunes Filles* ce vers de Claudel, dont la pudeur de vos lecteurs ne s'effarouchera pas :

« *L'homme de lettres, l'assassin et la fille de bordel...* »

Est-il nécessaire d'ajouter que ceci ne vise pas notre cher Montherlant, mais son héros Costa?

François Mauriac.

207.   A EDOUARD BOURDET

Malagar, 15 octobre *1936.*

Cher ami[1],

J'achève le Ve acte d'*Asmodée* (c'est le titre pour l'instant) en déplorant de rater la 1re de *Fric-Frac.*

Asmodée, c'est le diable boiteux qui soulève le toit des maisons et c'est aussi un démon impur.

Cinq actes mais *très courts.*

De tout cœur.

F.M.

208.   A JACQUES COPEAU

38, avenue Théophile-Gautier, XVIe,
Lundi *1936.*

Cher ami[1],

Compere[2] me promet ma pièce pour mercredi; le temps de la relire et je la dépose chez vous, soit mercredi soir, soit jeudi matin au plus tard...

Je crains que vous ne soyez fort déçu... mais vous me direz

222

franchement votre pensée; je préfère jeter aux oubliettes
mon manuscrit que de le retravailler. Je n'y vois plus rien...
Mais quel rôle il y aurait eu là pour vous[3]!
De tout cœur (et avec tremblement...).

F. Mauriac.

Le titre ne colle plus du tout.

209.   A JACQUES COPEAU

Lundi *1936.*

Cher ami,
Je comprends que Napoléon et Molière[1] ne vous laissent
guère le loisir de lire *Asmodée.* Je tiens pourtant à vous
avertir que, dans mon esprit, le dénouement (que vous avez
entre les mains) *n'est qu'indiqué.* Je compte développer les
deux dernières scènes (surtout celle entre Blaise et Marcelle).
L'important pour moi serait que vous aimiez assez ma
pièce pour que nous la retravaillions ensemble, à mesure
qu'elle serait répétée...
Ne me faites pas trop languir! Je ne m'exposerais à
l'épreuve du « Français » que si vous aviez foi dans les cinq
actes – ou du moins dans leurs possibilités : je m'en rapporterai à votre verdict.
De tout cœur.

F.M.

210.   A BERNARD BARBEY

38, avenue Théophile-Gautier, XVIe,
Samedi *fin 36.*

Cher Bernard,
Votre affectueuse lettre m'a fait plaisir pour toute l'affection que j'y devine – et m'a attristé parce que je vous imaginais déjà écoutant *Asmodée!* La lecture à Bourdet a été

223

assez... fraîche. Je lisais mal, intimidé par ce juge surmené, anxieux, et sur qui « ça » ne prenait pas... Le succès auprès des Duhamel et des Vaudoyer m'a rendu l'espoir. Mais je refais mon 5ᵉ acte tout entier...

Je suis toujours mozartien, toujours le même – assez heureux – et même heureux... pourquoi ne pas le dire? Je me contente de peu... Un peu qui est beaucoup – et l'amour pour moi est quelque chose que personne n'appellerait amour mais qui suffit à ma vie... Je ne suis pas revenu de la Grèce[1] le cœur vide : il n'y a pas de musique mineure, il n'y a pas de sentiments mineurs : on aime ou on n'aime pas...

Je pense que vous devez aimer votre vie : cette certitude d'être utile, de servir. Je m'étonne que vos livres ne reflètent pas davantage cette expérience militaire qui par ailleurs est une de vos richesses[2].

Il me tarde bien de vous revoir, mon petit Bernard, toujours près de mon cœur – vous le savez...

Je vous embrasse.

Fr.

Automne sublime à Malagar. Je viens d'y planter 130 cyprès le long de la vue... et j'ai fait 160 barriques, cette année!

211.   A JACQUES COPEAU

38, avenue Théophile-Gautier, XVIᵉ,
fin 1936.

Mon cher ami,

Des trois lettres que j'attendais de vous, adhésion totale, refus total, adhésion mitigée, je reçois celle que je redoutais par-dessus tout[1] : car je ne puis me faire à ce travail où les suggestions me viennent du dehors. Je ne vois plus Blaise. J'ai perdu ses traces... Sauf pour le dénouement que je comptais mettre au point, je n'ai pas envie de m'y remettre : si Blaise est « en l'air », c'est irrémédiable...

D'autre part, je vous dirai toute ma pensée : j'avais oublié la *Comédie-Française.* J'ai été terrifié par cette énorme salle si peu propice à des débuts – consterné par certaines auditions... Car la seule chance pour Blaise de retoucher terre serait d'être interprété par un acteur ayant de l'autorité, de la classe. Blaise, je le reconnais, a besoin d'être « imposé » au public. Je laisse beaucoup à faire à l'acteur, c'est évident... Quand je vois cet Alceste falot – humain, il est vrai, mais vidé de toute sa puissance – qu'a donné Clariond, je redoute d'avance de voir mon bonhomme complètement « vaporisé »...

Seule votre confiance m'eût donné confiance. J'entends votre confiance réelle... Je sais comme on parle à un auteur, avec quelles précautions... Si vous me dites que Blaise reste « en l'air » cela signifie qu'il vous paraît *impossible*... et j'ai assez le respect des compétences pour m'en rapporter à votre jugement...

Donc, voyez avec Edouard. Naturellement vous me *rendrez* ma pièce, si vous le jugez bon et c'est ce que je vous conseille de faire *dans notre intérêt à tous*. Mais je vous aime trop tous les deux pour vous la reprendre au cas où vous y tiendriez réellement... Le pire c'est que vous tenez, non à ma pièce, mais à des *possibilités*[2] qui sont pour moi des impossibilités! Vous y tenez pour ce qu'elle pourrait être et qu'elle ne sera jamais... Et je me vois avec terreur condamné à d'éternels retapages sous l'œil sombre et courroucé d'Edouard, sans jamais atteindre à refaire la pièce idéale que vous avez tous deux dans l'esprit...

En attendant, je vais de ce pas à la librairie anglaise acheter de beaux cahiers cartonnés, pour m'enfoncer dans le monde enchanté du roman où il n'est pas besoin de coller l'avis : « Défense d'entrer dans le chantier pendant la durée des travaux... » puisque c'est un univers inviolable où l'on règne seul...

Merci de vous être donné tant de mal et d'être disposé à le faire encore, mais réfléchissez bien à ce que je vous écris, *non certes par dépit*, mais parce que je me connais et que chez moi il n'y a que le premier jet qui compte et que mes « repentirs » ne valent rien[3].

De tout cœur.

F.M.

212.   A JACQUES COPEAU

> 38, avenue Théophile-Gautier, XVIᵉ,
> *25 mars 1937*[1].

Mon cher Copeau,
Pendant deux mois je suis décidé à oublier ma pièce. Mais il faut que vous m'aidiez à l'oublier. Vous êtes un extraordinaire « bernard-l'hermite », logé à l'intérieur d'une œuvre. Vos « idées » se succèdent en une ponte effrayante. Votre amour pour mes personnages les dévore, les détruit (en tant qu'ils étaient « miens »). Si j'ai décidé de renvoyer ma pièce à la saison prochaine, c'est que je ne la reconnaissais plus, c'est qu'elle était morte pour moi. Si j'arrive à la ressusciter vous me crierez sans doute : « Ce n'est pas elle! » et vous la mettrez... en pièces... Et bien sûr, ce ne sera pas « elle »... – le chef-d'œuvre que vous rêvez avec une intensité qui m'anéantit... C'est une chose que de conseiller un auteur qui débute (ce que fait Bourdet) et c'en est une autre que de se substituer à lui, que de lui imposer une vision qui n'est pas la sienne. Vous êtes comme cet Esprit dont parle l'Evangile qui erre dans des lieux arides jusqu'à ce qu'il ait trouvé le joint pour rentrer dans la maison délivrée... « Et l'état de cet homme devint pire qu'avant... » Ainsi, après votre lettre de ce matin, je ne pouvais plus me lever[2]...

213.   A JEAN BUFFIER[1]

> 38, avenue Théophile-Gautier,
> *10/6/37.*

Mon cher petit frère,
Votre lettre pour m'atteindre n'a pas eu à traverser seulement des mers et des pays – mais des années et des années, un gouffre de temps mort – et me revoici tel que vous, dans des trains qui sentaient la suie et le lilas, oppressé par la présence d'un être aimé; me revoici vivant et obscur, appelant par la fenêtre ouverte sur la nuit, devant les cimes pressées et sombres des pins, ce bonheur qui n'existe pas...

O mon pauvre enfant, tout ce que la vie nous apporte de « réussite », de plaisirs, d'honneurs, ne change rien, n'ajoute rien et laissa le petit Yves Frontenac éternellement déçu entre le ciel qu'il peuple de son amour et la terre pleine de pièges et d'abîmes où il est impossible à l'enfant d'obéir à sa mère quand elle disait : « Joue, mais sans te salir... »

– Va jouer et ne te salis pas...

Je vous le redis tout de même, en vous serrant les mains – et en songeant que dans cette lumière de l'éternité où nos cœurs nous deviendront déchiffrables, vous m'apparaîtrez peut-être pour me dire : « C'est vous qui avez répondu, une nuit de juin (il est 2 h du matin) à ma lettre de Djibouti... » Vous m'aurez reconnu, parce que Dieu m'aura rendu mon vrai visage, mes yeux purs, les mains tachées d'encre, mais innocentes du petit Yves.

Et c'est le petit Yves qui ajoute pour finir : Etre un poète... cela vaut beaucoup de souffrance. Ne regrettez rien.

F.M.

214.   A HENRI GUILLEMIN

29 novembre *1937.*

Excusez-moi, mon cher Henri, de ne pas vous avoir répondu plus tôt. Vous ne savez peut-être pas dans votre lointaine Egypte [1], qu'*Asmodée* a vu le feu de la rampe avec beaucoup de succès et en soulevant aussi quelques colères. Depuis huit jours je suis pris dans ce remous... ce qui ne m'empêchait pas de penser à vous avec affection et tristesse dans la crise que vous traversez.

On ne peut rien vous reprocher et vous n'avez rien à vous reprocher. Les Pères, à mon avis, ont eu tort de choisir ce moment-là pour publier un pareil texte [2]. Ils lui ont donné une signification qu'il n'avait pas; mais comment ne pas les excuser?

Tout cela ne serait rien sans le coup que cela vous porte et sans cet ostracisme dont votre livre va souffrir [3]. Ne pourriez-vous vous tourner de nouveau vers les éditions Montaigne?

Quant aux procédés des catholiques entre eux... Il semble que tous les rapports soient empoisonnés par cette autorité multiforme et sournoise dont chacun se méfie... L'essentiel est d'être un laïque et de remercier Dieu de vivre dans un temps où Ses prêtres n'ont d'autres pouvoirs que ceux que Lui-même leur a conférés.

Cher Henri ne vous découragez pas : vous avez beaucoup de talent – un talent qui se développe tous les jours. Vous prendrez facilement votre place dans ce monde de néant où nous sommes. C'est du courage de faire un enfant au milieu de tout ça... Il va être bien nerveux et peut-être anticlérical...

Je me réjouis pour votre mère. J'espère que Jacqueline supportera bien cette épreuve.

De tout cœur.

F.M.

Oui, P.-H. Simon est très charmant. Il vient voir ma pièce vendredi.

215.   A JACQUES COPEAU

10 janvier *1938.*

Cher ami,

Pardonnez-moi de répondre si tard à vos bons vœux : j'étais à Nice, plongé dans un roman, immergé au fond d'un roman pour y fuir la tentation du trop délicieux théâtre[1]...

La réussite de notre *Asmodée* ne m'éblouit pas : j'en vois mieux les faiblesses que nos critiques les plus aigres. Et si jamais, cher Copeau, je vous apporte le fruit d'une nuit de Malagar, je voudrais que ce fût un enfant plus dru et qui vous fît plus d'honneur.

Mais vous avez tiré de ces cinq actes un spectacle qui fera date je crois, rue de Richelieu. J'y retournerai mercredi. On me dit que notre Rouer ne se tire pas bien de la dernière scène. Peut-être est-ce la scène qui décidément ne vaut rien...

Que cette année vous soit douce et aux vôtres aussi, cher ami. Le monde est noir, et il faut beaucoup de courage pour travailler noir sur noir.

Si ça ne vous ennuyait pas de déjeuner ou de dîner un jour ou un soir avec nous, téléphonez : Aut. 52-31. Tous les miens seraient heureux de vous revoir et de vous remercier encore. Si vous préférez que nous déjeunions ensemble au cabaret?... Mais peut-être pourrions-nous faire les deux fêtes? maison et cabaret? Téléphonez...

Bien affectueusement à vous.

F. Mauriac.

216.   A RAMON FERNANDEZ

12/1/38.

Cher ami,

Je ne signe plus que les manifestes que je rédige ou auxquels je collabore... Je ne suis plus qu'un vieux chat échaudé et circonspect qui, perché sur une pile de livres éphémères, attend en clignant des yeux le déluge universel.

Je vous serre bien affectueusement les mains.

Fr. Mauriac.

217.   A HENRY DE MONTHERLANT

38, avenue Théophile-Gautier, XVIᵉ,
début 1938.

Je ne suis pas si éloigné de vous que vous l'imaginez : ce n'est pas la *vraie croix* que ce siècle de fer détruit, mais un simulacre – le *simulacre* qui nous sépare. Vous haïssez une caricature. Et lorsque le *signe* du Fils de l'Homme apparaîtra, nous nous réconcilierons en lui.

Les siècles de fer font des martyrs : l'Europe chrétienne se recrée en eux; je crois qu'il faut que les vieilles façades s'écroulent... Je ne mets pas plus que vous l'infini dans ces sépulcres où j'habite (je le reconnais...)

A vous.

Fr.M.

Je ne vous ai pas *calomnié.* Je vous ai jugé témérairement
– mais je croyais mon jugement juste et mérité[1]. J'espère que
vous oublierez... et que nous parlerons une fois encore
ensemble avant le commencement de la fin...

218.   A HENRY DE MONTHERLANT

> 38, avenue Théophile-Gautier, XVIe,
> 26 avril *1938.*

Mon cher ami,
Notre tentative de « fraternité » a bien mauvaise presse.
Elle aura servi de mesure à cette haine qui déferle de partout
– plus âcre, plus virulente que je n'eusse imaginé...
Qu'elle serve au moins à nous rapprocher. J'ai eu de
grands torts envers vous. Je me suis laissé aller un jour à
l'irritation que m'avait causée votre Costa. J'ai été blessant et
l'ai été en public, ce qui est impardonnable.
Mais vous me pardonnerez. Vous êtes ce soldat que j'ai vu
entrer un jour, rue de la Pompe et qui m'a laissé le manuscrit de *la Relève du Matin*; et je n'oublierai jamais cette
merveilleuse sensation de génie : le « don » à l'état pur – et
appliqué à fixer l'indicible, ce mystère, ce secret de l'enfant
qui se fait homme... Dès ce jour-là je vous ai admiré – et
aimé, pour moi seul, parce qu'il y a une espèce d'êtres, dont
vous êtes, de qui un aîné ne doit rien attendre que ce plaisir
d'aimer en secret un artiste qu'on admire. Et depuis vous
m'avez parfois – et assez souvent – agacé, irrité, mais à la
surface de moi-même. Et les rares fois où je vous rencon-
trais, je sentais qu'au-delà de vos attitudes, vous étiez le
même : quelqu'un qu'au fond je connais bien...
Ce matin, en lisant les horreurs de mon courrier, je me
disais que notre « fraternité » – que nous avons évoquée
devant les hommes – existe. Oui, je le crois de tout mon
cœur. Je vous serre affectueusement les mains[1].

François Mauriac.

38, avenue Théophile-Gautier, XVIe,
juin 1938.

Cher ami[1],
Sans doute avez-vous eu vent de ce violent discours prononcé à Bilbao par le ministre de l'intérieur contre Maritain
et contre moi.
Je crois qu'il m'est difficile de ne pas répondre. Par ailleurs, étant beaucoup moins attaqué que Maritain, il m'est
plus facile de faire une mise au point *modérée*. C'est à quoi
je me suis. efforcé.
L'article est très long – et naturellement, si vous acceptez
de le publier, je ne crois pas qu'il puisse paraître en première
page tout entier[2].
Avertissez-moi du jour où il paraîtra parce que j'aimerais
en voir les épreuves.
Bien amicalement.

F.M.

Ce n'est pas de gaieté de cœur que je soulève de nouveau
ce débat – mais d'une part je tiens à défendre Maritain, et
d'autre part, je tiens à ce qu'il y ait un texte précis auquel
nous puissions renvoyer nos adversaires. Vous pourriez au
besoin rappeler dans un « chapeau » le discours du ministre
et bien spécifier que cet article n'engage que moi.

220.   A BERNARD BARBEY

+
Pax
Malagar,
Saint-Maixant (Gironde),
30 septembre *1938.*

Mon petit Bernard,
L'espoir luit comme un brin de paille dans l'étable! Quel
retournement[1]! Je n'ai pu aujourd'hui me procurer encore

les journaux – mais si on pouvait vider l'abcès, arriver à un équilibre, et *ne plus avoir peur du printemps*! De nouveau ce matin, les vendangeurs chantent et piaillent dans les vignes... Quelles bonnes gens! Quel bon peuple! Mais le peuple est bon partout : ce soir, on chante la *IX° Symphonie* à la T.S.F., de quel cœur il faudra accueillir l'affirmation absurde et vraie, en dépit de tous les Hitler du monde : « Tous les hommes sont des frères!» Dès mon retour, je veux établir chez moi des contacts entre les Français de tous bords : de Malraux à Thierry Maulnier...

Merci de nous aimer et cette pauvre nation au beau visage déchiré.

Je crois qu'il vaut mieux que personne ne sorte *humilié* de cette aventure. Je crois qu'il sera difficile pour Hitler de recommencer à brandir ses foudres. Je crois qu'il désire peut-être une entente avec la France. Enfin, j'accepte sans discussion tous les espoirs, tous les rêves.

Je vous embrasse vous, Andrée, les petites...

Mes respectueux et affectueux hommages à vos parents.

Fr.

Claude est rentré lundi soir. Nous avons cru ne pas le revoir...

221.   A ROGER MARTIN DU GARD

38, avenue Théophile-Gautier, XVI°,
22 février 1939.

Cher ami,

C'est probablement vrai : mais nous n'avons jamais dit que nous préférions la Guépéou à la Gestapo[1]. Nous n'avons pas à choisir entre les assassins. Nous n'avons eu d'autre souci que de maintenir certaines valeurs au-dessus, en dehors d'un conflit dont l'horreur totale a tout de même sa source dans une révolte militaire appuyée sur l'étranger. Je préfère, tout compte fait, le triomphe de Franco au triomphe anarchiste (qui eût été effroyable) mais je me désole qu'il n'y ait pas eu la paix de compromis apportée du dehors. Ne nous laissons pas entraîner dans la bataille à coups de cadavres; cette indignation de chaque parti devant le sang répandu par l'autre, est inepte quand on y réfléchit.

Vous avez raison de vivre retiré d'un monde abominable où seuls les saints ont une raison d'être. Je commence à trouver fatigant d'être haï...

Je pars pour Londres voir jouer *Asmodée* en anglais[2]. Je serai rentré le 4 ou 5 mars. Mes affectueux hommages à votre femme et bien amicalement à vous.

Fr. Mauriac.

222.   A MADAME FRANÇOIS MAURIAC

Malagar,
Saint-Maixant (Gironde),
1 juillet 1939.

Cela va toujours bien avec Gide[1]. Le temps s'est remis au mauvais et le mildiou fait rage. J'ai lu ma pièce[2] qui a enthousiasmé Guillemin et Gide. Lui nous en a lu une qui n'est pas très bonne[3]. Claude est, je crois, inquiet et triste. Hier, comme des Espagnols du camp de Verdelais nous disaient qu'ils partaient pour Saint-Domingue, Claude a soupiré : « Ils ont bien de la chance! » C'est triste à pleurer; et il faut avouer que la lecture du journal est bien angoissante.

J'ai fini mon *Pascal*, et n'ai rien entrepris de nouveau. Mais quel repos d'être ici, quelle paix. Vos lettres me font froid dans le dos, quand je pense que je pourrais être, moi aussi, en train de m'amuser!

Rien de bien nouveau, en dehors de ça. Gide a vu avec enthousiasme Bazas, Saint-Symphorien. Il est très gentil, au fond, très attachant parce que *très désespéré*. Il l'a mérité peut-être, ou plutôt il est peut-être nécessaire qu'il *paye* maintenant... Puissions-nous l'aider un peu. Les gens qui le damnent sont tellement affreux[4]! Avez-vous lu l'article de Claudel dans *le Figaro* contre Maritain, et mon « billet » de vendredi dans *Temps présent*? (...)

A quand? J'ignore si je serai rappelé à Paris. De moi-même, je ne broncherai pas.

Votre

F.

Tendresses aux demoiselles de Saint-Cyr[5] et à Jeannot.

223.   A PAUL CLAUDEL

Malagar,
Saint-Maixant (Gironde),
4 juillet *1939.*

Mon bien cher Claudel,

Mon « billet » vous a montré mon admiration et mon affection – mais non la tristesse et la « colère » où je suis encore lorsque je pense à cette attaque[1]... J'y reviens (pour la dernière fois, je vous le promets!) dans mon prochain « billet », parce qu'il y a un point sur lequel je crois nécessaire d'attirer l'attention de ceux qui nous lisent.

Quant au fond du débat, je me sens tellement d'accord avec Maritain dont la réponse vous a été communiquée, que je n'ai rien à y ajouter.

J'espère que ces deux « billets » ne vous auront pas fait trop de peine.

Je suis séparé depuis plus de dix jours des miens et j'ignore les projets de Claire. Mais je sais qu'elle était très heureuse d'aller à Brangues.

Veuillez dire à Madame Claudel ma respectueuse sympathie et croyez toujours à ma fidèle admiration.

François Mauriac.

A JEAN BLANZAT[1]

Malagar,
Saint-Maixant (Gironde),
8 juillet 39.

Cher ami,

La présente est pour vous aviser que le camarade Rothschild (Robert) s'est enfin décidé à y aller de 15000 balles. Et comme Mme Coty-Cotnareanu en a envoyé 25000, la Noailles 5000, Patenôtre également, tout va pour le mieux dans la meilleure des Espagnes possibles.

Je passe de beaux jours ici avec l'étonnant Gide.

Avez-vous reçu ma dernière lettre si vainement gentille puisque vous n'y avez pas répondu?

Je vois des Espagnols qui campent pas très loin. Gide est très chic avec eux. Je reçois de sombres nouvelles : plusieurs centaines de Basques condamnés à mort pour lesquels on ne peut rien... (plus d'échanges possibles comme durant les hostilités), beaucoup s'étaient rendus contre promesse de la vie sauve...

Cher ami, écrivez-moi. Je vous serre affectueusement les mains.

Fr. M.

A JEAN PAULHAN

Malagar,
Saint-Maixant (Gironde),
5 août *1939.*

Cher ami,

Cet « Homme de cinquante ans » s'est brisé en plusieurs morceaux dont aucun ne m'a paru digne de la *N.R.F.* Le plus important va paraître à la rentrée : c'est un commentaire à des photographies de Malagar, des paysages de mes romans[1] etc. Mais c'est en réalité le « journal » que je vous destinais. Voyez avec Brun[2] s'il veut vous le passer. Deman dez-lui les épreuves corrigées d'après mon bon-à-tirer. Je ne puis vous envoyer moi-même ce travail car je n'en détiens ici aucun double.

Avez-vous lu dans *les Chemins de la mer*[3] les fragments d'*Atys* que j'y ai insérés? Aimeriez-vous un jour publier tout le poème? Mais il faudrait consentir à publier ce qui a déjà été cité dans *les Chemins de la mer*, parce que ça fait un ensemble que je ne veux pas détruire[4].

Amicalement vôtre.

F. M.

226.   A JEAN BLANZAT

Malagar,
Saint-Maixant (Gironde),
18 août *1939.*

Cher Jean, je rentre à Paris le 10 sept, juste pour mes répétitions[1]. Impossible donc d'arranger une rencontre si loin de Paris. Mais nous serons près de la rentrée à ce moment-là et de votre retour.

Reçu une lettre de Guéhenno si amicale!

Je pense à vous, à notre amitié, à votre livre. J'ai envoyé au diable mes « souvenirs[2] » : je suis muselé... alors à quoi bon? Je ne veux plus tricher – sur rien, à propos de rien.

Etes-vous heureux? Il fait un temps d'enfance : rien ne m'attriste comme cette lumière, ce vent d'orage dans les feuilles flétries, ces nuits rongées d'étoiles, de moustiques, de tentations. J'ai été entre deux trains enterrer à Paris le pauvre Charlie Du Bos. Il avait des ridicules, mais pas une seule bassesse; un parti pris de grandeur; des lectures infinies; et puis désarmé, souffrant, livré à Dieu...

Cher Jean, je vous serre les mains.

Fr. M.

Malagar,
Saint-Maixant (Gironde),
18 août 39.

Merci, Jean Guéhenno, de votre lettre qui me touche plus que je ne saurais dire. A quel point je pense comme vous et de plus en plus, vous le savez[1]. Les frontières du « Royaume » ne coïncident pas avec les barrières des religions et des classes, je le découvre chaque jour et ce pauvre prêtre qui vous aime le sait aussi. Combien y en a-t-il (et des religieux) qui aiment les « pauvres » et ne vivent que pour eux! Ils rachètent l'iniquité des autres...

Je ne retrouve pas la lettre que m'a écrite Mme Dabit[2]. Je l'ai laissée à Paris et n'ai pas son adresse. Veuillez vous faire mon interprète auprès d'elle et de la mère de votre ami et leur dire ma gratitude émue. A bientôt j'espère. Je rentre à Paris en septembre.

Votre

F. M.

228.   A JEAN GUÉHENNO

Malagar,
Saint-Maixant (Gironde),
18 septembre *1939.*

Cher Jean Guéhenno,
La dernière lettre reçue de Jean B[1]. est du 10. Mais depuis, on s'est tant battu! Je ne saurais vous dire comme je l'aime (l'ayant vu pourtant si peu...) et quelle affection il me témoigne, et quels accents il trouve pour me parler de Dieu... Je ne me consolerais pas de perdre cet ami qui m'est si cher, sans l'avoir connu... Mais cela n'arrivera pas. Je ne puis me faire à cette idée, parce que moi qui ai passé ma vie à parler de la croix et à mener autour d'elle, depuis trente ans, une espèce de danse parlée et à demi sacrilège, je n'ai cessé de regimber

contre elle – alors que notre Jean l'accepte avec tant de simplicité, quoiqu'il souffre terriblement. Il m'a parlé de sa femme en termes admirables. Si je reviens à Paris, j'irai la voir.

Je ne vous dis rien de ce que je pense de cette guerre : je n'écris aucun article. Je suis résolu à me taire le plus longtemps possible. Mon fils Claude, parti dès le premier jour, se trouve encore à Saint-Cyr. Il y restera, croit-il, quelque temps encore, son titre de docteur l'ayant provisoirement introduit au bureau. Quand il partira ce sera pour un poste d'écoute contre avion, du moins c'est ce qu'il croit... Enfin, pour l'instant, je ne suis pas inquiet de lui.

Cher Jean Guéhenno, je sais que vous aussi vous connaissez, vous avez connu, la plus grande souffrance. Le *Journal* de Dabit m'a permis de m'y associer. Nous retrouverons-nous dans un monde habitable? Je ne le crois plus. Cette guerre, cette trahison de la Russie, de l'Allemagne même, envers leur idéal, cette horreur qui reparaît après vingt ans à peine (qui n'a jamais cessé d'ailleurs dans le monde), ce meurtre d'Abel par Abel, je ne m'y résigne pas... Et pourtant si jamais un peuple a eu pour lui la raison, dans un conflit, c'est bien le nôtre...

De tout cœur vôtre.

F. M.

Avez-vous vu que Giono a été arrêté?

229.   A GASTON DUTHURON

Malagar 17 octobre *1939.*

Cher ami, j'étais au moment de vous écrire lorsqu'on m'apporte d'admirables poires que votre pauvre père s'est donné le mal de monter à Malagar. Combien j'en suis touché! J'irai le remercier demain. Nous pensons à vous constamment : vous êtes de ceux dont le nom revient sans cesse dans nos propos. Claude est toujours à Saint-Cyr. Je crois qu'il y restera quelque temps. Nous sommes tranquilles à son sujet jusqu'au départ. Bruno[1] est E.O.R. à Saumur.

Que vous dire? Je suis sûr que nous pensons les mêmes choses. Il faut se taire et prier si on le peut. Le véritable optimisme consiste à croire que nous en sortirons, que la vie reprendra, que nous parlerons à cœur ouvert, non dans le Malagar sombre et doré de cet automne, mais au printemps dans la lumière de la paix revenue. Je ne crois pas que le monde supporte longtemps cette strangulation. Je persiste à espérer que l'épreuve ne sera pas indéfinie comme il y a vingt ans. Et vous aurez découvert en vous des vertus insoupçonnées de courage et de force... Et vous parlerez de Carnot[1] en homme qui sait ce que c'est que de se battre... Je vais à la messe de Langon. Je trouve inouï que ce très vieux prêtre suffise à tout. Les cérémonies sont très honorables, et je lui sais gré de n'être jamais vulgaire dans ses prônes.

A vous de tout cœur.

F. M.

230.   A SON FILS JEAN MAURIAC

38, avenue Théophile-Gautier, XVIe,
14 janvier 40.

Mon petit Jean,
Je suis content de tes notes, content de ta lettre aussi[1] – mais un peu moins de celle que tu as adressée à Claude. Tu te lamentes sur ta « jeunesse perdue », malheureux enfant *dont la jeunesse n'est même pas encore commencée!* Tu te trouves à peine sur les lisières de l'adolescence et tu as la vie de travail, d'études qui a toujours été celle des garçons de ton âge : tous ne sont pas pensionnaires, bien sûr. Mais pour toi, prisonnier de ton enfance comme tu l'es, c'est à mon avis *un bonheur* que les circonstances t'en aient un peu rudement séparé. Le péril qui guette une nature comme la tienne, c'est de ne pouvoir se dépêtrer d'une enfance trop douce. Sois conscient du péril; accepte. Prête-toi à ce perfectionnement que la vie t'impose. La vie... bien sûr, elle est dure, amère, tragique; et pourtant telle qu'elle est, *magnifique* pour qui sait la dominer. On a souvent reproché à ton papa d'avoir écrit des livres trop sombres. Mais on n'a pas compris que

239

pour lui, aimer la vie, c'est l'aimer sans la déguiser – comme on aime une créature fût-elle pleine de misères. Rien n'est si beau ni si grand que la vie d'un homme; elle est belle jusque dans ses défaites. Et sans doute il y a la mort. Ta grand-mère, ta mère, moi-même, nous te précéderons... mais dans moins de cent ans (c'est-à-dire à peine plus que ce trimestre que tu divises en quinzaines) nous nous retrouverons tous dans cette lumière inimaginable et qui pourtant existe et dont tu vois le reflet jouer au-dessus des vers et des musiques que tu aimes. L'art est un pressentiment de l'éternité. Remercions Dieu de ce qu'il nous a donné le pouvoir d'entendre la parole et le chant de ses messagers : Mozart, Bach, Baudelaire.

Sois heureux même quand tu souffres. Car la souffrance aussi est riche d'enseignement. Etre jeune, c'est souffrir d'avance de la vie inconnue. Etre vieux c'est porter le poids de la vie vécue, des deuils et des péchés de toute une vie. Mais sous ces deux aspects, vivre est une grâce dont il faut bénir l'auteur de la vie. Avoir quinze ans est une *merveille*, qu'on soit à Lourdes ou à Paris; près ou loin de son papa et de sa maman.

Je t'embrasse de tout mon cœur mon enfant chéri et *heureux*.

Fr.

231.   A PIERRE DRIEU LA ROCHELLE

14 janvier 1940.

Mon cher Drieu,

Le lecteur qui n'a pas respiré les gaz empoisonnés de 1920 à Paris, entrera-t-il dans votre livre? C'est la question que je me pose. Mais pour nous qui avons, chacun pour notre part, vécu ce drame (même les hommes de ma génération lorsque la camaraderie et l'amitié, comme ce fut mon cas, les mêlèrent à la vôtre), *Gilles* est un livre important, essentiel, vraiment chargé d'un terrible poids de souffrance et d'erreur. Mon destin aura été de vivre, de travailler, à un carrefour. J'aurai tout connu des climats spirituels de mon temps; je ne me suis que prêté au mal et à la sainteté; ainsi me trouvé-je disponible, compréhensif devant votre Gilles. Mais le problème posé est métaphysique. Je vous écris avant d'avoir achevé (j'en suis à la scène, après le suicide de Paul, chez les gens du groupe *Révolte*). Je tremble de penser qu'il va falloir suivre Gilles dans les directions politiques où, à ma grande stupeur, j'ai cru vous voir disparaître.

En tout cas, vous revoilà, cher Drieu, avec un maître livre, qui exige beaucoup de patience, mais aussi qu'on en détienne la clef. La première partie parue dans la *Revue de Paris* est très belle et se suffirait. La deuxième, d'une ambition formidable, exige de vous la maîtrise de l'auteur des *Possédés*. Je ne suis pas critique et cette histoire recoupe trop la mienne pour que j'en juge. Je reconnais tout et jusqu'au veston et à la cravate de Clérences. Cher Drieu, à l'âge que j'ai aujourd'hui, je suis sensible à la douleur qui est l'élément essentiel d'un beau et grand livre comme le vôtre. Je m'aperçois (ce dont vous vous fichez) que je vous aimais bien, que je vous aime bien.

L'érotisme, vous l'abordez avec plus de santé que personne de nous. Quel sujet! Mais il faudrait le traiter en collaboration, à la veille de la fin du monde, lorsque chacun attendrait la chute de la dernière étoile pour dire *tout*.

Fr. Mauriac.

232.   A PIERRE BRISSON

30 mars 40[1].

Croyez-vous donc, mon cher Pierre, que la vie de Phèdre commence au moment où Racine nous la montre? Elle ne sort pas seulement des ténèbres de sa chambre; elle surgit du fond de ces années où elle a lutté, presque sauvagement, contre son désir. Pas janséniste Phèdre? Mais à l'âge où je suis parvenu, je n'ai encore *jamais* rencontré un homme ou une femme capables de se rendre haïssables, odieux à l'être aimé; je n'ai jamais observé chez personne ce comble de l'héroïsme chrétien : persécuter ce qu'on aime, l'exiler, en devenir le bourreau. Rien ne ressemble à cela sinon certains traits de Pascal repoussant les caresses de sa sœur, ou portant sur lui un écrit (qui n'est pas la fameuse amulette) où il proteste qu'il n'est la fin de personne et qu'il ne veut pas qu'on l'aime. Phèdre a donc soutenu un combat qui dépasse en grandeur tout ce que nous savons du renoncement chrétien. Lorsque le rideau se lève, sa défaite est consommée. Nous assistons à la péripétie finale : au bond de la bête féroce sur la proie forcée, rendue. Mais là encore le caractère janséniste s'affirme avec éclat. La défaite de Phèdre se consomme en présence de Dieu, et non pas de n'importe quel Dieu, de notre Père, de celui qui juge aux enfers tous les pâles humains.

C'est une des beautés de Phèdre que de nous rendre si proches nos sources païennes. Les héritiers des Grecs, c'est nous les catholiques. La Grèce revit, ou plutôt continue dans l'Eglise. Les mythes grecs préfiguraient la vérité chrétienne et le Christ est bien plus annoncé par les Grecs que par les prophètes juifs. Comment pouvez-vous écrire qu'à aucun moment Racine ne tourne Phèdre vers Dieu? (Mais vous êtes capable de l'écrire parce que vous ne reculez pas non plus devant cette incroyable contre-vérité : « A aucun moment Phèdre ne lutte contre elle-même. ») Phèdre est différente d'Hermione et de Roxane par cette présence perpétuelle de Dieu, justement, par cette consommation du crime sous les regards d'un Père qui est aussi un implacable juge.

Et c'est là que je donne raison à Baty. Vous savez que j'ai toujours été fort opposé à ses idées. Mais après en avoir été longtemps exaspéré, elles me sont devenues indifférentes : je veux dire que les candélabres Louis XIV, les panaches, toutes les « intentions » du metteur en scène ne me font ni chaud ni froid. Mais il y a une chose que Baty a comprise : c'est la présence de Dieu, ou plutôt la confrontation de Phèdre et de Dieu. Tout se passe entre Phèdre et ce gouffre circonscrit par un cintre que Baty a placé au centre de la scène. Et Mlle Jamois l'a compris elle aussi. Bien sûr, lorsqu'il s'agit d'un rôle que nous savons par cœur depuis l'enfance, nous sommes à chaque instant déconcertés par une inflexion de voix, par un cri qui ne ressemble pas à ce que nous entendons en nous depuis des années. Mais d'abord Mlle Jamois a le physique de Phèdre *au moment où Racine nous la montre*. La passion a, elle aussi, son ascétisme. Elle crée, elle sculpte de terribles figures de brûlés vifs. Au premier regard on ne distingue pas toujours le visage d'une Catherine de Sienne de celui d'une Phèdre. La passion coupable est *aussi* renoncement. Mlle Jamois est la première Phèdre vivante que j'aie vue à la lettre « *consumée* » (et j'ai pourtant entendu Sarah Bernhardt dans le rôle où elle était sublime, mais où à aucun moment je n'oubliais qu'elle était Sarah Bernhardt). Je sais gré à Mlle Jamois de marquer à la fois le sentiment qui ne la quitte jamais que Dieu la regarde se perdre, et aussi cet abandon au crime, moins par volonté que par épuisement de sa volonté dominée, écrasée par le vouloir divin. Et j'aime qu'ainsi livrée par Dieu lui-même à son amour, elle ait parfois ces cris de femelle, ces appels rauques – plébéiens? – justement! Elle a passé la frontière des classes, elle se meut dans un monde où il n'existe plus ni reines, ni mendiantes, ni courtisanes, ni grandes dames : c'est l'enfer des corps consumés, noircis par une flamme que l'éternité n'éteindra pas.

Et je la bénis pour les accents qu'elle a trouvés au dernier acte où, seule, dressée déjà devant son juge (comme vous j'approuve Baty d'avoir supprimé les dernières répliques), elle nous rend tout à coup sensible cette vérité dernière du christianisme, que ce gouffre sur lequel se détache le petit corps de Phèdre recèle un secret de miséricorde. Chaque vers rend pourtant un son terrible. Mais ce chemin plus lent par où elle a voulu descendre chez les morts lui laisse le temps, on dirait, de pressentir un amour où son pauvre cœur exténué, où sa pauvre chair trouveront enfin le repos, le pardon, la paix, le sommeil sur cet autre Cœur que la lance a percé.

Bien affectueusement vôtre.

F. Mauriac[2].

233.   A EDOUARD BOURDET

Malagar,
Saint-Maixant (Gironde),
25 juillet *1940.*

Cher Edouard,
Voici cet article (sans intérêt), ou du moins le premier jet

sur lequel j'ai fait beaucoup de corrections que je ne me rappelle pas... Cela fut écrit dans la première émotion de Mers el-Kébir... Depuis... Nous sommes tellement ballottés, que nos sentiments changent d'un jour à l'autre. Et sans doute la sagesse serait de se taire, en attendant que notre destin prenne figure.

Rien ne pourra se fonder en France, tant que nous ne serons pas redevenus libres. Tout ce qui se fait, grâce à la présence de l'étranger, sera balayé : voilà ma vraie pensée. C'est le sort des idées de droite, chez nous, même les plus justes, les plus sages, de ne jamais triompher que grâce aux malheurs de la patrie. Le lieu commun des « fourgons de l'étranger » est hélas une vérité historique... Et pourtant, nous ne pouvons rien faire aujourd'hui qu'une politique de collaboration, dans la mesure du possible. Mais je doute que la condition essentielle qui serait d'avoir un gouvernement *respecté* par les Allemands, soit remplie par nos chefs actuels... Hélas!

Je pense à vous, cher Edouard, à votre épreuve si dure... Peut-être allons-nous pouvoir causer un peu, si vous vous arrêtez ici...

De tout cœur.

Fr.

Tendresses à Denise.

234.   A PIERRE DRIEU LA ROCHELLE

Malagar,
Saint-Maixant (Gironde),
11 décembre 40.

Cher Drieu[1],

Quelle joie de retrouver la *N.R.F.* ! Soyez béni d'avoir rendu cette résurrection possible. Il faut que les écrivains français – qui, après tout, dans la France d'hier, représentaient une des rares valeurs authentiques – soient unis, groupés, affirment la permanence de notre vie spirituelle. Je ne suis tout à fait d'accord avec aucun de vos articles. Mais votre point de vue

244

me paraît défendable. Vous êtes seul ou presque seul à pouvoir jouer dignement et sans palinodie un rôle utile à tous. Pour moi, qui aurais beaucoup à dire pour la défense des positions que j'ai tenues, je le ferai peut-être dans une brochure que Grasset me demande. Permettra-t-« on » cette « défense de notre temps »? Nous verrons! Jusqu'à ce jour, malgré les bruits qui ont couru, je n'ai pas subi la moindre avanie – et j'attends dimanche la venue de trois officiers qui viennent... me demander ma signature sur un livre. Je n'ai rien ici qui me permette d'écrire sur Hello et Bloy[2]. Mon roman[3] paraît (pour des raisons d'ordre économique!) dans un nouvel hebdomadaire de la France libre, *7 jours* (dont j'ignore tout). Je pourrais extraire pour vous certaines pages de mes mémoires sur Proust, sur Rivière (avec lettres inédites) sur le salon Muhlfeld etc. Mais chaque ligne, je le crains, fournirait de munitions tous mes ennemis de la *France au travail* et du *Cri du peuple*... Qu'est-ce que j'ai pu faire à ces gens-là? Ils ne me troublent guère : la campagne, l'hiver, est la merveille de Dieu. Je travaille, je réfléchis, je fais oraison, et je m'aperçois de la vieillesse approchante à cette acceptation de la solitude, du silence. Tout ce que j'ai cru, tout ce que je prétendais croire est *vrai* et je m'en étonne...

Ne direz-vous rien de cet Atys que vous aimez[4]... Mais non, il vaut mieux n'en rien dire. Demandez-en un exemplaire à Grasset. Je ferai toutes les notes que vous voudrez sur les livres que vous croirez susceptibles de m'intéresser. Faites-moi envoyer, *ici*, tout ce que Gallimard publie. Veuillez donner mon adresse actuelle à la *Revue* pour que je la reçoive sans retard.

J'attends un mot de vous pour les *Mémoires* et suis vôtre.

Fr. M.

235.   A PIERRE DRIEU LA ROCHELLE

Malagar, 30 décembre *1940*,

Cher Drieu,
Non, ce n° n'est pas ce que j'espérais[1] – moi qui rêvais

d'une Revue « inactuelle »! Ce que je pense des papiers Chardonne – Fabre-Luce, c'est ce qu'en a pensé « toute la France » (comme dirait Saint-Simon pour qui toute la France tenait dans mille personnes). Et puis les blasphèmes annoncés du génial imbécile... Cher Drieu, je pense qu'il vaut mieux attendre un peu... Si je vous voyais, je vous expliquerais ma position ; je suis sur un plan où personne ne se place : les deux cités, les deux croix. Mais j'irai à Paris dans le courant de l'hiver.

Cher Drieu, supprimez d'autorité les blasphèmes de l'imbécile. « Toute licence sauf contre l'Amour » « ce Dieu qui nous aimant d'une amour infinie... » (Polyeucte.)

Je suis votre ami.

Fr.

Ici, nous sommes occupés par le Kommandant. Il vient s'asseoir en face de moi dans mon vieux salon. Il ne sait pas un mot de français. C'est un S.S. Son ordonnance prêche à la cuisine la pire doctrine nazie. La femme de chambre dit : « Il ne lui manque que la soutane. »

236.   A EDOUARD ET DENISE BOURDET

4 janvier 41.

Tous mes vœux les plus affectueux pour vous deux, chère Denise. Nous serons dans dix jours à Paris et regretterons ce Malagar où il nous arrive encore de lire et d'écrire au soleil, dans la cour. L'hiver à la campagne est une découverte que nous n'oublierons pas – et les belles flambées et le merveilleux soleil, et ce printemps qui ici ne cesse de rôder et d'être aux portes...

Je ne sais rien de cet « ordre des écrivains » dont parle Edouard...

J'ai « entendu » d'admirables louanges accordées au mari de Raymonde H[1]. qui se couvre de gloire. Ce n'était décidément pas un faux héros. Il y a encore de chics types dans ce cher vieux pays, cher Edouard. Il n'en faudra pas beaucoup pour refaire cette France inentamable, incorrigible, encroûtée, adorable; et c'est à elle, j'en suis sûr, que pensent les combattants de Russie qui se trouvaient chez nous, il y a six mois – plus qu'à l'Allemagne peut-être...

A bientôt... de tout cœur.

Fr M.

237.   A JEAN PAULHAN

Malagar,
Saint-Maixant (Gironde),
7 février 41.

Cher ami,

Votre signe d'amitié m'a touché. Oui, j'ai écrit un roman. Comme j'avais *Atys* autrefois, j'ai maintenant un *Endymion* et je passe des journées de désespoir sur un vers[1]... Dites à Blanzat que mon silence ne vient que de cette impossibilité où nous sommes de dire ce que nous voudrions dire. Nous savons maintenant que la liberté chérie n'est pas un mythe, mais un bien qui demeure la condition de tous les autres. Deux millions de prisonniers, ce serait peu... Mais nous le sommes tous.

Ce ne serait rien d'être battu si l'on avait le sentiment de faire partie d'un peuple noble, d'appartenir à une race fière. Je ne croyais pas que les hommes pussent encore m'étonner. Mais moi-même, ai-je le droit de parler? Je viendrai quelques jours à Paris entre le 15 et le 20 et tâcherai de vous voir. Je me réinstallerai sauf accident après Pâques.

Votre

F. M.

Ne m'oubliez pas auprès de Jouhandeau, de mon cher Blanzat.

Malagar
Saint-Maixant (Gironde),
12 février 41.

Mon cher Fernandez,
La rancune que je vous avais gardée (après la publication
de cette lettre privée) était à la mesure de mon amitié et de
mon admiration, mais ces derniers jours, vous avez pris ma
défense, dans un temps où il ne fait pas bon d'être de mes
amis. Et puis vous venez d'écrire, sur Molière, cinq pages du
ton le plus juste et qui expriment mieux que je ne l'eusse pu
faire mes propres sentiments[1]; moi aussi, je ne me sauve du
désespoir dans ma maison profanée qu'auprès de ceux dont
le génie donne à la grimace humaine sa seule raison d'être...
Je vous tends donc la main, sans arrière-pensée... (car nos
divergences politiques, ce n'est rien pour des Français qui
boivent aux mêmes sources...)
Dites à Drieu qu'à mon humble avis, vos pages sur
Molière donnent exactement le *ton* que devrait avoir la
revue. Bien sûr, j'ai goûté beaucoup aussi ses variations sur
le « corps ». Que va dire Montherlant?
J'achève un roman... bien inactuel... très peu *nouvelle
France*...
Affectueusement.

F. Mauriac.

J'irai à Paris la semaine prochaine.

239.   A ALFRED FABRE-LUCE

Malagar,
Saint-Maixant (Gironde),
25 mars 41.

Mon cher Fabre-Luce,
On m'écrit que Jean-Michel Franck s'est suicidé[1] et puisque on me demande de vous en avertir, c'est donc qu'il était

de vos amis. Pour moi, je le connaissais peu; mais quelle pitié on ressent pour tant de souffrance...

J'ai acheté à la gare de Langon votre livre si brillant[2]... J'ai été touché de l'estime que vous y manifestez pour mon œuvre, mais attristé du sens que vous donnez à une phrase d'un article de *Temps présent*... Non, je n'étais pas belliciste. Je croyais, je savais que cette force que nous laissions se déchaîner sur le monde ne nous épargnerait pas... Mais laissons cela. Chacun croit avoir vu clair : c'est cette persuasion qu'il faudrait nous pardonner les uns aux autres. Il faudrait tout nous pardonner, repartir ensemble... Hélas!

Je rentre à Paris après Pâques (vers le 20 avril). J'espère bien vous rencontrer. J'aurais tant besoin, après ces dix mois de solitude torturante, d'entendre les raisons de ceux qui ne désespèrent pas.

Mes hommages respectueux à votre femme. Croyez-moi vôtre.

François Mauriac.

240.   A JEAN PAULHAN

Malagar,
Saint-Maixant (Gironde),
28 avril 41.

Cher ami,

Voici pour *Prométhée*[1] ce qui a trait à Proust. Les lettres ne sont pas passionnantes et il serait peut-être sage de faire un choix : je m'en rapporte à vous et à Pia. Je désire 1) des épreuves si c'est possible, 2) que vous me renvoyiez le texte dactylographié ainsi que celui des lettres et pages consacrées à Rivière, car il ne me reste plus qu'un exemplaire de ces mémoires[2]. 3) Je compte sur vous pour que tout cela me soit rendu.

Cher ami, je suis le chrétien le moins capable de « répercuter » comme elle le mérite la parole de saint Augustin que vous me citez. « Personne n'a jamais vu de pensée nue », écrivez-vous dans votre article. Mais moi je suis l'homme qui ne met exactement rien derrière ce mot : le

249

Verbe. Dans ma jeunesse, je me suis privé longtemps de lire le IVe Evangile à cause de cette intrusion de la philosophie grecque et de la théologie... On m'avait enlevé mon Seigneur... Et depuis, le Père Lagrange m'a appris à retrouver dans *l'Evangile spirituel* un récit qui recoupe exactement l'Histoire et dont toutes les indications topographiques ont été reconnues vraies. Je ne sais pas ce que c'est que le Verbe en soi, ni pourquoi on appelle le Verbe cet Homme, ce Fils de l'homme, vivant encore et toujours dans cette humanité dont il assume les crimes : quelqu'un qu'à de rares moments de ma vie j'ai senti, presque touché, celui à qui je répète, chaque jour, dans ces sombres heures de notre histoire, la parole de Simon Pierre : « A qui irions-nous? Tu as les paroles de la Vie éternelle », et celles du disciple, dans l'auberge d'Emmaüs : « Reste avec nous car le jour baisse... » Et nous le disions hier avec cet Allemand dont je vous parlais, la vraie guerre qui succédera à celle-ci, nous la mènerons tous serrés autour de cet Homme, et il y aura beaucoup d'Allemands avec nous et on comprendra alors ce qu'est ce seul Pasteur et ce seul troupeau dont il était question dans l'office d'hier...

Mais, cher ami, au lieu de vous répondre, je suis parti dans une direction inattendue... Pardonnez-moi et croyez-moi à vous.

Fr. M.

241.   A HENRY DE MONTHERLANT

Malagar,
Saint-Maixant (Gironde),
14 mai 41.

Mon cher Montherlant – mon cher ami, comment pouvez-vous douter de mon affection pour vous? Que vous me tendiez la main me cause *la seule espèce de joie que je puisse éprouver en ce moment*[1]. La France, pour moi, c'est un certain nombre d'hommes dont vous êtes. Je me suis battu contre ce qui en vous s'oppose furieusement à ce qui demeure mon unique espoir. Vous savez bien que nos vies sont des fleuves parallèles qui par mille courants souterrains se rejoignent. Je vous connais. Je vous lis comme *personne*, il me semble, ne peut vous lire. Pas une ligne de vous qui ne me fasse du mal. Vous comprenez dans quel sens je l'entends. Je vous verrai bientôt. Je ne puis quitter Malagar occupé. Et nous nous y relayons avec ma femme. Au début de juin et même un peu avant, j'espère être à Paris. J'étouffe ici depuis un an. Mais Dieu m'aide.

Quant à nos griefs... le grrrand romancier catholique est si heureux de pouvoir vous dire qu'il vous a toujours aimé.

F. M.

Rudolf Hess! Les coulisses de cette fin du monde!

242.   A HENRI GUILLEMIN

Paris, 11 juin *1941*.

Cher ami,

Je me réjouis de vos succès et m'inquiète de votre fatigue : Ne vous crevez pas : la vie vaut mieux que beaucoup de choses – non pas pourtant « mieux que tout le reste ». Dans quel trou nous nous débattons!

Je fais aujourd'hui mon service de presse[1] au milieu d'attaques furibondes : avez-vous lu *Je suis partout*[2] ? C'en est comique. Et sur tous les murs du métro, on peut lire l'annonce d'une conférence aux *Ambassadeurs* : *Un agent de désagrégation*, F. Mauriac. (Par un certain F. Demeure?[3]) Ce qui était plus grave, c'était un ordre des Allemands de limiter le tirage de mon roman à 5000! Heureusement, c'est arrangé et je dois « causer » cet après-midi avec un de ces messieurs. Premier résultat, avant même la parution 10000 bouquins sont vendus ferme et les demandes affluent. Et que de chaudes sympathies autour de moi! Je suis assez fier d'être le *seul* attaqué ainsi par *Je suis partout*. Ils vont me rendre ivrogne – car je vais prendre souvent l'apéritif dans les cafés de la rive gauche depuis qu'ils me l'ont interdit. Je suis accompagné, il faut dire, du plus vigoureux de mes amis : le cher Jean Blanzat (romancier et instituteur).

Tout cela n'est rien et pourtant m'occupe. Mais tout craque sous nous. Dites à votre beau-père que la caisse est enfin arrivée et que ses thons et ses sardines disparaissent avec une effrayante rapidité. Je l'en remercie de tout cœur et lui enverrai mon livre... moins comestible, hélas!

Je pense rentrer à la fin du mois.

De tout mon cœur vôtre.

F.

Merci pour la conférence de Zurich.

Reçu une lettre du père Doncœur me rendant responsable de la défaite, de la démoralisation de la jeunesse et me citant au tribunal de Dieu! (Dieu n'est pas jésuite heureusement[4]!)

243.   A PIERRE DRIEU LA ROCHELLE

Malagar,
Saint-Maixant (Gironde),
11 juillet 41.

Cher Drieu,

Oui, « cher » malgré tout... Je n'ai daigné répondre à aucune insulte de vos amis[1]; je suis plutôt gêné du prestige que je leur dois et que je n'ai pas le sentiment de mériter; mais vous[2]! Autre chose est de désapprouver mon attitude dans l'affaire espagnole; autre chose est de la « dénaturer », de la rendre monstrueuse. Vous ne pouvez ignorer que Pie XI a dénoncé également le communisme et les doctrines totalitaires. Mon premier article dans le Figaro sur ce sujet de la guerre espagnole avait été pour protester contre toute intervention française... Mon mouvement naturel me portait du même côté que vous; c'est contre le mensonge de l'idée de croisade que Maritain, Bernanos et moi nous sommes dressés; l'identification de la cause du Christ en Espagne et dans le monde entier avec celle des généraux qui faisaient mitrailler leur peuple par des avions allemands et italiens, voilà contre quoi nous nous sommes dressés[3], voilà hélas la partie que nous avons perdue (un officier allemand revenant de

Saint-Sébastien me parlait de l'effroyable haine du peuple basque pour leurs maîtres actuels et ce qu'ils sont censés représenter). Même si vous n'avez pas lu le livre de Bernanos[4], vous n'ignorez pas les torrents de sang que vos amis ont répandus : j'ai eu entre les mains les listes interminables des Basques condamnés, simplement pour avoir été pris les armes à la main et en faveur desquels j'essayais d'intervenir par Léon Bérard. Soyez sincère, Drieu, reconnaissez que dans cette affaire il est vain de se battre à coup de cadavres. « Dire que cet homme-là possède le droit de grâce! » disait un jour, de Franco, notre maréchal...

Il y avait aussi cette question basque : le catholicisme nous ordonne la soumission aux autorités légales; les Basques ont été traités en ennemis par les rebelles, dès le premier jour, simplement parce qu'ils refusaient de prendre les armes : ainsi se sont-ils trouvés malgré eux du même côté que leurs ennemis naturels, les communistes, qu'ils avaient toujours combattus.

De même nous... Et, certes, je vous reconnais le droit de juger que, du point de vue catholique, mieux aurait valu se résigner à cette compromission de l'Eglise avec le fascisme; du point de vue d'un certain catholicisme politique, cela peut se défendre... Mais des chrétiens, assez naïfs pour croire que ce qu'ils croient est *vrai*, ne pouvaient se résigner à ce que la cause de l'Evangile fût liée aux yeux de tout un peuple à celle d'hommes... non! Je me retiens de les qualifier.

J'ajoute qu'il ne s'est agi entre nous et les communistes que d'une rencontre *involontaire*, du même côté d'une barricade[5]; cela vous indigne, alors que vous avez jugé légitime la collaboration *active* germano-russe.

Mais à quoi bon essayer de faire entendre raison à des furieux? Si jamais j'avais à vous juger du haut d'un tribunal, cher Drieu, je vous condamnerais à être enfermé vingt-quatre heures dans une salle d'étude de Sainte-Marie de Monceau, avec l'obligation de copier 500 fois la « pensée » de Pascal : « Quant on veut reprendre avec utilité et montrer à un autre qu'il se trompe, il faut observer par quel côté il envisage la chose, car elle est vraie ordinairement de ce côté-là, et lui avouer cette vérité, mais lui découvrir le côté par où elle est fausse... »

A nous aussi, Drieu, les faits donnent raison, à nous qui avons cru que le monde a été et serait couvert de sang dans la mesure où la Morale est séparée de la Politique, où la justice l'est de la force. Il n'y a nulle *perversité* dans notre cas.

Cette lettre est une lettre privée; je me suis interdit tout débat public; je vous fais donc un devoir de conscience et d'amitié de la garder pour vous et de n'en pas faire état dans vos articles.

Cordialement et sans rancune.

Fr. M.

244. A PIERRE DRIEU LA ROCHELLE

Malagar, 18 juillet 41.

Cher Drieu,

Je suis extrêmement étonné (et un peu inquiet) de ce que vous me dites de ces *deux* articles que j'aurais donnés selon vous à *Temps nouveaux* (car c'est bien de ce journal qu'il s'agit?). S'il y a une chose au monde dont je suis sûr, c'est que depuis sa reprise ce journal n'a eu de moi qu'un seul papier – méditation sur le plan spirituel – et où il n'y avait rien qui pût vous déchaîner. Le second article est-il le produit de quelque maquillage? Une calomnie de votre ami Combelle tendrait à me le faire croire... A moins qu'il ne s'agisse de la reproduction dans *Temps nouveaux* d'un article paru autrefois à *Temps présent* ou ailleurs[1]. Si vous pouviez mettre la main sur ces deux coupures, pourriez-vous me les faire parvenir? Vous me rendriez un réel service, *car je suis obligé d'être très attentif à ces choses...*

J'ignore ce que mes amis écrivent de vous, ne pouvant suivre la presse de l'autre zone; mais, Drieu, reconnaissez qu'en tout cas ils n'ont pas l'occupant derrière eux, *ils ne cherchent pas à mettre l'occupant au service de leur vengeance.* C'est cela qui est inexpiable. Un grand Allemand qui m'admire et m'aime, E.W. Eschmann, ne m'a pas caché sa stupeur... Mais sur l'opinion des Allemands touchant ces procédés, j'aurais beaucoup à dire.

Pour le fond du débat, vous comprendrez qu'il me soit

impossible de vous exposer ici mes vues sur les positions respectives du catholicisme et du nazisme – ou plus précisément, du *racisme*. L'Eglise n'est ni en avance, ni en retard : elle demeure ce qu'elle a toujours été; sa position devant le nazisme, au lendemain d'une victoire allemande sur l'Europe, ne serait pas très différente de ce qu'elle fut dans l'empire romain, jusqu'à Constantin... Mais je vous accorde que le nazisme, après une victoire, évoluerait peut-être; c'est l'impression que me laissent toutes les conversations que j'ai eues ici avec divers occupants.

Nous en parlerons, si nous nous rencontrons lors de mon prochain voyage, et si cela vous est possible, faites-moi parvenir ces coupures.

Cordialement.

Fr. M.

245.　　　　　A JACQUES CHARDONNE

Malagar,
Saint-Maixant (Gironde),
5 août 41.

Cher ami[1],

Je vous remercie d'aimer *la Pharisienne*[2]. Votre suffrage et celui de quelques-uns me donnent à croire que j'ai gagné cette difficile, cette périlleuse partie. Ainsi aurai-je montré pour mon humble part, à ma place modeste, que la France continue...

Mais je vous trouve injuste à l'égard des « jeunes crapules[3] » : elles mettent, au service de leur Maître, ces mêmes principes qu'elles ont appris de lui. Je serais tenté de dire à Châteaubriant[4], à vous, à des hommes de votre qualité : « Vous ne savez pas de quel esprit vous êtes... » Ce mot de l'apôtre pourrait être développé dans plus d'un sens.

C'est au départ que vous vous trompez : dans cet acte de foi, de confiance en... Mais il suffit. Vous avez d'ailleurs raison de croire que je ne suis en rien un « militant » et qu'il me suffit de travailler, de ne pas désespérer, de croire aux jours où le cri de douze nations débâillonnées s'exhalera vers le Père.

Je n'ai aucune haine au cœur; je n'aspire à aucune vengeance ni contre nos envahisseurs, ni contre ceux qui m'outragent. Je ne savais pas autrefois que j'aimais mon pays comme je l'aime : il a fallu cette honte; et nous devons vivre avec cette idée fixe de sa libération.

246.   A JEAN PAULHAN

22 septembre 41.

Cher ami,

Je lis votre livre[1] lentement, avec prudence. Car ce n'est pas notre seule sottise qui nous détourne d'être attentifs aux mots dont c'est notre métier d'user, et de nous poser quelques-unes des questions auxquelles vous donnez des réponses surprenantes, – mais notre instinct de conservation (d'écrivain). Nous savons bien que l'irréflexion est à la source même de notre abondance.

La matière de votre livre, c'est cela même qui vous interdit d'en écrire beaucoup d'autres...

Si j'étais moins bête, j'aimerais comparer votre attitude à celle de Valéry. Je le ferai... pour mon usage – mais en me gardant bien de le montrer à personne.

Qu'il y aurait de pages à écrire sur le mot « otage »! Dans mon enfance, il n'a jamais désigné que Mgr Darboy et le curé de la Madeleine, quelques autres ecclésiastiques aux cheveux dans le cou, et bénissant leurs bourreaux (dans *le Monde illustré*). Personne jamais ne m'a parlé des milliers de pauvres qu'il a fallu fusiller pour apaiser cette classe « affamée de justice » qui est la nôtre. C'est maintenant que je pense à eux – et à ceux qui aujourd'hui les rejoignent pour satisfaire à une autre « justice ».

« Souffre, ô cœur gros de haine, affamé de justice... »

Je vous envie le bonheur que vous aurez bientôt d'entendre notre ami gronder : « Ah! les s... » Je n'ai personne ici (sauf ma femme...) pour redire ces noms inconnus comme s'ils formaient les mots d'une prière.

Je ne serai guère à Paris que dans un mois. Merci encore

pour ce livre dont je poursuis la lecture avec admiration et méfiance...

Fr.

Veuillez ne pas m'oublier auprès de Madame Paulhan.
Et cet article de Drieu[2]! En voilà un qui parle sans « peser ses mots »! Pauvre Drieu.

247. A BERNARD BARBEY

Saint-Pierre d'Aurillac, 8 octobre 41.

Mon petit Bernard, j'ai pu pour la première fois depuis l'occupation obtenir un laissez-passer[1]. (J'en avais un depuis quelque temps, mais pas de bicyclette pour faire le voyage.) Me voilà dans une auberge comme vous les aimez. J'ai trouvé une lettre de vous à Jeanne où vous lui dites que vous me gardez une « vivante amitié ». Je veux donner à ces deux mots toute leur force. Nous avons tant besoin de savoir que nous ne sommes pas oubliés! J'aurais beaucoup, tant de choses à vous dire que je sens bien que c'est impossible. Nous sommes à Malagar si privilégiés en comparaison des citadins qu'on n'ose pas se plaindre et nous ne logeons plus d'étranger, pour l'instant. Jeanne a dû vous dire que j'ai subi certaines épreuves (de la part de « confrères » surtout). Cela se calme maintenant. Et *la Pharisienne* fait la carrière habituelle de mes autres livres malgré le silence de la presse occupée. Ma pièce sera sans doute jouée au début de l'année. La roue continue de tourner, mais elle ne moud plus que de la fumée et tout a un goût de néant. Non, nous ne méritons pas d'être aimés – plaints, oui, sans doute... Mais je ne puis rien vous dire de mes vraies pensées, je cherche à deviner ce que sont les vôtres. Je sais quelle était votre admiration pour notre chef. Mais tout apparaît dans un éclairage si différent.
Parfois durant ce long et dur hiver de Malagar, nous écoutions le soir *Radio Genève* et nous ne tournions le bouton que lorsqu'avait retenti le dernier accord de votre hymne national[2]. J'imagine parfois une Europe où il n'y aurait pas d'autre endroit pour attendre la mort que les rives de votre

lac. Je suppose que vous devez penser : « Comme il s'est trompé ce pauvre Fr! » Si vous étiez là, je vous convaincrais que j'ai vu juste sur l'essentiel... J'écris d'ailleurs une « *Lettre à un désespéré*[3] » où je mets au net mon examen de conscience. Tout devient écriture pour nous... hélas!

J'ai commencé une pièce, une « comédie ». Je pense aller à Paris à la fin d'octobre. Jeanne y est en ce moment.

Les enfants vont bien. Jean est collé, comme de juste. Claude a faim...

Je suis devenu presque un vieillard (1). Quand vous me verrez, vous serez peut-être effrayé.

Je vous prie d'embrasser pour moi Andrée et les petites. Parlez-leur de nous pour qu'elles ne nous oublient pas. Vous pouvez m'écrire ici poste restante. Je reviendrai quelquefois.

De tout mon cœur avec vous.

Fr.

(1) J'exagère!

248.   A BERNARD BARBEY

Saint-Pierre d'Aurillac,
24 novembre 41.

Cher Bernard,

Mais non, je n'ai pas été fâché, mais touché au contraire de votre longue lettre sur *la Pharisienne*; – étonné, surtout, que vous attachiez la même importance à ces choses; que vous m'écriviez ce que vous m'auriez écrit autrefois, comme si rien ne s'était passé... Et cela m'a fait plaisir : ce que je croyais aboli, détruit, compte donc encore; il y a quelque chose qui échappera au naufrage... Du moins, il faut le croire, l'espérer. Ici, nous vivons au soleil, nous goûtons les derniers beaux jours avant l'enfer de Paris. Car je viens d'y passer trois semaines : c'est une descente au tombeau. Vous ne pouvez imaginer ce que donnent ces appartements non chauffés. On ne vit plus. Impossible de travailler. On traîne aux Deux Magots ou chez Lipp... Et quelle atmosphère! En principe je dois en janvier commencer à faire répéter *les*

Mal-Aimés... Mais J.L.V.[1] n'est même pas décidé à rester. Je laisse le destin s'accomplir : s'il y a un empêchement je verrai les bons côtés d'une remise à des temps plus heureux...

Cher Bernard, si je ne vous écris pas plus souvent, c'est que je me sens paralysé par l'afflux des choses que je voudrais vous dire et que je dois taire. Je me demande comment vous réagirez « dans le détail ». Jeanne me dit que vous avez vu Bessand-Massenet. Qu'a-t-il pu vous raconter? Il est de ces hommes qui sous le contrôle allemand et en régime d'occupation se sont donné les gants d'établir les responsabilités. Natürlich, ils ne chargent qu'un plateau de la balance... et pour cause. Je préfère ceux qui ont pris violemment parti que ces esprits qui feignent l'impartialité dans cette France bâillonnée. Cher Bernard, parmi les cinquante otages de Bordeaux, il y a un ancien élève de mon frère l'abbé et le fils d'un de mes camarades du collège. Ce qui se passe dans la ville où l'on est né vous atteint plus directement. Mais je pense que même dans cette « zone », il vaut mieux se taire sur tout cela...

Cher Bernard, chère Andrée, je vous embrasse avec toute ma vieille amitié.

Fr.

249.   A LOUIS CLAYEUX

10 décembre 1941.

Mon petit Louis,

Moi non plus ça ne va pas. Les nouvelles d'aujourd'hui : ce coup terrible porté aux Etats-Unis[1]! On est fatigué de vivre dans un charnier – fatigué de ces propagandes, de cette tuerie mécanique, idiote, de cette organisation de l'horreur qui se prolonge en chiourmes éternelles : enfer, sans compter les supplices du « purgatoire »? Quescequecéqueça? Assez! Assez! Et Pétain qui dresse ses listes de proscriptions et entasse les juifs dans des camps de travail parce qu'il y a des attentats, la nuit... Assez! Assez! Louis... Formons une autre Eglise : canonisons Mozart, Rimbaud...

Tu as froid, tu souffres, tu es seul. Tu as peut-être faim...

Et tu pourrais être ici... Nous partagerions des choux indiges-
tes et des saucisses douteuses (...)

Louis, tout est horrible. Impossible d'être bon, de bénir la
vie. Du moins pour moi. J'ai voulu « être sauvé ». Non, rien
à faire. Que tu dois être malheureux chez toi, enfermé à
partir de 6 heures... Oh! Pauvre Louis... Et ça va durer, empi-
rer, finir dans quelle abomination?

Je t'embrasse.

Fr.

250.   A JEAN PAULHAN

> Malagar,
> Saint-Maixant (Gironde),
> 9 avril *1942*.

Vous me faites rire, cher ami, avec « ma gloire[1] »! Des
amis de mes enfants remplissent la maison, pour qui je suis
un vieux monsieur raseur... Et votre lettre m'inquiète un
peu. En somme il n'y aura que Valéry, Fargue et moi... Mais
sur quel principe devons-nous nous mettre d'accord?
Aurons-nous une part effective à la composition des sommaires? Sera-t-il entendu que la revue écartera tout ce qui serait
« tendancieux » (1)? Serons-nous *solidaires* devant les difficultés? Dès mon retour, il faudra avec Valéry (dont la faiblesse et le jemenfichisme m'inquiètent) s'entendre sur tous
ces points. Et avec Gallimard. Je pense même qu'il serait
nécessaire qu'il y ait un document écrit, une charte à quoi
nous puissions nous référer.

Je serai à Paris à la fin de ce mois et nous en parlerons[2].

Bien affectueusement vôtre.

Fr. M.

(1) Le dernier article de Drieu, par exemple, pourait-il
paraître?

251. A MAURICE GOUDEKET[1]

> 38, avenue Théophile-Gautier, XVIe,
> Ascension 42.

Mon cher ami,
Merci de votre lettre; je suis plein de confiance : « Tu ne me chercherais pas si tu ne m'avais déjà trouvé... » J'espère n'être pas indiscret en vous priant de me faire savoir, d'un mot, si la première entrevue ne vous a pas déçu et si je peux m'éloigner tranquille[2]...
« Voie magnifique »? Oui... « Redoutable »? Non. Pour vous surtout, frère du Christ par le sang – mais son frère aussi par ce que vous avez souffert, par ce que vous souffrez. Cette croix, ce gibet qui nous scandalise et nous fait horreur lorsque nous sommes comblés et que le monde nous fête, une heure vient toujours où nous découvrons son étroite conformité avec notre destinée particulière. A vous qui souffrez persécution, il ne vous reste que de pardonner à vos bourreaux, pour être déjà plus près du Christ qu'aucun de nous.
Croyez-moi fraternellement vôtre.

> François M.

252. A MAURICE GOUDEKET

> 38, avenue Théophile-Gautier, XVIe,
> 17 mai 42

Mon cher ami,
Venez aussi souvent que vous en aurez envie. Je serai toujours heureux de vous recevoir. Je sors très peu : vous n'avez qu'à me téléphoner le matin avant dix heures pour prendre un rendez-vous. J'espère bien rester ici jusqu'au début de juillet. L'ennui c'est qu'« ils » ont reparu dans les villages les plus proches de ma maison. Si elle était de nouveau occupée, nous devrions aller veiller au grain...
Le passage du « *c'est plausible* » au « *c'est vrai* » ne

dépend pas de vous seul : la foi est une grâce; et elle ne sera pas refusée à une âme de bonne volonté, qui s'abandonne avec confiance (1). Le jour où vous penserez au Christ comme à quelqu'un de vivant et qui est entré dans votre vie, et à qui vous pouvez parler, que vous pouvez prier : tout sera dit; le jour où les mots de Thomas vous monteront du cœur aux lèvres : « Dominus meus et Deus meus! » mon Seigneur et mon Dieu; le jour où vous saurez que vous êtes aimé par le Père qui est aux cieux... Dès que cela vous sera possible, essayez de prier ne serait-ce qu'au conditionnel : « Mon Dieu, *si* vous existez... » C'est cette prière qui a ouvert le ciel au père de Foucauld.

De tout cœur avec vous deux et *à bientôt.*

Fr. M.

(1) Festus, gouverneur de la Judée, expliquant au roi Agrippa pourquoi Paul est en prison, lui parle « de controverses ayant trait à un certain Jésus qui est mort *et que Paul affirme être vivant...* »

253.　　　　　A HENRI GUILLEMIN

Mercredi,
27 mai 42.

Cher Henri,

Il s'agit non d'un article *sur* votre livre, mais à propos de lui[1]. P. Brisson m'avait demandé à grand cri un article. J'ai pris ce sujet qui se présentait à moi et me suis battu les flancs. Il est *sans aucun intérêt.* Je raconte seulement que le complot contre Rousseau dure encore et que nous y avons tous trempé. Je n'ai pas de brouillon lisible. Mais encore une fois, c'est moins que rien. Je ne suis un bon journaliste qu'en régime de liberté. Le bâillon ne me vaut rien[2]. Oui, je serai encore ici en juin sauf si Malagar était occupé... (vous savez que la région est pleine d'Allemands). Il y a eu mardi huit jours, à 8 heures du matin j'ai reçu la visite de ces messieurs. Ils ont fouillé partout. J'avais été dénoncé, m'ont-ils dit, comme faisant des tracts[3]!!! Tout s'est correctement passé. Et je n'ai plus entendu parler de rien... mais ce n'est pas confortable...

De tout cœur.

P. M.

Vous avez un beau prix.

254.   A MAURICE GARÇON

15 juin *1942*.

Je vous remercie, mon cher Maurice Garçon, de votre sympathie. Mais je suis fier d'être haï par ces gens-là[1] qui sont d'étonnants personnages : songez qu'ils avaient obtenu des occupants que mon éditeur ne pourrait tirer mon livre qu'à 5 000 exemplaires! L'affaire est arrangée – mais que penser de ces écrivains français se servant des Allemands pour empêcher le livre d'un confrère de paraître?

Quant à votre ami Laubreaux, il a suivi la même méthode : pour se venger du jeune Marais qui lui a cassé la figure (comme vous devez le savoir), il a obtenu que *la Machine à écrire*[2] ne serait plus jouée que dix fois. Voilà leurs procédés. Nous écrirons un jour une *histoire de la presse occupée*. Je dis « nous », car ce sera un grand ouvrage collectif où chacun apportera son témoignage. Le difficile c'est de ne pas désespérer de l'Homme...

Cordialement vôtre et encore merci.

Fr. M.

255.   A JEAN GUÉHENNO

24 juin *1942*.

Cher ami, je crois qu'au départ c'est pour les raisons les plus humbles que nous nous occupons de tel ou tel auteur : moi du moins... offres d'éditeur, des journaux et revues... Et puis, une fois le travail en train, nous prenons presque toujours, pour atteindre ce mort, le chemin qui passe par nous-même. Nous nous moquons bien de Rousseau! Mais lui ou un autre nous sert d'alibi : car c'est toujours de nous au fond qu'il s'agit, de nous, du prochain et de Dieu... Car c'est toujours le même drame, toujours les mêmes protagonistes, et nous interrogeons ceux qui nous ont précédés pour y trouver au moins une indication... Mais leur vraie réponse, nous ne la connaîtrons jamais. La clef de nos destinées individuelles est presque toujours si petite, si médiocre, si laide que nous n'osons pas nous en servir.

Je suis étonné de l'idée que vous vous faites de l'« Eglise » et de nos rapports avec elle. Vous preniez des précautions pour en parler, boulevard de Latour-Maubourg[1]... Mais croyez-vous que ces hommes habillés de blanc n'en savent pas plus long que vous sur tout ce qu'on peut dire... Mais l'Eglise invisible : celle qui est faite de millions d'âmes suspendues comme un essaim à l'arbre de la croix, celle-là n'a pas de politique; elle est et elle n'est pas de ce monde. Et je l'aime plus que tout. L'autre : c'est le nid fait de paille, de fiente, de boue, mais qui sauvegarde la chaleur de la vie, qui protège le mystère de l'éclosion.

Voyez-vous, la vie chrétienne c'est le « moi et mon créateur » de Newman. Il n'y a rien de plus individuel, de plus secret. A l'Eglise visible nous demandons le Christ, pain de vie, le Christ immolé : elle nous donne notre Dieu Hostie – et puis le pardon des péchés. Pour le reste, que nous importe? Je n'attends plus rien d'elle sur le plan de la justice. J'ai connu le pape actuel[2] avant son avènement : s'il ne dit rien, c'est qu'il ne peut rien dire. Car c'était, c'est une âme rayonnante. Le vrai est que l'Eglise est prisonnière et bâillonnée. Ce n'est pas sa faute si le Christ tarde et si elle qui n'était pas faite pour le temps, ni pour le monde, a été obligée de s'adapter. Mais les saints ne s'adaptent pas. Et aussi misérables que nous soyons, dans la mesure où nous aimons le Christ nous ne nous adaptons pas nous non plus. L'état du chrétien aujourd'hui, c'est un état d'espérance au sein du désespoir total. C'est aussi au fond l'état dans lequel se trouve l'Eglise. Elle maintient tant mal que bien, dans ce monde abominable, l'unique Espérance. Que j'aime votre sévérité, votre exigence à son égard! Il viendra un jour où les hommes de bonne volonté Le verront, Le reconnaîtront ce Jésus que nous, misérables, nous leur

cachons, nous leur dérobons au lieu de le leur donner...
De tout cœur.

Fr. M.

A JEAN BLANZAT

Malagar,
24 septembre 42.

Cher Jean[1],

J'ai lu avec une attention attendrie votre longue lettre : il me semble que vous êtes parti depuis très longtemps, tellement le climat a changé : c'est un autre monde; le vent hurle dans le couloir que vous connaissez, il pleut et déjà le feu brûle dans la cheminée du salon. Je me suis remis au travail : c'est l'orage qui me liait les mains. J'ai écrit deux articles depuis que vous êtes parti.

Je suis touché de l'attention que vous avez prêtée à ce que je vous ai dit de mes « souffrances sur la terrasse ». Il y en a une qui peut-être les dépasse toutes, c'est d'avoir perdu le pouvoir de souffrir, c'est-à-dire d'aimer « à mourir » – *jusqu'à s'en mourir*, comme dit la chanson. Mais l'homme est « bête » en cela : il se couche pour attendre le dernier coup, il ne se plaint pas, il accepte de finir (quelquefois longtemps avant la fin!). Vous ne pouvez savoir ce que j'ai pu être exigeant, ardent, désespéré... Pourtant Dieu ne m'est pas un pis-aller : il n'est pas plus proche de moi aujourd'hui qu'à l'époque de *Souffrances du chrétien* – moins peut-être, tant il y a de conformité entre le crucifix et la souffrance des hommes. Vous vous croyez loin de Dieu en ce moment : cela signifie que vous ne le *sentez* pas. Mais cela n'est rien. Il vous parlera un jour, je le crois. Je suis tranquille pour vous parce que je vous aime et que vous faites partie de cette grappe de cœurs sans laquelle je n'imagine pas d'entrer dans la vie éternelle. Ce qui vous éloigne, c'est le besoin que vous avez de connaître Dieu d'une connaissance « notionnelle » (vous me comprenez...) Mais il ne se trouve pas au bout d'un raisonnement. Toute la logique des thomistes m'éloignerait plutôt de Lui. Dieu, c'est cette exigence au-dedans de nous, c'est, en pleine boue et dans l'excès de l'impureté et de la

265

folie charnelle, cette exigence de pureté et de perfection contre laquelle nous nous débattons misérablement.

Je trouve les nouvelles inespérées quand on songe où nous en étions il y a trois mois. Je ne vous envoie pas le roman vécu du prisonnier. Je ne crois pas qu'il puisse vous convenir. Je pense à vous à ce sujet, il se pourrait qu'un jour je vous amène quelqu'un.

Dites à Paulhan toutes mes amitiés. Qu'il m'inscrive pour tout ce qui peut paraître de beau et d'intéressant à la Pléiade et ailleurs. Je compte sur lui.

On pense à vous à chaque haricot, à chaque flocon de laine. J'attends Clayeux après-demain, il restera jusqu'à mardi – puis je serai seul.

A dans un mois, mon petit Jean. Soyez heureux vous et les chers vôtres. Je vous remercie encore et vous embrasse.

Fr.

Je suis touché de ce que vous me dites de mes livres : il me semblait que vous ne les aimiez pas beaucoup – mais je me flatte que vous les aimerez un peu maintenant dans la mesure où vous m'y retrouverez.

257. A PIERRE BRISSON

21 décembre 42.

Cher Pierre,

J'ai bien lu l'appel aux abonnés[1]. J'admire votre courage et suis avec vous de tout mon cœur. Un journal qui ne paraît plus continue de vivre dans l'intelligence, le cœur, la volonté de son directeur[2], dans l'attente et dans la souffrance de ses lecteurs. Ayons confiance plus que jamais.

Votre

Fr.

Paris, *5 septembre 1943*.

Cher ami,

Je vous écris encore de Paris : l'alerte nous a fait manquer notre train, vendredi, et nous allons essayer de repartir ce soir. Notre Jean[1], lui, a déjà regagné son Bellac. Vous aurez la joie de le voir arriver à bicyclette. Il aura bien des choses à vous raconter. Donnez-lui votre avis sur une sollicitation dont j'ai été l'objet. Il vous dira de quoi il s'agit.

Cher ami, ne vous inquiétez pas d'Abel et de ses persécutions[2]. Il a déjà la mort sur la figure. S'il a le temps de vous frapper, vous n'aurez pas longtemps à attendre : tout vous sera rendu au centuple. J'ai relu ces jours-ci dans une vieille *N.R.F.* votre journal de vacances et j'y ai retrouvé le mot de Saint-Just dont je vous parlais[3]. J'étais malade (pleurite) (c'est cela aussi qui nous a empêchés de partir) et ce voyage dans les revues d'avant-guerre était assez sinistre : c'est une telle lecture qui vous donne la sensation physique du destin. Je l'ai, quoique chrétien. Dieu règne sur les cœurs et sur les esprits. C'est le Dieu de l'âme : du moins c'est par là que je l'atteins, je veux dire : que je vais dans sa direction... Mais je ne le sens pas dans l'Histoire humaine : pourquoi interviendrait-il plus dans l'enchaînement des causes et des effets qui la crée, que dans le mouvement des planètes? La grâce a son royaume au-dedans de nous, « Mon royaume n'est pas de ce monde... » Il n'empêche que nous devons être affamés de justice... Cher ami, je resonge à ce *journal*, à ce *choix* que vous fîtes enfant, dans ce petit café, au coin d'une rue : mais il n'y avait pas contradiction entre ces deux amours qui se rejoignent[4]... Travaillez bien. Mon affectueux souvenir à votre jeune fille[5].

De tout cœur.

F. M.

14 septembre 43.

Cher Jean,

Ces orages ont été jusqu'à ce jour bienfaisants pour Malagar, n'y déversant qu'une bienheureuse pluie. Mais ailleurs, à Sauternes, dans le Bazadais, ils ont dispensé la grêle – et nous vivons dans le tremblement, car le temps demeure aussi lourd... Sans cette angoisse, je serais ici, comme vous à Bellac, fort heureux : la viande à tous les repas change la couleur du monde. Jamais plus belle récolte n'a mûri sous un soleil plus dangereux. De mémoire d'homme on n'avait vu tant de vendange et de cette qualité. Ce serait horrible que cela fût ravagé à la veille d'être cueilli. Voilà ce qui compte... Quels misérables nous sommes! Mais il faut nous prendre tels quels, ne pas nous guinder dans des sentiments empruntés. En bien et en mal nous ne sommes jamais dans des vêtements à notre mesure. L'Histoire non plus n'est pas à notre mesure, ni le malheur des hommes. Un de mes jeunes travailleurs qui a une petite métairie de l'autre côté de la rivière, a été grêlé hier. Il est très pauvre et tout son tabac est haché, bon à être enterré. Quelle tristesse sur ce pauvre visage si beau! Cela, oui, je le sentais. Je souffrais de ne pouvoir rien faire pour le consoler, pour l'aider.

Reçu lettre de Paulhan qui me dit son admiration pour *le Mal*[1] (le pire de mes livres, je crois!), mais justement : « c'est bien parce que c'est mal »...

Jeannot[2] est revenu et vendange. Moi je fais des injections à ma sainte, je lui donne du ton : je la remonte[3]. Je ne vois que mon frère l'abbé, plein d'obscures fureurs contre son archevêque et Duthuron ruisselant d'enthousiasme apparaît au crépuscule. Lui aussi mange de la viande et a le poil luisant. Tout cela pour vous dire que je ne suis pas à la hauteur de ce qui se passe de formidable... Il y a comme une usure de l'angoisse, le ressort se détend. Mais c'est vous qui me manquez sans doute. Je vous imagine seul dans votre taillis de chênes, dieu sylvestre, livré à votre vraie nature. La mienne ici reparaît sous l'écorce chrétienne. Que j'ai à lutter, tout vieux que je suis, contre mon étrange cœur! Que la vieillesse à laquelle je touche me paraît invraisemblable! Je m'y crois préparé... mais à coup d'attitudes, de sentiments d'emprunt. La pensée que je n'aimerai plus jamais, que plus jamais je ne serai aimé, que c'est fini pour toujours, me traverse parfois comme un glaive. Je suis bien un vieux fou de vous écrire ces choses. Que Dieu me pardonne et me tienne par la peau du cou. A quand, mon vieux Jean ? Vous êtes mon dernier havre en ce monde. J'aime beaucoup votre femme. Dites-le-lui et que je pense à vous trois comme aux « miens ».

Fr. M.

260.   A JEAN BLANZAT

Vémars par Survilliers (S. et O.)
Mercredi hiver 1943.

Je suis arrivé ici par un clair de lune glacé qui rendait même Vémars admirable ! Les chouettes autour de la maison hurlaient comme des chiens. Et puis il y avait cette odeur de la terre nue, cette odeur de l'hiver que je préfère à celle de l'été. Je crois que je ne serai pas trop malheureux, surtout ayant cette certitude qu'aussi souvent que je le voudrai, la petite chambre m'accueillera[1], (la négresse de Dabit[2] et les pâtés de Fautrier !...) Rien d'autre à vous dire : la vache achetée enfin me donne un immense prestige. Tout le village nous fait la cour pour avoir du lait. Je n'ai pas encore commencé à travailler. Mais ça va venir...

Chers amis, vous savez quelle gratitude est dans mon cœur pour vous. Je ne vous le redis pas pour ne pas vous importuner. Ce que je ressens est au-delà des paroles.

Je vous confirmerai mon arrivée mercredi prochain. Ce sera pour moi comme un retour à la maison...

Et je vous assure tous les deux de ma reconnaissante affection.

Fr.

Samedi *1943.*

Cher Jean,

Votre femme est-elle guérie? Etes-vous à Paris? Pourrai-je vous arriver mercredi à l'heure habituelle? Je l'espère beaucoup. Que de choses depuis que je vous ai vu!

Je suis bouillant d'indignation après la lecture des L.F.[1] Les avez-vous reçues? Ce papier dépensé, ce risque couru pour faire avaler aux pauvres types cet immense panégyrique du navet de Sartre[2]! Et à un pareil moment! Lorsqu'il y a *tout* à dire! La gendelettrerie de ces types me fait vomir. Je compte leur flanquer ma démission. Nous sommes foutus si nous ne nous délivrons pas de ces mandarins de troisième zone, de ces pions de la fausse avant-garde. Et pendant ce temps on se prépare à massacrer les garçons chez nous. Comme s'il devait être question d'autre chose – même sur le plan littéraire! Comment ne sentent-ils pas le ridicule inouï de faire paraître *clandestinement* une longue étude sur *les Mouches*!

De tout mon cœur. Répondez par retour.

F.

Ascension 44.

Cher petit Philippe,

Je regrette beaucoup de n'avoir pas assisté à la messe de ta première communion[2]. Je suis sûr qu'elle a été très belle et que tu te la rappelleras toute ta vie. Moi qui suis un déjà vieux monsieur, je me souviens de la mienne; ce jour, passé depuis tant et tant d'années, demeure en moi, non pas comme « le plus beau jour de ma vie »... (cette expression ne signifie pas grand-chose) mais comme le jour où, pour la première fois, il s'est passé quelque chose d'important dans ma vie.

Avant ce jour-là, la religion pour moi, comme pour tous les petits garçons, c'était le catéchisme, une leçon qu'il fallait apprendre par cœur, sans trop essayer de comprendre ce que ça veut dire. A partir de ce jour-là la religion est devenue... quelqu'un. Oui, quelqu'un qui entrait dans ma vie – quelqu'un de vivant. Tu sais bien comment Il s'appelle : c'est ce Jésus invisible, présent, anéanti dans la petite hostie.

Te rappelles-tu cette scène, dans l'Evangile, lorsque le Seigneur, après avoir multiplié les pains et les poissons, prononça quelques paroles qui parurent absurdes aux juifs qui l'écoutaient : « Je suis le Pain de vie. Celui qui mangera ma chair et qui boira mon sang aura la vie éternelle... Car ma chair est vraiment une nourriture... » (tu te rappelles la suite...). Saint Jean, qui rapporte ces paroles, ajoute que les juifs murmuraient entre eux « Cette parole est dure, et qui pourrait l'écouter? » et que beaucoup qui jusqu'alors avaient cru en Jésus, s'éloignèrent de Lui, et qu'il demeura seul avec les douze. Alors, se tournant vers eux, Il leur demanda : *Et vous aussi, vous voulez me quitter*? Mon petit Philippe, cette question si triste et si tendre, Jésus la pose à chaque petit garçon, le jour de sa communion solennelle. Il sait bien d'avance que beaucoup ne seront pas fidèles, que, dès le lendemain, ils l'abandonneront. Il n'y a pas que Judas qui ait trahi le Fils de l'homme par un baiser : pour beaucoup d'enfants, leur communion solennelle est le signal de l'abandon...

Pour moi, je me souviens de ce jour de mai, où j'avais dix ans, comme d'un pacte secret, d'une promesse de fidélité à cet Ami invisible – et à travers toute une longue vie pleine de misères et de péchés, il y a eu cela tout de même, cette main que je n'ai pas lâchée, ce visage, cette figure adorée – et je sais qu'elle sera la dernière (tout invisible qu'elle soit) que contempleront mes yeux près de se fermer pour toujours.

« Et vous aussi, vous voulez me quitter?... » Tu te rappelles la réponse de saint Pierre : « A qui irions-nous, Seigneur? Vous avez les paroles de la vie éternelle.... »

Oui, à qui irions-nous? Tu grandiras, mon petit Philippe. Tu entendras bien des paroles, tu liras beaucoup de livres, tu verras beaucoup de gens instruits, savants, de grands esprits... Ils t'apporteront beaucoup de lumières sur des points particuliers – mais c'est de la Lumière que nous avons besoin, c'est-à-dire de savoir pourquoi nous sommes au monde. « Je suis la lumière venue en ce monde... » a dit le Seigneur. Le tout est de savoir si ta vie a une direction, un but, un *sens*...

A mesure que tu grandiras, tu découvriras bien des choses,

dans la religion, qui te déplairont, t'éloigneront... Mais rappelle-toi alors ce que je te dis : *ces choses-là viennent des hommes.* Il ne faut pas renoncer à Jésus à cause des faiblesses ou des crimes de ceux qui se réclament de Lui. Quand tu seras plus grand, tu comprendras que c'est notre grande misère et notre honte, à nous catholiques, d'avoir compromis Jésus, de l'avoir *défiguré.* Relis dans l'Evangile le Sermon sur la montagne et, en particulier, ce passage qu'on appelle « les Béatitudes » (tu le trouveras dans ton paroissien, à la messe de la Toussaint...). Tu verras que Jésus est le premier qui ait parlé aux hommes non seulement de pureté, mais de *justice.* « Bienheureux ceux qui ont faim et soif de *justice* car ils seront rassasiés... » Aussi, bien loin de te détourner des pauvres, des ouvriers, Jésus te demande d'être avec eux, pour eux, il te supplie, quoi qu'il arrive, d'être de leur côté... « Bienheureux ceux qui souffrent persécution pour la *justice...* » Jésus est du côté des persécutés, non des persécuteurs – des exploités, non des exploiteurs. Plus tard tu comprendras l'affreux malentendu qui fait que la religion semble être « pour les riches », alors que le Seigneur a aimé, a chéri d'abord les pauvres...

Mais, au fond, nous sommes tous pauvres à ses yeux, tous démunis, désarmés, avec nos mauvais penchants, notre faiblesse, notre lâcheté. Ce qu'Il nous demande, ce qu'Il te demande, à toi, Philippe, comme à chacun de nous, c'est, à travers tout, de lui rester fidèle – oui fidèle, malgré et contre tout...

Si tu restes fidèle, beaucoup le resteront ou le redeviendront à cause de toi. On ne se sauve pas seul. Un cœur qui aime le Christ est contagieux : de ta fidélité, tu ne peux savoir tout ce qui jaillira de grâce sur la terre et dans le ciel.

Mais, quand tu ne seras plus un petit garçon, cette fidélité sera tôt ou tard soumise à l'épreuve des épreuves ; oui, tôt ou tard, une voix – faite de mille voix – te criera : « Tout cela n'est qu'illusion, – ce sont des légendes, des contes à dormir debout... » Ce jour-là, je voudrais, si je suis encore de ce monde et si tu sens ta foi vaciller, que tu te rappelles cette lettre – et qu'avant de t'éloigner, tu consentes à venir me parler de Lui. Qu'Il te garde, mon petit Philippe, toi et ta chère maman, et ton papa. Prie-le pour nous tous, toi qui es si près de son cœur, aujourd'hui.

Ton vieil ami.

François Mauriac.

6 juin 44[1].

Chère petite Claire, quel bonheur que tu ne sois plus à Caen[2]! Non, nous ne t'oublions pas. Nous pensons à toi sans cesse en ce jour solennel... Pour moi, je n'imagine pas que cela aille très vite. Les forces allemandes sont énormes. La pauvre Luce, ce matin, en apprenant la nouvelle, a éclaté en sanglots. Nous ne sommes à guère plus de 200 km de la côte... Qu'allons-nous voir? Tous ces temps-ci le ciel grondait d'escadrilles. Nous avons vu le bombardement en piqué de la gare de Survilliers...

Ta mère vient de t'envoyer 2000 fr. Réponds par courrier si c'est bien arrivé. Nous n'avons pas osé risquer plus, dans les circonstances actuelles. Que te dire? Les petites histoires individuelles n'existent plus. On n'a plus de vie privée. Pauvres insectes que nous sommes! Guill[3] vient de m'écrire encore... Comme il est gentil et tendre! La mort de la tante Scribe, les fiançailles « gratin » de Bruno, tout cela ne retient guère l'attention.

Nous avons la chance ici d'avoir l'électricité et donc la Radio – à Paris, on ne peut presque plus entendre les nouvelles.

Dieu sait quand nous nous reverrons! Quelle vie as-tu là-bas? Quelle est ta *vraie* vie? Celle dont tu ne parles qu'à toi-même...

Pour la première fois, il pleut et un vent de tempête souffle. Mais le temps n'est plus, j'espère, où le sort d'une invasion dépendait du vent...

Je t'embrasse tendrement ma chérie. Que Dieu te garde et nous réunisse un jour.

Fr.

Pardon de te dire si peu. Mais aujourd'hui, je suis « hors de moi » à la lettre, l'esprit tendu dans le vide...

16 juin 44.

Ma chérie,

Quatre lettres de toi arrivées hier à la fois nous ont remplis d'horreur et d'angoisse. Nous avons l'impression qu'il se passe de vos côtés des choses terribles. Mais quoi, exactement? Ta mère voulait partir. J'ignore si c'est possible. Mais jusqu'à plus ample informé, je ne veux pas qu'elle quitte Luce dont tu imagines l'état[1]. Ce qu'il faut, tant que les communications demeurent encore, c'est s'écrire le plus souvent possible. Ne serait-ce qu'un mot sur une carte, envoie-le-nous tous les deux ou trois jours et nous de même.

Oui, il doit te sembler que jamais ces fusillés, ces pauvres corps, ces pauvres visages ne s'effaceront de ton souvenir. Quelle terrible école, ma chérie! Inutile de te dire l'inquiétude où nous met ce que tu laisses entendre dans tes lettres, surtout dans celle du 3 juin qui est presque un testament. Ce qui nous rassure un peu, c'est que celles écrites après le 6 sont plus calmes. Ma chérie, je n'ai jamais cru que tu n'aimais pas la France – simplement il y avait un certain ordre de choses auquel tu ne pensais pas, un instinct aussi en toi qui n'était pas éveillé. Maintenant, tu sais, tu as touché, tu as vu – tu as entendu aussi ce que te crient ces bouches pleines de sang et de terre... Non peut-être de les venger... Que savons-nous? Mais le pire de ta lettre c'est ce que tu dis de ces gens massés pour assister à l'exécution des autres... Il faut penser aux héros et aux saints, pour ne pas crever de mépris...

Ici on est déjà un peu déçu. Nous nous croyions déjà pris dans les remous de la bataille. Et rien encore. Ce qui nous attend n'est pas drôle. Les avions déjà grondent toute la nuit. Luce et ta mère, dans le car, ont dû se coucher dans le fossé : bombardement du Bourget. Elles voyaient tomber les bombes tout près. Il n'y a qu'à se mettre entre les mains de Dieu. Nous sommes pour l'instant à 150 km du front. A Paris Claude commence à crier famine. Ecris souvent, ma chérie, ne commets *aucune* imprudence d'aucune sorte. Et s'il le faut, on viendrait vers toi. Mais toi, ne peux-tu venir? Ton engagement va finir... Il y aurait du travail pour toi ici aussi...

De tout cœur

Fr.

29 juin 1944.

Cher Pierre,

Je ne puis que vous répéter ce que je vous ai toujours dit :
que j'étais prêt à travailler avec vous – parce que je sais que
sur l'essentiel nous serons toujours d'accord et que j'ai en
vous, en votre loyauté, une confiance *absolue*[1].

Mais il reste bien entendu qu'il ne s'agit que d'un essai. Je
ne suis pas sûr d'être à la hauteur de la tâche que vous
attendez de moi. Vous pouvez être tranquille : si ça ne va
pas, je ne serai pas le dernier à m'en apercevoir.

Pour le côté financier, je m'en rapporte à vous : je ne veux
rien vous demander de plus que ce qu'il vous sera possible de
me donner. C'est une œuvre de dévouement à la nation que
nous entreprenons... Mais ne faisons pas notre Duhamel!
(Cher Georges : Pardon!)

J'attire votre attention sur un point. Il sera bien entendu
que je n'aurai à faire qu'à vous. Je ne réclame aucun titre,
mais je ne voudrais pas qu'il y ait entre nous un rédacteur en
chef. Je ne pense pas non plus qu'il doive exister un directeur spécial pour *le Figaro littéraire* (1). Dans mon idée, c'est
par la littérature, c'est *sur le plan littéraire* que nous crée-
rons d'abord, que nous perpétuerons cette union entre les
partis réconciliés. On imagine plus aisément la signature de
Malraux ou d'Aragon dans *le Figaro littéraire* que dans *le
Figaro* politique. D'autre part la sélection se fera d'abord sur
ce terrain. Je crois qu'au début il faudra être impitoyable.
(Nous aurons des discussions, je le crains, au sujet de types
de valeur comme Th. Maulnier...) Et il faudra en même
temps que *le Figaro littéraire* ait une telle tenue qu'y collaborer soit une quasi nécessité pour tout ce qui comptera dans la
jeune génération.

Nous aurons avec Rousseaux, avec Noël, les « exécuteurs
de hautes œuvres » indispensables. Je crois que notre rôle à
nous sera de hâter l'ère de l'apaisement, de la justice régu-
lière et non partisane, de défendre les prérogatives de
l'« exécutif », de lutter pour une démocratie autoritaire et,
disons le mot, jacobine. Le salut est à ce prix.

Je travaille et mets au point et adapte à la « victoire » le papier que je vous ai lu[3].

Cher Pierre je voudrais attirer votre attention sur un tout autre sujet.

Je sais quels sont vos sentiments à l'égard de l'Académie. Mais la « position » de l'Académie, au point de vue de la politique générale, demeure importante. C'est une redoute qu'il importe de ne pas livrer à l'ennemi. Or à la paix c'est l'ennemi qui y détiendra la majorité : sans compter Pétain, Bonnard, Hermant, qui seront sans doute neutralisés, nous verrons revenir Maurras, Chaumeix, Bérard, Bordeaux, Benoit, Farrère, Pesquidoux qui rejoindront les douteux : la Force, Madelin etc. Je voudrais que vous attiriez d'ores et déjà en haut lieu l'attention sur ce problème qui devra être résolu tout de suite. Par quel moyen? C'est ce qui serait à envisager sans plus tarder. J'aimerais à avoir une conversation, ou des conversations à ce sujet avec des personnes qualifiées. Il me semble *absolument nécessaire* que l'événement nous trouve prêts et pourvus d'une solution. A supposer que certains dussent perdre la nationalité française et par conséquent leur titre d'académicien, ce ne saurait être qu'un très petit nombre. On pourrait prévoir à la rigueur et *pour un certain temps* et pour quelques-uns la résidence surveillée et l'interdiction de séjour. Ou, sans aller jusqu'à ces mesures un peu rudes et par trop antidémocratiques, la nomination par le chef de l'Etat des nouveaux académiciens après approbation de l'Académie consultée pour la forme. Si on s'arrêtait à cette solution – la meilleure à mon avis –, il faudrait d'ores et déjà travailler à l'établissement de cette liste. Y a-t-il au Comité national des préposés à « la chose littéraire », comme dirait le fol éditeur?

Il n'est pas trop tôt pour trouver une solution à ce problème. Car je suis entièrement d'accord avec vous. Des craquements se font entendre, à l'est surtout, qui ne laissent aucun doute sur l'imminence de la fin. Je crois que l'automne amènera la solution. En tout cas il paraît invraisemblable que l'Allemagne affronte une campagne d'hiver.

Cher Pierre, Claude revient samedi à Vémars; vous pourriez lui confier un mot, si c'est nécessaire. Que cette lettre demeure strictement entre nous. Vous devinez pourquoi j'insiste sur ce point. Ne la lisez pas à D. trop « académique » et qui croit trop à cet asile de spectres.

Bien affectueusement vôtre.

F. M.

Il y aurait intérêt à ce que vous demeuriez en relation avec M[4]. que vous avez vu chez moi l'autre jour à cause des milieux qu'il voit et du parti auquel il adhère.

(1) ou alors peut-être moi-même[2].

266.   A JEAN BLANZAT

Lundi *1944*.

Cher Jean,

Ce sera vendredi matin (et non mercredi) que vous trouverez des petits pois (des petits pois pas mal gros!), si du moins le cultivateur qui nous les a promis ne nous manque pas de parole. Sauf avis contraire, allez donc au car, vendredi.

Je suis ivre de Nietzsche dans lequel me replonge la biographie d'Halévy. Quel homme! (pas Halévy : Nietzsche!) Désespoir de n'être que le pauvre type qu'on est. La seule excuse de l'homme de lettres, c'est sa souffrance, son renoncement aux « honneurs ». J'aimerais, avant de mourir, mettre le feu aux barils de poudre entreposés dans les caves de l'Institut. La folie finale, quel havre supérieur au gâtisme qui guette les officiels! Et le mystère de Jésus dans Nietzsche : qu'une certaine négation vaut mieux que certaines adorations! Que certains refus sont des signes d'un plus profond amour que les adhésions des philistins avares et sournois. Je ramène tout au Christ, malgré moi.

Je suis ivre aussi des nouvelles. Caen – Vilna. Voici de nouveau le vieux dragon vacillant... mais sous les coups d'un monstre pire (je ne pense pas aux Russes mais aux Yankees). Préparons-nous. Jamais le monde n'a eu un tel besoin de la France. Je le crois vraiment.

Des garçons affamés refluent ici. Ils jouent au ballon avec Jeannot. Ils ont emporté dans une boîte de fer blanc un peu de nouilles froides. Ils jouent tout de même, grimpent aux arbres... Sainteté de la jeunesse!

La bataille va peut-être se rapprocher de nous... Je voudrais bien passer à travers. Je ressemble en cela à *la jeune Captive* : je ne veux pas mourir encore. Je veux mourir dans une France forte, dure, humaine et chrétienne à la fois – dans celle que nous évoquions tous deux sur les Champs-Elysées profanés... « O noble France enfin surgie! O robe blanche après l'orgie[1]!... »

De tout cœur avec vous deux et avec Guéhenno.

Fr.

267.   A JEAN GUÉHENNO

Samedi *8 juillet 1944.*

Cher ami,

Nous nous inquiétons de vous savoir si démunis. Peut-êre pourrons-nous encore obtenir de ces petits pois (si gros!) dont je crains que vous ne finissiez par avoir la nausée. Il n'y a rien d'autre... Ici nous assistons de nos fenêtres à des bombardements en « piqué » de la ligne (à 4 ou 5 km). Les vitres tremblent, la nuit. Qu'on a peur de mourir avant de pouvoir chanter le cantique du vieillard Siméon[1]!

« L'éducation de l'âme »... comment la supprimer, si âme il y a? C'est un problème qui n'est pas résolu et qui, sur le plan religieux, est insoluble, car il y a contradiction entre les exigences de la vie et celles de la grâce. Dès qu'on s'écarte du « rien » de saint Jean de La Croix[2], dès que le sensible et le terrestre se mêlent (aussi peu que ce soit) à l'attrait qui nous porte vers Dieu, toutes les déviations et même les pires deviennent possibles. Je me souviens d'un mot de Barrès dans l'article qu'il consacra à mes premiers vers d'enfant de chœur : « ... Il n'empêche que ces excès de sensibilité font frémir... » Mais l'école laïque supprime le problème et ne le résout pas. A ma connaissance, et du point de vue catholique, ce qu'il y a de mieux, c'est une forte éducation chrétienne dans la famille, et le lycée (externat)[3].

On tremble d'échouer en vue du port. On a peur de la chose inconnue qui remettrait tout en question. J'espère que nos amis ont enfin des nouvelles de Philippe[4]. J'en reçois très peu de Claire dont la vie est très dure. Mais elle sortira grandie de cette atroce école. Elle m'écrivait hier : « ... Vous qui me reprochiez un jour de ne pas aimer la France!... » Bonnes nouvelles aussi du mari de Luce. Cher ami, serons-nous trompés, nous qui croyons en cet amour incompréhensible mais qui est le secret de tout, en ce Père, en ce cœur des cœurs?

Je vous prie de ne pas m'oublier auprès de Louisette et de croire à mon affection.

François M.

268. A CLAIRE MAURIAC

27 juillet 1944.

Chère petite Claire, les lettres t'arrivent de Paris parce que nous profitons en général du voyage de l'un de nous pour les courriers. Inutile de te dire l'inquiétude où nous sommes de te savoir si mal nourrie et accablée d'un tel travail! Ta santé, ta fatigue est notre souci de toutes les heures. A cela s'ajoute la volonté de Jeannot que tu devines[1]. Je le retiens tant que je puis jusqu'à ce que j'aie à ce sujet une réponse d'Al. Mais tant de ces petits pèlerins sont supprimés en route... Aussi l'angoisse croît de jour en jour. A mesure que le terme approche, je me sens plus las, plus usé, plus fini. Je n'ose regarder en face ce qui nous attend. Luce nous donne un admirable exemple. Mais j'ai passé l'âge de l'espérance – et je comprends maintenant qu'on puisse quitter sans regret ce monde abominable où les plus purs sont immolés et où les crapules et les habiles survivent. J'ai tort de te parler ainsi, toi qui as tant de raisons de croire à la vie. Pourquoi t'excuses-tu de soigner les blessés allemands? C'est l'honneur et la sainteté de la Croix-Rouge de ne connaître que les membres souffrants du Christ. Pauvre jeunesse d'Europe, pauvres enfants tous dignes de tant de pitié et d'amour. Tandis que je t'écris, la maison tremble, des bombes tombent je ne sais où. On ne lève même plus la tête. Je comprends ce que tu nous écrivais sur les bombardements, que « savoir ou voir, ce n'est pas la même chose... » Certes! Et il ne faudra jamais oublier que pour détruire une gare, les Américains détruisaient une ville : il ne reste presque rien de Lisieux. Ce que tu as eu à Béziers est relativement peu de chose.

Et pourtant tout va bien. Mais les gens sont à bout de nerfs et puis à Paris l'absence d'électricité supprime les nouvelles, alors les bobards fleurissent. Le jour de l'attentat contre H^2 tout Paris attendait une paix séparée germano-russe! La Bourse même avait baissé!

Je me console de te savoir si loin, si fatiguée, en songeant que la vie *ici* te tuerait. Certes, je comprends notre petit Jean. Mais songe... songe... on n'ose regarder en face certaines éventualités. Et pourtant je suis heureux, dans mon angoisse, qu'il ait ce désir, qu'il soit un chic petit. Je sens que je l'aime infiniment quoiqu'il ne le sache pas et que je ne (le) lui montre guère.

A quand, ma petite Claire? Je retiens ta mère qui voudrait tenter de te rejoindre. Dayan, le médecin, est arrêté. Nous sommes sans secours.

Je t'embrasse, mon enfant chérie.

Fr.

269.   A M. YVES FARGE

Paris 18 octobre 44[1].

Monsieur le Commissaire de la République,
Connaissant votre amitié pour mes enfants, j'ose vous exprimer une pensée que je partage avec beaucoup d'adversaires de Maurras.

Nous avons le sentiment que son *exécution* (nous ne disons pas : sa condamnation à un châtiment exemplaire...) aurait des conséquences graves, créerait dans le pays, contre le gouvernement du général de Gaulle, un parti d'irréconciliables, rendrait impossible, pour des années peut-être, cette union des Français que le dernier discours de notre chef nous invite à réaliser.

Je vous supplie de ne voir là aucune tentative pour interrompre le cours de la justice. Nous la souhaitons très exacte et dure, mais dans les limites de l'intérêt national. J'aurais pu demander à des confrères illustres de signer cette lettre. Mais mon indiscrétion dépasse déjà les bornes permises.

Je vous prie, Monsieur le Commissaire de la République, de bien vouloir la pardonner à un homme qui, toute sa vie, a lutté contre Maurras, et de trouver ici l'hommage de mes sentiments admiratifs et de ma haute considération.

François Mauriac.

P. S. Ma fille Luce Le Ray a mis au monde, cette nuit, une belle petite fille.

270.   A JEAN PAULHAN

1944.

Cher Jean,

Je préfère votre « dégoût » d'aujourd'hui à celui que vous manifestiez vendredi matin.

Pour moi, j'envoie ma démission de président[1]... (cet honneur m'était tombé sur le crâne, en mon absence et je suis un petit garçon qui ne veut pas jouer avec les méchants enfants comme Aragon!)

(On est sûr d'être toujours battu et roulé...)

Et puis, nous n'avons pas des âmes de *flics*. C'est le fond de tout.

De tout cœur.

Fr.

Je n'irai pas non plus chez le ministre de la Justice.

23 décembre 44.

Mon petit Jean aimé [1],

Où en serons-nous à l'heure où tu liras cette lettre? Nous montons-nous la tête? Le fait est que nous vivons dans l'angoisse de cette offensive allemande si inattendue [2]. Les nerfs des pauvres hommes sont à bout. Depuis cinq ans qu'on ne peut pas descendre de ces « montagnes russes » – et nous revoilà au plus bas et nous réentendons comme en 40 parler des poches qui ne sont pas « colmatées ». C'est une telle obsession, un tel serrement de gorge que je me sens incapable de te parler d'autre chose. Tout paraît si insignifiant, si puéril de ce qui intéresse l'arrière. Il ne faut pas regretter, mon chéri, d'être où tu es. Au fond tout le monde, à des heures pareilles, devrait être sous les armes. Le malheur, c'est ce grand peuple désarmé qui doit attendre et recevoir passivement les coups de ce Destin féroce.

Claire est partie hier (pour Besançon). Nous avons eu bien du chagrin – mais elle aussi je l'envie de « faire quelque chose », d'agir.

Enfin, il faut être calme et se remettre entre les mains de Dieu. Et puis sans doute les choses s'arrangeront, ou en tout cas ne tourneront pas au pire.

Avant-hier, première lecture des *Mal-Aimés* dans la loge de Madeleine Renaud. C'était bien – mais le cœur n'y était pas. On ne fait rien que par nécessité et comme dans un songe, un cauchemar [3].

Je t'écris peu, mais je ne cesse de penser à toi, à ta dure vie. Mon fils chéri.

Nous allons tous bien. J'ai tort de t'écrire cette lettre cafardeuse. Mais je ne puis t'écrire des mots banals. Il faut que tu voies le fond de mon cœur.

Je t'embrasse avec toute ma tendresse.

F. M.

26 décembre *1944.*

Cher Jean,

Je serai fidèle au rendez-vous vendredi. Je suppose que vous êtes guéri. Mais non, je ne m'inquiète pas de vous. Dieu vous prendra quand ce sera l'heure. Je vous confie à Lui, les yeux fermés, avec tout le reste.

Je vis dans la double angoisse de cette offensive allemande, malgré tout très grave et des menaces que la Sûreté prend très au sérieux. (L'avant-dernière nuit encore, à 4 h du matin, un coup de téléphone : « Ici la police de Darnand. Si vous ne cessez votre collaboration au *Figaro*, vous serez abattu dans la quinzaine... » Or cela coïncide avec les miliciens parachutés ces jours-ci dans la région parisienne.) Par ailleurs, je suis condamné aussi, d'un autre côté, si Maurras est exécuté (on ne me menace pas mais ce sont des renseignements de la Sûreté...)

Cher Jean, j'ai moins peur de la chose, sans doute improbable, que je ne suis fatigué de ce monde ignoble, de cette haine, de cette vie, d'un rôle pour lequel je ne suis pas fait et dont je me sens très indigne, du personnage que je joue – moi qui si souvent, épuisé, ne souhaiterais que de fermer les yeux, la tête contre une épaule...

Mais enfin Dieu est là, ce Dieu enfant qui touche en nous, qui délivre une source de larmes. Ah! Cet *adeste fideles*!... Quelle musique humaine aurait ce pouvoir de m'ouvrir ainsi le cœur? J'ai la Foi (moi qui ne l'ai pas toujours...) ces temps-ci. Je crois en la réalité de cet Amour dont je parle aux autres (ce qui n'est pas toujours le cas...)

Vous me manquez bien. Je suis très seul, (du côté « ami » – car je sens bien que je suis comblé par les miens...) Mais que faire pour se voir? Et puis ce n'est peut-être pas nécessaire.

Jeanne vous téléphonera pour que vous veniez dîner avec votre chère femme.

A bientôt.

Votre

Fr.

Vendredi 5 janvier *1945*.

Mon petit Jean aimé,

Ma dernière lettre était bien cafardeuse. Je suis honteux de t'avoir ainsi fait partager l'angoisse injustifiée où m'avait mis cette offensive. Tout est rentré dans l'ordre, mais la situation reste préoccupante. Les braves Américains croyaient que ce serait fini en décembre et avaient tourné toutes leurs ressources vers le Pacifique!

Reçois-tu *le Figaro*? Béraud a été condamné à mort. C'est tragique. J'ai écrit hier un article de protestation qui a fait une sensation énorme. Il m'a écrit une lettre bien émouvante[1]. Il est certain que, de zone libre, il n'a eu aucune intelligence avec l'ennemi qu'il détestait. Il a écrit des articles abominables et anglophobes pour lesquels il mérite un châtiment exemplaire – mais la mort! Tout le monde est atterré. En province, chaque fois que de Gaulle gracie un type, il est abattu par des gens qui envahissent la prison.

Il y a dans tout ceci une sainte loi violée. Mon petit Jean qui as communié à la messe de minuit (que ta lettre m'a bouleversé!) tu me comprends. Nous sommes dans l'injustice, dans le *mal*. C'est parce que j'aime le Général, que je crois en lui, que je voudrais que sa cause ne fût pas atteinte, ni souillée.

Notre téléphone est détraqué. J'ignore encore quand commencent mes répétitions. Mais tout cela m'est égal.

On va appeler les chars, faire une grande armée française. Les Américains changent de méthode. Ils consultent maintenant beaucoup le Général. Et la guerre finira avec la France au premier rang; c'est probable!

Ne souffres-tu pas trop? Ne crois pas que je t'oublie si j'écris peu. Je pense à toi sans cesse, mon enfant chéri. Il me semble que quand tu reviendras, je ne t'aimerai pas plus qu'avant, parce que c'est impossible, mais que nous nous comprendrons mieux et que nous serons plus amis.

De tout mon cœur.

Fr.

A JEAN MAURIAC

Dimanche 18 février *1945*.

Mon petit Jean,
Je suis bien heureux de te savoir un peu au repos. Peut-être le cafard en devient-il pire... Mais enfin tout cela touche sans doute à sa fin. Il faut te le redire sans cesse et que tes mois de guerre comptent double. Mon voyage a été beau et éreintant[1]. Et quelle pagaille! On se perdait dans la nuit, on ne retrouvait pas son auto. Miribel[2] a perdu ses bagages... et la tête. Elle était furieuse et affolée. Le Général très gentil avec moi, m'adressant la parole chaque fois qu'il me voyait.
Avant-hier soir, répétition en costumes[3]. Je crois que ce sera très bien. Mais le jeu des acteurs rend la pièce terrible et la rend surtout terriblement sensuelle – ce qui me donne beaucoup de scrupules. Quelle lourde responsabilité! Enfin!
Mon chéri que cette permission a été courte! Tu te crois oublié? Et pourtant, moi, je sens à chaque instant ta place vide. Je ne savais pas, avant que tu fusses soldat, combien je t'aimais, combien j'ai besoin de ta présence, de ta vie, de tout ton petit trafic autour de moi : ta chambre, tes jeunes filles, tes manies, ta rouspétance. Mais cela reviendra bientôt.
Tu connais les dates de la pièce : 27 (coutures), 28 (gala) 1er mars première. Ce serait trop beau si tu venais et je n'ose y compter.
J'attends Clayeux (c'est son jour!). Il mettra cette lettre à la poste.
Je t'embrasse tendrement mon fils chéri.

F. M.

275.   A ROGER MARTIN DU GARD

27 octobre *45*.

Heureux Roger M. du Gard qui avez le temps d'écrire de « belles lettres ». Merci pour celle que je viens de recevoir.

Savez-vous que le Général vous veut à l'Académie avec Gide, Claudel, Malraux, Bernanos, Maritain, Aragon etc.[1]? Quand l'Académie sera *une autre* académie, il n'y a aucune raison pour que vous la boudiez. Mais j'avoue que j'attends de voir cette révolution pour y croire.

De tout cœur avec vous deux.

François Mauriac.

---

276.   A PAUL CLAUDEL

38, avenue Théophile-Gautier, XVIᵉ,
8 mars 46.

Cher grand ami,

Je viens à vous en ambassadeur officieux : l'Académie est décidée à vous élire le 4 avril à *l'unanimité, sans que vous ayez même à écrire une lettre de candidature* : il suffira que vous me répondiez personnellement que vous y consentez. Notre doyen d'élection (H. Bordeaux, hélas!) vous écrira de son côté pour vous confirmer cette décision de l'Académie; il suffira que vous répondiez par une acceptation... ou par un refus (mais pas trop dur!).

On ne peut pas aller plus loin. L'Académie (qui vous doit bien cela!) ne l'a jamais fait pour personne, sauf pour Clemenceau. Si vous avez l'ombre d'une amitié pour moi, songez que ceci est le résultat d'un long effort et de la volonté souvent exprimée du Général – et que, dans la destruction universelle qui nous menace, votre refus prendrait une signification bien décourageante.

Si, comme je l'espère, vous acceptez, la question du fauteuil se pose. Pour des raisons de candidatures dont je vous fais grâce, l'Académie souhaiterait vous donner le fauteuil de Maurice Donnay. Evidemment je vous vois mal faisant l'éloge du *Chat noir* et d'*Amants*. Il reste que c'est un fauteuil d'homme de théâtre et que vous pourriez dire à propos du théâtre de Donnay tout ce qu'il vous plairait sur la question.

Si cette succession vous paraissait impossible, on se rabattrait sur le fauteuil de Paul Hazard[1].

Cher ami, prenez le temps de la réflexion – mais répondez-moi le plus vite possible... Il serait préférable que je pusse avertir dès jeudi prochain mes confrères de votre décision[2].

277.   A GEORGES BERNANOS

10 mai 1946[1].

Mon cher Bernanos,
J'ai ressenti un grand soulagement en lisant cette lettre[2], car les quelques signes publics que vous m'aviez donnés marquaient une hostilité qui se contenait (du moins l'ai-je cru...) et vous m'avez déjà manifesté autrefois, dans *le Figaro*, l'assez terrible idée que vous vous faites de moi à travers mes livres... (Et je compte pour rien l'affreuse approbation que vous aviez envoyée à Brasillach après son article sur *Bonheur et Souffrances du chrétien* et que ce malheureux garçon a publiée dans ses *Souvenirs*[3].) Tandis que moi, je vous ai toujours aimé et admiré. Telles pages du *Soleil de Satan*, de *l'Imposture*, du *Curé de campagne*, vous mettent à part dans mon cœur. Vous auriez pu « aller très fort » avec moi – et bien que je ne sois pas manchot dans la polémique avec des adversaires même redoutables – je ne vous eusse jamais répondu que comme à un ami... Ceci dit, il est vrai que je ne comprends pas très bien votre emportement dans la vie; que je vous trouve un peu vague et imprécis dans votre action... – oui, tout cela est vrai et tout cela est sans importance. Je n'ai pas beaucoup plus d'espoir que vous – ou du moins je n'ai pas d'autre espoir que le vôtre, qui n'est plus de ce monde. J'ai vu quelquefois votre fils Michel. Faites-lui mes amitiés s'il est près de vous, et croyez à mon affection.

F.M.

Malagar,
vendredi 20 septembre *1946*.

Mon Jeannot chéri,
J'aurais dû répondre depuis longtemps à tes chères lettres :
je suis toujours submergé par celles que je dois écrire à des
gens et que je n'écris pas... Tu serais heureux ici avec les
Duhamel qui adorent ce pays, qui sont éblouis par tout ce
qu'ils voient à travers le verre grossissant de leur amitié. La
tournée Bazas, Uzeste, Villandraut, Saint-Symphorien a été
surtout réussie. Nous les nourrissons de lièvres, de cèpes, de
perdreaux !

Claude et toi avec votre « bombe[1] » vous ressemblez un
peu à Chantecler qui croyait qu'il faisait lever le soleil !
Claude arrive ce soir : je l'attends pour me faire une idée de
la situation, qui doit être grave puisque j'ai reçu hier un
télégramme angoissé de Brisson qui veut avoir mon avis sans
doute avant de prendre position. Le plus grand malheur qui
pouvait arriver au Général : devenir le chef de tout le pétai-
nisme français, le menace, il me semble. Le M.R.P. était *son*
parti issu de la Résistance. Tout le reste n'est qu'aventure
dont les communistes seront les grands bénéficiaires. Je te
dis cela « à vue de nez » et puis me tromper, bien sûr. La
déclaration de De Gaulle[2] est certes pleine de vérités... Mais
il y a autour de lui ceux qui l'exploiteront... Enfin j'attends
d'avoir parlé avec Claude.

Je te quitte. Nous partons avec les D. pour le Périgord.
De tout mon cœur avec toi mon enfant chéri.

Fr M.

38, avenue Théophile-Gautier, XVIe,
18 octobre 46.

Cher Eusèbe,
Je ne sais par quel concours de circonstances le billet de
faire-part annonçant le malheur qui vous a frappé m'arrive

avec un an de retard[1]. Croyez bien que la séparation, le temps écoulé, laissent inaltérés en moi les souvenirs de notre jeunesse, que votre photographie (en soldat, celle que vous m'aviez envoyée du front) est toujours dans mon paroissien.

Je prends donc part fraternellement à votre deuil. J'espère que les circonstances de ces temps tragiques ne vous ont pas amené d'autres malheurs. Pour moi, je suis étonné de me retrouver avec mes enfants...

Je vous envoie, mon cher Eusèbe, à travers tant d'années, l'expression de ma pensée fidèle et l'affectueux souvenir de ma femme. Nous nous unissons à vos prières.

François Mauriac.

Savez-vous que Robert V.-R a reçu les ordres[2]?...

280.   A MADAME FRANÇOIS MAURIAC

Malagar,
Vendredi *16 mai 1947.*

Chère Jeanne,

Après une journée assez abrutissante, nous voilà dans un Malagar merveilleux, plein de roses, d'oiseaux, de paix. Les enfants sont ravis. Bordeaux[1] ? Ce fut extraordinaire comme foule : je n'avais jamais vu un tel océan humain. Des colonnes Mistral aux allées de Chartres et à perte de vue ce n'était que de la foule... Le discours? Banal... et seules les allusions politiques intéressaient les gens. L'impression « phénomène fasciste » très frappante... Je ne vois pas bien la fin de tout ceci. Mais le Général garde son prestige malgré tout et sa signification. C'est une force.

Déjeuner au Chapon fin avec Sioul[2] et deux inconnus, et ma filleule très gentille[3]. Je suis un peu inquiet de notre départ pour Londres, des places etc. Je suis content d'être ici... mais on vous cherche partout. Les souris se promènent dans notre chambre. La récolte sera petite : il y a peu de promesse.

Sécheresse. Le manque d'eau risque de devenir tragique.

A lundi soir. Je vous embrasse bien tendrement.

Fr.

Nous avons appris à Bordeaux la nouvelle de la délivrance de Claire[4]. On est tout de même un peu déçu. Je désespère d'avoir un jour un gros pataud de petit-fils au lieu de ces redoutables futures belles-mères...

281.　　　　　　A HENRI HOPPENOT

Le 17 juin 1947[1].

Monsieur l'Ambassadeur[2] et cher Ami,
Il ne s'agissait pas, dans mon article, de Benoist-Méchin. Je n'ai porté aucun jugement sur le fond. Ce que je demande, c'est que Benoist-Méchin et les autres accusés ne soient pas jugés par un jury politique composé en grande partie de partisans qui avouent eux-mêmes n'être là que pour des raisons de vengeance.
C'est une très grande chance que l'on donne, devant l'Histoire, aux collaborateurs que d'en faire des victimes; même les coupables y trouveront une auréole. Le seul point qui intéresse tous les accusés et sur lequel je prends position, c'est la légalité du gouvernement de Vichy qui est évidente. On aurait évité la plupart des condamnations à mort en se rendant à cette évidence[3].
Croyez, Monsieur l'Ambassadeur et cher Ami, à mes sentiments fidèles.

François Mauriac.

282.　　　　　　A CLAIRE WIAZEMSKY

6 avril 1949.

Chère petite Claire,
Je trouve Claude bien heureux de faire ce voyage avec le Pape et Claire au bout[1]! Je le ferai moi-même et j'irai embrasser mon petit prince lorsqu'il commencera à prendre figure humaine. Je pense à l'épreuve qui t'attend, ma chérie;

290

- j'espère que tu ne souffriras pas trop! Il doit y avoir à Rome une sainte spécialisée pour aider les femmes en mal d'enfant.

Ici, Claude te dira que tout va tant mal que bien. La vie de famille, c'est des gens aveugles (les uns pour les autres) et qui se donnent des coups de genoux sans se voir. Claude rouspète pour la nourriture, mais c'est la traduction à l'usage de la famille d'un chagrin d'amour : on ne comprend qu'après réflexion. Tout est ainsi. Je vais reposer à Malagar mes très vieux nerfs tendus comme les cordes d'un très vieux Stradivarius.

Je charge Claude de remettre à Ivan un livre qu'il a déjà peut-être. Je te recommande le tableau généalogique qui te donnera une haute idée de ton époux – enfin de ses origines. Embrasse-le pour moi, ce charmant fils de Rurik. Pour moi je me prépare à regagner la terre d'ancêtres moins illustres mais réduits à la même poussière. J'écris un roman[2].

Adieu, fille chérie. Dieu veuille que tu te réjouisses bientôt de « ce qu'il y a un homme de plus dans le monde » et que ce soit un petit Petrovitch, Aliocha, Petrouchka. J'adore ces noms de garçons en « a ». Je vous embrasse tous les deux mes chers enfants avec toute la force de mon vieux cœur.

F. Mauriac.

283.   A ROGER NIMIER

Malagar,
Saint-Maixant (Gironde),
22 avril 49.

Mon cher Roger Nimier,

Je ne souhaiterais que de faire plaisir au directeur de ce journal[1] et à vous-même. Mais cette collaboration prendrait un sens que je redoute : j'aurais l'air de jouer sur les deux tableaux ou d'approuver un mouvement[2] que je considère comme la faillite d'une grande espérance. Le général de Gaulle ce fut, pendant des années, beaucoup plus que le général de Gaulle – aujourd'hui il est beaucoup moins que lui-même. Pardonnez-moi si je blesse vos sentiments – mais je sens bien, au ton de vos propos sur lui, qu'il n'est pas pour vous ce qu'il a été, ce qu'il est encore pour moi. Ce serait trop beau qu'il ne me rappelât que Napoléon III ou même que Boulanger [3] (...) Comprenez-moi : le Général est le seul homme politique qui ait jamais fait battre mon cœur. Quand, après la libération de mon village, Claude est venu de sa part me chercher en auto, qu'on m'a introduit dans le salon de la rue Saint-Dominique, qu'on m'a dit : « Le Général va venir », j'ai dû m'appuyer au chambranle, tant j'étais bouleversé. Je ne suis pas non plus de ceux que le Général a déçus après la libération. Il a joué supérieurement à ce moment-là (en dépit d'erreurs énormes : rejet de la Constitution de 75 – illégalité de Pétain). Mais l'erreur *irréparable*, c'est le renoncement à ce rôle « Jeanne d'Arc [4] », à cette position miraculeusement plafonnante, pour polariser un ramassis de tout ce qui cherche fortune et aventure : je ne veux pas dire qu'il n'y ait aussi des types épatants, dans tous les ordres, derrière lui – mais vous entendez bien ce que je veux dire. Et comme il prétend à la légalité, il n'a (sauf catastrophe toujours possible évidemment au-dehors ou au-dedans) aucune chance de réussir.

Mais laissons la politique : « cet imbroglio d'erreurs et de violences » disait Goethe. « Vous détestez *le Figaro* » parce que c'est un vieillard. Je le dis souvent à Brisson : un journal est une *personne* qui a l'âge qu'elle a. Si vous écriviez une chronique pour *le Figaro* ce serait, sans que vous l'ayez voulu, une chronique de vieux. C'est au *Figaro littéraire* que je souhaiterais ardemment votre présence. J'ai fait lire votre lettre de *Liberté de l'esprit* à Brisson. Lui aussi voudrait vous avoir. Mais il a d'autres chats à fouetter et vous savez qui, au *F. L.*, se méfie de tout ce qui s'y introduirait malgré lui... Nous en reparlerons, car je suis tenace.

Non, je ne suis pas gai [5] : je le suis comme ces aveugles dont on dit qu'ils sont gais parce qu'ils ne le sont qu'au moment où on leur parle et qu'on ne les voit qu'à ce moment-là. Je suis gai lorsque je suis au milieu de jeunes gens – et triste tout le reste du temps – c'est-à-dire presque toujours. « Cet affreux supplice qui s'appelle la vieillesse... » a dit Michelet. L'horreur de la vieillesse, c'est qu'elle n'existe pas. Elle n'est qu'une altération du visage, une trahison de ce qu'il y a de périssable en nous. Mais l'on reste pareil. Peut-être ce que j'ai tant redouté : le gâtisme, n'est-il qu'une forme de la pitié de Dieu pour les cœurs inguérissables qui se sont fixés à vingt ans.

Vous savez ce que je pense de vous littérairement : vous êtes l'*écrivain* de votre génération[6]. Mais le garçon que vous êtes est terriblement sur la défensive, désireux de briller, d'exceller. Vous ne devez être vraiment « bien » que dans l'amour, c'est-à-dire dompté, maîtrisé, vaincu par une créature devant laquelle vous avez forcément *perdu la pose*. En amitié, vous ne devez jamais la perdre tout à fait. Pardon d'être indiscret et de vous juger ainsi. C'est la preuve de ma profonde sympathie pour vous.

Votre

Fr. Mauriac.

284. A ROGER NIMIER

38, avenue Théophile-Gautier, XVIᵉ, Mardi *juin 1949.*

Relisez votre papier, cher Roger Nimier, vous verrez à quel point il était injurieux et blessant pour moi[1]. Vous ne l'avez pas voulu, bien sûr. Mais ce n'est pas ça l'important. Je vous conjure, avec toute ma sympathie pour vous (qui est grande et vous le savez), de faire un effort pour être *juste*. Briller, c'est facile : vous n'avez qu'à être là pour briller; vous lancez mille feux, vous êtes un beau diamant. Mais efforcez-vous de dire *le vrai* en tout : c'était la tare de Bernanos justement – comme de tous les « polémistes » qui ne donnent leur meilleur qu'à condition de fausser, de salir, de mentir.

Vous savez que notre revue va être enfin « administrée » chez Plon[2]. Je crois que nous pouvons faire, à nous tous, *la* revue d'aujourd'hui, à condition que, comme la *N.R.F.*, elle soit une revue de *dialogue,* d'échange. Le talent est à droite. Si vous profitez de ce que vous êtes les plus forts pour en faire une revue maurrassienne de style Boutang, elle se fixera et se sclérosera dans une formule morte. Donc cherchez les échanges, soyez un adversaire-interlocuteur[3].

De tout cœur.

Fr. M.

A BERNARD BARBEY

> Malagar,
> Saint-Maixant (Gironde),
> 20 août *1949.*

Cher Bernard,
Je suis honteux de ne pas vous avoir encore remercié de vos cigarettes que je fume en pensant à vous, au lieu de vous écrire[1]. Ce sont de tristes jours que vous devez vivre dans ce Montcherand[2]. J'imagine ce que serait pour moi un dernier été passé à Malagar. Cher Bernard, tout nous quitte, tout meurt avant nous de ce que fut notre enfance... Je regarde de la terrasse brûler les landes... On dirait qu'entre deux guerres, le malheur s'occupe comme il peut. Ce ciel rougi, cette odeur d'incendie rappellent tellement nos angoisses d'il y a six ans...
Je n'ai pas longtemps été seul. Claude est resté près de moi une dizaine de jours entre deux « festivals ». Jeanne m'a rejoint. Je travaille à une pièce[3] (c'est toujours l'effet que me produit une bonne représentation de Don Juan[4]) mais j'ignore encore si j'en tirerai quelque chose de possible.
Merci encore et tendrement à vous tous.

> Fr.

J'ai vu les photos de Noirmoutier. Il y en a une où votre Laurence est belle comme un Michel-Ange. Hollywood vous la prendra !

286.   A MADAME FRANÇOIS MAURIAC

> Mardi *12 septembre 1950.*

Chère Jeanne,
Pardonnez-moi de ne pas vous avoir écrit : entre mes répétitions[1], les « becquets », l'article du *Figaro,* je travaille du

matin au soir et sors très peu sauf pour les repas (la gargote de la concierge me convient mal!). Que vous dire? Ma distribution est *bonne* dans l'ensemble. Tous les acteurs sont des artistes consciencieux et ont été choisis avec soin : tous les professionnels du théâtre en conviennent.

J'ai une très bonne impression de Leuvrais : plutôt laid mais avec une figure pathétique, une belle voix (on ne perd pas un mot...) et une « présence ». Jany Holt n'a pas encore « sorti » son personnage.

La pièce s'appellera *le Feu sur la terre.* Mais cette pièce! Ce sujet! J'ai une petite crise de foie que j'impute à une trouille préventive.

J'ai écrit au courant de la plume, sans presque le relire, l'article de ce matin qui a enthousiasmé Pierre Brisson. Recevez-vous *le Figaro*?

J'ai grossi la scène finale du 3[2]. Mais le metteur en scène est perplexe s'il faut, s'il ne faut pas... On va mettre le 3 en scène, cet après-midi.

Notre numéro de *la Table ronde* sur l'occultisme est épuisé et on le retire : gros succès. (...)

De tout cœur vôtre.

F. M.

287.   A JEAN-MARIE DOMENACH[1]

> Malagar,
> Saint-Maixant (Gironde),
> 20 septembre 49[2].

Monsieur,

Je vous recevrai volontiers[3]. Les vendanges me retiennent ici jusque vers le 15 octobre. Le mieux serait donc que vous me téléphoniez entre le 15 et le 20, un matin, à Auteuil 52-31.

Vous êtes curieux de mon visage? Peut-être craignez-vous que le tir régulier et répété d'*Esprit* contre moi n'ait pas porté? Rassurez-vous : j'ai été touché, et quelquefois blessé. Mon silence vous a étonné peut-être, car enfin j'ai prouvé souvent que je sais me défendre et contre-attaquer? Mais je me sens désarmé devant des hommes jeunes qu'il m'est impossible de considérer comme des ennemis. Derrière cette façade académique et bourgeoise, je m'étonne que vous ayez oublié que j'ai presque toujours pensé et écrit à contre-courant de ma classe, que dans les circonstances graves, lors de l'affaire Salengro, durant toute la guerre civile espagnole, en face de Vichy enfin, j'ai su prendre mes responsabilités.

Il est vrai, Monsieur, que vous avez la patte plus légère que la plupart de vos collaborateurs. J'ai pour Emmanuel Mounier[4] de la sympathie, mais aussi de l'estime et du respect. Une question que je vous poserai, quand nous nous rencontrerons, ce sera au sujet des commentaires si bas, vraiment ignobles, dont un de vous a enguirlandé mon discours de clôture de la Semaine des Intellectuels catholiques.

Croyez, Monsieur, que je ne nourris à votre égard aucune pensée amère et que je répondrai bien volontiers moi-même à toutes les questions que vous voudrez me poser.

Agréez, Monsieur, l'expression de mes salutations distinguées.

François Mauriac.

J'avais commencé de répondre au « chapeau » de M. d'Astorg. Quel coup de chapeau! Mais, après tout, mon *histoire* personnelle n'intéresse pas le public. Quant à Mme C.-E. Magny, elle a la double satisfaction de publier le même mois, chez vous, ces pages où le désir de nuire suinte de chaque mot[5], et d'autres, *sous mon égide*, à *la Table ronde*, contre les surréalistes!

Là encore, je m'étonne... La raison d'être d'*Esprit*, c'est l'honnêteté intellectuelle. Non?

288.   A ROGER NIMIER

38, avenue Théophile-Gautier, XVIe,
18 octobre 50.

Cher Roger,
Cette fois ça y est!
Dieu sait que j'ai peu de goût pour les histoires de soldats

et que j'avais ouvert votre livre[1] avec une flemme préventive que l'amitié n'arrivait pas à surmonter... Mais d'abord, vos dons d'écrivain éclatent partout avec *splendeur* : vous êtes le seul de votre génération.

Et puis chacun de vos personnages vit et, par-delà les grimaces, nous touchons à chaque instant le vif humain. Vous avancez masqué, vous aussi, cher petit cartésien, mais le rire, mais les larmes, mais je ne sais quel cri mal contenu soulève ici votre masque, à chaque instant.

C'est vous qui délivrerez la littérature de l'« engagement » qui l'empoisonne.

Je suis tranquille quant à votre destin d'écrivain.

Il y aurait beaucoup à dire contre l'arrangement si monotone et si factice du livre; mais je le crois trop important pour que cela compte vraiment. Je suis heureux de penser que, lorsque je ne serai plus là, il y aura encore des garçons comme vous[2]...

Je vous aimais bien, avec un peu de méfiance... Je vous aime maintenant tout à fait parce que je vous comprends et que je sais qui vous êtes...

Merci d'avoir écrit ce livre.

De tout cœur vôtre.

François M.

289.　　　　　　　A PAUL CLAUDEL

38, avenue Théophile-Gautier, XVIᵉ,
10 novembre 50.

Cher grand Ami,

J'ai reçu de vous le même jour deux témoignages d'amitié qui m'ont bien touché : d'abord ce beau premier tome de vos œuvres complètes (j'ai relu dès le premier instant ces *Vers d'exil* dont quelques-uns m'atteignent encore au plus secret de l'être...) Et puis vous vous êtes donné la peine de venir au théâtre... Après tant d'éloges et de critiques également concertées, ma pauvre pièce n'est plus entre mes mains qu'un oiseau du paradis aux ailes arrachées. « Ces affreux hommes de lettres... » avez-vous écrit dans votre poème sur Verlaine.

Croiriez-vous que j'ai été frappé *pour la première fois de ma vie* par cette parole du Seigneur dans saint Jean : « Comment pouvez-vous croire, *vous qui recevez votre gloire les uns des autres et ne recherchez pas la gloire qui vient de Dieu seul?* » (J, V, 44). Oui, nous attendons la gloire des mains de M. Gautier, de M. Kemp, de M. Ambrière... Ils ont bien raison de nous la refuser... La gloire? Plutôt un coup de brosse à reluire!

De tout mon cœur avec vous.

François Mauriac.

290. A JEAN BLANZAT

38, avenue Théophile-Gautier, XVIe, *1951.*

Quel hommage vous me rendez, cher Jean! Et combien je suis heureux que ce soit vous qui écriviez ces choses! Mais le petit Sagouin[1] aurait pu être sauvé – mais, à cause de lui, mon instituteur en sauvera d'autres –, et à cause de cette mort, il n'est déjà plus le même. Ce n'est pas une histoire désespérée. Je ne suis pas désespéré. Mais il est vrai que l'espérance n'est pas l'espoir... et qu'il ne me reste que l'espérance : l'espérance que nous comprendrons un jour, que nous tiendrons enfin ce que nous avons tant cherché...

Merci de tout mon cœur. Je suis vôtre.

F.M.

291. A FRANÇOISE GARÇON

Février 1951[1].

Je me regarde devenir vieux, chère Françoise. Mais la vieillesse n'est pas un état propre à être observé. Je me sens pareil à ce que je fus toujours, au point de croire que la

298

vieillesse n'existe pas, que l'altération du visage ne concerne en rien l'être lui-même : cette part de jeunesse éternelle qui ne finit jamais de palpiter en nous et de souffrir, qui se débat sous les avilissantes exigences du corps – ou qui se fait leur complice et s'avilit elle aussi – jusqu'au jour où la dissolution de la chair d'un seul coup la libérera pour quelque destin inimaginable. La vieillesse n'existe pas. Ce qui existe, c'est la décrépitude. Elle est honorée à Paris; elle y fréquente de hauts lieux où ma place est marquée. En vain je refuse de m'asseoir dans ce concile de spectres, je suis tout de même l'un d'eux, chère Françoise – et même l'un des plus chevronnés... (1)

François Mauriac.

(1) Mais votre père se dresse au milieu d'eux comme un grand jeune homme égaré...

292.   A MARCEL ARLAND

38, avenue Théophile-Gautier, XVIe,
11 mai 51.

Mon cher Arland,

Jacques Ch.[1] m'écrit que vous êtes blessé de ma réponse à votre réponse et que vous songeriez à nous quitter[2]? Je vous supplie de n'en rien faire, puisque toute cette dispute repose sur des malentendus, que ce n'était pas à moi que vous en aviez – et qu'en ce qui me concerne, soucieux de rendre *notre* revue de plus en plus vivante, je trouvais piquant d'ajouter à la rubrique *autour de la table* une autre d'un ton plus épicé : *coups de pieds sous la table*! Mais ne nous en donnons plus, cher ami, si le jeu vous déplaît : l'essentiel est que vous nous restiez. On parle de refaire la *N.R.F.*[3] Mais vous maintenez au milieu de nous le meilleur de sa tradition. A ce point de vue (et à beaucoup d'autres!) croyez que je mesure tout ce que nous perdrions avec vous. Ecrivez-moi vite que tout cela est oublié. Répondez-moi ce que vous voudrez (dans la revue). Et je vous jure de tendre la joue gauche!

Ne nous donnerez-vous pas aussi un *récit*? Il ne faudrait pas que votre rubrique vous empêchât de collaborer à la partie roman ou « nouvelle » du sommaire.

Bien cordialement vôtre.

F. Mauriac.

Opéra devient *impossible*. La page sur moi, je n'ai pu l'avaler[4].

293.   A MARCEL ARLAND

38, avenue Théophile-Gautier, XVIe,
18 mai 51.

Mon cher Arland,

J'aurais bien quelques petites choses à vous répondre, – mais il est trop vrai qu'on ne voit que moi dans la revue (c'est un peu la faute du cher Le Marchand[1] qui me demande toujours d'allonger la sauce!) Et je vous laisse donc bien volontiers le dernier mot.

D'ailleurs nous aurons de beaux sommaires. Le Marchand me dit que la nouvelle de notre Chardonne est très belle. Notre revue n'aurait-elle servi qu'à redonner le goût d'écrire à des écrivains de cette classe que nous n'aurions pas perdu notre temps.

Pour la « liberté », discuter le coup n'est pas empêcher de parler. Bien loin de vouloir bâillonner les gens, j'aimerais qu'ils ne trouvassent pas mauvais qu'on leur réponde. Mais renonçons aux coups de pied puisque vous ne les aimez pas!

A propos de Chardonne, je crois que vous avez lu le journal d'Eva-Camille[1]? Que nous conseillez-vous : choisir des pensées, ou publier un bloc d'une vingtaine de pages? J'incline pour la première méthode. Tout ce qui est « impression de nature », souvent exquis, noie un peu des notations plus profondes, plus secrètes que j'aimerais détacher. J'attends l'impression de Le Marchand.

Nimier? Je suis aussi étonné à 65 ans que je l'étais à 20, lorsque quelqu'un que j'aime et à qui je n'ai témoigné que de l'amitié et que j'ai comblé de « gentillesses » me répond par des « vacheries ». Mais c'est une loi que l'insolence du page tourne à la muflerie aux approches de la trentaine. Quand je pense qu'ils ont réussi cet inimaginable miracle, à *Opéra,* de rendre Rousseaux sympathique! Nimier! Il avait en ma personne un éléphant blanc dont il aurait fait ce qu'il aurait voulu : j'imagine comme j'aurais su réparer la gaffe du petit de Fallois par une réponse à Kemp intitulée : le père Fouettard ne veut pas être fouetté! C'eût été du travail soigné. Mais Nimier a préféré (pour faire plaisir à ses petits amis maurrassiens) chatouiller la trompe du vieil éléphant – animal rancunier s'il en fut! Le pire, c'est que je l'aime, ce Nimier et que j'enrage de le voir jouer les chiens enragés! Espérons qu'il aura assez de talent pour ne pas payer trop cher le plaisir qu'il y a à se faire des ennemis. J'ai la faiblesse de craindre pour lui...

Croyez-moi vôtre.

Fr Mauriac.

294.   A JEAN COCTEAU

38, avenue Théophile-Gautier, XVIe,
Jeudi *mai 1951.*

Cher Jean,

Rassure-toi : je t'ai un peu « taquiné » mais tu n'as rien à redouter de moi[1]. Non : il n'appartient à *personne* de ne pas être pris par la politique, aujourd'hui. Ta prétendue politique d'amitié est une politique de prudence que tu pratiquais déjà du temps du Front populaire, la politique du « pas d'ennemi à gauche » – car qu'as-tu à redouter des autres? Mais aujourd'hui ceux dont tu fais le jeu ne sont pas des Français de gauche. Ce qu'ils sont, ce qu'ils incarnent, l'ombre qui s'étend sur nous, pour ne pas la voir, tu dresses entre cette réalité et toi un écran de cinéma...

En nous battant contre le pire, nous défendons des choses mauvaises elles aussi. Voilà ce que tu pourrais me répondre et que le Poète devrait *tout* refuser de ce monde criminel. Je doute que ce soit possible. Tu pourrais le tenter. Mais encore faudrait-il ne montrer d'*aucun* côté *aucune* complaisance.

J'ai aimé *Orphée*. Je préférais Marais dans *la Bête*. Qu'il y était merveilleux! Ma pièce a traversé les tirs de barrage et se porte aussi bien que possible. *Opéra* qui m'avait assommé il y a huit jours me couvre aujourd'hui de fleurs[2]! Quels drôles de gens! Et Hébertot!!! Aimes-tu cet ogre?

Sois heureux, cher Jean. Fidèlement tien.

F.M.

295.   A DENISE BOURDET

38, avenue Théophile-Gautier, XVIe,
17/8/51.

Chère Denise, je ne veux pas vous faire rater votre article. Mais avouez que nous vivons dans un monde sans règle, sans loi, où tout est utilisé : les correspondances, les conversations, les confidences. J'ai oublié ce que j'avais écrit à X... Enfin. Tant pis!

Je suis à Vémars où je fais de gros travaux[1]. J'aurai un cabinet en haut de la maison avec une vue adorable sur le Valois. Il pleut beaucoup pour mes délices. Je ne peux plus supporter, l'été, l'abominable climat girondin. Le jardin de Vémars est une merveille de fraîcheur, de paix, de solitude – et à quarante minutes de l'avenue Th.-Gautier. Le cimetière est à la porte et j'y ferai creuser ma tombe[2]. Je travaille à une autre longue nouvelle qui plaira moins que *le Sagouin* parce qu'il n'y aura pas de petit garçon sur qui s'attendrir. Mais je cherche là encore une « perfection », à mon âge c'est la seule excuse qu'on a pour écrire encore[3]. Avant de mourir, je voudrais écrire une autre nouvelle qui correspondrait pour Paris à ce que fut *Préséances* pour Bordeaux. Ça s'appellerait *la Coterie* ou *l'Essuie-pied*. Ce serait l'histoire de la chère petite Hersant et j'y mettrais toute l'expérience que j'ai du monde. Rassurez-vous! Ce n'est qu'un projet! Vous verrez Claude et Marie-Claude à Venise, à ce fameux bal. A vous bien fidèlement.

F.M.

Malagar,
Saint-Maixant (Gironde),
16 septembre 51[1].

Mon cher ami,
Mais non : je suis à Malagar. Je me serais bien volontiers
arrêté pour causer avec vous si j'avais cru vous trouver au
gîte.

Je suis, comme vous, assez inquiet de ce qui se trame Quai
Conti et très résolu à ce que cette élection ne devienne pas
une manifestation, à travers Pétain, de l'affreux Vichy[2]. Dès
mon retour à Paris, je crois qu'il faudra que nous réunissions
ceux de nos confrères (ils ne sont pas très nombreux) décidés
eux aussi à ne pas l'accepter. Si Lacretelle vient me voir à
Malagar comme il en a l'intention, je compte m'en expliquer
avec lui. Je crois qu'il suffira de certaines menaces pour les
rendre prudents. Nous avons les moyens d'alerter la presse,
d'alerter le général Cochet, j'irais au besoin voir le président
de la République. Vous pouvez compter sur moi.

Il est évident que l'Académie n'est pas obligée d'élire un
militaire, mais il serait intolérable que le fait d'avoir été un
général de la Résistance rende de Lattre indésirable.

Je pense être à Paris le 15 octobre.

Veuillez présenter mes hommages respectueux à Madame
Maurice Garçon. Ma femme se joint à moi pour vous exprimer nos sentiments les plus affectueux.

François Mauriac.

297.   A YVES DU PARC[1]

Malagar,
Saint-Maixant (Gironde),
2 octobre *1951*.

Cher Yves,
Je m'étonne d'autant plus que Nimier ne vous ait pas

envoyé son livre[2] que vous y paraissez partout et qu'il est même question d'« ourson en peluche »! Moi j'ai reçu un bel exemplaire sur grand papier mais avec une dédicace glacée. Cela dit... Eh bien, croyez-moi, c'est très fort. Ça n'a aucune importance que comme roman ça soit mal ficelé, ce n'est pas un roman : ce sont les « Confessions d'un enfant du demi-siècle » par un gars qui n'est pas seulement *un* écrivain, qui est *le seul* écrivain de sa génération. Quelle race! Quel ton! Ah! En voilà un qui survole Kafka, le surréalisme de tous les cons de cette génération conière! Il est dans la *vraie* tradition.

Et puis il se livre, on le voit : un côté pauvre cœur, pauvre Lélian, mal défendu par tous ces muscles qu'il a développés à la gymnastique suédoise... Et votre amie princesse de Bavière! Et tout! Je le *r*aime. Aimez-le. Il vous doit bien un bel exemplaire, vous qu'il compare dans son livre à Lucien de Rubempré.

Ecrivez-moi encore avant mon retour. Donnez-moi des nouvelles de toutes mes ouailles. Ne leur dites pas mon jugement sur Nimier. Ça les rendrait malades. Ça leur donnerait la clavelée.

(...) Je suis en pleines vendanges et rentre vers le 15. J'obtiens un succès de fou rire en lisant à haute voix le roman de Jeener[3]. Quand on songe que ce cacographe illettré juge ses contemporains dans le plus grand journal français, il y a de quoi se taper le derrière par terre, comme nous disions à votre âge.

Je vous embrasse cher ourson.

F.

298.   A ROGER NIMIER

Malagar,
Saint-Maixant (Gironde),
5 octobre 51.

Cher Roger (Nimier),
A mesure que j'avançais dans la lecture des *Enfants tristes,* je devenais plus heureux – et la joie que je ressentais me

donnait la mesure de mon amitié pour vous. Nous ne nous étions donc pas trompés, nous qui dès votre premier balbutiement nous étions dit : « enfin, un écrivain! » Vous êtes le seul à avoir échappé aux diverses véroles de l'époque et à continuer... Stendhal? Non, c'est le plus évident, le plus voulu de votre manière, le plus conscient – mais ce qu'il y a d'authentique en vous échappe à votre propre contrôle. Vous êtes stendhalien par l'âme secrètement tendre, comme tous les êtres apparemment très méchants.

Je l'écrivais hier à Yves, vous venez d'écrire les confessions d'un enfant du demi-siècle... (...) J'aurais beaucoup à dire sur le chapitre contre les romans à caractère. Votre « chronique privée » est merveilleuse, mais il est dangereux de se mettre en prise directe avec sa propre vie : *on épuise la nappe d'eau*. Je développerai ça avec vous à *la Méditerranée* si nous ne sommes plus brouillés. Je rentre vers le 15, vous pouvez donc me répondre ici.

Votre

F. Mauriac.

299.   A JACQUES CHARDONNE

38, avenue Théophile-Gautier, XVIe,
3 novembre *1951.*

Cher ami,
J'ai relu en une nuit *le Chant du Bienheureux* avec le même très secret plaisir que la première fois. J'ignore les changements que vous y avez apportés – et je ne le trouve pas mieux réussi : il résume dans sa première partie le drame de *l'Epithalame* et préfigure dans sa seconde l'élégie – la dure élégie d'*Eva* et de *Claire.* Ça reste une œuvre de transition un peu sommaire. D'où vient donc son étrange charme? Dans un destin dominé, vu de haut, peut-être? Dans la courbe un peu schématique, mais toute pure et nette d'une vie d'homme? La fluidité, la transparence de votre style, sa brume ensoleillée, il me semble que nos petits jeunes gens de la *T.R.*[1] commencent à y devenir sensibles. Nous aurons créé un climat pour les auteurs de votre qualité. Moi, les sourds

même m'entendent et les aveugles me voient. Mais pour vous, il faut préparer, ou recréer un public. C'est gagné.

On a beaucoup aimé les pages de votre femme. (Comme les gens du peuple ont raison de dire et d'écrire votre « dame » et pourquoi est-ce mieux d'employer le mot si beau, si charnel, de femme?) Où cela paraît-il? Et quand?

J'aimerais bien vous voir tous les deux. J'ai une auto pour venir causer dans votre jardin et mettre mes pieds à l'abri de vos cèdres nains.

Merci encore pour le beau livre, pour ce chant réentendu. Mon affection à vous deux.

F.

300.   A JEAN-LOUIS VAUDOYER

38, avenue Théophile-Gautier, XVIᵉ,
5 novembre 51.

Cher Jean-Louis,

Le chagrin que j'ai ressenti en apprenant l'épreuve que vous subissiez – et qui n'eût pas été plus vif si nous n'avions pas été séparés – m'a rappelé ce que je savais déjà : que dans les rapports humains, un certain fond résiste à toutes les tempêtes de surface. Pour moi qui suis passé en 1932 par où vous passez, je puis mieux qu'un autre vous suivre et être en pensée près de vous.

Je ne crois pas que nous devions pour l'instant revenir sur cette histoire déplorable[1]. Je tiens à vous rappeler seulement que j'ai toujours protesté devant le jury d'honneur et partout que je ne vous reprochais rien qui pût vous atteindre dans votre honneur. Le fond de tout c'est que moi qui ai eu toujours – et toute ma vie, et dans tous les ordres – à lutter contre la tentation du désespoir, j'avais été durement atteint par certaines de nos discussions en 42 et 43. Enfin votre candidature avait, à votre insu, une signification politique – ou du moins l'ai-je cru. Laissons tout cela pour l'instant. Je crois que le geste de Bernard aurait pu être tenté plus tôt. J'ai été bien déçu, le jour où je décorai notre cher Bob, que personne n'ait tenté de nous rapprocher.

Cher Jean-Louis, je dirai à ceux de nos confrères qui ont souffert de notre dispute, que je vous ai écrit et que vous l'aviez accepté d'avance. Je pense à l'angoisse des Henriot... Pourquoi nous faisons-nous du mal les uns aux autres – comme si la vie n'y suffisait pas!

Dans la mesure où j'ai eu tort, où j'ai été injuste, où j'ai réagi trop violemment, le chrétien que j'essaye d'être (hélas!) vous demande pardon et vous embrasse.

François Mauriac.

301.   A JEAN-LOUIS VAUDOYER

38, avenue Théophile-Gautier, XVIᵉ,
8/11/51.

Cher Jean-Louis,

Je viendrai au premier signe – mais je vous supplie de ne point vous inquiéter à ce sujet : je comprendrai très bien que nous nous en tenions pour l'instant à un échange de lettres. La vôtre m'a été très douce et je *crois,* maintenant, que nous redeviendrons des amis. Mais il faut laisser faire le temps. (...)

Conséquence de notre réconciliation : je pars pour Ste Perrine, quai Conti. La seule chose qui me plaisait dans notre brouille, c'était le prétexte de ne plus prendre ce bain affreux de vieillesse. Plus je vieillis et plus je l'exècre (la vieillesse, pas l'Académie. Pauvre Académie!)

Cher Jean-Louis, j'aurais mille choses à vous raconter, il me semble. Tant pis. Je vous embrasse.

F.M.

302.   A HENRI GUILLEMIN

38, avenue Théophile-Gautier, XVIᵉ,
3 janvier 1952.

Cher ami, j'achevais un article où je parlais de vous,

quand j'ai reçu votre lettre... Oui, ce cri a touché beaucoup de cœurs[1]. Je suis un peu honteux – moi qui sais qui je suis – de prendre la défense de la Vérité. Mais il n'y a plus personne dans les lettres... Nous en avons trop fait. L'ignoble a chassé Dieu...

Qu'Il vous garde et vous bénisse à jamais, vous qui êtes son petit enfant fidèle à travers tout.

Je vous embrasse bien tendrement.

F.M.

Je connais votre nouvel ambassadeur[2]. Il est triste et timide.

---

303.   A JEAN-LOUIS VAUDOYER

Grand Hôtel, Font-Romeu,
4 août 1952.

Cher Jean-Louis,
Il a fallu les heureux loisirs de cette cure que je fais ici pour lire votre livre comme il a été écrit, nonchalamment, dans la joie des pas retrouvés de votre jeunesse : c'est là qu'elle a croisé la mienne en 1910 – quarante-deux années! Que ce fut court! Mais les tableaux comme les arbres autour de nous ont pris un fameux « coup de vieux »... Il me semble que vous êtes l'unique héritier aujourd'hui du Stendhal des *Promenades dans Rome* et que vous êtes le dernier représentant d'un esprit de bonheur et de loisir : une nonchalance érudite – une érudition non apprise, si j'ose dire, acquise dès l'enfance et même héritée dès le berceau. Vous avez aimé les tableaux avant de savoir *pourquoi* il fallait les aimer[1]...

Cher Jean-Louis, nous parlons souvent de vous avec Jeanne. Il y a ici Jacques Février. Je me rends compte que je ne le vois jamais que dans le monde, avec un verre dans le nez et fort agaçant – mais ici il est à jeun et très gentil : comme un vieux grand chien sans collier, qui nous suit faute de mieux. J'ai obtenu qu'on lui mette un piano dans la salle de bridge, mais ce matin les 300 chambres de l'hôtel retentissaient de ses exercices[2]. J'espère qu'il n'y aura pas de plainte.

A une table Jean Voilier et une petite personne brune, très « bétail pensif ». Puis mon ennemi Fabre-Luce avec qui nous échangeons des regards sans résultat – puis le charmant Roland de Margerie – mais le bouquet est Mony Dalmès flanquée d'un mari américain richissime, toute ruisselante de diamants et descendant de sa Cadillac comme dans un film. Le mari est le fils du cuisinier du Café de Paris et j'imagine qu'il doit tenir un hôtel à New York. Il est assez sympathique. Et Mony D. me plaît beaucoup. A soixante-six ans on aime ces « petits fours ». Les camarades doivent être jalouses!...

Ces 1 800 mètres me font du bien, je crois... Nous rentrerons pour le 15 août. Si vous êtes encore à Paris, comme je serai à Vémars, je pourrai venir bavarder avec vous. Oui je bavarde... mais j'aurais bien d'autres choses à vous dire, combien je pense à votre épreuve, comme il m'est aisé de la vivre en me souvenant de ce que j'ai traversé – comme je me sens solidaire... En attendant de vous voir, je vous remercie de ce beau livre. (On me dit que *les Papiers de Cléonthe* sont un vrai succès. Je les vois partout ici. Je vais relire ce livre que j'avais beaucoup aimé[3].) De tout cœur avec vous et Fred.

F. Mauriac.

304.   A MAURICE GARÇON

Paris 15 août 1952.

Cher ami,

Traversant Paris, je trouve votre lettre qui me touche beaucoup. Excusez cette feuille de papier de machine. C'est tout ce qui traîne sur ma table comme papier à lettres. Font-Romeu nous a bien reposés. Et maintenant je vais me tapir en Seine-et-Oise jusqu'au 17 septembre environ. Serez-vous encore à Liguée? C'est le seul moment où je puisse vous voir comme vous avez la gentillesse de le souhaiter. Ma femme m'aura précédé de quelques jours à Malagar.

J'entre aisément dans votre état d'esprit. Nous sommes au seuil de cette solitude qui s'étend désormais plus ou moins longue jusqu'à la porte ouverte sur le vide... Le vrai est que les vacances ne valent rien aux gens de votre race. Vous ne vivez que dans la bataille. Vous ne vous fuyez que dans la bataille. Les enfants... ils nous aiment bien plus que nous ne l'imaginons; ils ont besoin de nous jusqu'à la fin. Mais chacun a son drame qu'il faut suivre « à part » et dans lequel il ne faut intervenir qu'à bon escient.

(...) Le pauvre Vaudoyer que je suis allé voir hier m'assure que Juin va se présenter. Je puis certifier qu'il n'aura pas une élection de maréchal, car je mettrai un bulletin avec une croix... .

Donc au 17 ou 18 septembre si vous êtes encore à Ligugé... nous parlerons de beaucoup de choses et de gens...

Moi aussi je vais entrer dans un roman, le succès de *Galigaï* m'y incite et aussi la grêle qui a détruit toute la récolte de Malagar. Et il faut tout de même y mettre trois millions chaque année...

Bien affectueusement vôtre.

François Mauriac.

Veuillez ne pas m'oublier auprès de Madame Garçon.

Je comprends votre angoisse... Moi je tremble pour une de mes filles spécialiste du « rocher » et qui est à Chamonix [1].

305.   /A JULES ROMAINS

17 novembre 1952[1].

Mon cher Jules Romains,
Je suis très touché de vos félicitations [2].

Ne vous inquiétez pas au sujet de tous ces ragots. Je sais par expérience que tout ce que rapportent les journaux est faux. J'ai appris, pas plus tard qu'aujourd'hui, dans *Match*, que j'avais cinq enfants et que ma femme était la petite-fille de Gay-Lussac [3]. Et si j'avais moi-même répété sur les uns et sur les autres tous les mots que les journaux me prêtent, j'aurais encore beaucoup plus d'ennemis que je n'en ai.

J'avoue que j'ai d'ailleurs été tout à fait surpris lorsque j'ai appris de Stockholm qu'il était très sérieusement question de moi et j'ignore encore quel en a été le point de départ.

Je vous remercie des paroles amicales que vous avez prononcées à l'Académie.

Croyez-moi bien amicalement vôtre.

François Mauriac.

306. A PAUL CLAUDEL

La Motte,
Vémars par Survilliers (S. et O.),
1952.

Cher et grand ami,

Je ne saurais vous dire comme je suis touché par ce témoignage... Si je ne vous avais pas nommé parmi ceux qui auraient pu ou dû avoir le prix, c'est parce qu'il n'y a pas de commune mesure entre vous et nous! Et puis je pensais à votre attitude à l'égard des protestants et à l'égard du prix donné à Gide[1], j'ai eu peur d'avoir l'air de donner une leçon aux Suédois...

Jeanne me dit que Reine[2] avait l'air un peu peiné. Depuis j'ai parlé de vous à la radio, à Guth, dans *le Figaro littéraire*...

Enfin, la joie des miens, celle de Jeanne surtout, me rend ces journées bien douces – et aussi, après tant d'injures reçues, ces témoignages, depuis le vôtre jusqu'à des centaines de très pauvres gens...

Que ces moments de bonheur ne nous séparent pas de Dieu... Je m'y efforce, sans trop de peine. Prions l'un pour l'autre. Vous avez vu que Radio-Vatican vous donne (par rapport à moi sur le plan catholique) votre éminente et suréminente place. J'y souscris très tendrement et très humblement (comme un petit frère peut être humble vis-à-vis de son aîné...)

François Mauriac.

Je rentre à Paris demain. Je me cachais ici...

38, avenue Théophile-Gautier, XVIe,
Décembre 1952[1].

　Cher Santa Croce,
　J'ai reçu un certain nombre de lettres comme la vôtre et
voici ma réponse : le silence est la seule attitude possible
devant la tombe d'un homme avec lequel j'ai toujours été en
désaccord profond. Comme vous aimez Maurras, vous
n'imaginez même pas (et c'est une illusion que je comprends
et qui me touche) que mon article pourrait être sévère et
même dur. Mais si « objectif » que je fusse, je ne pourrais
pas ne pas écrire ce que je crois être vrai et le millième de ce
jugement suffirait à vous peiner, à vous blesser et à irriter
inutilement une plaie à vif – car c'est l'honneur de Maurras
d'avoir gardé, à travers tout et au-delà du naufrage de *l'Action française,* un tel crédit auprès d'un certain nombre de
garçons de votre âge qui pourtant ne l'ont connu que lorsque
l'Histoire lui eut infligé... Mais je m'arrête, car ce serait commencer à votre usage l'article qu'il est trop tôt (ou trop tard)
pour écrire... Je me suis levé, pour entendre son éloge à
l'Académie. Je n'ai aucune peine à prier pour lui. Mais rien
ne me fera m'incliner devant ce destin qui s'inscrit entre la
glorification du faux Henri et les attaques antisémites de
1943 et qui s'est efforcé toute sa vie de donner raison à
K. Marx (religion opium du peuple) et au protestantisme
(catholicisme rendant l'Evangile inoffensif...) et aussi à
Nietzsche, qui n'a rien compris au vrai drame de son temps
(l'impasse royaliste à l'époque marxiste!), qui a consommé le
naufrage de la droite française. *Pardon.* Parlez-moi de vos
vers. Laissons l'affreuse politique. Je pars pour Stockholm.

　Votre

　　　　　　　　　　　　　　　　　　　F.M.

A ROGER MARTIN DU GARD

19 février 1953.

Cher Martin du Gard,
Je ne vous en veux nullement de votre lettre, puisqu'elle est dictée par l'amitié qui vous lie à Gallimard. Mais vous ne m'en voudrez pas de n'être pas d'accord[1]. (...)

Libre à vous de me reprocher *ce qui est l'honneur de ma vie* et qui, à propos du Maroc, m'a fait jeter immédiatement mon prix Nobel dans la bataille[2]; ce qui a eu pour résultat de dresser contre moi toute la puissance du capitalisme marocain, mais ce qui a, devant le massacre de Casablanca, sauvé l'honneur catholique (ainsi avais-je fait dans la guerre d'Espagne), et rendu dans toute l'Afrique du Nord l'espoir aux Arabes étudiants, qui ne veulent pas désespérer de la France. J'ai payé cela de ma tranquillité, que j'aime moi aussi... Si vous lisiez la presse marocaine!

Dans le cas *N.R.F.* je fais sur un certain point mon autocritique dans la prochaine *Table ronde*. Vous verrez pourquoi, à mon avis, les écrivains catholiques sont volontiers mordants et agressifs.

Mais, pour l'essentiel, je compte bien finir ma vie en pleine bataille *extérieure* et en profonde paix *intérieure*. Vous avez un autre tempérament, un autre rythme de vie que je ne juge ni ne condamne.

Moi aussi j'ai été content de notre soirée[3], content de quelque chose de changé en vous – indéfinissable – sur le plan qui m'importe le plus...

Aimez-moi un peu, comprenez-moi. Je suis vôtre.

F. Mauriac.

A PIERRE MAURIAC

Février 1953.

Cher Pierre,
Merci de ta lettre. Comme tu dois en entendre de toutes

les couleurs à propos de ton malheureux frère, je veux seulement t'avertir et attirer ton attention sur plusieurs points :

1° – Tu penses bien qu'à 67 ans je n'ai pas jeté mon prix Nobel dans cette bagarre terrible sans réflexion et sans être mû par des motifs puissants.

2° – Je suis approuvé *à fond,* ou plutôt nous sommes approuvés *à fond* (le Centre des intellectuels catholiques), par le président de la République qui m'a dit à moi-même des colons du Maroc et de Tunisie : « *Ils sont en train de nous faire perdre l'Afrique du Nord* », et par les éléments les plus vivants du Quai d'Orsay.

3° – P. Brisson, *nullement prévenu,* a envoyé deux enquêteurs, il y a trois semaines, au Maroc, nullement prévenus eux-mêmes, avec le seul mot d'ordre de se tenir éloignés de la Résidence et de la police (nous connaissons leur thèse), et d'enquêter parmi les témoins oculaires sur les lieux mêmes et dans tous les milieux. J'ignore encore le résultat de cette enquête – mais je doute qu'elle contredise le dossier du Centre des intellectuels catholiques *qui est accablant* [1].

4° – Notre action, mais surtout *ma présence,* a des conséquences que tout ce qui n'est pas colon reconnaît : dans l'Islam entier des garçons arabes, parlant français, nourris de culture française, se tournent de nouveau vers la France avec une immense espérance.

5° – Je voudrais que tu puisses comparer les lettres que je reçois en français, sur de pauvres papiers quadrillés, de ces Arabes si imbécilement méprisés, et celles que m'adressent certains de leurs employeurs qui les paient 9 000 fr par mois (ici je me trompe, les lettres viennent d'étudiants...)

6° – Enfin, grâce à nous, on ne torture plus pour l'instant dans les prisons et on y regardera à deux fois avant de tirer sur la foule. Sur le côté « aveu sous la torture » que révèlent les dossiers fournis aux avocats par le juge d'instruction, nous n'oserons même pas parler.

7° – Les étudiants marocains que je vois sont plus près de toi et de Daniel [2] que de moi. Ce sont des nationalistes de style français, très intelligents, sur lesquels on a beaucoup de prise en leur parlant de l'évolution de l'idée de nation etc.

8° – Tous réclament la souveraineté et l'indépendance – mais tous acceptent et reconnaissent indispensable la présence française et notre prédominance diplomatique; tous reconnaissent que notre départ entraînerait l'effondrement de leur patrie. En somme ils acceptent, non le mot « Union française » qu'ils n'aiment pas, mais *la chose*. Comme ils parlent, raisonnent français, que leur culture est française, *qu'ils acceptent l'armée française chez eux,* pourquoi ne pas jouer le jeu? Mais ici la discussion reste ouverte.

9° – Il y a – ce qui est beaucoup moins connu – face au matérialisme stalinien, une profonde possibilité d'action islam-christianisme. Hier encore, avec un jeune Marocain très pieux, j'ai eu une conversation passionnante : nous avons d'ailleurs avec nous l'évêque du Maroc, les petits frères du Père de Foucauld – tout ce qu'il y a de sainteté vivante au Maroc. (Il n'en est pas de même je crois en Tunisie avec les Pères blancs.) De ce côté l'œuvre à accomplir est réellement exaltante.

10° – Un des témoins qui a le plus influencé mon action, je te le dis en confidence à toi et à tes fils, c'est la marquise de Chaponay, princesse d'Orléans, cousine germaine du Comte de Paris. Je voudrais que tu la voies, que tu l'entendes; elle vit là-bas, elle connaît cette pègre : le groupe Mas, le groupe Walter, les détenteurs de ces deux cents milliards qui tiennent tout là-bas. Et tu sauras alors

11° – Qu'il existe un problème *uniquement français* qui est la résistance de ces quelques milliers de capitalistes, ceux *depuis peu* au Maroc où ils ont investi des capitaux immenses, à la métropole pauvre qu'ils méprisent et qu'ils bravent. Ceux-là veulent un proconsul à leurs ordres pour faire « suer le burnous ». Mais ils sont une poignée au milieu de huit millions de Marocains qui n'ont même pas le droit syndical. C'est un problème *français* de gouvernement.

Voilà, cher Pierre. J'espère que *le Figaro* publiera bientôt cette enquête dont j'ignore pour l'instant le résultat. Inutile de me répondre sur tous ces points. Je voulais en gros t'éclairer sur notre action. Je pense bien à Suzanne et à toi.

De tout cœur.

F.M.

38, avenue Théophile-Gautier, XVIᵉ,
3 août *1953.*

Cher Robert,

J'ai été heureux de recevoir votre longue lettre mais regrette que vous ayez fait l'effort de l'écrire au soir d'une journée épuisante. Je profite du départ de Mme Paret[2] pour vous écrire... Je n'ai d'ailleurs rien à vous dire de particulier. Vous avez su les événements du 14 juillet[3], l'inquiétude où nous sommes ces jours-ci et que vous devez partager. Pour moi, je gagne demain le « Vittel-Palace » (!) pour 21 jours et je soignerai ma carcasse en essayant de travailler. J'y serai jusqu'au 22 ou 23 août[4]. Ensuite écrivez-moi à Vémars jusqu'au 8 septembre. Après quatre ou cinq jours à Genève, je filerai sur Malagar.

Dîner hier soir avec Taïbi[5] et les Paret. Maintenant je vais être seul à penser aux choses qui nous tiennent tant à cœur.

Cher Robert, vous n'aimez pas beaucoup, je crois, les « effusions ». Moi non plus d'ailleurs. Pourtant je pensais ce matin, après une messe et une communion où le Seigneur fut très proche il me semble, à ce que je vous dois, à ce que vous avez été pour moi cette année – vous et Denise aussi – et toute cette fraternité sur les confins de laquelle je me tiens à ma place – mais qui m'a apporté infiniment plus que vous ne pouvez l'imaginer. Que Dieu vous bénisse et vous garde, vous et toute votre nichée, cher Robert. Je vous confie à lui quand je prends peur parfois pour vous. Veuillez ne pas m'oublier auprès de vos hôtes que Malagar sera bien honoré de recevoir. J'embrasse Emmanuel et Claire[6]... et Denise.

De tout cœur.

François Mauriac.

> Malagar,
> Saint-Maixant (Gironde),
> 14 octobre 53.

Cher Domenach[1],

Tous les outrages que je reçois pèsent peu au prix de votre amitié et de la confiance que vous me témoignez. Il en a fallu bien peu pour que vous reveniez sur des préventions que j'ai justifiées pendant des années... Et pourtant toujours j'ai été avec vous, de votre côté, entraîné par d'autres courants, accaparé par la vie littéraire, ramenant tout à cette œuvre fiévreuse et qui juge si durement ce monde dont j'étais complice – mais mon cœur était vôtre. Que je souffrais de certaines attaques d'*Esprit* et d'autant plus que je savais les mériter!...

Et maintenant je ne suis plus qu'un vieil homme fatigué... Mais le peu de force qui me reste est à vous. Et maintenant soyons pratiques.

Je travaille à la préface pour Robert Barrat[2]. Comme je ne peux plus rien au *Figaro* sur le Maroc, il s'agit de s'exprimer ailleurs. Je me demande si Robert ne devrait pas supprimer les noms propres : vous avez vu dans *Témoignage chrétien* la protestation du Père je ne sais qui? Je crains que ce livre ne nous attire de gros ennuis si vous laissez les noms. J'ai fait remarquer à Robert que le chapitre sur le Glaoui était très dangereux et nous exposait à un procès en diffamation... Il suffirait d'une forme interrogative pour tout arranger...

Je rentre mardi. Nous sommes tombés d'accord avec Robert sur l'impossibilité en ce moment d'un meeting et d'une conférence de presse. Je ne me dégonfle pas, mais je crois que pour l'instant le livre de Robert représente avec ma préface le genre d'action que nous pouvons avoir et nos réunions doivent être d'*information*. Et garder le contact avec nos amis marocains.

Je pense au père Depierre[3]. *Rien n'est perdu* de ce côté-là. L'échec (apparent) est l'état naturel du chrétien. Je prie avec vous et pour vous. Il faut que cette année nous unisse davantage dans une fraternité secrète connue de Dieu seul :

c'est l'heure des « petits frères » chers à Robert et à Massignon.

Merci encore et de tout cœur.

Fr. Mauriac.

312.   A PIERRE BRISSON

Malagar,
Saint-Maixant (Gironde),
24 mars *1954.*

Mon cher Pierre,
Je m'efforcerai de répondre calmement à votre « *vous savez bien qu'au fond j'ai raison* ». Et vous, vous savez bien que si je mérite ma propre estime et celle de tout ce qu'il y a de noble en France, c'est dans la mesure où je ne joue pas les belles âmes en première page du *Figaro* en me faisant le serviteur du gouvernement : de cette dictature à tête de bœuf dont nous établirons tôt ou tard le bilan. Vous êtes tout de même trop fin pour ne pas voir ce que je gagne moralement, spirituellement, littérairement aussi, à ne m'être pas cantonné dans ces hautes sphères de tout repos où il eût été si pratique de me remiser. Et ce faisant, je me montre RAISONNABLE. Vous êtes bouleversé lorsque Garraud[1] entre chez vous, les yeux exorbités, en brandissant mon article sur le sultan, mais vous avez pu lire dans le dernier *Express* que cet article est approuvé non seulement par Mitterrand, mais par Robert Schuman – et d'ailleurs par tous ceux qui jugent sans passion de la situation marocaine.
Ne m'en veuillez pas, cher Pierre, de vous manifester l'indignation que je ressens. Je suis résolu à *tout faire* pour maintenir l'équilibre entre l'écrivain du *Figaro* et le militant que je suis devenu. Je crois que je suis de force à y réussir, mais à condition que vous ne retourniez pas contre moi cette « habileté » et que vous ne me poussiez pas, lorsque je marcherai sur la corde raide! Je vous demande de respecter en moi le meilleur de moi-même et de m'aider à utiliser ma collaboration au *Figaro* comme un *frein,* dans la mesure où un frein est nécessaire et bienfaisant. Voilà ce que je veux

réaliser. Aidez-moi, au lieu d'essayer de prendre avantage sur moi chaque fois que j'écrirai un article littéraire.

Sans rancune et avec toute mon affection.

F.M.

313.   A PIERRE BRISSON

Malagar,
Saint-Maixant (Gironde),
26 mars *1954*.

Bien sûr, cher Pierre, que je suis orgueilleux [1]! Mais précisément parce que je le suis, comment voulez-vous que je n'aie pas réagi avec violence à votre « *et puis vous savez bien que j'ai raison* »? C'est vouloir me donner de force une mauvaise conscience parce que depuis un an je suis un vieux chien qui refuse la muselière – et qu'il faudra peut-être *finir par abattre,* si j'en crois certaines menaces. Orgueilleux? Oui, mais nous sommes à deux de jeu. J'ai l'orgueil de l'écrivain – vous, vous avez en plus celui de la puissance. *Je vous demande pardon* si je vous ai blessé comme vous m'avez blessé. Dites-vous bien qu'une chose est vraie au moins dans cette lettre dont vous vous êtes offensé : que nous ne gagnerons une partie difficile qu'*à force d'amitié.* Déjà une attaque à la Revue de presse contre J.-J. Servan-Schreiber (attaque d'ailleurs qui se justifie) me rendait hier sensible le danger de la position [2]. (A *l'Express,* ils sont résolus à être toujours gentils pour *le Figaro.*) Je vous promets de faire de mon mieux. Mais comprenez que c'est pour moi moins une affaire d'*orgueil* (cela joue aussi, bien sûr!) qu'une question de conscience, d'honneur, le désir de laisser de moi une image *noble* (ça c'est encore de l'orgueil, mais vous aimez cet orgueil-là!)

Ecrivez-moi que vous m'avez pardonné. Je vous envoie un article sur l'affaire Besnard qui n'est pas à l'eau de rose. Il fait beau. Vous ne reconnaîtrez pas mon roman [3].

A vous.   F.M.

319

Si vous saviez ce que mon « orgueil » apparent recouvre de *doute,* de dégoût de moi-même souvent et quel sentiment j'ai de la place *démesurée* que j'occupe, moi qui sais qui je suis! C'est l'avantage du chrétien pratiquant de ne pouvoir nourrir aucune illusion sur ce qu'il est...

314.   A DENISE BARRAT

Hôtel du Mont d'Arbois,
Megève,
7 août *1954.*

Chère petite Denise,

Le BA ba de l'immolation des *agneaux* (et vous êtes un agneau[1]) c'est de n'être pas compris, même des êtres qui les aiment le plus et qui sont le plus près de Dieu. Voilà ce que je voulais vous dire. Oui, il reste tout : c'est-à-dire la sainte Hostie... Je l'écrivais à Robert; le vieil homme que je suis qui cache, sous tant de pétulance, une tentation de désespoir, à certaines heures, qui l'effraie lui-même, aimerait se coucher lui aussi comme un vieux chien crotté par toutes les boues de tous les chemins, aux pieds du Seigneur que vous avez dans votre maison[2]. Chère Denise, il n'y a pas d'autre bonheur en ce monde que d'avoir un cœur capable de le connaître et de l'aimer. Je vous écris dans un luxueux hôtel, par un beau jour lumineux, et je n'ai pu qu'une fois aller à pied, vendredi, communier à Megève. Et je le ferai encore demain dimanche pour *vous seule.*

Jean-Jacques Servan-Schreiber, arrivé ce matin, m'a expliqué la terrible situation du Maroc. Le Glaoui rend tout difficile. Ce Jean-Jacques, si loin de nous, me montre une confiance, une affection, une gratitude qui me touchent. Il fera tout pour Robert, je crois, si le ministère dure. Mon fils Jean, que l'*A.F.P.* avait envoyé en Tunisie, est revenu stupéfait de l'adoration qui l'entourait parce qu'il était mon fils... Etrange vie que la mienne!

Chère Denise, je ne sais pas si mon amitié est une grâce pour Robert et je me demande si ce n'est pas le contraire. Vous avez peur que je vous juge mal, c'est-à-dire plus en Dieu que vous ne l'êtes. Mais que dirais-je alors de l'idée que

320

vous vous faites de moi? Robert me connaît mieux, aussi est-il plus dur... Que le Seigneur nous prenne tous dans sa pitié. Qu'il nous comble de son amour. *Réjouissez-vous* de l'aimer et d'être aimée de Lui. Tressaillez de joie en Dieu votre sauveur. Et que ce soit dans les larmes, dans l'humiliation, dans l'abandon – mais avec Lui et pour Lui.

Votre vieil ami.

François Mauriac.

315.   A ROGER MARTIN DU GARD

La Motte,
Vémars par Survilliers (S. et O.),
31 août *1954.*

Cher ami,

J'ai au contraire été très touché de votre lettre[1]. Il faut croire que vous avez raison puisque tant de critiques ont réagi comme vous. Du point de vue de l'art, la seule excuse du roman d'inspiration catholique est de se faire admettre par tous les lecteurs. Il n'est aucun de mes livres que j'aie autant travaillé, remis sur le métier : c'est peut-être en effet le plus « volontaire »... Non que je ne connaisse des « agneaux » mais leur souffrance, leur immolation et leur mort s'accomplit dans le secret, dans la nuit et n'a d'autre terrain que cet amour incréé en qui je crois.

Cher ami, je m'étonne moi-même parfois de ce monde étrange : nous sommes les témoins, pauvres chrétiens, de ce que nous n'avons pas vu, de Celui en qui nous avons *cru*. Tout se ramène à une parole qui a été dite, à une promesse qui a été donnée à un moment du monde par quelqu'un que nous avons aimé et à qui nous avons fait confiance. Sans preuve, oui... Sans autre preuve qu'une secrète réponse, très furtive, parfois, que l'efficacité sacramentelle et que cet amour en nous...

Pardon de vous dire cela. Je vous aime bien de loin et sans vous connaître parce que vous êtes un homme *vrai.*

François Mauriac.

10 octobre 54[1].

Mon cher Pierre,

Avant que nous nous retrouvions, je tiens à vous expliquer calmement pourquoi, durant votre absence, j'ai dû interrompre ma collaboration au journal. Je suppose que vous avez été tenu au courant de ce qui s'y est passé, dès votre départ, de la position de combat prise par *le Figaro* alors que le président du Conseil négociait à Londres et des incidents Baranès. C'est une bénédiction que nous ayons été absents tous les deux.

Le ministre de l'Intérieur[2], sous le coup de la colère, souhaitait que je revienne à Paris. Sans doute voulait-il me demander une prise de position publique. Je suis resté à Malagar en répondant que j'étais résolu à ne prendre aucune initiative en votre absence et sans m'être entendu avec vous. Il a cédé à mes raisons mais, le soir même de mon retour, vendredi dernier, il m'a demandé de venir au ministère et a tenu à ce que je connaisse à fond le dossier de l'affaire, qu'il m'a fait étudier jusqu'à une heure du matin[3].

Je sais que vous ne pensez guère de bien de Mitterrand. Je le connais depuis vingt ans : c'est un garçon très intelligent, très ambitieux, qui ne doute pas que son destin soit d'être président du Conseil, mais aussi très patriote. Les raisons psychologiques qui eussent dû suffire à prouver que Dreyfus ne pouvait pas avoir trahi ne sont rien auprès de celles qui rendent absurde toute idée de collusion entre Mitterrand et les communistes.

Que ressort-il de ce dossier? L'affaire de trahison est claire désormais, s'il reste des doutes sur les bénéficiaires réels des fuites. En tout cas, le commandant de Rességuier qui mène l'enquête, plus près d'*Aspects de la France* que de tout autre parti, échappe à toute pression ministérielle.

Reste le guet-apens contre Mitterrand. A mon avis, il est indéniable dès qu'on étudie le dossier. D'ailleurs vous-même, cher Pierre, en toute bonne foi, vous m'avez répété plusieurs fois que Mitterrand travaillait pour les communistes ou du moins était en liaison avec eux. Vous vous souvenez de ma stupeur et, hélas, l'interrogatoire que Baranès a subi au

Figaro et dont j'ai lu la minute ne laisse aucun doute sur l'état d'esprit des questionneurs.

Mettez-vous à la place de cet homme jeune, ambitieux, ministre de l'Intérieur, dont le chef mène à Londres une négociation qui engage l'avenir du pays. Il était hors de lui. Ses réflexes de défense auraient pu aller loin. Il est heureux que les circonstances n'aient pas laissé le temps aux interpellateurs de porter l'affaire à la tribune.

Je suis sa caution morale, il m'a connu et admiré dès son adolescence. Il compte sur moi. Comme je l'ai téléphoné de Malagar à Jean-François[4], je crois que dans cette histoire, durant laquelle je me suis efforcé de garder la tête froide, je dois essayer de jouer un rôle conciliateur aussi longtemps qu'il me sera possible. D'un côté il y a *le Figaro*, c'est-à-dire vous, c'est-à-dire notre amitié, d'un autre côté il y a un homme, un gouvernement que je ne crois nullement infaillible, croyez-le, mais je considère son œuvre depuis trois mois et je puis dire que, pour la première fois de ma vie, la politique ne m'a pas déçu[5]. Je crois que la vérité, vérité toute relative bien sûr, est de ce côté, que le pays dans ses profondeurs l'a senti, que l'intérêt du journal, sur le plan moral comme du point de vue le plus pratique, est d'en prendre conscience. Cette malheureuse affaire qui pourrait tout rompre entre nous ne pourrait-elle être au contraire l'occasion de restaurer au journal un climat où je ne me trouverais plus dans une position gênée et humiliée ?

Voici ce que je vous propose : François Mitterrand désirerait beaucoup vous voir et vous ouvrir, comme il me l'a ouvert à moi-même, le dossier de l'affaire. Il consentirait même à ce que vous fussiez accompagné de Robinet ou de Gabilly, malgré les sentiments que lui inspirent deux hommes qu'il considère comme ses ennemis mortels. Il espère que votre religion une fois éclairée, vous pourriez, sans renier personne, sans humiliation pour personne, mettre vous-même les choses au point et clore en somme cet horrible débat. Je pense que ce serait pour le journal, en tout état de cause, un grand avantage et l'occasion d'un indispensable redressement.

Si cela vous paraît impossible, si vous vous refusez à examiner la question, que puis-je devenir[6]? Les gens s'étonnent de plus en plus de ma situation ambiguë et des correspondants me reprochent ma duplicité. Il resterait donc, mon cher Pierre, à envisager de quelle manière je pourrais sortir de cette impasse. Croyez que mon vœu le plus cher serait que ce fût sans vous porter tort et sans nuire au journal. Je vous demande en prenant votre décision d'écarter les questions de personnes. Je vous supplie de me croire si je vous assure qu'en dehors d'un seul membre de la famille, les Servan-Schreiber me sont aussi étrangers que les Cotnareanu ou que les Prouvost.

Je vous remercie de votre lettre affectueuse. Je souhaite que nous sortions de cette passe troublée. C'est peut-être Mendès France lui-même qui, en désarmant ses adversaires par son action politique, nous y aidera.

Bien affectueusement vôtre.

François Mauriac.

317.　　　　　A JEAN COCTEAU

14 janvier 55.

Cher Jean,

Voilà que tu commences une collection d'académies! Tu penses bien que je te suis tout acquis. Mais je n'ai guère d'influence (et même je n'en ai aucune!) dans cette maison où je ne vais plus jamais... que pour voter, rassure-toi! Ce que je peux faire, c'est d'agir sur quelqu'un comme Duhamel par exemple. Mais je te supplie de ne pas trop prendre la chose à cœur. Tu viens d'être malade : ne te donne pas d'émotions inutilement! L'académie a un besoin *urgent* d'écrivains. Toi, tu n'as pas besoin d'elle (je serais presque tenté de dire au contraire).

J'en profite pour te remercier de tes beaux poèmes : j'en ai lu beaucoup déjà dans les revues mais je ne suis pas encore entré dans le livre.

(...) Je fais le 28 mes débuts à l'écran[1]! Il s'agit d'un film chrétien, comme il y a des films soviétiques, – un film pas désintéressé du tout! Le garçon et la fille à peu près inconnus, Jean-François Calvé et Françoise Goléa, me paraissent très bons. Je voudrais tant pour eux que ce soit un point de départ. Que c'est beau le départ, l'« appareillage »! Que je suis peu jaloux de la jeunesse! Que je désire pour elle ce que j'ai eu et ce que je n'ai pas eu!...

Cher Jean, je prie pour toi. La vieillesse me fait toucher la *réalité* de ce que j'ai dit, de ce que j'ai « proféré » toute ma vie. Sans le mettre en pratique, hélas...

De tout cœur.

François Mauriac.

318.   A ROBERT BARRAT

38, avenue Théophile-Gautier, XVIᵉ,
Dimanche début février 1955.

Cher Robert, j'ai déjeuné avec Fouchet[1]. Il s'agissait de m'amadouer. Il m'a assuré que la petite phrase ne signifiait rien, qu'on ne construira rien sur Arafat – mais qu'on ne veut ni l'ancien sultan ni aucun des deux fils et qu'il faut, avec l'accord de Mohammed Ben Youssef, *trouver le troisième homme.* Lisez dans *l'Observateur* « le lobby marocain » : c'est le secret de tout.

J'ai travaillé tous ces jours-ci au tournage de mon film, à Saint-Séverin vidé de Dieu et de ses chaises!... Je n'avais pas très bonne conscience, bien que ce fût d'accord avec l'église et *ad majorem Dei gloriam.* Votre ami le petit vicaire berbère, s'il avait eu un fouet, nous eût chassés. Il était indigné. Moi qui ai écrit ce film dans un grand amour de l'Eucharistie, je suis maintenant troublé et inquiet. J'aurais passé mon temps à faire du mal même quand je croyais faire du bien. Il est dur, ce petit prêtre. A propos du *défroqué*, il m'a tenu des propos, lui, très saint prêtre, qui me donnent le sentiment que nous avons été trompés, nous les gens de mon âge, ma pauvre mère, sur ce qu'est la présence réelle, le pouvoir des prêtres, la religion personnelle : où est la Vérité?

Oui, cher Robert, venez tous deux à Malagar avant le 25. Vous me ferez du bien. Je suis désemparé et triste[2]. Je reçois des lettres terribles parce qu'administrateur du *Figaro.*

Dîner avec Mehdi Alaoui et Zuntar[3], si doux même dans leur tristesse, si affectueux avec moi. Mais peut-être que le Christ ressemblait à ce petit prêtre berbère votre ami, le

Christ irrité et dur pour les riches et les nantis. Je n'ai pas osé prier ce matin durant ma communion tellement je me sentais *affreux* : le lépreux de l'évangile – le lépreux mal guéri.

Dès votre retour, voyez Jean-Jacques. Il le désire beaucoup. A bientôt, cher Robert, chère Denise. Pardonnez-moi cette lettre cafardeuse.

Votre

F.M.

319.   A PIERRE BRISSON

> Malagar,
> Saint-Maixant (Gironde),
> 4 avril 55.

Cher Pierre,
J'attendais votre lettre. Elle ne fait aucune allusion à ce qui de nouveau nous sépare... Vous l'avez bien senti au ton de ma dernière lettre. Je commençais à espérer. Ce nouveau ministère, qui n'est pas un ministère de combat, permettait, il me semble, de rétablir un équilibre, certes difficile et instable entre nous[1]. Et voilà, dans une circonstance significative sur tous les plans, que le journal prend, *seul* de toute la presse, une position – ne m'en veuillez pas d'écrire « odieuse »; (elle ne l'est pas dans votre esprit) mais c'est ce qui apparaît, je vous le jure, à un immense public. Pour comble de malheur, vous répondez à un seul mot désobligeant par des lignes insultantes. Que dois-je faire? On me le demande de toutes parts. Si je suivais ma pente, croyez-moi, cher Pierre, je ferais retraite ici et ne m'occuperais plus que de mon éternité. Il n'en est pas question. La période électorale s'ouvrira bientôt et exaspérera les passions. Je ne puis pas demeurer neutre dans l'affaire Stéphane[2] alors que mon nom contresigne en quelque sorte la position du *Figaro*. Vous savez, tout Paris sait, d'où viennent les indiscrétions de Stéphane : du président du Conseil lui-même. Aucun homme sérieux ne peut croire que le sort de la guerre a dépendu de ces articles. La manœuvre qui se dessine à ce propos, j'en

parle dans un prochain article, où il va sans dire que je ne mets ni directement ni indirectement *le Figaro* en cause. Mais enfin, voilà où nous en sommes... et je crois en être bien innocent. Je ne puis encore vous envoyer d'article. Cherchons ensemble une issue. Je n'ai qu'une idée, si nous devons nous séparer : que ce soit sans injure, sans haine, en sauvegardant tout ce qu'il nous sera possible de sauvegarder d'une amitié qui m'est chère[3].

Votre

F.M.

320.   A PIERRE BRISSON

Malagar,
Saint-Maixant (Gironde),
7 avril 55.

Cher Pierre,
Je voudrais seulement vous *supplier* de ne pas ramener à des questions de personnes ce qui est un débat d'idées. Je vous jure que je ne nourris *aucune* illusion sur les personnes contre lesquelles vous vous déchaînez, que je connais beaucoup mieux que vous ne pouvez le faire, qui ne méritent nullement votre mépris, mais dont le zèle à mon endroit est trop intéressé pour qu'il puisse obscurcir mon jugement. Rien ne peut faire que nous ne soyons de plus en plus engagés l'un et l'autre dans des mouvements opposés. Et c'est cela seul, croyez-moi, cher Pierre, et non la pression subie par un clan, qui m'entraîne, malgré mes efforts pour maintenir ma collaboration avec vous. Je me demande parfois ce qu'en pensent des hommes qui « signent » le journal avec moi, Schlumberger, Lacretelle, Siegfried? Croyez-vous que si vous nous réunissiez parfois pour parler d'autre chose que du prix du papier, nous ne pourrions trouver une « ligne » un peu différente de celle que vous suivez? Mais d'ailleurs les jeux sont faits maintenant.

C'est du président du Conseil lui-même que sont venus les renseignements que vous savez... Je l'ai su à une époque où les gens n'avaient aucune raison de me tromper; et j'ai d'ailleurs d'autres raisons de le croire; mais laissons cela, cher Pierre, attendons encore, patientons encore. Je ne mets aucune passion dans tout cela, hors celle de la justice : faire porter à des innocents la responsabilité de cette guerre abominablement soutenue pour des raisons trop connues et de cette défaite, c'est ce contre quoi je ne cesserai de me battre. Et vous savez bien que c'est nous qui avons raison. Et c'est avec nous que vous seriez, vous, Pierre, si vous étiez un simple particulier et non le responsable de cet énorme journal[1]...

De tout cœur vôtre.

F.M.

321.   AU GÉNÉRAL DE GAULLE

38, avenue Théophile-Gautier, XVIe,
7 juillet 55.

Mon Général,

Je n'ai pas voulu que *l'Express* paraisse avant que vous ayez pris connaissance de ma réaction à votre conférence du Continental[1]... J'ose espérer qu'elle ne vous blessera pas et que vous sentirez toute ma respectueuse et fidèle admiration. Mais nous nous efforçons de communiquer à notre jeune public ce qui nous paraît évident : c'est que le retour de l'actuelle majorité en 1956[2] précipiterait la décadence française. Tout ne sera pas sauvé, si nous l'emportons et le régime restera ce qu'il est – mais non les hommes – et vous êtes un exemple de ce que peut un homme.

Je vous redis notre confiance en vous, le besoin que nous avons de vous, la certitude que votre *avenir* peut être aussi grand que votre passé et je vous prie d'agréer, mon Général, l'hommage de mon respectueux et fidèle attachement.

François Mauriac

Hôtel du Mont d'Arbois,
Megève,
7 août *1955.*

Cher Pierre,

Votre paragraphe *question Sultan* me consterne[1]. Je sais bien qu'il est là pour faire passer le reste, mais il n'est pas un mot qui ne soit une contre-vérité et une faute politique.

« *A aucun degré digne d'intérêt* » l'« exilé » de Madagascar ? Même pas en tant qu'*exilé* et exilé *par nous* ? Mais qu'en savez-vous? Le connaissez-vous? Demandez à Izard ce qu'il pense de son client. Et puis ce n'est (pas) l'intérêt qu'il nous inspire à nous, ses ennemis, qui importe.

Son retour est impossible et d'ailleurs exclu? Son retour dans les jours qui viennent, tout le monde est d'accord. Mais que croyez-vous que demandera l'interlocuteur éventuel? Et quelle erreur que de fermer d'avance une porte que vous serez presque sûrement obligé d'ouvrir et que d'insulter un homme qui a actuellement tout son peuple dans la main et qui dépend bien moins de nous que nous ne dépendons de lui!

Son nom flambe sur les bannières du fanatisme. Quel fanatisme? Bekkaï est-il un fanatique? Tout ce qui manifeste un sentiment religieux offensé par la force brutale est-il du fanatisme? Pour la première fois *par l'imbécillité de notre politique,* le peuple marocain prend conscience de lui-même en la personne de son sultan. Où est le fanatisme? Moi je crois plutôt le contraire.

Me voici donc souscrivant une fois de plus à un miracle d'injustice et de maladresse. Cet art de faire coïncider la faute politique avec le péché contre la vérité, l'erreur politique et l'erreur sur le plan moral!

Ne croyez pas surtout, cher Pierre, que je cherche un « prétexte ». J.-J.[2] est ici pour huit jours mais parle peu de son « projet » et en est aux problèmes d'argent, je crois.

Je ne sais comment me désolidariser. Je ne vous propose pas une lettre, ne voulant vous causer nul ennui.

Il fait beau et frais.

De tout cœur.

F.M.

Megève 13 août *1955.*

Votre lettre m'émeut beaucoup, cher Pierre. Elle me prouve que vous voyez enfin à quels ennemis nous avons affaire – nous, c'est-à-dire la France. Vous les dénoncez dans les mêmes termes que moi. Mon dernier article vous définit très exactement les raisons *qui n'ont aucun caractère passionnel* du choix que j'ai fait – parce que le retour pour cinq années des hommes (qui, après avoir entretenu, durant des années, la longue imposture, la sanglante imposture indochinoise, se préparent à recommencer au Maroc) – leur retour déciderait, je le crains, du sort de ce pays.

Contre Mendès France, vous ne pouvez plus soulever les objections de naguère. La« *révolution* » russe (car il s'agit de rien moins que de cela et je vous recommande de lire avec attention dans *l'Express* de la semaine prochaine un article remarquable d'Izard) prouve à quel point Mendès a vu juste à la fois contre Claude Bourdet et contre les « cédistes ». Faut-il que *le Figaro* marche à fond contre lui et pour Pinay?

Et ceci me ramène au problème que je tourne et que je retourne dans cette chambre d'hôtel. Au cas où ce quotidien verrait le jour[1], comment, moi qui suis l'un des chefs de la cause qu'ils défendent, pourrais-je déserter?

Comme je vous le disais dans ma dernière lettre, ils en sont encore à résoudre le problème financier qui se pose pour eux dans les mêmes termes où il se posait pour nous au *Figaro* : il s'agit de rester indépendant. Ils refusent donc les « gros paquets » qu'on leur offre et s'efforcent de réunir de nombreux souscripteurs, de manière à garder la majorité et à rester libres de toute pression. C'est une difficulté sérieuse entre beaucoup d'autres. Mais J.-J. *veut* son quotidien et j'ai rarement vu une volonté si tendue et si peu capable de découragement.

Plus j'y songe et plus je me persuade qu'il n'y a pour moi qu'une issue et qui est que vous déclariez, à la veille de la bataille électorale, que *le Figaro* comporte, parmi ses lecteurs comme parmi ses rédacteurs, des partisans de tous les partis (sauf communiste) et que vous demandez donc à votre public d'*accepter* que les différents points de vue soient défendus dans le journal.

Car enfin le programme que P.M.F. prépare et va faire entériner par le parti radical – et il donnera son investiture à tous les candidats, quelle que soit leur obédience (la question ne se pose pas pour le P.C.) qui y souscriront, mais à ceux-là seulement – n'a rien de déshonorant : c'est le moins qu'on en puisse dire[2]. Et au *Figaro* même, presque toute la rédaction du *littéraire* et des garçons que vous aimez, comme par exemple Macaigne, partagent mes idées.

Il va sans dire que dans cette hypothèse je saurais garder le ton de la maison et ne pas jeter de l'huile sur le feu.

Cher Pierre, je me mets à votre place. Je comprends vos difficultés, vos responsabilités financières et autres. Je demeure persuadé qu'en dépit des secousses, ce serait un afflux de vie et de jeunesse pour le journal et vis-à-vis du nouveau concurrent (mais paraîtrait-il sans moi?) une défense, une parade contre laquelle ils seraient désarmés.

Ne croyez pas que je cherche ici une échappatoire. Si vous refusez et si je me trouve dans l'obligation de vous quitter, je le ferai avec tristesse et angoisse 1) parce que vous êtes mon ami et que j'appartiens tout de même par le cœur à ce damné journal! 2) parce que je vais avoir 70 ans et qu'il y a un point où le *Figaro* est imbattable, c'est dans la charité à l'égard de ses vieux serviteurs jusqu'aux dernières limites de leur vie. Ne croyez pas que je vous mette dans le même sac que J.-J. Je suis sa vieille poule aux œufs d'or. Mais quand il n'y aura plus d'œufs d'or!... Non qu'il soit incapable d'attachement et qu'il n'ait, si dur qu'il soit, une secrète délicatesse; il me montre beaucoup de confiance et d'amitié et c'est, malgré tous ses défauts, le contraire d'un hypocrite. Mais vous me couvrez d'or en ne me demandant qu'un article par semaine. Avec ce jeune patron implacable, il faut travailler comme il fait lui-même : c'est d'ailleurs la force de cette petite équipe qu'il anime.

Je vous confie ceci pour que vous compreniez *ma sincérité* lorsque je souhaite, sans trop espérer que ce soit possible, que vous acceptiez, dans la période qui s'ouvre, qu'un ami de P.M.F. puisse défendre sa politique dans vos colonnes.

Si c'est impossible et si je dois vous quitter, je tiens à vous redire que j'ai averti J.-J. – et il l'a accepté sans discussion – qu'un « gentleman agreement » tacite serait signé entre les deux journaux et que je n'accepterais pas un état de polémique entre eux. Vous me répondrez que *le Figaro* ne craint personne. Sans doute. Mais le climat politique en serait, sans aucun doute, purifié.

Dans cette hypothèse, je devrais quitter le conseil d'administration mais pourrais collaborer encore au *littéraire*, pour bien marquer que nous restons amis. Et il va sans dire que je renoncerais à tous les avantages financiers et autres dont vous m'avez toujours comblé et que je n'oublierai jamais.

J'ai communié, ce matin, cher Pierre, en demandant à Dieu qu'il nous éclaire tous à ce tournant de nos vies.

J'ai vu la maquette du journal. Très sincèrement, c'est si différent du *Figaro,* comme format, comme disposition, ce sera tellement plus mince que je ne vous crois nullement menacé, *sauf à la longue,* s'ils tiennent le coup, et s'ils conquièrent peu à peu la jeunesse.

Voilà ce que je voulais vous dire. Il nous reste la chance que le journal ne se fasse pas, mais j'en doute, tant je crois à la force de ce garçon (si fragile par certains côtés). Mais il n'est pas sûr qu'il le fasse sans moi. Du moins il m'assure.

Je reste ici une huitaine encore (jusqu'au 22) et vous pouvez m'y adresser votre réponse.

A vous de tout cœur.

F.M.

J.-J. est parti. Je suis seul ici et vous écris en dehors de toute « pression » et je puis le dire : devant ma conscience et devant Dieu.

324.   A PIERRE BRISSON

Malagar,
Saint-Maixant (Gironde),
22 septembre 55.

Mon cher Ami,

L'*Express,* vous le savez, va devenir un quotidien. Je ne puis continuer d'y collaborer en demeurant administrateur de la Société Fermière du *Figaro*. Je ne saurais pourtant renoncer à l'action que je mène depuis deux ans.

Il s'agit pour moi de ne pas abandonner ce combat, tout en restant fidèle à une amitié qui date d'un quart de siècle et qui est demeurée sans ombre en dépit de la différence de nos vues sur la situation politique.

Je vous demande donc d'accepter ma démission de membre du Conseil d'administration de la Société Fermière. Mais, si vous y consentez, je demeurerai, ce que je suis actuellement, le collaborateur régulier du *Figaro littéraire*.

Ainsi je continuerai d'appartenir à une Maison qui me reste chère. Si dans une circonstance exceptionnelle vous souhaitiez de moi un article au *Figaro*, je serai toujours heureux de répondre à votre appel.

Veuillez croire, mon cher Ami, à mes sentiments affectueux.

François Mauriac[1].

325.   A PIERRE BRISSON

38, avenue Théophile-Gautier, XVIe,
8 mars 56.

Cher Pierre,
Je suis heureux que ce « Léautaud[1] » vous ait plu. Mais je ne puis vous en dire autant de votre dernier article : ce grossier outrage à un homme aujourd'hui désarmé et qui, rivé à son strapontin, ne vous gênait guère[2]! Lui, un Iago[3]? Si vous le connaissiez! Il n'est tant haï que parce qu'il est d'une autre race (je l'entends au spirituel). Soyez heureux : notre dernière carte qu'il était seul à avoir une chance (petite) de bien jouer, de jouer avec bonheur, c'est un pauvre homme qui l'a d'ores et déjà gâchée. Et maintenant tout va se dérouler dans l'ordre prévu et les écluses de sang qui n'étaient qu'entrouvertes vont être levées.

Je me suis retenu une fois encore de vous répondre. Mais j'ai défendu en quelques mots qui vous déplairont le discours de Pineau – ce dont s'est chargé d'ailleurs de son côté votre correspondant à Londres...

Cher Pierre, cela ne change rien aux sentiments personnels. Mais quand on est en désaccord sur l'essentiel (je ne dis pas sur tel ou tel aspect de la politique, mais sur le « combat spirituel » lui-même), à quoi bon se voir pour ne se rien dire ou pour se trop dire?

Le retour de l'*Express* à l'hebdomadaire va me permettre de prendre un peu de champ avec la politique – car que faire et que dire désormais? Nous avons joué et perdu. Mais je doute si la France a gagné... Je pars lundi pour un mois me terrer à Malagar.

A vous, toujours affectueusement.

F.M.

Dites à Jean-François que sa chronique sur la mode, cette opinion de « l'homme », d'Adam sur Eve, m'a enchanté.
Vos chroniques sont bien meilleures d'ailleurs : J.-M. Bernard est souvent délicieux.

326.   A ROBERT VALLERY-RADOT

Zermatterhof Zermatt,
21 juillet 56.

Cher Robert,
C'est dans cet hôtel suisse au pied du Cervin que je puis lire enfin et méditer votre livre[1] dont la dédicace a éveillé en moi tant de chers souvenirs. Comme je me sens d'accord avec ce saint religieux! Comme à mon âge, après toute une vie tissée de tant de misères, d'orgueil, d'impureté, de méchanceté, d'avarice, on comprend, on sent ce que signifie : « Dieu est amour... », puisque après tout j'étais tout à l'heure à la messe avec ma petite-fille (Claire est ici avec cette petite-fille : Anne et son frère) – et que je disais au Seigneur que je venais de recevoir, les mêmes paroles qu'il y a soixante ans, le jour de ma première communion! S'Il est encore là, c'est qu'Il ne m'a jamais quitté. Il y a les hommes comme vous qui souffrent pour les autres et se substituent à eux, – et il y a les autres et une pauvre fidélité comme la

mienne, à travers tant d'infidélités, est le gage que nous n'avons pas été abandonnés : « Mon Dieu, pourquoi ne m'avez-vous pas abandonné? » C'est la tendre prière de ma vieillesse. Et je demeure convaincu que toutes les spéculations sur la Grâce, depuis saint Augustin, ont empoisonné la sainte Eglise!

Il y avait bien du faux dans les attitudes de notre jeunesse – mais cependant nous aimions le Christ. On ne trahit que ce qu'on aime et on continue d'aimer Celui que l'on a trahi. Au fond, les âmes d'une certaine race n'aiment que Dieu, mais elles ne le savent pas ou ne veulent pas le savoir. Cher Robert, par des routes si différentes, nous nous retrouvons unis dans le même amour, avec cet abîme entre nous de votre vie crucifiée et de ma vie glorifiée. Mais la croix est partout et mon seul *vrai* bonheur, c'est d'espérer que je suis avec le Seigneur et que j'ai bien des raisons d'espérer, à soixante-dix ans, que je m'endormirai dans Son amour. Je pense à Paule, à vous, à mon frère Jean, à tant d'épreuves qui paraissent monstrueuses sur le moment; et je vois, je sais, que tout trouve sa réponse dans cet amour du Père, dans cette possession du Fils – car nous sommes *possédés* nous aussi – dans ces inspirations de l'Esprit. Je prie pour vous, ce matin, pour les vôtres morts et vivants. Nous nous retrouverons tous, un jour prochain, dans cette lumière que voyait le vieux Tobie aveugle. Merci du livre, merci pour votre exemple, pour tout ce que j'ai reçu de vous au départ et qui ne m'a plus quitté.

Votre

F. Mauriac.

327.   A MICHEL P. HAMELET

Zermatt, 25 juillet *1956.*

Cher Marius[1],
J'ai été heureux de ta lettre qui ne m'a pas étonné. Comme pour le Maroc je me trouve être un central P.T.T. où parviennent des renseignements de *tous les bords,* et ton désarroi n'est hélas que trop motivé.

Le 6 février a été un jour néfaste entre tous. Plus le temps passe et plus je vois comme P.M.F. avait vu juste. Il eût peut-être raté son coup – car il concentre trop de haine et il n'aurait pas eu derrière lui une majorité assez résolue[2]. Mais il est évident qu'il fallait *d'abord,* appuyé sur une forte armée, réduire au silence les irréductibles d'Alger et par là donner la preuve aux rebelles de la sincérité du gouvernement, en ce qui concerne les réformes. Et à partir de là, négocier, comme P.M.F. sait le faire. (Les rebelles le redoutent à ce point de vue et comptent bien avoir affaire à Pinay ou à Edgar Faure.) A l'heure actuelle, les « Français d'Algérie » (ceux qui s'expriment par la presse) ne cachent (pas) qu'ils ne veulent aucune réforme et considèrent que les 400 000 hommes venus de France sont là pour empêcher qu'elles se fassent. Chaque jour qui passe creuse l'abîme qui sépare les deux races. Oh! tu penses si je sais qui est Lacoste! « Admirable » était là pour répondre d'avance aux états de service passés : résistance etc. Et les mensonges de la presse! Le dernier article de Poncet! Enfin!

J'espère que ton fils va bien. Ici je me repose dans un paysage sublime. Depuis cinq ans je suis dans une grande *Paix* (bien imméritée!) et il est étrange de penser que c'est cette paix intérieure qui me donne cette sorte de « pugnacité » dans la bataille politique.

Je ne suis pas pessimiste, malgré tout. Je sens trop autour de moi et à de grandes profondeurs les ressources spirituelles de ce pauvre vieux pays...

De tout cœur.

F.M.

328.   A FRANÇOIS MITTERRAND[1]

38, avenue Théophile-Gautier, XVIe,
1956 ou 1957.

Cher ami,

Je vous communique cette lettre de J.-P. Sartre. Comme il y est question de vous, si vous aimez les autographes, vous serez peut-être content de la garder[2]!

Mais c'est ce qu'elle demande qui m'importe. Croyez-vous qu'il y ait quelque chose à faire?

Je regrette d'avoir usé de votre amitié pour un voleur d'autos, alors que ceux-là méritent bien davantage notre pitié!...

Je compte sur vous et vous serre affectueusement la main.

François Mauriac.

Il est beau de voir cet athée secourir les victimes des M.R.P. couverts de sang...

329. A MADAME FRANÇOIS MAURIAC

Malagar,
Saint-Maixant (Gironde),
25 mars 1957.

Je n'ai point grand-chose à vous raconter, chère Jeanne. Tout se passe comme prévu. Le temps est sombre, mais c'est tant mieux, à cause de la gelée. Le baromètre monte beaucoup. Je ne m'ennuie pas. Le tourne-disque ne chôme guère. (...)

J'ai fait mon article *Figaro,* très « malagarien ». Il part aujourd'hui. Et je vais essayer de reprendre un récit[1]. Il ne semble pas y avoir de drame parmi le personnel.

Un désastre (réparable), c'est le dégagement du pilier souhaité par vous. Ce que la nature dissimulait merveilleusement s'étale maintenant dans son horreur et sa misère. C'est très laid et ça change l'aspect que nous aimions. Mais tout repoussera vite, j'espère.

Je lis beaucoup. Hier messe à Langon. Ce matin, comme c'est l'Annonciation, j'ai été à Verdelais. Il y a toujours le terrible sacristain unijambiste à voix d'eunuque.

J'espère que Jean est de retour et que tout va bien à Vémars. Je pense beaucoup ici à ce moment si proche pour votre mère[2] – mais tout autant pour moi. Comme il est facile de se détacher à mon âge! Le difficile, c'est de faire comme si on était attaché – alors que tout nous a quitté déjà.

Enfin, soyons confiants et reconnaissants pour tout, nous

qui sommes si épargnés. J'espère que vous êtes calme et paisible et que vous vous entendez bien avec votre fils! Je serai heureux de vous voir arriver. Mais la saison vous paraîtrait encore bien aigre! J'espère que vous viendrez avec la chaleur. A bientôt en tout cas et de tout cœur je vous embrasse.

F.

330.   A PHILIPPE GRUMBACH

38, avenue Théophile-Gautier, XVIe,
13 avril 57.

Cher Philippe Grumbach[1],

Non, votre lettre ne m'a pas étonné. Pourquoi une phrase, un mot font-ils leur chemin dans une vie? Dieu le sait qui se sert de nous, dont la volonté s'accomplit par nous et à travers nous... Ne craignez pas que je cherche à vous « pousser » dans une certaine direction. Personne n'a jamais converti personne, et jusqu'où vous devez aller sur ce chemin que vous avez entrevu dans un éclair, c'est le secret de la grâce, c'est votre secret.

Puisque vous m'avez donné cette grande preuve de confiance, laissez-moi seulement vous demander d'élever quelquefois votre pensée vers cet amour inconnu et vaguement pressenti. C'est cela prier. La prière ne tient pas dans des formules mais dans ce mouvement de l'esprit d'abord qui, s'il devient un mouvement du cœur, le plus petit élan d'amour, est déjà la prière parfaite. Il n'y a pas d'exemple que la prière d'un cœur dût demeurer sans réponse.

Et puis toujours cette question. S'il existe, cet amour inconnu, comment ne se serait-il pas manifesté aux hommes? Et ici vous qui êtes juif, pensez à ce Frère que vous avez, si proche de vous par le sang, – mais ici, je m'excuse de manquer déjà à la parole que je vous ai donnée.

Il y a de grandes impossibilités à admettre l'existence de l'Etre infini créateur de ce sombre monde, mais une plus grande impossibilité à croire qu'à la surface de la croûte terrestre, à un moment donné, la première cellule vivante est apparue toute seule, portant en germe la pensée et le génie de l'homme et la sainteté des saints et la folie des martyrs – la poésie des poètes et la musique de Mozart. Et moi, dès mon enfance, j'ai fait confiance à quelqu'un et je n'ai pas lâché la houppe de son manteau.

Comment appelle-t-Il les êtres? Le très mystérieux premier chapitre de l'Evangile de saint Jean nous le montre sans nous l'expliquer. Il y est précisément question de « Philippe » au verset 43 de ce chapitre. « Le jour suivant Jésus résolut d'aller en Galilée. Il rencontra Philippe et lui dit "Suis-moi..." »

C'est à Lui que je vous confierai désormais chaque jour qui me reste à vivre, cher Philippe.

Croyez-moi à vous.

François Mauriac.

331.   A DENISE BARRAT

> Grand Hôtel National,
> Lucerne (Suisse),
> 24 août *1957.*

Chère Denise,

J'ai été très touché de votre lettre, mais je veux m'expliquer avec vous au sujet du reproche que vous me faites : nous ne sommes pas du même bord[1]. Je me bats *pour que la guerre d'Algérie finisse et que des conversations soient engagées* mais je ne suis pas pour les meurtriers d'un des deux camps, contre les meurtriers de l'autre. Certes je vous accorde que les crimes commis par des partisans qui luttent pour l'indépendance de leur peuple sont plus excusables. Il n'empêche que les égorgements d'Algériens par les Algériens sont horribles, indéfendables. Je ne suis pas avec ceux qui les commettent. D'une certaine manière je suis l'adversaire des deux partis qui ont ce trait commun de ne rien vouloir céder sur rien. Il est injuste de refuser à la France un droit sur l'Algérie moderne telle qu'elle a été créée en un siècle : le problème, qu'il est monstrueux de régler par la guerre, consiste à trouver la formule de l'indépendance et des liens maintenus. Votre cœur et mon cœur ne sont pas du même côté : les crimes des Français je les dénonce, mais je ne me solidarise pas avec les Algériens. Et ils ont raison de m'en tenir rigueur, si c'est ce qu'ils attendent de moi. Je les aime, certes, en tant que peuple. Je demande à Dieu de voir avant de mourir la paix renaître entre nous. J'ai une pitié infinie de leur souffrance. Cette jeunesse immolée férocement et stupidement, je ne la sépare pas dans mon angoisse de notre jeunesse. Mais je ne réagis pas en partisan comme vous faites – comme c'est votre droit, d'ailleurs.

Je vous devais cette mise au point. Embrassez bien pour moi Patrice[2] et croyez que je suis votre ami.

Fr. Mauriac.

332.   A MADAME FRANÇOIS MAURIAC

Grand Hôtel National,
Lucerne (Suisse),
30 août *1958.*

Je pense, ma chérie, que vous devez être heureuse d'avoir retrouvé votre dernier-né. On me dit à l'hôtel que mon train arrive à Paris à 8 heures. Vérifiez, si possible.

La mort de Martin du Gard me fait peur : je ne voudrais pas finir à l'hôtel, seul! Et le vieil oiseau est content de regagner sa cage.

Il faut *absolument* s'occuper d'une tombe à Vémars. A qui s'adresser? Pensez-y et nous réglerons cela avant de partir.

Le numéro sur Martin du Gard du *Figaro littéraire* est très bon, il me semble[1].

Donc à mardi matin. Oui, j'irai directement à Vémars.

Votre

F.M.

333.   A PHILIPPE GRUMBACH

38, avenue Théophile-Gautier, XVIᵉ,
Le 6 novembre 1958[1].

Mon cher Philippe Grumbach,
La conjonction de ces deux caricatures est en effet regret-

table. Elles feront plus qu'irriter vos nombreux lecteurs catholiques, ils en seront blessés, et beaucoup me sommeront, je le crains, de quitter *l'Express.*

Jean-Jacques Servan-Schreiber m'avait fait sur ce point des promesses si nettes, que je ne puis m'empêcher de penser que, plus ou moins consciemment, vous ne tenez plus autant qu'autrefois à ma collaboration.

En tout cas, sur cet article-là, je ne transigerai pas : il ne s'agit pas d'anticléricalisme que je vous passerais fort bien, mais de moquerie sacrilège à l'égard de la Croix. La plaisanterie sur le Golgotha est particulièrement ignoble.

Je tiens à vous avertir que je compte publiquement m'exprimer sur ce point dans le prochain *Bloc-Notes*, en réponse aux lettres que je recevrai sans doute. Ce sera en même temps une prise de position publique et une promesse de me retirer si ces moqueries se renouvellent [2].

Je vous demande de communiquer cette lettre à la direction de *l'Express.*

Sincèrement vôtre,

François Mauriac.

334.   A JEAN GUÉHENNO

20 janvier *1959.*

Comment pouvez-vous imaginer, très cher Jean Guéhenno, qu'il puisse entrer dans ma pensée, quand il s'agit de vous, la moindre nuance de *mépris*? Le malentendu est presque inextricable entre nous. Bien sûr, *j'aurais pu* perdre la Foi. Je l'ai gardée jusqu'à 73 ans, je ne la perdrai plus. Mais vous, vous n'y opposez pas une *autre* foi. Vous n'êtes pas un matérialiste de style marxiste, ni un athée genre Sartre. Vous êtes devant l'inconnu. Alors simplement je vous demande de *laisser la porte ouverte,* de ne pas la *verrouiller* en tout cas. Rien de plus, aucun reniement. Vous êtes dans la situation de Jaspers « en état de réceptivité constante à l'égard des deux extrêmes possibles : Nietzsche ou Kierkegaard ».

Le Fils de l'homme, plus on vit dans les Evangiles, plus il apparaît évident que la « déification » ne s'est pas produite *après* lui; mais c'est bien de son vivant qu'il s'est donné pour fils de Dieu, et c'est très précisément pour cela qu'il a été crucifié : qu'étant homme, il s'est fait Dieu. Relisez l'aveugle né. « "Qui est-il Seigneur afin que je croie en Lui ? – Tu l'as vu. C'est Lui qui te parle. – Je crois Seigneur". Et, se jetant à ses pieds, il l'adora. »

Il l'adora et il l'aima. Ah! Cher Guéhenno, quand il s'agit de l'homme que vous êtes, aucune inquiétude ne nous tient à votre sujet; ce n'est pas le cas de Gide. Nous savons bien que vous êtes du côté du Christ et de ses bien-aimés. Simplement, vous passez à côté de la joie et de cette paix que le monde ne donne pas. Il ne s'agit pas de crier : *au secours*! mais de crier, ou plutôt de murmurer : "Dominus meus et Deus meus!" et de s'endormir dans cet immense amour.

A vous, bien fidèlement.

François Mauriac.

335.   A CHARLES-ANDRÉ JULIEN[1]

Malagar,
Saint-Maixant (Gironde),
Mercredi de Pâques 1959.

Cher ami,

Je suis bien ému par votre lettre confiante. Voyez-vous, à mesure que j'approche de l'extrême bord du rivage, il me semble entrevoir que ce que les uns nient n'existe pas en effet, parce que le Dieu que les autres adorent n'existe pas non plus. L'amour incréé est « impensable » et la plupart n'adoreraient que la grossière idole qu'ils se fabriquent eux-mêmes, *si cet Amour n'était pas devenu l'un de nous*. L'Incarnation c'est, pour l'humanité croyante, la certitude qu'elle possède réellement, dès maintenant, celui qu'elle contemplera éternellement dans cette éternité inimaginable.

Voilà pourquoi la seconde personne de la Trinité tient une si grande place dans ma vie. « Qui voit le Fils, voit le Père... » Et il suffit que le Fils ait dit : « Notre Père... » pour que la paternité de l'Etre infini me devienne possible et même assurée.

Telle est la foi. Tel est l'amour. Telle cette lumière que la très vieille sainte Gertrude à mon âge invoquait : « O mon Jésus du soir! Amour du soir de ma vie! »

Et vous, vous avez aimé la justice et la vérité. Vous avez été au service de vos frères. Vous n'avez pas péché contre la lumière, comme disait Newman. Dieu se révèle à chacun de nous selon des voies singulières. Il faut le découvrir, le posséder, à travers les rites et les catéchismes de notre enfance, qui les uns et les autres expriment *infiniment* plus qu'ils ne disent...

Je pense que vous devez être peiné par fidélité à de Gaulle. *Je persiste à croire que c'est lui qui arrêtera le massacre.* Tant que cette guerre durera, la torture durera. Elle est infâme en soi.

De tout cœur.

F. Mauriac.

336.   AU GÉNÉRAL DE GAULLE

38, avenue Théophile-Gautier, XVIe,
19 juin 59.

Mon Général,

Je n'imaginais pas ce que vous pourriez faire encore pour moi. Et voici que vous m'associez par cette citation, dans un discours historique, à une journée glorieuse entre toutes[1].

Je vous en exprime ma gratitude émue. Je me sens réconforté et rassuré par ce signe d'amitié.

J'espère qu'on vous a remis l'exemplaire des *Mémoires intérieurs* que je vous ai envoyé.

Veuillez agréer, mon Général, l'hommage de mon très respectueux et indéfectible attachement.

François Mauriac.

Malagar,
Saint-Maixant (Gironde),
15 septembre 1959.

Cher Philippe,
Je renonce à vous tant que vous êtes heureux – mais si, étant malheureux, vous aviez quoi que ce soit à attendre de moi, vous me trouveriez et vous me trouverez toujours. Je pleure avec vous ce soldat qui était votre meilleur ami. J'ai connu en 14 ces arrachements, après quarante ans la plaie saigne encore.

Mais il faut, cher Philippe, consentir à cet enrichissement par la douleur : les romantiques ont eu souvent raison, sur ce point en tout cas. Vous aviez une tendance (dans votre art) à une certaine sécheresse (apparente...). *Non,* vous ne partirez pas. Il faut que votre asthme vous serve à quelque chose. Je dois à l'archange Pleurésie d'être encore de ce monde. L'asthme est un plus petit ange mais doit suffire à vous retenir sur la rive [1]. D'ailleurs je crois de toute ma foi que de Gaulle va jeter sa carte maîtresse mercredi.

Venez quand vous voudrez. Ne soyez pas trop malheureux. Et si vous l'êtes, rien ne sera perdu. Vous êtes à l'âge merveilleux où tout collabore à vous créer et à vous perfectionner.

De tout cœur.

François Mauriac.

338.   AU GÉNÉRAL DE GAULLE

Malagar,
Saint-Maixant (Gironde),
5 octobre *1959.*

Mon Général,
J'ai beaucoup hésité à vous écrire cette lettre. Mais il me semble que c'est mon devoir de le faire. Je viens de recevoir ici à Malagar la visite de mon ami Robert Barrat. Peut-être

connaissez-vous son nom. C'est un ancien militant catholique, pour lequel j'ai la plus profonde estime et à qui on peut se fier entièrement. Il a des attaches avec les petits frères du Père de Foucauld et de grandes amitiés chez les Nord-Africains. Son métier de journaliste l'a amené, ces jours-ci, à Tunis. Les renseignements *directs* qu'il m'apporte sur les intentions des « interlocuteurs » éventuels, pour leur venue à Paris, me semblent d'une telle importance qu'il me paraîtrait du plus haut intérêt que vous consentiez à le recevoir, ou du moins que l'un de vos proches collaborateurs le reçoive.

Robert Barrat habite à *Dampierre* (Seine et Oise), tél. : Dampierre 24.

Je n'ajoute rien. Je ne dirai rien non plus des sentiments que j'exprime publiquement chaque semaine. Vous savez, mon Général, avec quelle admiration je vous regarde mener cette partie, seul contre tant de forces adverses, avec quelle inquiète affection aussi. Je suis avec un profond respect, votre ami.

François Mauriac.

339.   A HENRI GUILLEMIN

Malagar,
Saint-Maixant (Gironde),
24 octobre 1959.

Cher ami,

C'est incroyable et répugnant. Et quels imbéciles! Ils ne contrôlent que des organes de néant et l'énorme torrent de la vie roule au-dessus de leurs sapes de taupes. Et le Christ est attaché par eux non pas à un gibet, mais à un vieux carrosse brinquebalant de cardinaux octogénaires... Et c'est une bien autre horreur que la croix[1].

Mais l'Eglise vivante demeure, mais le pain vivant, mais les paroles qui délient. Il faut vivre du Christ et avec le Christ et nous attacher aux deux paroles que l'Eglise garde : *Tes péchés te sont remis. Ceci est mon corps livré pour vous.* C'est cela qui compte. Moquons-nous du reste.

Si l'Opus Dei s'excite, je le saurai bien en mettant les deux pieds dans le plat. Vous verrez. Et nous fonderons une société rivale, *les Enfants de Dieu,* dont la mission sera de dénoncer les manœuvres occultes des Tartuffes d'académie et de Sorbonne.

A vous.

F.M.

340.   A PHILIPPE GRUMBACH

Paris, le 16 janvier 1960[1].

Cher Philippe Grumbach,

Mon dernier *Bloc-Notes* ne contenait aucune critique vous concernant[2].

Vous êtes tout à fait libre de mener votre journal comme vous l'entendez. Ce Bloc-Notes exprime simplement mes difficultés personnelles.

Ma collaboration à *l'Express,* à partir du moment où le journal publie des caricatures outrageantes pour la religion[3] pose un double problème : ce qui est en cause, c'est à la fois un problème de conscience en ce qui me concerne, et c'est dans le public un problème de scandale.

Encore une fois, je n'ai aucune critique à vous adresser. Je vous mets simplement en face de ce qui pour moi est au moment de devenir une impossibilité. Mon dernier *Bloc-Notes* est aussi un dernier avertissement.

Veuillez croire, je vous prie, cher Philippe Grumbach, à mes sentiments les meilleurs.

François Mauriac.

P.S. Ce qu'il y a de particulier chez Siné, c'est une haine virulente. Et cela est horrible.

Accepteriez-vous des caricatures de rabbins, des « histoires juives » insultantes ?

A ALAIN LE RAY[1]

Paris, le 4 février 1960[2].

Mon cher Alain,

Je dicte cette lettre, étant débordé par mon courrier; mais je veux vous rassurer : Jean Daniel qui est le seul gaulliste de *l'Express* voit à Tunis, en effet, des gens du F.L.N.[3], mais tous ses autres confrères journalistes les voient aussi. Jean, lui-même, pour l'Agence France-Presse, les a vus quand il était à Tunis.

J'ai, de mon côté, écrit personnellement au Général pour lui signaler les renseignements qu'un de mes confrères m'avait rapportés, et il m'en a remercié. Rien de tout cela n'a abouti, mais si un voyage à Paris des gens du F.L.N. avait pu s'amorcer, c'eût été par cette voie-là. En tout cas Jean Daniel est resté toujours en contact étroit avec le gouvernement.

Je reconnais, avec vous, que c'est une pure fiction de dire que nous ne sommes pas en guerre, et qu'il s'agit d'une rébellion. Et pourtant, il est certain que cette guerre a des caractères très particuliers... J'ai très bien connu, avant qu'ils ne passent de l'autre côté, des gens comme Fehrat Abbas et comme Boumendjel, et il est bien évident qu'ils sont entièrement français de formation et je jurerais qu'à l'heure actuelle ils sont aussi gaullistes que vous et moi. Tout cela est très compliqué, mais ne vous inquiétez pas pour Jean Daniel.

Quant au problème de l'armée, je crois que le mal est très profond, car si les quelques éléments qui ont pris parti pour la rébellion sont peu de chose, il y a tous ceux qui étaient dans l'expectative... Je pense que la fin des guerres coloniales, que nous verrons je l'espère, amènera une transformation rapide de l'armée. Et aussi les armements nucléaires... Mais je m'excuse de vous donner un avis sur des problèmes que vous connaissez infiniment mieux que moi.

Croyez, en tout cas, que ce que vous lirez dans le prochain *Bloc-Notes* sur cette question n'est pas d'un ennemi de l'armée, mais de quelqu'un qui croit qu'il faut hâter cette évolution si nous voulons éviter la guerre civile.

Croyez-moi bien affectueusement vôtre.

François Mauriac.

Malagar,
Saint-Maixant (Gironde),
lundi *1960.*

Hélas, cher Robert, je suis retenu ici jusqu'au début de la semaine prochaine. Mais on m'avait dit que vous resteriez une *dizaine* de jours à Paris? Je serais désolé de vous manquer de si peu. J'ignore ce qui vous oblige à cet examen. J'espère de tout mon cœur qu'il ne s'agit de rien de grave – mais de toute façon à notre âge on vit « accoté » à sa mort; j'y pense à chaque instant et vous, vous avez la vraie méthode pour y penser qui est de vivre en présence de Dieu. Comme je suis incapable, moi, de m'y tenir – malgré la communion fréquente et à Paris presque quotidienne! Et puis on se sent si seul dans ce monde sans foi et sans espérance et parmi ces clercs tourneboulés et chardinisés et marxisés!

Notre vie si longue, qu'elle a été courte! Et nous survivons à tant d'êtres oubliés! Que le Seigneur nous réunisse tous dans la paix. Je le lui demande chaque jour pour ceux que j'aime (et donc pour vous) : « Faites que je m'endorme en vous d'un sommeil tranquille... », c'est la prière de sainte Gertrude.

Cher Robert, j'espère que vous serez encore à Paris la semaine prochaine (le 4 ou le 5).

Je vous embrasse et Jeanne vous redit sa profonde affection.

François Mauriac.

343.   A JEAN COCTEAU

Paris, le 14 décembre 1960[1].

Cher Jean,
Je m'excuse de t'envoyer cette lettre tapée à la machine mais c'est pour te répondre tout de suite. Cet article que tu as

reçu a été envoyé à tous les académiciens, parce que le maréchal Juin avait fait lire à l'Académie une lettre où il m'accusait d'être un homme de mauvaise compagnie et, en somme, de l'avoir insulté. Tu as pu te rendre compte si tu l'as parcouru (comme ceux de mes confrères qui m'en ont parlé), que l'article est très poli et même déférent dans la forme. Pour le fond, c'était mon droit et mon devoir de montrer pourquoi il était grave de la part du Maréchal de se dresser en ce moment contre la politique de la France.

Je suis l'homme du monde le moins indiqué pour m'associer au travail que tu me proposes[2] : je suis en effet devenu tout à fait étranger au théâtre et ce n'est pas assez dire, je m'en détourne le plus que je peux. Si je ne devais, quelquefois, y accompagner ma femme, qui y trouve encore du plaisir, on ne me verrait plus dans aucune salle de spectacle. Les raisons de ce dégoût sont multiples... Mais tout cela nous entraînerait trop loin. En tout cas ne crains rien au sujet de la reprise de ta pièce, en ce qui me concerne.

Tu es bien heureux de partir bientôt dans le Midi.

Je te prie de croire à mes sentiments bien affectueux.

François Mauriac.

344.   A PHILIPPE GRUMBACH

38, avenue Théophile-Gautier, XVIᵉ,
Paris, le 21 décembre 1960[1].

Cher Philippe Grumbach,

Vous avez lu mon *Bloc-Notes*[2] : c'est la meilleure réponse que je pouvais vous donner. A mon avis, c'est un problème de direction. Je ne demande pas du tout à *l'Express* de refléter mes propres sentiments et mes propres convictions. Je lui demande de ne pas dépasser une certaine ligne qu'il m'est à moi-même interdit de franchir. D'ailleurs, en dehors de toute considération personnelle, quand j'écoute ce qui se dit dans le public, il est bien certain que le contraste est trop grand entre la partie doctrinale et politique, et la partie, certes très brillante, dominée non seulement par Madame Express, mais par toutes celles que j'appelle « les dames de *l'Express* ». Je trouve que ces personnes ont leur talent et peuvent être, certes, utilisées, mais leur esprit ne devrait pas dominer – si on peut appeler cela un esprit[3]. Je citais l'autre jour à Jean-Jacques ce que me disait Aragon de *l'Express,* et je sais bien que c'est la parole d'un ennemi, mais je trouve qu'elle a une part de vérité : « *L'Express,* c'est le Boulevard... » Oui, la nouvelle vague, c'est ce que l'on appelait autrefois « le Boulevard ». Je crois qu'il y a un certain équilibre à maintenir entre les deux parties de *l'Express.*

Croyez, je vous prie, à mes sentiments bien affectueux.

F. Mauriac.

Ceci est pour vous seul bien entendu!

345.   A PHILIPPE GRUMBACH

38, avenue Théophile-Gautier, XVIᵉ,
Paris, le 28 décembre 1960[1].

Cher Philippe Grumbach,

Mon second *Bloc-Notes* est sans doute la meilleure réponse que je puisse vous donner. Je crois en réalité que je suis le seul responsable de cet état de choses. Il est bien évident que je n'aurais pas dû tenir une aussi grande place à *l'Express* sans avoir aucune part à sa direction, du moment que je n'avais pas le droit de m'en désintéresser. Il est certain que *l'Express* d'aujourd'hui n'est plus du tout celui auquel j'avais apporté mon premier *Bloc-Notes.* Les raisons de cette évolution, je crois les connaître... Mais à quoi bon revenir sur le passé? La vigilance que vous me promettez ne m'apporte aucune joie, je vous en donne les raisons dans mon nouveau *Bloc-Notes*[2]. Cependant je n'ai pris aucune décision. Je suis tout de même frappé par toutes les lettres qui me supplient de ne pas quitter *l'Express*[3].

Croyez, je vous prie, cher Philippe Grumbach, à mes sentiments les plus amicaux.

F. Mauriac.

A YVES DU PARC

3 janvier 1961.

Cher Yves,

Pourquoi t'être défait pour moi de ce quart de vin romain[1] ? Mais tu as eu raison : c'est bien d'être fidèle comme tu l'es. Et l'amitié n'est pas *une* religion, elle est une partie essentielle de *la* religion qui est tout entière amour et qui n'est que cela ou qui n'est rien. Et moi je t'aime bien aussi :

« Ce cœur où plus rien ne pénètre

D'où plus rien désormais ne sort » : ce sont des vers d'un poète méprisé et moqué, Sully Prudhomme – et qui plus d'une fois a exprimé ce que je sens.

Je t'embrasse, bien que tu t'apprêtes à voter non[2]...

François Mauriac.

---

347.   A JEAN-RENÉ HUGUENIN

10 février 61.

Cher Jean-René Huguenin,

J'avais déjà beaucoup de remords de ne vous avoir pas remercié de cette *Côte sauvage*[1], de ce signe que la *vraie* nouvelle vague m'adressait – et voilà que vous parlez de moi à la télévision! Et il me semble que nous nous connaissons, mais où vous ai-je rencontré?

Votre roman est poésie – mais poésie chargée d'une signification redoutable. « Printemps trempés de boue », dit Baudelaire, – printemps déjà si loin de vous qui n'avez que vingt-cinq ans. Que de morts successives! (avant la vraie).

Du fond de mon tranquille hiver, je ne vous souhaite pas le bonheur car vous ne devez pas l'aimer, ni la Paix, mot qui n'a pas de sens à votre âge, mais je vous souhaite de désirer la lumière – cette lumière que nous refusons « parce que nos œuvres sont mauvaises... »

Vous allez vous moquer du vieux prêcheur qui vous serre la main avec beaucoup de gratitude, d'admiration et de sympathie.

François Mauriac.

38, avenue Théophile-Gautier, XVIᵉ,
21 *mars 1961.*

Cher J. R. Huguenin,
Je croyais que mon admiration et mon affection pour Bernanos éclataient dans ce *Bloc-Notes* qui vous a scandalisé. D'ailleurs, si vous avez *les Mémoires intérieurs,* vous y verrez ce qu'il a été et ce qu'il demeure pour moi. Mais ces derniers articles sont *horribles* en ce qui me concerne. Moi seul peux bien comprendre tout le venin dont il injecte chaque phrase (alors que je ne lui avais donné que des preuves d'amitié[1]...)

Mais je suis *heureux* que vous l'aimiez, *heureux* que ces choses existent pour vous qui n'existent plus pour tant de nos contemporains. Vous êtes plus près de moi encore que je n'imaginais, et sur l'essentiel.

Je vous verrai quand vous voudrez. Vous n'avez qu'à m'appeler le matin ([...], prière de ne dire à personne ce numéro). Mais il me semble que je n'ai plus rien à donner (en dehors de mes livres et de mes articles si on les aime). Je veux dire que vous n'avez pas grand-chose à attendre du très vieil homme que je suis. Pourtant, un endroit de votre lettre m'émeut beaucoup (1). Je pense à cette vie, si longue, si courte, qui est devant vous et qui est derrière moi... Je ne sais si cette rencontre est souhaitable. Enfin je m'en rapporte à vous. Et que vous veniez ou non, croyez que je vous suivrai désormais avec cette attention qui est d'abord celle du cœur.

François Mauriac.

(1) Celui qui a trait à la vie spirituelle.

> 38, avenue Théophile-Gautier, XVIe,
> 26 avril 61.

Mon Général,

Je souffre, ce matin, de ne plus avoir de tribune[1], de ne pas pouvoir jeter vers vous ce cri de gratitude qui m'étouffe.

A peine aviez-vous commencé de parler, dimanche soir, que j'ai su que tout était sauvé[2]. Oui, c'est vous, vous seul, une fois encore, qui avez tout sauvé.

Que Dieu vous garde à la France. Soyez béni.

> François Mauriac.

350.   A JEAN-RENÉ HUGUENIN

> Malagar,
> Saint-Maixant (Gironde),
> 13 septembre *1961.*

Cher ami,

J'ai moi-même beaucoup changé d'adresses – mais je crois bien avoir reçu toutes vos lettres. J'ai l'impression que vous ne répondez pas aux miennes. Où êtes-vous en ce moment? Est-ce vrai ce qu'on me dit que vous feriez votre service à Paris? Répondez-moi sur ce point précis. J'aimerais vous voir – d'abord pour vous voir! – mais aussi pour vous parler du *Figaro littéraire*[1].

Je fais les gestes qu'on me demande. J'obéis aux réflexes de mon espèce, étant homme de lettres – mais ce monde stupide et sanglant défie toute espérance. On voudrait se mettre en boule[2].

J'aimerais vous connaître mieux, vous, le seul de mes cadets chez qui je sens battre un cœur accordé à celui que j'écoute en ce moment au secret de ce vieux corps recru et dont je compte les battements depuis tant d'années.

Il fait beau. Malagar est azuré et bourdonnant. Les enfants de Claude crient comme des martinets autour de la maison. Je ferme les yeux. Et en moi tout devient prière, adoration, amour, abandon.

Adieu. Soyez heureux.

> François Mauriac.

Malagar,
Saint-Maixant (Gironde),
2 octobre 1961.

Cher Beuve-Méry,

Votre lettre ne m'a pas convaincu[1]. De mon article, je ne regrette qu'une phrase, celle qui a peiné votre fils, veuillez le lui dire. J'ai tant de raisons personnelles d'être sensible à ces attachements des fils pour leur père! Du moins cette petite phrase m'aura-t-elle valu une photographie qui me donne tort en effet, et que je suis très heureux de posséder.

Mais pour le reste, je demeure sur mes positions. La publication de la lettre Salan eût suffi à me choquer, le cas pourtant demeurait discutable. Mais cette publicité de *Carrefour* en regard, je persiste à trouver cela abominable, et même troublant...

Vous avez beau dire : de Gaulle n'est pas pour moi un dieu outragé, – je n'éprouve aucune passion pour lui et je pourrais faire l'analyse de ses défauts qui ne sont pas petits. Il reste que sa grandeur vient pour une large part de la petitesse de ses adversaires, et en particulier de cette gauche non communiste dont je pense très exactement ce que Sartre pense.

Ce numéro inoubliable du *Monde* illustre cette affreuse conjonction involontaire des stupides ultras et de la haineuse et impuissante gauche. Oui, de Gaulle domine les uns et les autres de toute sa stature. Et puis il reste ce qu'il a déjà accompli et il n'est pas exclu que finalement il aboutisse en Algérie... A quoi? C'est ce que nous saurons bientôt.

J'espère, cher Beuve-Méry, que vous ne me tiendrez pas rigueur de cet article, ni des sentiments que je vous exprime ici. Pour moi vous demeurez le grand journaliste que j'admire, le seul au fond qui pouvez me décevoir.

Croyez-moi bien amicalement vôtre.

François Mauriac.

A PHILIPPE SOLLERS

> Malagar,
> Saint-Maixant (Gironde),
> 6 octobre *1961.*

Cher Philippe,
Tout l'exquis de votre livre[1] est de vous. Le reste est d'un
autre. Le jour où tout sera de vous et où vos intentions
seront devenues invisibles, vous aurez gagné.
Cette critique furieuse et qui admire, malgré elle, est ce
que vous pouviez avoir de mieux. Je me réjouis, Philippe,
d'avoir été bon prophète. Mais je regrette que, malgré tous
vos efforts, on s'obstine à vous attacher au derrière cette
prophétie comme une casserole[2]!
Consolez-vous : après ma mort, cela vous servira, malgré
tout : quand vous commencerez à avoir une biographie. Et
vous comprendrez peut-être alors que j'avais quelque chose à
vous donner – quelque chose dont le monde ne veut plus, et
que ce n'est pas dans les mots qu'il faut mettre l'infini.
Adieu. Soyez heureux.

> François Mauriac.

353. A JEAN-MARIE DOMENACH

> 38, avenue Théophile-Gautier, XVIᵉ,
> Paris, le 31 octobre 1961[1].

Cher Domenach,
D'après le ton de votre lettre, je suppose qu'elle paraîtra
dans *Esprit.* J'avais l'intention moi-même de consacrer un
prochain *Bloc-Notes* aux brutalités policières. Mais je voulais le faire et je le ferai de la manière qui me conviendra[2].
Je considère que la gauche à laquelle vous appartenez est
pour une très large part responsable de la situation où nous
nous trouvons aujourd'hui. Ce que j'ai à vous dire sur ce
sujet, je le dirai publiquement.
Je n'ai pas quitté *l'Express* pour aller au *Figaro littéraire*
auquel je n'ai jamais cessé de collaborer depuis des années.

Je n'ai donc pas à défendre *le Figaro*. Mais il se trouve précisément, dans le cas qui nous occupe, que *le Figaro* a été le premier journal de la grande presse à donner le signal d'alarme. Je donnerai toutes les références dans le *Bloc-Notes* de la semaine prochaine. Quant à quitter ce « peuple », je vais bien vous montrer que je lui suis demeuré fidèle. Mais je persiste à penser que l'homme qui se bat le plus courageusement pour lui sinon le plus efficacement, hélas! depuis trois ans, c'est bien le général de Gaulle. Il a assumé sur sa tête la haine de ses compagnons d'armes et de nombreux Français. Il n'a pas gagné le cœur de la gauche mais il fait le travail qu'aurait dû faire la gauche.

Croyez à mes sentiments amicaux.

F. Mauriac.

354.   A HENRI GUILLEMIN

38, avenue Théophile-Gautier, XVIe,
Paris, le 13 décembre 1961[1].

Mon cher Henri,

J'ai lu votre lettre avec beaucoup d'intérêt. Elle recoupe très exactement tout ce que je sais sur l'état d'esprit de l'entourage en ce moment-ci. Il est très certain que l'attentisme est le résultat des désirs conjugués de beaucoup de monde, y compris de la gauche, qui ne voudrait pas que de Gaulle devînt le pacificateur de l'Algérie.

La meilleure preuve de cette forme de trahison dont vous me parlez, c'est cette annonce par le gouvernement d'une lutte sérieuse et sévère contre l'O.A.S. : ce qui prouve surabondamment que jusqu'à maintenant on l'avait ménagé. Et très évidemment on continue.

Cela dit, et en dépit de ce que disait ce général à Zurich, je persiste à penser que de Gaulle demeure très fort (et que même les généraux ne le sont pas, c'est le moins qu'on puisse dire).

Je comprends que vous souhaitiez travailler en province. Je ne vous reproche pas quant à moi la discrétion à laquelle vous condamne votre métier, mais de passer votre colère et votre indignation sur les morts. J'ai lu avec grand soulagement la réponse que vous a faite un universitaire dans *le Mercure,* sur l'affaire du curé de Luzarches[2]. Elle devrait vous donner à réfléchir, vous montrer que le fait d'avoir un document-massue ne change rien au fond du problème et que ledit document est une arme entre les mains de la passion de la prévention qui la rend plus odieuse encore. Mais nous ne nous entendrons jamais sur ce point.

Ne manquez pas de m'écrire chaque fois que vous avez des choses qui pourraient m'intéresser. J'utiliserai certainement vos renseignements, mais, rassurez-vous, rien n'en trahira l'origine et je saurai garder le vague nécessaire.

Croyez-moi bien affectueusement vôtre.

F. Mauriac.

Le Général n'est nullement découragé. Et les optimistes croient que dans les mois qui viennent nous toucherons le but.

355.   A JEAN DANIEL

Paris, le 9 janvier 1962[1].

Cher Jean Daniel,

Je suis très heureux d'apprendre que votre santé s'améliore chaque jour. Ce *Bloc-Notes* auquel vous faites allusion mettait en rapport, si j'ose dire, plusieurs lobes de mon cerveau. Je persiste à penser qu'on redoutait à *l'Express* que de Gaulle fût le pacificateur de l'Algérie. De plus j'ai eu en effet, sur le sujet très délicat d'une action directe de certains éléments de la gauche sur le G.P.R.A. pour le détourner de traiter avec de Gaulle, des renseignements que je n'avais pas à utiliser puisqu'ils étaient pour moi invérifiables. Mais enfin je n'ai pas pu ne pas être influencé par eux, car ils venaient d'une source très sérieuse[2].

Je ne crois pas du tout que la vue que vous avez de De Gaulle corresponde à la réalité. Je ne crois pas du tout que ses échecs tiennent principalement à son caractère, mais à certaines exigences du G.P.R.A. que l'armée en France, même après la journée des barricades, rendait inacceptables pour de Gaulle. Il reste à prouver que le G.P.R.A. ait jamais été en mesure de négocier véritablement. Sur toutes ces questions, vous êtes plus au fait que je ne le suis moi-même. La vérité est que l'on n'a jamais recours à un homme que lorsque la partie est jouée et que ce sont les événements qui mènent.

Vous vous trompez tout à fait dans votre analyse de mes sentiments du temps que j'appartenais à *l'Express*. Je n'y mettais pour ainsi dire jamais les pieds. *L'Express,* pour moi, je m'en rends mieux compte maintenant, c'était essentiellement une tribune et un public – le public qu'il me fallait, tel que je n'en retrouverai jamais un autre, irremplaçable pour moi. J.-J.[3] faisait la liaison entre ce public et moi. Je me rends bien compte que ce que vous appelez notre amitié tenait à ce lien nécessaire. Tout cela n'était pas raisonné, bien entendu.

Croyez, mon cher Jean Daniel, à mes sentiments les plus affectueux.

Fr. Mauriac.

Vous ne pouvez pas ignorer que tout est suspendu à l'opposition d'une minorité très influente qui, au G.P.R.A., *ne veut pas d'entente* avec la France. Où est la responsabilité de de Gaulle sur ce point? Je vous supplie de faire contrepoids à la haine de J.-J. Son dernier article est ignoble.

356.   A MADAME DE GAULLE

38, avenue Théophile-Gautier, XVIe,
4 juin 62,

Madame,

La pensée me vient de vous communiquer cette lettre reçue ce matin de Madame Jouhaud. Comme j'avais écrit déjà au Général, il n'est pas question que j'intervienne encore[1].

Je ne sais ce que Dieu et votre cœur vous inspireront. *Ceci ne demande aucune réponse.* J'aimerais seulement que vous vouliez bien me renvoyer cette lettre, ce sera le signe qu'elle vous est bien parvenue et que vous l'avez lue.

Je suis, Madame, uni à vous, à toutes vos intentions quotidiennes et vous prie d'agréer l'hommage de mon profond respect.

François Mauriac.

357. AU GÉNÉRAL DE GAULLE

Megève, 23 août 62.

Mon Général,

Je ne crois pas que ce que nous ressentons tous ici diffère en rien de ce que ressentent Madame de Gaulle et vos enfants : l'horreur de ce que ces misérables ont tenté[1], le soulagement du malheur évité une fois encore, l'angoisse enfin pour les jours qui viennent – mais aussi l'espérance, la certitude que vous êtes mieux gardé par Dieu et par les saints de France que par les hommes chargés de veiller sur votre vie si précieuse et si chère.

De tout cœur et très respectueusement unis à vous, nous vous adressons l'hommage de notre indéfectible attachement.

François Mauriac.

358. A PHILIPPE SOLLERS

38, avenue Théophile-Gautier, XVIᵉ, 1962.

Cher Philippe,

Non, je ne vous en voulais pas, mais la lecture du dernier *Tel Quel*[1] m'avait donné l'impression d'une certaine hostilité – enfin j'avais décidé d'attendre un signe : il est venu et je m'en réjouis et je vous envoie ce petit livre – le plus sincère (l'avant-dernier chapitre) que j'aie écrit[2].

Téléphonez-moi et nous parlerons de tout cela et de vous. Vos pages de *Tel Quel* sont très belles. Vous atteindrez plus tôt que vous ne le croyez peut-être à cette limpidité qui est le contraire du vide...

A bientôt et de tout cœur.

François Mauriac.

359.   A YVES DU PARC

38, avenue Théophile-Gautier, XVIᵉ,
21 janvier *1963*.

Cher Yves,

Ta chronique de *l'Accent grave* [1] est très jolie – mais tu es trop injuste. Maintenant que la poussière de la bataille est retombée, comment peux-tu accuser de Gaulle d'avoir perdu l'Algérie [2]? Il est vrai qu'il y a eu des moments de grâce où nous aurions pu la garder – mais ce furent toujours les Européens qui perdirent tout, qui refusèrent tout. Quand de Gaulle revint, les jeux étaient faits, du moment qu'après sept ans il était prouvé qu'une armée de 500 000 hommes était incapable de réduire cette rébellion. La nécessité absolue de finir coûte que coûte la guerre, c'est ce qui a amené la chute de la IVᵉ et le retour de De Gaulle. C'était une nécessité sur *tous* les plans, international et national. Tu méprises la nation de l'avoir senti et exigé. Mais l'instinct de conservation d'un peuple n'est pas méprisable ni louable. Il est, simplement. Tout aurait pu se passer comme en Afrique noire, ou comme aux Indes, dans un autre style. La seule possibilité, occuper l'Algérie par une mobilisation *indéfinie* et par une guerre endémique à base de torture et de terreur, contre le monde arabe, contre nos alliés, contre l'O.N.U., réduire la France à ce rôle horrible et lui enlever, lui faire perdre cet héritage qu'elle aura finalement sauvegardé (par quel miracle!) de ces trente nations qui parlent français et qui nous demeurent spirituellement et linguistiquement unies. Ce qui est incroyable c'est que de Gaulle ait sauvé, malgré tes amis, ce qui pouvait être sauvé – et qu'il ait presque trop réussi, en ce sens que dès que la France n'a plus de boulet aux pieds elle fait peur, excite la jalousie, redevient, même sans fusées, une puissance qui porte ombrage.

360

De Gaulle fera mentir ceux qui disaient qu'il ne laisserait rien après lui, car il est en train de jeter les bases d'un nouvel ordre français. Vous ne le voyez pas, mais le travail qui se fait dans l'administration est *énorme*. Rien de comparable depuis le Consulat. Je sais bien que tu ne me croiras pas. Mais tu es assez jeune pour voir le temps où toutes ces choses te crèveront les yeux... Sauf s'il se casse les reins, ce qui peut arriver toujours, quand on agit seul et qu'on ne tient compte que de ce qui est réellement, et non de ce qu'exigent des alliés puissants, habitués à tout faire plier. Mais cela devrait te plaire.

A bientôt.

De tout cœur.

FM.

Je suis grippé.

360.   A JEAN MAURIAC

38, avenue Théophile-Gautier, XVIᵉ,
Lundi *11 février 1963.*

Cher Jean,

Je voudrais mettre une fois pour toutes les choses au point à propos du Maroc[1]. Le malentendu vient de ce que tu prêtes à un vieil homme fourbu, dans sa soixante-dix-huitième année, les goûts, les désirs d'un homme de quarante ans. Ce qui trompe, c'est que mon esprit a gardé sa jeunesse et qu'en somme je ne me porte pas mal. Mais tu ne saurais imaginer l'*effort* que représente pour moi la simple visite d'une exposition, le moindre déplacement. Les programmes dont tu rêves pour moi m'accablent, rien que d'y penser. La seule chose qui me tenterait, à la belle saison, serait un paisible voyage en auto, avec quelqu'un qui ne m'accompagnerait pas *par devoir,* et qui serait heureux d'être avec moi, sans train, sans gare, sans avion. Mais rien ne vaut pour moi le départ du côté de Malagar. Aujourd'hui, après une matinée de travail sur mes deux articles, je n'ai pas eu le courage d'aller à Bagatelle, tant j'étais fatigué. Je sais bien que cela paraît incroyable et pitoyable, car s'y ajoute l'incuriosité : à mon avis l'avion a unifié et détruit les différences. Les dernières merveilles sont aussi bien à notre porte. Et je préfère à tout le recueillement et le silence : la paix. Et puis, je te le confie : l'idée de jouer avec Hassan une scène historique émouvante avec rappel des grandes heures de leur libération, c'est peu de dire qu'elle ne m'excite pas.

Voilà, cher Jean, ce que je voulais te dire. Ne t'inquiète surtout pas. Je ne suis pas malade. Simplement je suis vieux, c'est-à-dire fatigué, mais *à fond*.

A bientôt. Je t'embrasse tendrement.

Fr. M.

Je ne sais trop qu'écrire à l'ambassadeur. Nous en parlerons.

361. A PHILIPPE SOLLERS

38, avenue Théophile-Gautier, XVIᵉ, 17 février 63.

Cher Philippe,
J'ai beaucoup pensé à vous tous ces jours-ci. Et c'est sans aucune idée de faire pression sur vous, *croyez-moi,* que je vous conseille au point où vous en êtes, de parler à quelqu'un de consacré, et capable de vous entendre. *Ce qui ne vous engagerait à rien.* Ce curé de Saint-Jacques-du-Haut-Pas, l'abbé Pézeril[1], il se trouve que Julien Green le connaît beaucoup mieux que moi : à l'entendre, c'est vraiment un homme de Dieu qui souffre dans son corps à tout instant et sans jamais se plaindre, et en même temps il est très ouvert à vos problèmes, il sait ce qu'est un écrivain, il connaît les difficultés qui lui sont propres. Encore une fois, vous ne seriez pas engagé par une démarche de cet ordre. Vous feriez un pas simplement dans la direction du Seigneur, du côté d'où vient cette lumière que vous pressentez...

Si vous le souhaitiez, je lui écrirais un mot pour l'avertir et vous prendriez rendez-vous. Ah! Philippe, si avant de m'en aller, j'avais cette joie de confier à un de mes jeunes frères ce trésor dont j'ai abusé, dont je me suis *servi,* pour que lui me remplace et accomplisse l'œuvre dont je n'ai pas été digne... Mais non! Ce n'est pas de cela qu'il s'agit. Ce n'est pas de moi, mais de *vous.* Ne laissez pas passer ce temps de grâce. Pardon. Je suis votre ami.

François Mauriac.

Le démon... Avez-vous lu la préface (très belle) de Breton à un livre de Mabille (aux Editions de Minuit)?

362.   A MAURICE GOUDEKET

Paris, le 12 mars 1963 [1].

Cher Maurice Goudeket,
Non, je n'ai pas reçu les *Lettres au petit Corsaire* [2]. Moi qui reçois tant de livres! Vous voyez comme l'histoire du paroissien aura fait date dans ma vie [3]. J'ai été très déçu de ce qu'elle n'ait pas trouvé dès ici-bas son véritable aboutissement. Mais j'ai toujours eu confiance, en ce qui concerne Colette : il est beaucoup plus important pour elle d'avoir eu, de continuer à avoir beaucoup de prières et de sacrifices (je ne sais si les deux petites cultivatrices sont encore de ce monde) que des obsèques religieuses qui n'auraient correspondu à rien puisqu'elle n'était pas morte réconciliée.
Cher Maurice Goudeket, vous aviez vous-même été touché à ce moment-là, je le sais. Si je vous rencontre un jour, je vous dirai de vive voix ce que je n'ai pas su vous dire à ce moment-là [4].
Croyez, je vous prie, à mes sentiments les plus cordiaux et à ma fidélité au souvenir de Colette.

François Mauriac.

363.   A PHILIPPE SOLLERS

                              38, avenue Théophile-Gautier, XVIᵉ,
                              19 mars *1963.*

    C'est vrai, cher Philippe, que j'aurais dû répondre à
votre lettre. Mais elle était elle-même une réponse – que
d'ailleurs j'attendais. C'était par « acquit de conscience » (je
déteste ce mot!) que je vous avais donné le nom de ce prêtre.
En fait, il faut laisser faire la grâce, attendre l'heure... mais
aussi ne pas mériter le sort des villes sur lesquelles pleurait
le Seigneur « parce qu'elles n'avaient pas connu le temps où
elles avaient été visitées ». Oui, pensez à cela : que vous êtes
visité en ce moment, et avec insistance il me semble.
    J'ai lu (ou relu) certaines pages de *l'Intermédiaire* avec
d'autres yeux, sachant ce que je sais. Certes vous êtes un
écrivain – qui est la chose du monde la moins courante
aujourd'hui – mais un écrivain qui a un secret à livrer aux
autres hommes – et c'est encore plus rare parmi nous. Que la
grâce achève en vous ce grand travail. Si vous lisez mon
Bloc-Notes de jeudi, peut-être vous intéresserez-vous à *Edith
Stein* et au dernier livre paru de Simone Weil[1] qui ont été
mes lectures de cette semaine.
    Pardonnez-moi de ne pas aller à la réunion de *Tel Quel.* Je
suis *terrifié* au milieu de jeunes écrivains. Je ne peux plus
supporter ces contacts. J'aime les chiens individuellement
mais pas les meutes. Au vrai, je n'aime plus que le silence
après la communion. Ce que j'écris sur d'autres sujets (politiques, etc.) ce sont les réflexes d'un corps depuis longtemps
inhabité. Oui, le Seigneur est vivant. Oui, il est au-dedans de
nous. Cher Philippe je prie avec vous. Je suis toujours à
votre disposition pour tout ce qui pourrait vous aider. Je suis
frappé de la persistance, de l'insistance de cet appel en vous.
    De tout cœur vôtre.

                                                   F.M.

38, avenue Théophile-Gautier, XVIe,
5 juin 63.

Après tant d'années, je ne saurais te dire de qui je tiens ce détail que je crois avoir toujours su[1]. Mais ce doit être de maman, car je l'ai entendue souvent faire allusion à ce drame, à cette mésentente religieuse qui fût devenue aiguë, croyait-elle, au moment de nos éducations.

Ta lettre m'inquiète – car le second volume des *Mémoires intérieurs* auquel je travaille ne peut pas ne pas déboucher dans ses dernières pages sur ce sujet. Le fragment informe que Marcelle Auclair m'avait arraché pour *Marie-Claire* en peut donner une idée. (Me souvenant de la lettre horrible de Germaine[2], lorsque Roger Nimier avait illustré de photographies familiales son éreintement du *Sagouin*, j'avais demandé à *Marie-Claire* de ne mettre aucune photo ; ils n'en ont tenu aucun compte.)

Que faire? Je ne pourrai donc écrire ni mon *Si le grain ne meurt,* ni l'équivalent du dernier livre de Green[3], même après soixante ans? Ou je le ferai avec tant de gêne et de timidité que sans doute mieux vaut y renoncer...

Et puis tout cela ne compte guère. Cette émotion universelle et sincère autour de la mort du Saint-Père a une autre importance et me comble de joie. Le Saint-Père m'aimait beaucoup[4].

De tout cœur.

Fr.

Je tremble de recevoir un « paquet » de Germaine.
Le cas échéant je supprimerais, bien entendu, ce passage.
Ce n'était pas cette lettre que j'avais attendue de toi[5]!

A CLAIRE WIAZEMSKY

Malagar,
Saint-Maixant (Gironde),
17 septembre 63.

Tu me croiras, ma chère petite Claire, si je t'assure que mon silence n'est pas signe d'indifférence – mais peut-être d'une « sombre paresse » devant tout ce qu'on sent, qu'on ne peut exprimer, devant tout ce qui ne peut pas être dit. A quoi bon les paroles? Elles sont si vaines, et à quoi servent-elles? Je pense à toi, à vous, sans cesse, je puis le dire, et la présence de tes enfants, du cher petit Pierre surtout, y ramènerait ma pensée si elle s'éloignait parfois. Il va bien, il est gai, mais parfois il est comme touché par on ne sait quoi. Il faudra trouver un juste équilibre entre la vie scolaire normale et tout de même les ménagements nécessaires.

La foi? Ma chérie, ce n'est pas un beau cadeau qu'on reçoit du ciel et qui vous est donné une fois pour toutes. Je puis te le dire après toute une vie : la foi est une *vertu* qui exige beaucoup de volonté – mais qui trouve sa nourriture, si j'ose dire, dans la vie religieuse elle-même : vie sacramentelle, état d'oraison. Ce ne sont que des moyens, ce ne sont que de mauvais chemins, bien souvent (je pense aux messes de Vémars!) pleins de fondrières et abandonnés de tous – mais ils mènent au Christ. C'est la parole du Christ, « Mes paroles sont *esprit et vie* », que chacun de nous vérifie dans la mesure où il s'efforce d'être fidèle. Quant à *comprendre* le pourquoi de la vie, de la vie telle qu'elle est, et du mal, il y a beau temps que je ne cherche plus, que je pose ma tête sur la poitrine du Seigneur (c'est cela l'Eucharistie) et je sens alors que *tout est grâce*. Nous le saurons éternellement quand nous aurons atteint la Lumière mais nous pouvons déjà l'entrevoir dès ici-bas. Ton épreuve actuelle[1] t'a-t-elle appauvrie ou enrichie? N'es-tu pas meilleure? Ne mets-tu pas, en fait de bonté et de don de toi-même, les bouchées doubles? N'es-tu pas reconnaissante au Seigneur de l'occasion qu'Il te donne de vivre et de souffrir avec Lui et, comme Lui, de donner ta vie?

Voilà le secret chrétien, ma chérie, auquel il faut adhérer dans la nuit, dans la solitude, dans la laideur et l'ennui d'un culte exténué, dans la sécheresse et le doute, mais quelle paix! quelle lumière! quel amour – dont nous aurons été séparés durant toute notre vie, par l'opacité de notre propre corps et quelquefois et à certaines époques, d'un autre corps qui attirait le nôtre. Pourtant, même alors, cet Amour était là et c'est lui que le vieil homme retrouve, s'il est resté fidèle à travers tout.

Si tu pries, si tu communies (sans t'arrêter aux conditions extérieures), si tu relis avec le cœur la parole du Christ à la Samaritaine (St Jean), le repas chez Simon avec la pécheresse (St Luc) – mais *tout* avec des yeux neufs, tu seras éclairée, pénétrée, secourue.

Je pourrais, si tu le désires, parler de toi à mon Bénédictin qui est la *douceur* et la *bonté* incarnées, *très saint* et d'une mansuétude infinie[2].

Quant aux côtés matériels de ta vie, ne t'inquiète de rien. Tout s'arrangera au mieux.

Je t'embrasse et te presse sur mon cœur.

Fr.

366.   AU GÉNÉRAL DE GAULLE

Samedi *9 novembre 1963.*

Mon Général,

Ce témoignage personnel de votre sympathie me touche plus que je ne saurais dire[1]. Mon frère, séparé de nous par les partis pris politiques, m'était uni en profondeur et nous ne nous sommes jamais disputés. Nous nous aimions.

Veuillez me croire toujours, mon Général, votre reconnaissant et fidèle et respectueux ami.

François Mauriac.

367.   A MADAME HUGUENIN

22 novembre 63.

Madame[1],

Je n'attends pas d'avoir achevé la lecture de ce *Journal* (j'en ai lu une centaine de pages) pour vous dire que je le

367

trouve bouleversant, – et sans doute il faut faire la part de ce qu'ajoutent à cette lecture les sentiments que nous inspirait cet être comblé de tant de dons. Mais je crois que les lecteurs les plus indifférents seront atteints par cette course à la mort – car c'est cela qui rend cette lecture si terrible. Nous, nous savons où il courait avec ces trésors qui chargeaient ses bras. Nous voyons se rapprocher le tournant de la route...

Tant de noblesse, et en même temps ce désordre, ces tourments, cette pauvre agitation de la jeunesse et ce pressentiment de la fin, c'est le drame de toutes les adolescences et par là ce journal parlera à tous les adolescents d'une certaine race.

Si vous pensez que je puis aider par une préface à la publication de ce journal, je l'écrirai bien volontiers[2].

Je vous remercie, Madame, de m'avoir confié ce précieux manuscrit (que je ferai déposer chez vous, d'ici quelques jours) et je vous prie d'agréer l'expression de mes sentiments très respectueux.

François Mauriac.

368.   AU GÉNÉRAL DE GAULLE

38, avenue Théophile-Gautier, XVIe,
19 décembre 63.

Mon Général,

Averti trop tard, il m'a été *impossible* de répondre hier à votre invitation. Je m'en excuse et vous prie de croire à mon très respectueux et fidèle attachement.

François Mauriac.

Je vis plus que jamais avec vous, ayant eu la présomption d'accepter d'écrire ce livre dont la matière est si complexe et si diverse que je suis déjà submergé[1]...

La Motte,
Vémars par Survilliers (S. et O.),
14 juillet 64.

Mon Général,

Il se trouve que je connais le jeune officier qui avait sous ses ordres, à la légion, ce Baudry condamné à mort. Cet officier se considère comme responsable d'avoir entraîné Baudry dans l'O.A.S. et me supplie d'intercéder pour lui auprès de vous.

Son crime est affreux – mais il est vrai qu'il a cru agir par ordre et que le jugement qui épargne Curutchet donne un immense espoir aux siens et à ses chefs. Je joins ma voix à leurs voix et vous prie d'agréer, mon Général, l'hommage de mon attachement très respectueux et indéfectible...

François Mauriac.

370.   A PHILIPPE DE SAINT-ROBERT

38, avenue Théophile-Gautier, XVIᵉ,
15 novembre 64.

Cher Monsieur,

A la veille d'entrer en clinique (pour une « cataracte »), je veux vous dire l'émotion que j'ai eue en vous lisant dans *Combat*[1]. Je ne suis pas habitué à être défendu – sans doute parce que j'ai la réputation de savoir me défendre moi-même – et pourtant seul un ami peut écrire certaines choses... Vous voyez, je vous appelle *ami* et vous l'êtes désormais pour moi et pour tous ceux qui m'aiment.

Quand je serai rendu au monde des vivants, je vous ferai signe. Je suivais vos articles avec l'intérêt le plus vif, mais j'étais loin d'imaginer que vous vous souviendriez de moi, un jour...

Merci encore et de tout cœur vôtre.

Et à bientôt.

François Mauriac.

1964.

Cher ami, excusez cette écriture. J'ai en commun avec de Gaulle qu'il a fallu m'opérer des yeux. Je ne peux plus lire... Quant au livre[1], je l'ai voulu trop sérieux. Quel être! La vérité est que je ne connais pas mieux l'homme aujourd'hui que lorsqu'il était à Londres. Mais je ne l'admire et ne l'aime pas moins. Et vous aussi, cher ami, malgré nos disputes. Je sais ce que vous êtes pour moi.

De tout cœur.

F. Mauriac.

372.   A GASTON DUTHURON

38, avenue Théophile-Gautier, XVIe,
Samedi 12 juin 65.

Cher ami,
Je vous communique cette lettre de Fleury pour avoir votre impression. J'incline beaucoup à accepter sa proposition : mes héritiers n'auraient plus aucun souci de gestion de Malagar[1]. Lussac m'y pousse. Ce que je voudrais savoir de votre sagesse, de votre prudence (et de votre amitié!), c'est si vous y voyez des inconvénients – et ce que vous pourriez, le cas échéant, me suggérer. Peut-être votre père pourrait-il aussi me conseiller. Renvoyez-moi la lettre le plus tôt possible.

C'est la grande liquidation. Je vais donner tous mes manuscrits (ceci entre nous) à la bibliothèque Doucet (qui a déjà tout Gide, tout Martin du Gard[2], etc.) pour un « fonds Mauriac »... Je ne suis pas gai, gai...

De tout cœur.

F. Mauriac.

A MAURICE GOUDEKET

> La Motte,
> Vémars par Survilliers, (S. et O.),
> 26 juillet *1965*.

Cher Maurice Goudeket,
J'ai aimé (comme tous ceux qui l'ont lu) votre livre[1], moi qui n'ai pas la vieillesse si gaie (il est vrai que la mienne n'est pas la vôtre!)

Et je vous suis reconnaissant de ce que vous dites de mes relations avec Colette. J'ai des ennemis qui ont inventé de faire parler les morts et de m'atteindre à travers eux... Francis Jammes que j'ai tant aimé, tant défendu jusqu'à la fin, se répand en méchancetés et en inventions sur moi et les miens dans les mémoires de Maurice Martin du Gard[2]. Et que répondre? Mais vous, vous n'êtes pas de ces empoisonneurs de sources... Et je vous redis ma gratitude et ma fidélité à Colette que je rejoindrai bientôt et qui est, si Dieu le veut, dans la Lumière qu'elle a tant aimée.

> François Mauriac.

A PHILIPPE DE SAINT-ROBERT

> La Motte,
> Vémars par Survilliers (S. et O.),
> 5 août 65.

Cher Philippe de Saint-Robert,
Je ne crois pas que dans toute ma vie j'aie eu jamais affaire à une écriture à la fois aussi belle et aussi illisible que la vôtre! Mais enfin vous avez vu que mon dernier *Bloc-Notes* répond sans vous nommer à votre crise d'antipompidouisme! Et je crois que mes raisons méritent qu'on les pèse[1].

S'il faut parier, je parie que de Gaulle ne va pas nous laisser avec sa politique sur les bras. Pour moi qui suis dans ma quatre-vingtième année, je trouve qu'il a un bel avenir devant lui. Mais si ce malheur arrivait, croyez-moi, vous n'auriez pas le choix : le plus intelligent et le plus fidèle à la pensée de de Gaulle c'est tout de même ce normalien auvergnat, certes étranger à la France politique traditionnelle – mais non peut-être à celle d'aujourd'hui qui s'en remet pour tout, fût-ce pour faire sa déclaration d'impôts, à des techniciens –, de sorte que le côté Rothschild du personnage le servira, bien loin de lui nuire. Pour moi, il n'y a pas d'autre problème : que de Gaulle continue, le plus longtemps possible – que ce moment de bonheur politique (le premier auquel j'assiste en quatre-vingts ans de vie!) dure un tout petit peu encore!

Adieu, heureux jeune homme qui verrez tout cela tourner mal et puis se redresser tant mal que bien selon qu'il y aura ou non un de Gaulle – mais il n'y en a jamais eu qu'*un* depuis que je suis au monde : Clemenceau, Briand, Poincaré, c'étaient des commis ou des journalistes de talent comme vous et moi (je pense aux journalistes!)

Cordialement vôtre.

François Mauriac.

375.   AU GÉNÉRAL DE GAULLE

38, avenue Théophile-Gautier, XVIe,
8 décembre 65.

Mon Général,

Ceux qui vous aiment n'ont qu'une crainte, c'est que ce scrutin vous fasse croire que vous êtes moins aimé[1]. Or ce qui est advenu n'est que le fait du renard M.R.P. lâché dans votre vigne et qui a pu s'y ébattre sans aucune opposition. J'en étais désespéré, comme je le montre dans le *Bloc-Notes* rédigé samedi et je m'attendais à pire. Car rien n'est perdu, et tout sera gagné, si vous ne perdez pas cœur devant tant d'ingratitude.

Mon Général, c'est dans ces occasions-là – et parce qu'on est malade d'angoisse et de chagrin – qu'on mesure ce que vous êtes pour la France, pour le monde – mais aussi pour chacun de nous à qui vous avez rendu l'espérance et l'orgueil d'être Français.

Ma femme, mes enfants, mes petits-enfants joignent leurs pensées et leurs prières aux vôtres et vous expriment leur très respectueux et fidèle et tendre attachement.

François Mauriac.

376.   A JEAN GUÉHENNO

38, avenue Théophile-Gautier, XVIᵉ, Paris, le 26 mai 1966[1].

Mon cher ami,
Je suis confus de vous remercier si tard de votre mot affectueux. Il m'a rassuré, car je ne m'étais pas entendu moi-même : j'ai préféré voir Mitterrand à la télévision qui passait à la même heure! Je suis plus curieux des autres que de ce qui m'est trop connu, hélas!
Nous ne nous voyons plus si souvent que durant cette occupation dont je garde – que c'est étrange! – un souvenir presque heureux. Ce fut pour moi un dernier temps de camaraderie et d'amitié[2].
Bien affectueusement à vous.

F. Mauriac.

377.   A CHRISTIAN BERNADAC

38, avenue Théophile-Gautier, XVIᵉ, 22 février 67.

Cher Christian,
Permettez-moi de vous appeler ainsi, vous qui êtes mon ami depuis plus longtemps que vous ne pouviez l'imaginer. A mon âge l'amitié n'est plus comme au vôtre un échange. On devient pareil à ce prince bouffon de Musset (dans *Fantasio,* je crois) qui disait : « Je vous nomme mon ami intime! » A mon âge l'amitié se décrète. J'ai toujours jugé les gens sur la mine et me suis rarement trompé – sur la mine, sur le regard, *sur la voix.* Je reconnais la vôtre, même quand vous demeurez invisible, dès le premier mot et je sais, sinon

de quel cœur elle est le « son », du moins de quelle qualité elle témoigne[1]. (...)

J'ai déjà lu votre livre d'un trait[2] et suis en train d'en lire la suite : *les Vengeurs* de Michel Bar-Zohar (chez Fayard). Je ne sais ni votre âge, ni si vous êtes marié, ni quoi que ce soit sur vous. Mais je ne sais pas de plus belle vie que la vôtre, qui est le contraire de ce que fut la mienne et qui est de se promener dans le monde comme dans sa chambre et de le regarder durablement et de fixer à jamais telle petite vague du flot humain. Je voudrais vous voir avant que vous ne repartiez. Quand vous voudrez. Le mieux serait que vous me téléphoniez un matin, vous viendriez me prendre chez moi et nous irions déjeuner à côté où il y a un bon petit restaurant toujours aux trois quarts vide[3]. *Travaillez bien votre livre sur les prêtres.* Ce sera un sujet pour moi.

Votre lettre m'a touché, vous pensez bien!

De quel Sud-Ouest êtes-vous? Etes-vous le fils de la musicienne de la télévision[4]?

A bientôt... si vous n'êtes pas reparti! Croyez-moi vôtre.

François Mauriac.

378.   A ANDRÉ MAUROIS

38, avenue Théophile-Gautier, XVIᵉ,
25 avril 67.

Cher André,

J'étais triste hier, au milieu de tout ce monde, de ne pouvoir vous exprimer mon amitié et vous dire que j'entrais dans toutes vos angoisses, comme seul le peut faire un compagnon de tant d'années. Qu'est-ce que la vie? Quel sens a-t-elle? Vous savez à quelle réponse je me tiens, mais l'espérance n'est pas l'espoir. Elle ne nous défend pas à tous les instants contre ce qui ressemble au désespoir – et qui ne l'est pas pourtant : nous croyons qu'il y a une réponse, que le mot de l'énigme nous sera donné. J'espère de tout mon cœur que Simone[1] sortira de ce tunnel.

Je vous dis toute mon affection.

F.M.

379. A ROBERT VALLERY-RADOT

Agay, 20 août 67.

(...) Non Robert je ne mérite pas vos louanges. Vous, vous aurez porté la croix. Moi j'ai vécu « dans les délices », mais il est vrai qu'à travers tout j'ai témoigné, j'ai été ce témoin misérable mais qui ne peut pas ne pas dire ce qu'il a été créé pour dire. Eh bien oui, il ne reste presque plus personne pour rendre témoignage dans le désert de Marx et de Sartre. Nous qui avons connu de Huysmans à Bernanos, à Péguy et à Claudel, un temps où la grâce se manifestait à l'œil nu (rappelez-vous autour de Gide ce remous de conversion et autour de Maritain), nous sommes seuls avec le Seigneur, avec notre foi d'enfant qui est la vraie foi, entourés de ces prêtres qui ont honte de leur robe, honte de n'avoir pas de femme dans leur vie, qui ne croient plus au prince de ce monde, qui croient qu'il faut être « moderne » et que l'Eglise doit essayer de l'être. Oui, quelle solitude! Et nous, Robert, nous croyons que tout est vrai et nous le répéterons jusqu'à la fin. Je pense souvent aux prêtres que j'ai connus. Il y en a encore, j'en connais encore, mais le grand âge nous isole et aussi la « réussite ». Hélas! Cher Robert, moi aussi j'aime notre jeunesse. Je me souviens de la « terrasse horrible et douce » et de la nuit où votre mère a pleuré dans vos bras. Je me souviens de Paule au front bombé, de son rire, de sa grâce. Je me souviens de ce que vous avez souffert. Que le Seigneur vous comble maintenant de sa consolation, vous qui n'avez jamais désespéré. (...) Qu'Il vous garde, vous et les vôtres, jusqu'à cette fin qui sera un commencement. Je vous embrasse moi aussi avec toute ma tendresse.

François Mauriac.

Nunc dimittis...

38, avenue Théophile-Gautier, XVIᵉ,
13 octobre 67.

Ma chère petite Anne,

Tu ne saurais imaginer ce que j'ai ressenti hier en lisant ta lettre : je me sens plus près de toi que je ne l'ai jamais été – et peut-être pour la première fois près de toi. Qu'est-ce qui nous sépare? Rien ni personne – et en tout cas pas Celui en qui je crois et que j'aime, mais qu'il nous faut atteindre avec les moyens du bord : rites, dogmes, formules qui à moi me sont chers – mais je comprends qu'un jeune être de 1967 les ait rejetés, ce qui ne signifie pas qu'il ait renoncé à chercher Celui que nous cherchons tous même quand nous croyons l'avoir trouvé. Il y a une si grande part d'humain dans toutes les religions, qu'il est presque impossible de perdre la foi en cet amour qui est le seul nom de Dieu. Nous autres nous l'appelons aussi *Père* depuis que le Seigneur nous l'a fait appeler ainsi.

J'ai moins de chagrin que tu ne crois, en dehors de celui qui naît de la communauté du destin quand les acteurs de notre âge quittent la scène. Maurois était un vieux et cher compagnon plus qu'un ami de cœur. Denise Bourdet, quand nous étions jeunes, sa mort m'eût fait verser des larmes de sang[1]. Mais elle a eu d'autres amis depuis trente ans... Je suis triste, je pense à elle sans amertume, j'admire son courage. Je prie pour elle...

Je voudrais te dire que j'aime ce que je crois pressentir du *sérieux* de ton choix, de ta présente vie. Ne t'inquiète donc pas à mon sujet. Peut-être un jour pourrons-nous nous rejoindre ton J.L.[2] et moi. Mais si c'est impossible, eh bien c'est sans importance : nous nous retrouverons en toi et le lien entre nous, ce sera toi.

Je t'embrasse ma chère petite fille de tout mon cœur.

François Mauriac.

Malagar,
Saint-Maixant (Gironde),
Vendredi saint *1968.*

Cher Christian,

Je suis content que vous pensiez encore à Malagar et à moi. Si vous pouviez y venir tout à fait à la fin du mois et au début de mai, nous pourrions y réaliser votre projet à la plus belle des saisons[1]. Qu'en pensez-vous?

Ne croyez pas que vos livres me décevront : je sais bien que votre œuvre véritable sera d'un autre ordre – mais que ces livres-là sont ce qu'ils doivent être. La plupart des miens – comme ceux de Valéry – étaient des « commandes » et n'en sont pas pires.

Il fait beau, mes petits-enfants rient et sont heureux – et moi... Je ne vous dirai pas ce que j'ai dans l'esprit et dans le cœur. Hier jeudi, à la messe du soir de Verdelais, j'ai ressenti une pitié de Dieu qui m'a étrangement consolé.

Ecrivez-moi si votre venue est possible. En tout cas je crois qu'il faut réaliser ce projet dans les mois qui viennent. Je peux repartir en juin pour Malagar, mais ce serait plus simple de ne pas avoir à le quitter. L'inconvénient c'est que ma femme ne veut pas me laisser seul à mon âge et se sent responsable de ma santé, mais elle a d'autres devoir à Paris[2]...

A bientôt peut-être, cher Christian, qui me connaissez mieux que je ne vous connais sans doute, moi qui me livre depuis un demi-siècle... mais j'ai confiance en vous...

De tout cœur.

F. Mauriac.

> La Motte,
> Vémars par Survilliers (S. et O.),
> 16 août 68 [1].

Cher Monsieur et ami,

En relisant cette lettre de vous si confiante et si amicale et qui m'honore autant qu'elle me touche, je songe tout à coup que peut-être vous vous inquiétez un peu de l'avoir écrite à un homme de lettres, journaliste de surcroît, et donc d'une espèce indiscrète et bavarde. Je voudrais à tout hasard vous rassurer : *personne* ne l'a lue et ne la lira. J'ai dû dire à ma femme et à un de mes fils, qui me demandaient si vous aviez réagi à mes *Bloc-Notes*, que vous m'aviez écrit en effet, mais sans aucun commentaire [2].

Cher Monsieur et ami, je suis de ceux, innombrables, qui vous regrettent. Nous jugerons du nouvel arbre sur ses fruits. Mais je me méfie beaucoup du système bâton-carotte.

Je suis aussi heureux dans ce jardin pluvieux qu'on peut l'être à quatre-vingts ans. J'écris un dernier roman pour mon plaisir, puisqu'il s'appelle (jusqu'à présent) *Un adolescent d'autrefois* [3]...

Veuillez présenter mes hommages respectueux à Madame Pompidou et vous, reposez-vous bien de tout ce que vous avez fait pour nous tous...

Votre

François Mauriac.

> La Motte,
> Vémars par Survilliers (S. et O.),
> 19 août 68.

Mais non, cher Philippe de Saint-Robert, je ne suis ni fâché, ni vexé, ni même peiné – seulement fatigué de ces malentendus dans des déluges de mots où chacun n'écoute que la pluie qu'il déverse sur la tête de l'autre. Que Clavel puisse écrire (et peut-être croire) que j'abandonne de Gaulle pour Pompidou (!) ou que vous décidiez que je souhaite l'échec du ministère actuel (alors que je suis dans l'angoisse de cette rentrée...), que vous décrétiez que Pompidou a été le naufrageur du gaullisme (il a alors bien raté son coup!), etc. etc., que vous inventiez qu'il m'a interdit d'écrire à *Notre République* [1], (alors qu'il avait été simplement *peiné* d'une phrase d'un de mes articles); que vous ne sachiez pas (comment le sauriez-vous?) que je n'ai jamais cru à Mendès France même quand je me battais pour lui, *faute de mieux* et en dépit de ma grande estime pour lui et bien qu'il me fût aussi étranger qu'un être humain né à mes antipodes [2]... il y a là sans doute des possibilités de déluge verbal pour le reste de ma vie et pour toute la vôtre même si vous vivez aussi vieux que moi, puisqu'au fond nous répétons indéfiniment les mêmes choses. Nous ne regardons pas le même versant de la montagne Pompidou. Vous n'êtes frappé que de ses manques – et moi, du fait qu'il illustre cette vérité que « le perfectionnement est possible [3] ».

Je passe de merveilleuses vacances, parce que j'écris un dernier roman, qui peut-être ne vaut pas pipette. Mais je l'écris pour moi. Il s'appelle *Un adolescent d'autrefois*. C'est un *ancien* roman [4]! Je vois ce qui se passe dans mes personnages et je le décris! Je me sers de tous mes vieux élixirs.

Cher Philippe (de Saint-Robert) pour être tout à fait franc, votre lettre m'a plutôt touché : que mon silence vous ait « glacé » c'est donc que je compte un peu pour vous.

Quand je reprendrai le *Bloc-Notes*, je compte citer le merveilleux coup de patte que vous allongez aux bons Pères des *Etudes* dans votre chronique du *Figaro* [5].

A bientôt et tâchons de ne pas entrer dans les querelles des généraux d'Alexandre!

Je suis vôtre.

François Mauriac.

384.   A GASTON DUTHURON

La Motte,
Vémars par Survilliers (S. et O.),
24 août 68.

Oui, c'est bien vrai, mon pauvre et cher Gaston, que tous les mots sonnent faux devant le mystère atroce de la mort : celle d'un être aimé, la nôtre qu'elle préfigure et qu'elle annonce – et pourtant c'est le mystère le plus banal, le plus quotidien et la seule certitude : nous ne sommes sûrs que de mourir. Il faut donc s'établir dans cette évidence, et parier, oui, faire le seul pari qui nous sauve du désespoir. *Votre père est vivant.* Ses restes, sa « dépouille », ce n'est pas lui. Ce pauvre corps a fini de servir, mais cette âme continue à jamais d'être et d'aimer.

Je me demande, nous nous demandons, si votre vie va être changée par ce malheur.

Nous arriverons à Malagar le 5 septembre. Votre lettre datée du 18 n'est arrivée ici qu'hier.

Nous sommes de tout notre cœur avec vous, et avec votre mère que nous prions de croire à notre grande et douloureuse sympathie.

François Mauriac.

385.   A PHILIPPE SOLLERS

38, avenue Théophile-Gautier, XVIe,
Mardi *1968*.

Oui, cher Philippe, ce sont les blancs qu'il faut savoir déchiffrer. Nous étions, nous autres, installés dans un certain langage de convention. Pas vous.

Je ne puis vous dire l'impression de joie que j'ai eue de votre lettre. A quatre-vingt-trois ans, j'ai des réactions qui feraient rire. J'ai toujours su, depuis le premier jour, *qui* vous étiez, si je ne vous comprenais pas toujours.

Je voudrais me taire maintenant – mais la toupie, tant qu'elle tournera, ronflera.

Mais aussi le chrétien suppliera, restera à l'écoute, même s'il doit rester seul, attendre la réponse et n'en recevoir aucune autre que de ne pas désespérer. Ça suffit.

A vous.

François Mauriac.

386.　　　　　　　A JEAN GUÉHENNO

38, avenue Théophile-Gautier, XVIe,
Paris, le 13 octobre 1969[1].

Cher ami,

Votre lettre m'a bien touché et je serais heureux de vous revoir, de parler un peu avec vous. Vous n'avez qu'à téléphoner le matin. Je vous recevrai très volontiers à partir de 4 heures et demie. Je ne sors guère que le matin.

Mon *Bloc-Notes* un peu geignard risque de faire croire que je ne vais pas bien. En fait, j'ai retrouvé l'usage de mon bras[2], toutes les analyses sont bonnes. Il reste une certaine faiblesse que je n'arrive pas à surmonter parce que je ne m'alimente pas assez, mais ce matin j'ai pu faire un tour au Bois et en réalité je vais beaucoup mieux.

Mais la maladie dont on ne sortira pas c'est la vieillesse et c'est cela qu'il faut accepter.

A bientôt j'espère, et merci d'avance de venir jusqu'à moi.

François Mauriac.

NOTES

1

1. – Tandis que F. Mauriac, alors agé de 18 ans, doublait sa classe de philosophie au lycée de Bordeaux, André Lacaze, son ancien condisciple de Grand-Lebrun, commençait à Paris ses études de séminariste. « Il fut, dans cette classe d'un collège religieux bordelais, le seul garçon intelligent. Il le savait. Il m'avait voué une sorte de culte, mais sans perdre jamais le sentiment de sa supériorité... » (*Bloc-Notes* du 5 décembre 1964). A. Lacaze devait servir de modèle à F. Mauriac pour « Le démon de la connaissance », nouvelle publiée en 1929 dans *Trois récits,* et surtout, dans une large mesure, à l'André Donzac d'*Un adolescent d'autrefois.*

2.

1. – Orthographe d'origine de « Malagar », qui sera modifiée en 1918.
2. – Catholique moderniste, c'est A. Lacaze qui, outre les *Essais de philosophie religieuse* du P. Laberthonnière, fera connaître à F. Mauriac les œuvres de Maurice Blondel et de l'abbé Loisy.
3. – Son frère Jean avait lui aussi pris la décision de se faire prêtre.
4. – Dans un carnet intime demeuré inédit, F. Mauriac écrivait la même année : « Qu'a été pour moi cette période de vacances? Des élans et des chutes, éternellement. La joie infinie d'avoir retrouvé Jésus et, le soir, le travail inlassable de ma pensée pour savoir s'il était Dieu! »
5. – F. Mauriac venait d'adhérer au Sillon de Marc Sangnier.
6. – Les œuvres de Laberthonnière seront effectivement mises à l'index en 1907.

3

1. – F. Mauriac venait de passer sa licence de lettres.
2. – Opéra de Reyer. Grand musicien, A. Lacaze, devenu chanoine, devait être à la fin de sa vie titulaire des grandes orgues de la cathédrale de Bordeaux.
3. – Futur normalien, disciple d'Alain, P. Borrell devait mourir en 1915. F. Mauriac avait fait sa connaissance au Sillon de Bordeaux, mouvement auquel, pour sa part, A. Lacaze n'avait pas adhéré.

4. – Marc Sangnier.
5. – La fin de la lettre n'a pu être retrouvée.

5

1. – Cf. Carnet intime inédit : « Que ne ferais-je pas si j'avais le cœur libre!
Car un cœur libre n'est pas celui qui ignore l'amour. C'est celui au contraire
qui est aimé, qui aime, que l'amour ou l'amitié libèrent des dégoûts, des
tristesses, des mélancolies de la solitude. » Et, plus loin : « Il faut que je
traverse la foule des hommes avec sur le visage un masque d'ironie. Et tel
qui aurait aimé mon âme toute nue se recule en me voyant, comme d'un
ennemi. »
2. – J.K. Huysmans venait de mourir. Sans doute F. Mauriac fait-il allusion
à l'expression « se pouiller l'âme » employée par celui-ci à la première page
de *En route*.

6.

1. – Frère aîné de F. Mauriac, avoué au tribunal de Bordeaux, R. Mauriac
devait publier deux romans chez Grasset, sous le pseudonyme de Raymond
Ousilane : *Individu* qui recevra le prix du premier roman et *l'Amour de
l'amour*.
2. – F. Mauriac fait sans doute allusion à son arrivée à Paris, le 15 septembre, chez les maristes du 104 rue de Vaugirard. Cette pension, appelée la
« Réunion des étudiants », était dirigée par l'abbé Plazenet.
3. – Beau-frère de Mme Claire Mauriac.
4. – Mme R. Mauriac.

7

1. – Né en 1883, médecin, P. Mauriac devait devenir professeur et doyen de
la faculté de médecine de Bordeaux.
2. – Cf. lettre à sa mère du 13 novembre : « ... Quant aux relations
" intellectuelles ", elles servent si l'on veut faire son chemin dans les lettres.
Or je ne le veux pas car ne n'ai pas de génie et encore moins de talent... Je
ne me trouve pas plus bête qu'un autre et je me reconnais volontiers l'esprit
de finesse. Mais justement je m'y connais assez, je suis assez compétent en
littérature pour savoir que je n'ai pas du tout ce qu'il faut pour y réussir. »
3. – Après un premier échec, F. Mauriac sera finalement reçu l'année suivante au concours d'entrée à l'école des Chartes.

8

1. – R. Mauriac venait d'avoir une seconde fille : Colette.

10

1. – Jeune poète, tôt disparu au début de la guerre de 1914-1918, J. de La
Ville de Mirmont est l'auteur du recueil *l'Horizon chimérique*, dont de
nombreux poèmes seront mis en musique par Gabriel Fauré.
    Camarades de faculté à Bordeaux, où le père de J. de La Ville de Mirmont
enseignait à F. Mauriac la littérature latine, c'est à Paris, en cette année

384

1909, qu'ils se lièrent d'une profonde amitié dont on trouve les échos dans *La Rencontre avec Barrès*. C'est J. de La Ville de Mirmont qui trouvera le titre du premier livre de F. Mauriac, *les Mains jointes*.

2. – Guide touristique allemand.

3. – Il s'agit du premier texte publié par F. Mauriac, en juillet 1905, dans *la Vie fraternelle*, journal du Sillon de Bordeaux et du Sud-Ouest.

11

1. – Cousin germain du médecin Louis Pasteur Vallery-Radot, Robert Vallery-Radot, écrivain et journaliste, est l'auteur de nombreux ouvrages dont deux : *l'Eau du puits* (1909) et *le Réveil de l'esprit* (1917) furent couronnés par l'Académie française. Dans *la Rencontre avec Barrès* F. Mauriac écrira : « L'amitié de Robert Vallery-Radot, âme brûlante, esprit visionnaire, de la race des Hello, des Blanc de Saint-Bonnet, son jeune foyer et les êtres bien-aimés qui le peuplaient, tout ce trésor fait partie d'un monde qui n'appartient qu'à nous deux... »

2. – Dans une lettre datée du 8 février 1909, peu après leur première rencontre, R. Vallery-Radot donnait ainsi son sentiment sur les poèmes de F. Mauriac : « Cet éveil du cœur qui s'ignore et qui voudrait se pencher sur tout ce qui vit, sourit, se tait, comme vous l'avez bien chanté!... Trop bien peut-être, car les profanes verront tout de suite de vilaines émotions... J'ai remarqué pourtant que c'était les âmes les plus chastes qui étaient les plus tendres en amitié, mais vous me comprenez, mon cher ami. Les mots sont si lourds de langueur, il est si difficile de les dégager de la chair, que pour une âme impure l'équivoque se fait spontanément. Nous causerons de tout cela... »

3. – Cf. lettre de R. Vallery-Radot déjà citée : « Ah! Que vous me rappelez mon passé d'enfant! Quand je vous lis, je m'évoque toujours mes quatorze ans en robe d'enfant de chœur dans la chapelle embaumée des mois de Marie... »

4. – N'ayant pu, en raison de ses convictions sillonistes, demeurer au 104 rue de Vaugirard, (dont il devait cependant être élu président de la « réunion » pour l'année 1908-1909), F. Mauriac, après quelques mois passés à l'hôtel de l'Espérance, venait de s'installer au 45 rue Vaneau.

12

1. – La première lettre de Francis Jammes était la suivante :
« Orthez 19 décembre 1909
Monsieur et cher poète,
Oui! Quand on a dans le cœur, à votre âge, cette *qualité* de foi et que l'on est capable de donner des poèmes aussi simplement beaux (*Ne va plus t'attendrir...* est une merveille), on est appelé non seulement à charmer bien des âmes mais encore à leur faire beaucoup de bien.

Merci
F. Jammes »

2. – Avant d'être publiées, à compte d'auteur, en novembre 1909, *les Mains jointes* avaient paru dans la *Revue du temps présent* dirigée par Charles-Francis Caillard. F. Mauriac devait, à partir de mai 1909, assurer la critique de poésie dans cette revue pendant trois ans.

3. – Poème dédié à la mémoire de Maurice et Eugénie de Guérin.

4. – Dans une lettre antérieure à A. Lacaze, F. Mauriac décrivait ainsi le futur Saint-John Perse : « ... Je lis. On vient me voir. Alexis Léger, un créole mystérieux venu des « Iles » et qui va repartir vers la Floride. Il a le charme inconnu qui se dégage de Lohengrin. D'une voix traînante, il module les vers de Jammes qui est son intime ami – et il a de beaux yeux profonds dans une pâleur de visage qu'on trouve dans les vieux tableaux. »

13

1. – Propriété familiale dans les landes, où F. Mauriac passa la plus grande partie des vacances de sa jeunesse.

2. – François Le Grix, alors secrétaire de la *Revue hebdomadaire*. F. Mauriac avait fait sa connaissance chez R. Vallery-Radot.

3. – Allusion au fameux article de Maurice Barrès sur *les Mains jointes*, paru dans *l'Echo de Paris* du 21 mars. (Cf. *la Rencontre avec Barrès*, la Table ronde, p. 80.)

4. – Cf. *La Rencontre avec Barrès*, p. 91.

14

1. – Surnom de Paule, qui venait d'épouser R. Vallery-Radot.

2. – F. Mauriac anticipe une naissance qui n'aura lieu qu'à l'automne.

15

1. – Au cours d'un récital poétique à la Sorbonne, Julia Bartet, célèbre sociétaire de la Comédie-Française, avait lu des vers des *Mains jointes* ainsi que des poèmes de R. Vallery-Radot.

2. – Jean Aicard, poète et auteur dramatique.

16

1. – Maurice Barrès, ainsi nommé d'après le titre d'une des nouvelles qui composent *Du sang, de la volupté et de la mort*.

2. – Neveu de M. Barrès qui, l'année précédente, avait mis fin à ses jours.

17

1. – Essayiste et romancier genevois.

2. – Dans une seconde lettre concernant ce projet de cohabitation qui finalement n'aboutira pas, F. Mauriac devait écrire à son ami : « Venise nous retient dans sa douceur somptueuse et triste – Et la vie y est telle que la peuvent souhaiter des gens de notre sorte qui ont le goût de l'inertie physique et de l'activité cérébrale. »

18

1. – Paule et Robert Vallery-Radot attendaient la naissance de leur premier fils Jacques.

2. – Dans cette lettre, Anna de Noailles écrit notamment : « ... Et puis la poésie a ses églises et ses chants, ses sublimes crédulités. Elle ne soutient pas

sur le désespoir, mais elle fait retentir l'abîme d'une musique sacrée, où l'orgueil prodigue ses hautes et sombres consolations. Mais votre part est la meilleure, et je m'en réjouis de tout mon cœur pour vous, et je vous remercie de votre amitié. »

3. – Jean-Paul est à la fois le premier titre et le héros de *l'Enfant chargé de chaînes*. Dans un projet d'avant-propos à ce livre, rédigé sous forme de lettre à F. Le Grix, F. Mauriac écrira : « Je me rappelle ce jour d'octobre, mon cher Le Grix, où, à l'affreux Lido, sur une plage encombrée de cabines, je vous lus pour la première fois *l'Enfant chargé de chaînes*. Souvenez-vous que l'Adriatique était semblable à l'ardoise liquide et qu'un orchestre tzigane, jouant au loin ses derniers airs, m'obligeait à vous citer des vers de Laforgue. Il ne faut jamais confondre en vous le secrétaire de la *Revue hebdomadaire* avec l'ami. Le secrétaire m'assura que je ne devais pas compter qu'une œuvre si étrange fût publiée par lui, mais l'ami cria au miracle et cependant que nous voyions se rapprocher les lumières de Venise, avertit notre gondolier Attilio que le jeune seigneur français venait de composer un chef-d'œuvre... »

19

1. – Cette « dame russe de Florence » dont parle F. Mauriac dans la postface des *Nouveaux Mémoires intérieurs* était la mère adoptive de son ami Serge Fleury.

2. – Dans un « Cahier » de souvenirs, rédigé en juin 40, F. Mauriac évoquera ainsi la rencontre, à Florence, de Jean-Louis Vaudoyer et d'Edmond Jaloux : « Sur ces routes de Toscane en 1910, les deux amis me montraient beaucoup de gentillesse, mais aussi peu de considération que j'en méritais, ce qui ne laissait pas de me troubler : jusqu'à quand ne serais-je rien aux yeux du monde ? Cela dura fort longtemps : j'entends encore le rire d'Edmond Jaloux dix ans plus tard, comme *la Chair et le Sang* venait de paraître et que je m'alarmais naïvement devant lui des côtés troubles de ce livre : « Oh! non, rassurez-vous! Vous ne troublerez jamais personne! »

20

1. – Nés tous deux en 1885, les deux amis ont 26 ans!

2. – *Leur royaume*, premier roman de R. Vallery-Radot, avait paru en 1910.

3. – Ce passage fait allusion à Marianne Chausson, nièce de R. Vallery-Radot, avec laquelle F. Mauriac eut cette année-là, selon ses propres termes, « une mésaventure sentimentale ». (Postface des *Nouveaux Mémoires intérieurs*.) Cet épisode inspirera le chapitre des fiançailles rompues du narrateur de *la Pharisienne*.

4. – *Le Mercure de France* fera paraître en revue *l'Enfant chargé de chaînes* en 1912 mais non, comme le laisse supposer F. Mauriac, le recueil de poèmes dont le titre définitif sera *l'Adieu à l'adolescence*.

5. – Eusèbe de Brémond d'Ars.

6. – Georges Vallery-Radot, frère de Robert.

1. – Directeur de la revue *le Catholique*.
2. – *L'Adieu à l'adolescence*.

1. – F. Mauriac avait fait la connaissance de Jean Cocteau chez Mme Alphonse Daudet.
2. – F. Mauriac écrivait, le 2 avril 1911, à R. Vallery-Radot : « Loyalement, je ne puis vous promettre de ne plus voir Jean C. Ce serait de ma part une trahison et une lâcheté... Peut-être ai-je l'esprit mal fait, mais je ne vois pas le crime que j'ai commis en allant avec lui manger six huîtres et du caviar entre minuit et demi et une heure, l'avant-veille de mon départ. Il me l'a demandé avec angoisse. Je crois que j'ai eu raison au moment de le quitter, de ne lui pas faire une inutile blessure – et je ne vois pas en quoi j'ai souillé cette journée où l'on m'avait saupoudré le cœur de quelques paroles de vague espoir ! Je connais cet enfant, sa perversion, sa perfidie, son cabotinage – vous voyez que je lui fais la part belle –, mais il y a derrière tout cela une pauvre petite âme inquiète et effroyablement seule, qui tourne autour de moi, non pour me perdre mais pour se sauver (je ne dis pas qu'elle ne puisse me perdre sans le vouloir). »

24

1. – *L'Adieu à l'adolescence* avait paru en juin chez Stock.
2. – Dans sa propriété de Gascogne, à Lassagne, Georges Dumesnil réunissait de jeunes poètes et écrivains. Ce professeur de philosophie à la faculté de Grenoble avait fondé une revue catholique trimestrielle : *l'Amitié de France*, à laquelle collaboraient F. Jammes et P. Claudel. C'est à cette époque que prit jour le projet d'éditer, dans les mois intercalaires, *les Cahiers de l'Amitié de France* qui devaient réunir, sous la direction de R. Vallery-Radot, le groupe formé par F. Mauriac, E. de Brémond d'Ars, André Lafon, Martial Piéchaud, etc.
   « Le poste d'administrateur-gérant fut confié à François Mauriac, et pour mettre un peu de fantaisie dans ce que la comptabilité pouvait avoir d'austère, il rangeait l'encaisse dans un sac à éponges. » (R. Vallery-Radot : *la Muse qui est la grâce*.)

1. – Paule Vallery-Radot n'avait pu accompagner son mari à Malagare car elle attendait son second enfant.
2. – Premier titre envisagé pour *les Cahiers de l'Amitié de France*.

1. – François Le Grix.
2. – En novembre, la *Revue hebdomadaire* publiera « Le cousin de Paris », nouvelle qui sera reprise dans *la Robe prétexte*.

1. – Eusèbe de Brémond d'Ars, poète, auteur des *Tilleuls de juin* (1920) et

de *l'Etoile sévère* (1935). F. Mauriac avait fait sa connaissance, par l'intermédiaire de R. Vallery-Radot, alors qu'il dirigeait *la Plume politique et littéraire.*

2. – Pour le premier numéro des *Cahiers de l'Amitié de France* qui venait de paraître, E. de Brémond d'Ars avait envoyé d'Epinal, où il faisait son service militaire, un article consacré à Jammes.

28

1. – A la suite d'un article intitulé « La jeunesse littéraire » paru à la *Revue hebdomadaire,* André Gide avait écrit à F. Mauriac, lui reprochant d'avoir employé le mot de « sacrilège » à propos du *Retour de l'Enfant prodigue.* (Cf. « Correspondance André Gide-François Mauriac », *Cahiers André Gide 2,* Gallimard.)

29

1. – « Camille », qui sera publiée en octobre dans la *Revue de Paris* et reprise plus tard dans *la Robe prétexte.*
2. – *L'Homme de désir,* qui paraîtra en 1913, sera dédié à F. Mauriac.
3. – F. Mauriac avait fait la connaissance de Jeanne Lafon à la Tresne, près de Bordeaux, chez Jeanne Alleman (écrivain sous le pseudonyme de Jean Balde), amie de l'un et ancien professeur de l'autre. C'est sans en avertir la principale intéressée que F. Mauriac avait été demander sa main à son père.
4. – Dédicace qui contiendra ces simples mots : « Pour vous qui êtes venue. François M. »

30

1. – André Lafon.
2. – Après une légère brouille entre les deux amis, F. Jammes avait écrit à F. Mauriac : « Laissez-moi être le martin-pêcheur et tracer mon arc-en-ciel dans le calme rétabli. »
3. – Héroïne de F. Jammes.

31

1. – Dans la *N.R.F.* d'octobre, H. Ghéon, l'un des fondateurs de cette revue, critiquait un article de F. Jammes paru dans *la Croix*, sur les rapports de la littérature et de la religion.
2. – A Lassagne, chez Georges Dumesnil, s'étaient réunis les principaux collaborateurs des *Cahiers* autour de Francis Jammes. En souvenir de ce séjour, chacun écrivit pour la revue ses « Heures de Lassagne ». Criterius est sans doute le surnom de l'un d'entre eux.
3. – Dans une lettre écrite le 30 septembre à sa fiancée Jeanne Lafon, F. Mauriac dépeint ainsi F. Jammes : « Il a un esprit incroyable et en racontant des histoires sur Claudel et sur Gide, il imite à s'y tromper la voix et le geste des personnages. Jammes aujourd'hui est un gros courtaud à barbe très grise et à petit ventre. Il est jovial et commun d'aspect. Mais derrière le commis voyageur sublime qu'il paraît d'abord, on a tôt fait de trouver l'amant délicat et suranné de Clara d'Ellébeuse... »

4. – De Mme Augustus Craven.

32

1. – E. de Brémond d'Ars, libéré du service militaire, avait pu rejoindre ses amis à Lassagne.

33

1. – Jacques Rivière et François Mauriac s'étaient retrouvés la veille à la répétition générale de la pièce de Claudel.
2. – Deux essais de J. Rivière avaient paru à la *N.R.F.* en 1912 : « *De la sincérité envers soi-même* » et « *De la foi* ».
3. – Dans cet article de *Paris-Journal*, répondant à une enquête de F. Mauriac sur « la jeunesse littéraire » parue dans la *Revue hebdomadaire*, Alain-Fournier écrivait : « ... Donc les jeunes gens d'aujourd'hui ne lisent pas seulement les " bons auteurs " que cite M. François Mauriac, mais aussi les autres, de Stendhal jusqu'à Dostoïevski. Leur adolescence s'est passée dans une inquiétude douloureuse et souvent misérable, parce que tous ne sont pas des jeunes gens riches et croyants. " L'artiste, dit M. Mauriac, doit amasser, dans l'ombre, au long de son adolescence, un trésor de souvenirs ineffables. " Que répondra M. François Mauriac aux jeunes gens qui diront : " Nos souvenirs ne sont pas ineffables? " » (le texte intégral de cet article a été publié dans la *Correspondance Jacques Rivière et Alain-Fournier.*)

A propos de cette enquête de la *Revue hebdomadaire,* on peut citer également l'opinion de Roger Martin du Gard exprimée à P. Rain, le 22 avril 1912 : « Tout ce que tu me dis de l'enquête de la *Revue hebdomadaire* ne m'étonne pas. Je me suis aperçu, il y a longtemps, de ce néo-catholicisme, qui m'est contemporain. Il y a là un groupe de jeunes, qui ont notre âge, et dont certains comme Mauriac, d'ailleurs, ont un réel et vivant talent. Et j'ai déjà pensé avec mélancolie que ce groupe-là ferait son chemin en même temps que nous, et que nous le coudoierions par force toute notre vie : comme ces compagnons de train qui ne sont pas dans votre wagon mais font le même voyage que vous et se heurtent à vous à toutes les stations. » (R. Martin du Gard, *Correspondance générale,* Gallimard.)

34

1. – Depuis le début de l'année, les *Cahiers* avaient augmenté leur nombre de pages.
2. – Héros de *la Colline inspirée.*
3. – Dans sa lettre à P. Rain précédemment citée (cf. lettre 33, note 3), R. Martin du Gard poursuivait : « Il y a incontestablement un mouvement vers les disciplines, d'où qu'elles viennent. Mais il y aura toujours les incroyants, qui sont légion, et dont le nombre ne diminue pas. Le plus qu'on puisse obtenir d'eux dans le sens catholique, c'est l'attitude d'un Barrès, incrédule, mais respectueux et voyant là une force sociale nécessaire : ces attitudes-là ne tarderont pas à indigner les vrais croyants, et j'assisterai, j'en suis sûr, à la lapidation des Barrès, traités de faux frères par les Caillard, Mauriac, Vallery-Radot, et autres jammistes qui fréquentent chez M. de Pomairols et la duchesse de Rohan... »

1. – De même que F. Jammes, R. Vallery-Radot n'était pas partisan de la parution en volume de *l'Enfant chargé de chaînes,* qui sera néanmoins publié en mai chez Grasset.

Un passage d'une lettre à sa fiancée, datée du 24 février 1913, apporte un doute sur ce qu'affirme F. Mauriac lui-même, dans la postface des *Nouveaux Mémoires intérieurs,* au sujet du refus de ce livre par les éditions Stock, dont J. Boutelleau (le futur Jacques Chardonne) était le secrétaire : « Le Grix a vu hier Grasset qui fut ravi à l'idée que je pourrais venir chez lui. Le jeune éditeur cherche des jeunes d'avenir, il a tout intérêt à les lancer et si nous arrivons à nous entendre (je le vois demain), je pense que j'aurai à m'en louer. Il me publierait au printemps (fin avril ou commencement de mai). Je vous tiendrai au courant. Mais tout cela va être bien délicat à expliquer aux Boutelleau... »

2. – André Lafon.

3. – Il s'agit de la répétition générale de *la Brebis égarée.*

36

1. – Le mariage de F. Mauriac avec Jeanne Lafon avait eu lieu le 3 juin à Talence, près de Bordeaux.

2. – Fortunat Strowski, dont F. Mauriac avait suivi les cours à Bordeaux alors qu'il préparait sa licence de lettres. Cf. *La Rencontre avec Pascal* (1926) : « Des spécialistes se donnent beaucoup de mal pour nous contraindre à douter que le " Discours sur les passions de l'amour " soit de Pascal. Même si les raisons matérielles de croire à l'authenticité de ces pages admirables ne nous paraissaient de beaucoup les plus fortes, il suffirait de les lire pour asseoir notre créance, tant Pascal s'y découvre à chaque phrase et tant nous y reconnaissons cet accent qui ne s'imite pas. »

1. – Critique littéraire, André Beaunier avait écrit, dans la *Revue des Deux Mondes,* un article intitulé « Un groupe » où il étudiait *l'Enfant chargé de chaînes* de F. Mauriac, *l'Appel des armes* de Psichari et *l'Homme de désir* de R. Vallery-Radot.

2. La parution en volume de *l'Enfant chargé de chaînes* aux éditions Grasset avait provoqué de vives réactions parmi les sillonnistes « à cause d'un personnage qui par quelques traits rappelait Sangnier ».

Le 22 juillet, F. Mauriac écrira à R. Vallery-Radot : « Mon livre a été écrasé par une presse effroyable et je mentirais si je me disais indifférent. Les quelques articles que j'ai eus cherchaient à m'atteindre à travers mon livre. Ne croyez pas que je m'en indigne. La plus injuste de ces critiques était au fond terriblement juste – et les hommes ont raison de repousser un alexandrin de ma sorte. Je traverse une de ces périodes que vous avez connues où le doute de soi-même devient la souffrance la plus aiguë. Ah! Vendre n'importe quoi plutôt que de se vendre 3,50 F à des gens qui ne vous achètent même pas! »

1. – R. Vallery-Radot effectuait une série de conférences dans les principales villes de France et en Belgique.
2. – *Les Caves du Vatican.*
3. – Libraire et nouvel éditeur des *Cahiers.*

1. – E. de Brémond d'Ars habitait alors, à Bellevue, un pavillon resté intact dans une aile du château disparu de Mme de Pompadour.

1. – Claude Mauriac était né le 25 avril.
2. – Jean Variot était l'un des collaborateurs des *Cahiers.*
3. – L'abbé Daniel Fontaine dirigeait le *Journal de Clichy,* auquel F. Mauriac donna une douzaine d'articles politiques de mars à juillet, sous le pseudonyme de François Sturel. P. Claudel et R. Vallery-Radot devaient également collaborer anonymement à ce journal.
4. – Après la publication de divers fragments à la *Revue de Paris* et à la *Revue hebdomadaire, la Robe prétexte* allait paraître en juin chez Grasset. Tandis qu'il rédigeait ce livre, F. Mauriac avait écrit à son ami : « Je travaille à ma *Robe prétexte.* Ce sera spirituel, délicat et futile et il y aura des qualités littéraires. »

1. – Charles Lacoste, peintre ami de F. Jammes.

1. – L'appartement du 89 rue de la Pompe donnait sur les jardins de l'avenue Montespan.
2. – F. Mauriac modifiera par la suite son jugement sur Molière (voir lettre à R. Fernandez du 28 oct. 29).

1. – La déclaration de guerre avait surpris F. Mauriac à Malagare. En attendant son conseil de révision, il s'était engagé, à Bordeaux, dans un service de brancardiers.

1. – Pie X, qui avait condamné le Sillon en 1910.
2. – Son beau-frère.

1. – Nous n'avons malheureusement pu retrouver la première lettre de F. Mauriac à M. Barrès, contenant ses « remerciements passionnés » pour l'article de *l'Echo de Paris* (*la Rencontre avec Barrès,* p. 90).

2. – Le 13 sept, F. Mauriac confirme la venue de M. Barrès dans une lettre à R. Vallery-Radot : « J'attends Barrès et sa femme qui vont rendre historique notre maison. »

48

1. – Lettre à en-tête de l'*Echo de Paris*, replié à Bordeaux. F. Mauriac devait y être quelque temps, jusqu'à la mort de celui-ci, secrétaire d'Albert de Mun.

49

1. – Carte postale de Bordeaux.
2. – En raison d'une ancienne pleurésie.
3. – Dans *la Rencontre avec Barrès,* F. Mauriac nous livrera le récit de la mère de Jean de La Ville de Mirmont sur les derniers instants de son fils, mort au combat.

50

1. – F. Mauriac était alors dans le service d'ambulanciers d'Etienne de Beaumont.
2. – Malgré sa réforme, R. Vallery-Radot s'était engagé dans un régiment d'infanterie.
3. – Ce passage n'est pas sans rappeler ce qu'écrivait F. Mauriac dans *les Cahiers de l'Amitié de France* en novembre 1912 : « J'ai rêvé aussi d'un château de Gascogne qui nous abriterait tous pendant les vacances. Nos jeunes femmes en robes claires broderaient sur la terrasse. Les enfants se poursuivraient sous les arbres profonds et verts. Le salon serait vaste avec des orgues. On mettrait les livres en commun... »

51

1. – André Lafon venait de mourir.
2. – E. de Brémond d'Ars avait été blessé à la guerre.
3. – Le frère d'Eusèbe.

52

1. – M. Barrès avait évoqué André Lafon dans *l'Echo de Paris.*
2. – F. Mauriac avait gagné Châlons, en juin, attaché à une ambulance chirurgicale organisée par Etienne de Beaumont.

53

1. – E. de Brémond d'Ars était caporal au 150e régiment d'infanterie.
2. – Rentré à Paris le 23 novembre, F. Mauriac devait repartir, le 5 mars 1916, pour Toul.

54

1. – Allusion probable à la parenté étroite qui liait Ernest Psichari à Renan.

55

1. – Lettre écrite de l'hôpital Thouvenot, à Toul, où F. Mauriac faisait partie du service de radiologie.

56

1. – Où F. Mauriac était arrivé depuis la veille.
2. – F. Jammes venait de publier *Cinq prières pour le temps de la guerre*.
3. – Au début d'avril, F. Mauriac écrivait à sa femme : « J'achève avec des larmes le splendide article de Barrès que tu me transmets. Tout y est admirable et surtout cette pudeur de la fin : " Il ne faut pas durant l'action ouvrir des fenêtres sur des jardins trop beaux... " Hélas!

Mais comme on se sent petit, petit... Comme on se demande s'il y aura pour nous d'autres refuges que le silence? »

57

1. – Peu après son arrivée à Loxéville, F. Mauriac écrivait le Vendredi saint à sa femme : « Ah! Reprendre sa vie... On a l'impression que tout est à recommencer. Je me gonflais de ma petite importance! Me voilà aussi petit garçon que dans ma chambre de chez le père Plazenet. Cette guerre nous remet tous au point. Seul Jean Cocteau continue de se croire considérable – et aussi Rigadin sans doute.

Les bons médecins jouent indéfiniment le rôle du bon Samaritain. Mais les mauvais! Quel massacre à l'arrière! " Je viens vous voir opérer une appendicite, disait un chirurgien à l'autre, moi je rate toutes les miennes! " »
2. – Son beau-frère, Georges Fieux.
3. – Ainsi F. Mauriac appelait-il le second enfant espéré, écrivant quelques mois plus tard à sa femme : « La chère réussite de Claude recommencera-t-elle? Il n'y a pas deux miracles pareils. Prions pour ce petit inconnu si Dieu veut qu'il nous arrive : Claude a ouvert le temps de la guerre. L'inconnu ouvrira le temps de la paix. »

58

1. – Au sujet de ce livre, F. Mauriac écrivait, le 14 mai, à sa femme : « Je peux travailler un peu à mon roman. Je le voudrais meilleur que tout ce que j'ai fait. Dans mon esprit il a un nom peut-être un peu étrange mais qui l'exprime exactement selon moi : " la Chair et le Sang ". » Et, le 15 juin : « Si je rentre au bercail, ce sera pour travailler comme un forcené à mon métier d'écrivain. Quelle volupté j'aurai! »

59

1. – Le 26 juillet, F. Mauriac écrira à sa femme : « Reçu une lettre de Brémond d'Ars – belle à pleurer – à propos de mon article. » (Il s'agissait d'un article paru dans la *Revue hebdomadaire* pour l'anniversaire de la mort d'André Lafon.)

60

1. – Propriété de R. Mauriac à Sainte-Croix-du-Mont, ainsi appelée car elle était fréquemment inondée l'hiver.

61

1. – Où se trouvait alors Mme F. Mauriac.
2. – « La vocation des survivants », qui paraîtra dans la *Revue des jeunes*.

62

1. – De Toulon, F. Mauriac s'était embarqué pour Salonique où il devait être affecté à un hôpital de la Croix-Rouge.
2. – Pierre Tisné, qui devait devenir secrétaire général des éditions Grasset.

63

1. – Quelques jours plus tard, F. Mauriac devait être atteint de paludisme.

64

1. – Revue à laquelle F. Mauriac collaborait depuis 1913.

65

1. – A la suite de sa maladie, F. Mauriac avait été rapatrié à la fin de mars.
2. – E. de Brémond d'Ars avait été une nouvelle fois blessé en 1916.

66

1. – Dans son *Cahier* inédit de juin 40, F. Mauriac devait écrire à propos de cette première rencontre avec A. Gide chez Mme Muhlfeld : « Ce fut dans le petit salon jaune de la rue Georges-Ville que je rencontrai Gide pour la première fois. (...) Déjà je connaissais Gide mieux que moi-même, et mieux peut-être que beaucoup de ses amis ne le connaissent qui, n'étant pas chrétiens, n'ont pas dû vivre comme j'ai fait, en tenant compte à chaque instant de la critique gidienne, de cette contradiction vivante. » Et, plus loin : « Pour lui, être connu, c'est être compris; être compris, c'est être absous. Et là, que je lui donne raison! Voilà peut-être le secret de la miséricorde infinie : elle est un autre nom de l'omniscience du Père qui est aux cieux. »
Les deux volumes envoyés par André Gide, le 8 juillet 1917, sont les deux tomes d'une édition de luxe des *Caves du Vatican*. Ils portent la dédicace suivante :
« A François Mauriac
affectueusement et craintivement
André Gide. »

67

1. – Il s'agit du peintre Jacques-Emile Blanche, dont F. Mauriac avait fait

la connaissance en 1916. (Cf. *Correspondance François Mauriac-Jacques-Emile Blanche,* établie par Georges-Paul Collet, Grasset 1976).

68

1. – H. de Montherlant avait envoyé à F. Mauriac le manuscrit de son premier ouvrage : *la Relève du matin,* inspiré de ses années de collège à Sainte-Croix de Neuilly.

69

1. – Chronique parue dans la *Revue des jeunes,* le 25 oct. 1916.
2. – L'un des dirigeants de cette revue.
3. – Dans une précédente lettre à son ami, datée du 7 janvier 1918, F. Mauriac écrivait : « ... Je travaille beaucoup. Fini " Montefigue ", fait divers en trois actes (en collaboration avec Jacques Blanche) – " La part de Dieu ", roman (en collaboration avec le François Mauriac que vous aimez) – mes " Beaux esprits " vont paraître dans deux mois. »
4. – La *Revue des jeunes* avait fait paraître le chapitre sur l'adolescence de Lacordaire, qui prendra place dans les *Petits Essais de psychologie religieuse,* publiés en 1920.

70

1. – Cette lettre et la précédente expliquent pourquoi ce livre, commencé en 1914 et achevé en janvier 1918, ne fut jamais publié, en dépit de ce que F.Mauriac écrivait, le 24 août 1916, à sa femme : « J'ai reçu le manuscrit des " Beaux esprits ". A le relire après tant de mois, je ne trouve pas cela si mauvais et sans doute, en le retouchant un peu, c'est une œuvrette qui vaut d'être publiée. » En dehors d'un fac-similé édité en 1926 dans la collection de Champion, il faudra attendre la parution du Iᵉʳ tome de la Pléiade, établi par Jacques Petit en 1978, pour connaître quelques chapitres de ces conversations romancées sur Paul Bourget, Abel Hermant, Maurice Barrès, etc.
2. – Ce « Fait divers » devenu « Montefigue », écrit en collaboration avec J.-E. Blanche en 1917, ne sera ni publié ni représenté. Dans une lettre du 10 février 37 restée inédite, J.-E. Blanche devait écrire à F. Mauriac à propos de cette pièce : « Tout ce dont il me souvienne – cela de la façon la plus nette – c'est qu'une copie montrée à Guitry, puis à Réjane, les avait beaucoup excités. Ces mêmes comédiens m'ont dit, plus tard, comme à d'autres amis, combien vous leur sembliez avoir l'instinct du théâtre. »

71

1. – F. Mauriac préféra alors détruire la totalité de ces lettres, ce qui explique pourquoi André Lafon ne figure pas parmi les correspondants de ce recueil.
2. – E. de Brémond d'Ars venait d'être détaché comme secrétaire-interprète auprès de R. Vallery-Radot, officier informateur à la Xᵉ armée.
3. – Directeur de la *Revue des Jeunes.*
4. – Poème paru au *Mercure de France* en mai 1918.

1. – F. Mauriac avait dû répondre verbalement à ce que lui confiait H. de Montherlant, dans une lettre datée du 22 fév. 1918 : « Je vous verrai vers Pâques, puis, sans doute, jamais plus. Je passe comme volontaire dans un Régiment d'infanterie en première ligne. Encore trois petits tours, puis il en sera de moi comme si je n'avais jamais existé. »

2. – Blessé en 1918, c'est en 1919 que H. de Montherlant commencera à écrire *le Songe*, qui paraîtra en 1922.

3. – Les *Petits Essais de psychologie religieuse* paraîtront en 1920 à la Société littéraire de France.

4. – « Le disparu ».

1. – André Germain, directeur aux *Ecrits nouveaux*.

1. – Le 24 mars, M. Barrès remerciait en ces termes F. Mauriac de la chronique du *Gaulois* parue la veille et qui lui était en partie consacrée : « Mon cher Mauriac, Très touché de ce regard que vous jetez sur cette personne qui s'éloigne sans que je la regrette autrement (c'est de ma jeunesse que je parle). Votre article est charmant. Faites-en davantage... » (On peut lire cette chronique dans le *Mauriac avant Mauriac* de Jean Touzot, p. 98.)

2. – Si l'espoir de collaborer à *l'Echo de Paris* ne se réalisa pas avant 1932, F. Mauriac devait donner de nombreux articles au *Gaulois* – les premiers articles de journaux qu'il signa de son nom – entre 1919 et 1921.

75

1. – Henri Ghéon, qui avait participé à la fondation de la *Nouvelle Revue Française*, était devenu, avec Jacques Copeau, l'un des animateurs du théâtre du Vieux-Colombier.

2. – *L'Homme né de la guerre – Témoignage d'un converti.*

3. – On trouve ici, à l'adresse de Gide, la critique que celui-ci formulera à F. Mauriac dans sa lettre ouverte sur *la Vie de Jean Racine*. (Voir lettre 129, note 1.)

4. – Le 10 juin, H. Ghéon répondra : « Votre mot m'a ému. Je vous pensais plus avancé que moi sur le chemin de Dieu et faut-il que ce soit moi, l'incroyant d'hier, qui vous aide? (...) J'ai grand espoir, avec l'aide de Dieu, de guérir Gide... Mais vous d'abord, qui êtes moins atteint que lui et possédez ce qu'il faut pour guérir, guérissez, cramponnez-vous à votre choix; c'est la vérité, c'est la vie, c'est je vous le dis le Bonheur... On s'étonne bientôt, je vous l'assure, de regretter si peu ce que l'on a quitté. »

5. – Le lieutenant Dupouey, dont Gide préfacera les *Lettres,* et qui fut à l'origine de la conversion d'H. Ghéon, en 1915.

1. – Cette lettre et la réponse de F. Mauriac marquent vraisemblablement

les premières relations épistolaires entre le futur auteur d'*Asmodée* et son metteur en scène.

2. – Jacques Copeau, créateur de la Compagnie du Vieux-Colombier, venait, pour la réouverture du théâtre après les années passées en Amérique, de faire représenter *Un conte d'hiver* de Shakespeare, objet sans doute du premier article de F. Mauriac. Le second spectacle était composé du *Paquebot Tenacity* de Vildrac et du *Carrosse du Saint-Sacrement* de Mérimée.

77

1. – *Petits Essais de psychologie religieuse.*
2. – Commencé pendant la guerre, ce roman, paru l'année précédente aux *Ecrits nouveaux,* sera publié chez Emile-Paul.

78

1. – Les *Petits Essais de psychologie religieuse* étaient consacrés à Lacordaire, Guérin, Baudelaire, Amiel et Stendhal.

79

1. – L'année suivante, dans l'Avertissement à une réédition de la *Relève du matin,* H. de Montherlant écrira lui-même au sujet de *la Gloire du collège* : « Il n'est peut-être pas une seule ligne de ce morceau que je ne me sente capable de remplacer aujourd'hui par un trait qui soit à la fois plus bref, plus précis et plus fort. Je croyais avoir dressé là une sorte de monument musical (...) or, à la nouvelle audition, je n'entendais pas une symphonie, mais l'anarchie sonore des musiciens éprouvant leurs instruments avant que le rideau se lève. »

81

1. – Claude Favereau, héros de *la Chair et le Sang,* roman paru chez Emile-Paul en octobre. Cf. lettre à Mme F. Mauriac du 4 octobre : « E.-Paul se déclare satisfait : pendant les cinq minutes que j'étais là, un libraire en a fait redemander douze. Et Paul dit en vendre beaucoup. »

82

1. – F. Mauriac avait dîné la veille dans la chambre de Marcel Proust, rue Hamelin. A cette occasion, ce dernier lui avait fait don d'un exemplaire des *Plaisirs et les Jours.* Ce livre, édité en 1896 par Calmann-Lévy, était illustré de dessins de fleurs de Madeleine Lemaire.
2. – *Les Plaisirs et les Jours* était dédié à Willie Heath. Dans une introduction à ce livre, M. Proust écrivait, évoquant cet ami disparu : « ... C'est au Bois que je vous retrouvais souvent le matin, m'ayant aperçu et m'attendant sous les arbres, debout, mais reposé, semblable à un de ces seigneurs qu'a peints Van Dyck, et dont vous aviez l'élégance pensive. » Et, plus loin : « Plus grave qu'aucun de nous, vous étiez aussi plus enfant qu'aucun, non pas seulement par la pureté du cœur, mais par une gaieté candide et délicieuse. Charles de Grancey avait le don que je lui enviais de pouvoir, avec des souvenirs de collège, réveiller brusquement ce rire qui ne s'endormait jamais bien longtemps, et que nous n'entendrons plus. »

3. – Né en 1871, M. Proust était de quatorze ans plus âgé que F. Mauriac.
4. – Paul Féval, auteur de romans d'aventure dont les plus célèbres sont *le Bossu* et *les Mystères de Londres*.

83

1. – Francis Jammes avait chargé F. Mauriac de faire parvenir à M. Proust un exemplaire de son *Saint Joseph*.
2. – Allusion à un passage quelque peu sibyllin de la précédente lettre de M. Proust : « ... J'avais à vous parler de bien d'autres sujets urgents et déjà même périmés, mais graves parce qu'ils feront peut-être que deux de vos amis vous demanderont de choisir entre eux et moi. Auquel cas je vous conseille vivement de les choisir eux qui sont pour vous de vrais et vieux amis et à qui il ne faut pas que vous renonciez. Au reste, il est possible qu'ils ne vous posent pas cette option, et comme moi vous êtes bien certain que je ne vous la poserai pas, dans ce cas tout sera facile, au moins en ce qui concerne nous deux »...

84

1. – Sans doute Barrès n'aura-t-il pas davantage lu ce dernier ouvrage puisque F. Mauriac écrit, le 24 nov. 1921, dans son *Journal d'un homme de trente ans* : « Avant-hier, des gestes à mon adresse dans un taxi, place du Palais-Bourbon : c'était Barrès. Je monte : " Que faites-vous? " (aucune idée d'aucun de mes livres!) Je le somme de lire *Péloueyre* qui n'aura que cent vingt pages. »

85

1. – *Le Livre de saint Joseph*.
2. – F. Jammes allait quitter Orthez pour s'installer à Hasparren.
3. – *L'Homme et son désir*.

86

1. – *L'Epithalame*, premier roman de J. Chardonne, avait paru en deux volumes.
2. – (Sic). F. Mauriac, qui connaissait bien Jacques Boutelleau, ne s'était pas encore familiarisé avec son pseudonyme.

87

1. – Après avoir paru en 1919 et 1920 dans « Les Ecrits nouveaux », *Préséances* venait d'être publié en volume chez Emile-Paul. De ce livre, dont il devait pourtant nier, dans la préface de l'édition de 1928, qu'il fût un roman à clefs sur la société bordelaise, F. Mauriac écrivait le 25 juin à sa femme : « Edmond Segresta est mécontent d'être appelé P. Larousselle, me dit-on. (...) A propos de mon livre, maman m'écrit seulement que je n'aurai jamais ma statue à Bordeaux. Je ne m'habitue pas à cette incompréhension de ce que je fais. »

1. – Premier titre envisagé pour *le Baiser au lépreux*.

2. – « ... elle se levait, lui donnait des baisers – ces baisers qu'autrefois des lèvres de saints imposaient aux lépreux. Nul ne sait s'ils se réjouirent de sentir sur leurs ulcères ce souffle des bienheureux. » (Pléiade I, p. 487.)

3. – Les éditions Grasset avaient déjà publié *l'Enfant chargé de chaînes* et *la Robe prétexte*. Mais, après la sortie du *Baiser au lépreux*, F. Mauriac devait signer avec Bernard Grasset un contrat pour trois livres.

1. – « A propos d'André Gide, réponse à M. Massis », article paru dans le n° du 25 décembre 1921 de l'*Université de Paris*.

2. – Lettre à J. Barbey d'Aurevilly du 14 février 1838.

1. – « La Chair et le Sang, Préséances », article d'E. Jaloux paru dans *la Revue hebdomadaire* du 14 janvier.

1. – *Le Baiser au Lépreux* allait paraître dans la collection « Les Cahiers verts » de Grasset.

2. – Il s'agit de son ami Raymond de Sonis. Le lendemain pourtant, F. Mauriac écrira à sa femme : « ... Hier avec Sonis, nous avons passé une demi-heure au Bœuf sur le toit, le bar où trônent Cocteau et Radiguet. La présence de ce couple de mauvais anges n'empêchait point l'ennui et nous nous sommes allés bien sagement coucher. Mon livre sera en vente lundi. Grasset veut me voir. Il me téléphone; je vais être obsédé de ses offres. Mais tout cela, bon signe. »

3. – Germaine Audinet.

4. – *Le Fleuve de feu*.

1. – Carte-lettre envoyée à Chamonix.

2. – Dans une lettre envoyée peu après à Mme F. Mauriac, l'auteur du *Baiser au lépreux* évoquera « cet instant de mue entre le gigolo de lettres et le romancier ».

1. – R. Mauriac s'occupait des terrains de son frère en Gironde.

2. – *Le Baiser au lépreux*.

1. – *Le Baiser au lépreux*.

2. – Faisant allusion à l'article de F. Mauriac : « A propos d'André Gide,

réponse à M. Massis », commençant par cette phrase : « Une pratique plus ancienne du catholicisme ne vous aurait-elle préservé, Massis, d'appliquer à un chrétien – fût-il Gide – l'épithète de " démoniaque "? », H. Ghéon avait noté, en post-scriptum de sa lettre du 11 avril : « La pointe contre les " convertis " dans votre réponse à Massis n'est pas digne de vous... j'allais oublier de vous en faire reproche!!... La charge à fond de Gide dans ses conférences Dostoïevski contre le catholicisme vous aura mal récompensé... »

3. – Il s'agit des pages qui seront reprises dans *Numquid et tu*. Cf. *Journal d'un homme de trente ans*, 25 janvier : « Hier soir, je travaillais au salon, lorsqu'on m'annonce André Gide. Il venait me lire très simplement un carnet intime datant d'une période mystique de sa vie. Grande et secrète tendresse pour le Christ. Mais quand elle est passée, il n'incline jamais l'automate... »

4. – Sans doute *le Mort à cheval*.

95

1. – *Charmes*.

2. – P. Valéry avait dédicacé son livre : « A F. Mauriac, ces psaumes, son ami Paul Valéry. »

3. – Pour le deuxième été consécutif, F. Mauriac avait fait avec sa femme un séjour chez le romancier Louis Artus, à qui fut dédié *le Baiser au Lépreux*.

4. – C'est dans le Salon de Mme Muhlfeld, surnommée « la Sorcière » par Jean-Louis Vaudoyer, que F. Mauriac avait fait la connaissance de P. Valéry, en 1917.

Deux extraits du *Cahier* inédit de juin 1940 nous montrent le sentiment de F. Mauriac à l'égard de P. Valéry et de ses premiers poèmes : « Dès qu'un artiste se meut dans le rayon que projette Valéry, il se voit et il se juge. Plus moyen de se flatter d'être profond ni d'avoir du génie : le génie et la profondeur devenant soudain des valeurs suspectes. » « *La Jeune Parque* m'avait communiqué une grande joie. J'étais fier d'être contemporain de ce chef-d'œuvre. Chaque poème de *Charmes* accrut mon horreur pour les vers que j'avais composés jusqu'alors. Je ne rêvais pas d'imiter Valéry, mais de m'imposer à moi-même des obstacles, de découvrir les lois de ma propre rigueur. De ce désir sont nés les poèmes d'*Orages,* et cet *Atys* : de toute mon œuvre, ce qui me déçoit le moins. »

96

1. – Nous reproduisons intégralement la lettre dactylographiée d'André Gide à laquelle celle de F. Mauriac se réfère. Cette lettre ne figure pas en effet dans la *Correspondance André Gide – François Mauriac (Cahiers André Gide 2,* Gallimard), ayant été retrouvée après cette publication :

Le 4 décembre 1922,

Mon cher Mauriac

Je crois bien que j'attendrai pour lire votre roman de l'avoir tout entier en volume. Ces portions qu'une revue en offre ne sont jamais à la mesure de ma faim; pourtant je ne réponds pas que ma curiosité ne soit enfin la plus forte...

Mais je viens de lire vos pages sur Proust dans la Revue hebdomadaire, *elles m'ont particulièrement ému et je sens une fois de plus combien nos pensées s'avoisinent; voici ce que j'écrivais précisément la veille au soir dans cet article que j'ai promis à la* N.R.F. : « *Et naturellement je n'irai pas jusqu'à dire que nous trouvions dans* les Plaisirs et les Jours *la subtile perfection des pages de sa maturité – encore que parmi les vingt pages de sa* Confession d'une jeune fille *certaines vaillent à mon avis ce qu'il écrivit de meilleur – mais je m'étonne de trouver dans ces pages-ci un ordre de préoccupations que Proust, hélas, abandonnera complètement par la suite – et qu'indique suffisamment cette phrase de l'Imitation de Jésus-Christ qu'il y épingle en épigraphe : "* Les désirs des sens nous entraînent çà et là, mais l'heure passée que rapportez-vous? Des remords de conscience et de la dissipation d'esprit. *" Sans doute son œuvre inédite nous réserve-t-elle bien des surprises. Tout ce que je puis dire, c'est que, de tous les thèmes proposés dans son premier livre, il n'en est aucun qui me paraisse mériter plus d'occuper l'attention de Proust et dont je souhaite davantage retrouver l'écho détaillé. » – Mais avez-vous lu* les Plaisirs et les jours? *et en particulier cette* Confession d'une jeune fille *dont je parle ici?*

Mon admiration pour Marcel Proust est certainement des plus vives – mon émerveillement même, souvent – mais il me faut bien reconnaître que tous les ressorts qui font agir ses personnages, et toutes les ficelles à quoi leurs gestes sont liés, on les peut bien remonter à fond, ou tirer à l'intérieur de ma marionnette, sans obtenir de mon cœur ou de mon corps le moindre mouvement – ou tout au plus un tic.

Au revoir. Vous êtes un des rares dont la présence à Paris me fasse regretter mon absence. Croyez-moi bien affectueusement.

André Gide.

2. – « Sur la tombe de Marcel Proust », *Revue hebdomadaire* du 2 déc.

3. – Qui ne paraîtra qu'en 1927.

4. – *Le Fleuve de feu* est le premier roman de F. Mauriac qui allait paraître à la *N.R.F.,* avant sa publication chez Grasset en mai 1923. Jacques Rivière était directeur de la revue depuis 1919.

97

1. – Dans *le Jeune Homme,* essai paru en 1926 chez Hachette, F. Mauriac reprendra cette citation de Chesterton en ajoutant : « Qui oserait soutenir que c'est la religion qui rend l'amour mortel et que, sans elle, il serait seulement délicieux? Sans qu'aucun dieu ait à s'en mêler, la concupiscence embrase le monde. Enseigne au jeune homme que ce ne saurait être l'arbitraire d'une doctrine qui impose au vice de volupté sa prééminence affreuse... »

98

1. – La lettre de J. Rivière du 16 février, après sa lecture en épreuves du *Fleuve de feu,* est intégralement reproduite dans *Du côté de chez Proust,* la Table ronde, p. 128.

2. – Pascal.

3. – Cf. post-scriptum de la lettre de J. Rivière : « Votre défense de Gide était admirable. Mais entre nous il est bien difficile de défendre, comme écrivain, comme romancier, quelqu'un qui n'aime pas les femmes. Gide ne sera jamais grand faute de cet amour. Ne croyez-vous pas? »

99

1. – J. Rivière demandait à F. Mauriac un article sur Paul Bourget.
2. – Daniel Trasis et Gisèle de Plailly, héros du *Fleuve de feu.*
3. – Dans une lettre adressée le même jour à sa femme, F. Mauriac nommera plus explicitement Edouard Corniglion-Molinier, le mari de Raymonde Heudebert : « Et puis ce pauvre Edouard... Je ne me crois pas inutile auprès de lui. Lorsque le dégoût de la vie se loge dans un cœur si audacieux, si dédaigneux de la mort, c'est à faire trembler. Il doit faire samedi et dimanche des acrobaties à une fête d'aviation... et j'ai hâte que ce soit fini... »
4. – Il s'agit sans doute d'*Orages,* recueil de vers qui paraîtra en 1925 aux éditions de la Sphère et chez Champion.

100

1. – *L'Action française.*
2. – Qui allait paraître le même mois chez Grasset.

101

1. – *Le Mal,* qui sera publié par la revue *Demain.*

102

1. – Il s'agit d'une note sur *Genitrix* parue en février dans la *N.R.F.,* revue à laquelle R. Fernandez devait collaborer, de 1923 à 1943, en tant que critique littéraire et chroniqueur.

103

1. – Dans son importante introduction à *Miracles* d'Alain-Fournier, choix de morceaux inédits et d'articles de l'écrivain disparu, J. Rivière écrivait : « ... Mais là, tout à coup, à ce vague emplacement de mort, j'ai senti remonter en moi cette âme pénitente, saturée de tendresse et de larmes, comme agrandie de misère, et vraiment détachée de ce monde, vraiment saoule de renoncement, que la guerre un moment m'avait faite. »
2. – F. Mauriac évoque à la fois cette édition de *Miracles* et *la Vie et la Mort d'un poète* qu'il venait de consacrer à son ami André Lafon.
3. – Voir lettre 33, note 3.

106

1. – H. de Montherlant rendra hommage aux premiers encouragements de F. Mauriac dans une lettre qu'il lui adressera le 28 juin 1934 : « Je ne veux pas que cette journée se termine sans vous dire combien ma pensée, se

reportant une quinzaine d'années en arrière, se complaît à vous y retrouver. Je n'oublie pas l'amitié dont vous avez entouré mes " débuts ", ni l'appui que vous leur avez apporté... »

2. – H. de Montherlant venait de faire paraître *les Olympiques*.

107

1. – Ces derniers l'invitaient à participer aux décades de Pontigny.
2. – Mme F. Mauriac attendait, en août, la naissance de son quatrième enfant.
3. – Voir lettre du 28 juin à A. Gide.

108

1. – L'un de ces deux livres était *Incidences*.
2. – Il s'agit de *Corydon*, paru le 20 juin aux éditions de la *N.R.F.*

109

1. « François Mauriac », article paru le 18 octobre dans le *Journal littéraire*.
2. – Roman de M. Arland.
3. – On peut rapprocher cette critique de celle que J.-P. Sartre adressera à F. Mauriac, en février 1939, dans son article « Mr. François Mauriac et la liberté », reproduit dans *Situations I* (Gallimard).

110

1. – Quelque temps avant sa mort, J. Rivière avait écrit à F. Mauriac une lettre, interrompue par la maladie, sur *le Désert de l'amour*. (Cf. *Du côté de chez Proust*, p. 141.)
2. – Le docteur Raymond Courrèges, personnage du *Désert de l'amour*.

111

1. – *Le Désert de l'amour* sera publié dans « les Cahiers verts » des Editions Grasset et obtiendra le Grand Prix du Roman de l'Académie française.
2. – Numéro d'hommage de la *N.R.F.* à Jacques Rivière qui venait de mourir.

112

1. – Cet article, intitulé « Le Désert de l'amour », avait paru dans *la Vie catholique* du 4 avril.

113

1. – Cette note sur *le Désert de l'amour*, dans laquelle Ch. Du Bos définissait le « tempo » de F. Mauriac, paraîtra dans le numéro de mai de la *N.R.F.* et sera reprise dans *Approximations II*.

114

1. – Pour l'obtention de la Légion d'honneur.

1. – Lettre écrite de l'abbaye de Pontigny, où F. Mauriac assistait pour la première fois aux célèbres décades organisées par Paul Desjardins.
2. – Marcel Drouin, beau-frère d'A. Gide, qui fut son professeur de philosophie au lycée de Bordeaux.
3. – Il s'agit d'Henri Guillemin, qui assistait à cette décade pour en rédiger le compte rendu des entretiens. Dans *le Cas Guillemin* (Gallimard), il évoque son premier entretien avec F. Mauriac : « Je le revois encore, dans le jardin de Pontigny; il m'a écouté, et m'a pris par le bras. Il me disait : " Comment est-il, Marc, à présent? Vous l'aimez donc tellement que ça? " Je parlais, je parlais. Il ne se moquait pas de moi, il hochait la tête, disant : " Oui, vous êtes exactement ce que j'étais à votre âge. " »

116

1. – J. Doucet, qui avait acquis le manuscrit du *Baiser au Lépreux*, avait demandé à F. Mauriac une lettre relative à ce document. Sa collection littéraire, riche d'œuvres rares et de manuscrits, léguée à sa mort à l'université de Paris, sera à l'origine du fonds de la bibliothèque littéraire Jacques Doucet.

1. – Publiée en octobre dans la *Revue des Deux Mondes*, cette nouvelle sera reprise en 1929 dans *Trois Récits* chez Grasset.
2. – Philosophe mathématicien, comme Pascal à qui il consacra une édition scolaire des *Pensées et Opuscules* dont F. Mauriac ne se sépara jamais depuis son année de seconde.

1. – La fille de Roger Martin du Gard était alors âgée de dix-neuf ans.
2. – Au cours de cette décade, F. Mauriac avait fait une communication sur l'humanisme et les rapports de l'écrivain avec la religion.

1. – Après *Sous le soleil de Satan* qui avait connu un vif succès, Georges Bernanos, grand ami de R. Vallery-Radot, écrivait *l'Imposture*.
2. – Mot indéchiffrable où nous croyons lire le nom propre Henrion. Sans doute s'agit-il du père Charles Henrion, ami des Maritain, qui avait été quelques mois auparavant à l'origine de la conversion de Cocteau.
3. – *Thérèse Desqueyroux* avait commencé à paraître en novembre 1926 dans la *Revue de Paris*, avant d'être publié en février 1927 chez Grasset. Ce projet d'une Thérèse croyante était en effet venu à F. Mauriac avant la rédaction définitive du livre, portant d'ailleurs le sous-titre de « Sainte Locuste ». Sur ce changement dans l'évolution de son héroïne « conçue d'abord comme une chrétienne, dont la confession eût été adressée à un prêtre », F. Mauriac s'expliquera dans la préface de *la Fin de la nuit*, en 1935.

1. – Dans le n° de janvier 1953 de *la Table Ronde* consacré à F. Mauriac, Prix Nobel, Jean Cayrol citera ce mot de l'écrivain : « Au fond, je n'aime aucun de mes livres; dès que terminés, ils sont morts pour moi. Cependant mon préféré serait peut-être *Thérèse Desqueyroux*. Je l'ai quittée au bord d'un trottoir, un soir; il pleuvait et depuis je la sens vivre à côté de moi et en moi... Mais il est encore bien brûlant, celui-là. »

2. – Les E. Bourdet passaient alors une grande partie de l'année à Tamaris (Var). F. Mauriac devait être à plusieurs reprises l'un des hôtes de « la Villa blanche ».

3. – Sous la direction de P. Brisson.

4. – Au cours de partages faits du vivant de sa mère, F. Mauriac avait hérité de Malagar. Le 1er janvier 1927, il écrivait à sa femme : « C'est fait : vos beaux yeux vont pleurer : Malagar est à nous... »

5. – Dans *la Liberté* du 26 février.

1. – Héroïne d'E. Bourdet.

2. – L'un des personnages de *Thérèse Desqueyroux*.

1. – Le « chaînon » manquant est sans doute celui qui relierait les deux phrases prononcées par Thérèse Desqueyroux : « Une seule fois, pour en avoir le cœur net... je saurai si c'est cela qui l'a rendu malade. Une seule fois, et ce sera fini. » Et, quelques pages plus loin : « Je m'en voulais de prolonger vos souffrances. Il fallait aller jusqu'au bout, et vite! Je cédais à un affreux devoir. Oui, c'était comme un devoir. »

2. – *Destins*.

1. – Dans cette préface de l'édition Paul Hartmann, F. Mauriac désavouait « cette adolescence lâche, apeurée, repliée sur soi » et terminait ainsi : « Malheur au garçon dont les clous, l'éponge de fiel, la couronne d'épines furent les premiers jouets. »

1. – Le 26 mars R. Martin du Gard écrivait à F. Mauriac, après la lecture de *Thérèse Desqueyroux* : « ... Je ne voudrais pas que ce mot, écrit encore sous l'envoûtement, laisse percer des critiques que je réserve pour la charmille de Pontigny. J'ai aussi beaucoup pensé à Mauriac romancier, tout le temps que j'ai été avec Thérèse! Il y a un Mauriac romancier que je dissocie – arbitrairement, j'en conviens – du Mauriac poète. Pour moi, tous vos personnages principaux, ceux qui font centre, sont toujours les créations du Mauriac poète, sont plutôt des " fantômes "; mais prodigieusement animés par l'imagination poétique. Les autres, les comparses – je pense encore à la famille du Docteur – sont les créations du Mauriac observateur et roman-

cier. Je préfère peut-être le Mauriac romancier, et je souhaite qu'il s'affirme de plus en plus. Mais cela ne m'empêche pas d'aimer et de suivre le poète. Il m'émeut sans cesse; il a de brusques visions en profondeur qui font palpiter de plaisir; et ces soudaines évocations, en quelques lignes, quelquefois en quelques mots, de tout un climat! Il y a là de l'*inimitable*. » Et, dans la même lettre, revenant sur *le Désert de l'amour* : « C'est ce que j'aime le moins, dans vos livres, ce souci de construction... Faire du livre un paquet bien ficelé. J'aurais préféré votre " *Désert* " sans son début, – et même, peut-être, sans sa fin. ».

2. – « Le Tertre », à Bellême, propriété que R. Martin du Gard venait de racheter à ses beaux-parents.

125

1. – « La Pension Lomélie », première nouvelle des *Ames en peine*.

126

1. – Critique dramatique au *Temps*, Pierre Brisson était, depuis 1927, directeur des *Annales*. Cette revue avait, en mars, commencé la publication de *Destins*.

2. – *La Vie de Jean Racine* paraîtra dans la *Revue Universelle* à partir de décembre 1927, avant d'être édité chez Plon en mars 1928.

128

1. – C'est sans doute en se référant à ce livre qui venait de paraître chez Grasset que F. Mauriac écrivait à Henri Guillemin, le 4 février 1928 : « On est un amuseur, un gribouilleur sans importance comme il y en a des milliers ou, comme Tolstoï et Dostoïevski, comme Balzac, Flaubert, Proust, toute notre vie n'est qu'un enfantement douloureux, une sorte d'auto-intoxication, une recherche perpétuelle de toutes les occasions de souffrir, un besoin maladif de chagrin, comme s'il fallait d'abord que passe dans notre sang tout ce qu'éprouvent nos créatures... »

2. – Ecole d'enseignement secondaire, à Jouy-en-Josas, où M. Arland était alors professeur de lettres.

129

1. – Le 10 mai, André Gide avait fait parvenir à F. Mauriac sa lettre, datée du 24 avril 28, sur *la Vie de Jean Racine*, en lui annonçant sa parution dans le numéro de juin de la *N.R.F.* De cette lettre (publiée dans les *Cahiers André Gide 2*) nous citerons le passage essentiel : « ... Vous vous félicitez que Dieu, avant de ressaisir Racine, lui ait laissé le temps d'écrire ses pièces, de les écrire *malgré* sa conversion. En somme, ce que vous cherchez, c'est la permission d'écrire *Destins*; et c'est ce qui vous les fait écrire de telle sorte que, bien que chrétien, vous n'avez pas à les désavouer. Tout cela (ce compromis rassurant qui permette d'aimer Dieu sans perdre de vue Mammon), tout cela nous vaut cette conscience angoissée qui donne tant d'attrait à votre visage, tant de saveur à vos écrits, et doit tant plaire à ceux qui, tout en abhorrant le péché, seraient bien désolés de n'avoir plus à s'occuper du

péché. Vous savez de reste que c'en serait fait de la littérature, de la vôtre en particulier; et vous n'êtes pas assez chrétien pour n'être plus littérateur. ».

2. – Le texte exact de la pensée de Pascal est le suivant : « On a beau dire. Il faut avouer que la religion chrétienne a quelque chose d'étonnant. – C'est parce que vous y êtes né, dira-t-on. Tant s'en faut; je me roidis contre, pour cette raison-là même, de peur que cette prévention ne me suborne; mais, quoique j'y sois né, je ne laisse pas de le trouver ainsi. »

130

1. – A. Dubourg était l'homme d'affaires de Malagar. Il le demeurera jusqu'à sa mort, après la guerre.

2. – Dans une lettre de la même époque, datée du 15 novembre, F. Mauriac écrivait également :   « Mon cher Dubourg

Tout le monde me dit que le vin rouge est à la baisse. Je crois que nous ferions bien de vendre. Peut-être pourriez-vous conclure à 1750 F?

Qu'en pensez-vous? Il ne faut pas risquer de voir les cours s'effondrer. »

131

1. – Dans une parenthèse apportée à une lettre élogieuse sur *la Vie de Jean Racine* et assez critique sur *Destins*, R. Martin du Gard avait noté, le 26 avril : « (... Mais laissez-moi – une fois seulement, une seule fois – vous dire ceci : Je rigole, mon cher Mauriac, *je rigole* quand on fait de vous un écrivain du catholicisme! Il n'y a pas une œuvre d'incrédule ou d'athée où le péché soit plus exalté, soit paré secrètement de plus de fleurs et d'attraits! Ce sont des livres à damner les saints! Vous aurez beau faire, vous aurez beau écrire (avec cette touchante et involontaire tricherie héritée de vos pieux maîtres) au-dessous de chaque peinture luxurieuse : " Ceci est très vilain, ceci ne doit pas se faire "; il crève les yeux que vos tableaux sont peints avec une frénésie, une complaisance, une évidente et charnelle tendresse! Et dès qu'il s'agit de juger sévèrement ces égarements d'une délicieuse concupiscence, qui vous est très chère, vous ne trouvez plus que des accents compassés, contraints, dénués de toute chaleur!) »

2. – Revenant sur cette première décision, F. Mauriac se résoudra finalement à répondre à André Gide dans *Dieu et Mammon*, qui paraîtra en 1929 aux éditions du Capitole. A la fin de 1928, il écrivait, de Malagar, à Mme F. Mauriac : « Mon travail est *Dieu et Mammon*. Rassurez-vous, rien ne paraîtra en revue et ce ne sera qu'un tirage restreint. Ce travail m'oblige à une mise au point de ma position religieuse. J'essaye d'être lucide; je me trouve bien plus chrétien que je n'imaginais. Ce sera mon salut. »

132

1. – C'est Charles Du Bos qui, à la fin de 1928, avait fait connaître à F. Mauriac l'abbé Altermann, devenu par la suite son « directeur ». C'est de cette rencontre que date ce que l'on a pu appeler la « conversion » de F. Mauriac, et qui fut surtout la prise de conscience d'un choix définitif de la religion chrétienne. Il est à noter pourtant que lui-même emploie ce terme dans une lettre à Henri Guillemin, datée du 27 novembre 1928 : « ... C'est bien simple : je suis *converti*. Je vous raconterai ça à Bordeaux (n'en

parlez pas) (si on doit s'en apercevoir, il vaut mieux que ce soit à mes actes et non à mes professions de foi). J'ai été miraculé, à la lettre : sans rien faire – que ne pas dire : non; sans, non plus, d'émotion sensible, ni de folie, ni d'extases, etc. » Cette lettre contenait également la notation suivante : « Et maintenant, sale gosse, triomphez : je me suis désabonné de *l'Action française*. Pauvre *Action française*! J'en suis mystiquement et c'est auprès de Jésus-Christ qu'il faut maintenant la servir. »

2. – L'abbé Lamy, curé de La Courneuve.

133

1. – Dans sa lettre du 4 février, A. Gide s'était inquiété, au lendemain d'une rencontre avec lui, de ce que F. Mauriac ait pu trouver de la « perfidie » dans sa lettre ouverte sur *Racine*.

2. – « Gide intervenait au moment d'un combat douteux. Si j'avais dû renoncer à la foi chrétienne, l'heure en était venue, comme on le voit bien dans les pages intitulées *Souffrances du chrétien*, parues quelques mois plus tôt à la *Nouvelle Revue Française*. » (Préface à une réédition de *Dieu et Mammon*, 1958.)

3. – Allusion aux articles de Massis, contenant notamment ses attaques contre Gide, réunis sous le titre de *Jugements*.

134

1. – Dans sa réponse du 21 février, P. Claudel écrira : « Les *Souffrances du chrétien* m'avaient en effet affligé et je les avais considérées comme la signification d'une rupture. Mais ce qui m'avait paru beaucoup plus grave est *Destins*. Depuis *le Fleuve de feu* déjà si inquiétant, si votre talent n'a cessé de s'affirmer, votre sentiment de la moralité n'a cessé de s'obscurcir, jusqu'à ce que nous arrivions dans *Destins* à une véritable perversité. Je suis heureux de penser que cette phase est finie. Quoi qu'en dise Gide il n'y a rien à apprendre du côté du mal. Le bien seul est créateur et l'explication de l'homme est du côté de Dieu qui l'a fait et non pas du diable qui le défigure. »

2. – *Vigile* sera le titre retenu pour cette revue qui sera fondée en collaboration avec Charles Du Bos et l'abbé Altermann.

135

1. – Marcelle Duthil, épouse d'un avocat bordelais.

2. – Cf. *Ce que je crois* (1962) : « Je Vous demande enfin la force et le courage de demeurer en votre présence, de ne pas me dérober quand Vous êtes là, de ne pas chercher d'issue dans le rêve, dans les imaginations les plus vaines, comme c'est ma coutume. Tout nous est bon, même à nous qui prétendons Vous aimer, pour ne pas demeurer avec Vous... »

136

1. – Écrit en contrepoint de *Souffrances du chrétien*, cet essai intime sera ultérieurement réuni au premier sous le titre *Souffrances et bonheur du chrétien*.

2. – *Trois Récits*, ouvrage regroupant « Coups de couteau », « Le Démon de la connaissance » et « Un homme de lettres » paraîtra dans *les Cahiers verts* de Grasset.

3. – Voir notes de la lettre suivante à Jean Paulhan, qui avait pris la direction de la *N.R.F.* après la mort de J. Rivière.

137

1. – Se référant à deux phrases de *Bonheur du Chrétien* : « Qui d'entre nous oserait nier que le tourmentent à la fois l'horreur du monde et l'impuissance à demeurer seul dans une chambre? » et « De toute notre littérature, se dégage cette affirmation que l'amour s'altère, se corrompt et meurt dès que les amants prétendent renoncer au martyre d'être séparés », J. Paulhan avait écrit à F. Mauriac : « ... Je suis tout prêt à nier que me tourmentent à la fois l'horreur du monde et l'impuissance à demeurer seul dans une chambre. (...) Je ne crois pas non plus que l'amour humain meure nécessairement " dès que les amants prétendent renoncer au martyre d'être séparés " ; je pense avoir observé le contraire. (...) Pourtant, tout ce que vous me montrez, au-delà de ces passages, me semble infiniment juste et vrai. Dès que vous ne cherchez plus à me convaincre, j'ai grande envie de vous donner raison. Je ne connais ni la renaissance, ni le secret dont vous parlez, mais il me semble évident qu'ils existent, et qu'ils sont tels que vous le dites. »

138

1. – Rubrique de la *N.R.F.* que J. Paulhan devait signer dans plusieurs numéros de 1929.

2. – Roman de Rosamond Lehmann.

139

1. – Le volume des *Thibault* : *la Mort du père* porte, sur une feuille jointe datée de mars 1929, la dédicace suivante : « A François Mauriac / pour qui j'ai de plus en plus de sympathie, malgré tout ce qui nous sépare! » (En mai 1928, R. Martin du Gard avait envoyé *la Consultation* : « A François Mauriac / avant qu'il ne finisse comme Racine, avec l'amicale et très attentive sympathie de Roger Martin du Gard. »)

2. – Jacques et Antoine Thibault.

3. – Le 14 mai, R. Martin du Gard écrivait à A. Gide : « ... En communication, une lettre de Mauriac, curieuse, sympathique et bien décevante... Je crois deviner qu'entre *Souffrances du chrétien* et *Bonheur du chrétien*, il y a eu, en Mauriac, profonde secousse, perturbation, puis redressement et option fanatique. Le bon Dieu a gagné cette manche-là! » (*Correspondance A. Gide-R. Martin du Gard*, Gallimard).

140

1. – Claudel avait envoyé, pour *Vigile*, la quatrième de ses *Conversations dans le Loir-et-Cher* : « Samedi ».

2. – Dans la lettre manuscrite, F. Mauriac a superposé le *v* de votre au *n* initialement écrit.

3. – Où P. Claudel était alors ambassadeur.

142

1. – Mme Jean-Paul Mauriac était morte le 24 juin. F. Mauriac l'avait vue pour la dernière fois en mai, en passant par Bordeaux sur sa route pour l'Espagne.
2. – Dialogue qui ne peut avoir lieu puisque le prêtre arrive lorsque Gilbert, le héros de *l'Ordre*, a déjà perdu conscience.
3. – F. Mauriac fait sans doute allusion à *la Mort du père* de R. Martin du Gard.

143

1. – Bernard Barbey.

144

1. – La phrase de *Dieu et Mammon* est la suivante : « Le dégoût du péché, la douleur qu'il enfante, enfin cet usage criminel du monde qui s'interrompt d'être délicieux » ; celle de Pascal, dans la *Prière pour demander à Dieu le bon usage des maladies* : « O Dieu, qui laissez les pécheurs endurcis dans l'usage délicieux et criminel du monde ! »
2. – Hélène et Christiane Martin du Gard.
3. – Denise Bourdet.

145

1. – Charles Du Bos.

146

1. – Dans cette lettre datée du 25 septembre, P. Claudel écrivait : « ... Quand je me suis converti, je croyais que ma foi allait me mettre des murs de tous les côtés. Au contraire, elle m'a conduit sur une montagne d'où l'on voit toute la terre. Mettez-vous avec vos qualités particulières, vos dons, votre pratique acquise, dans la main de Dieu, en le priant du fond du cœur de vous utiliser non pas comme vous l'entendez mais comme il l'entend. Cela en toute douceur et simplicité, sans aucun effort ni violence. Il ne faut pas se faire de Dieu une idée trop haute. Il ne faut pas faire de « sacrifices » ostentatoires. Il faut rester à notre niveau naturel qui est très bas. Il faut considérer Dieu sans tâcher de nous exciter à des vols qui ne sont pas tout de suite faits pour nous, comme un conseiller très bon et très sage, plein de connaissances et de considération, en qui nous pouvons avoir une confiance absolue... »
2. – Dans la même lettre, P. Claudel poursuivait : « " La vraie vie est absente. " C'est cette parole de Rimbaud qui m'a fait chrétien. Oui, la vraie vie est absente de tous ces gens autour de nous qui ne sont que des tombeaux animés. Elle est encore plus absente des livres comme ceux de Proust et de Gide dont les personnages entre les mains du diable exécutent une danse imbécile et sinistre. Ce ne sont plus des hommes, ce ne sont plus les

411

enfants de Dieu. J'ai toujours entendu dire que le but des romanciers était de peindre la vie. Comment peindre la vie *quand la vraie vie est absente*? Mais dans le fond, non, elle n'est pas absente, elle est simplement cachée et enchaînée au fond de chacun de ces simulacres grotesques et douloureux, attendant un mot de nous pour sortir. »

3. – *Ce qui était perdu*.

147

1. – André Malraux.
2. – « Il faut le sauver. » C'est avec les même termes, mais dans un autre sens alors, que F. Mauriac écrivait en 1924 à M. Arland, au moment du procès d'A. Malraux au Cambodge : « Je ne suis pas de ceux qui pensent que le génie donne tous les droits... Mais ce merveilleux garçon, André Malraux, que vous m'avez fait connaître, son aventure me paraît si littéraire, si rimbaldienne, que je frémis en songeant au prix qu'il va lui en coûter. Nous savons que personne n'a jamais résisté à la prison. Il faut le sauver. »

148

1. – *La Vie de Molière*, essai biographique de R. Fernandez.
2. – Prononçant quelque temps plus tard une conférence aux Annales sur *Tartuffe*, F. Mauriac reviendra effectivement sur ces dernières paroles de Molière : « Ce 17 février, voyant qu'il était à bout, Armande et le Baron le supplièrent de ne pas jouer ce soir-là. Comment voulez-vous que je fasse, répondit-il. Il y a cinquante pauvres ouvriers qui n'ont que leur journée pour vivre; que feront-ils si l'on ne joue pas? », et poursuivra ainsi : « Me souvenant de l'anathème de Bossuet contre Molière, je ne crois pas qu'il y eût dans toute la vie de l'Aigle de Meaux un seul trait qui vaille celui-là. »

149

1. – *Le Secret de la nuit*.
2. – François Vallery-Radot allait être ordonné prêtre.

150

1. – F. Mauriac fait sans doute allusion à *Dieu et Mammon*, dont il écrira en 1958 : « Je n'ai rien écrit sur moi-même qui s'enfonce aussi profond dans mes propres ténèbres que les chapitres II, III et IV de cet opuscule. »

151

1. – *Ce qui était perdu*..
2. – F. Mauriac raconte dans les *Nouveaux Mémoires intérieurs* la censure impitoyable qu'imposait l'abbé Altermann aux textes de *Vigile*.

154

1. – F. Mauriac commençait à écrire *Blaise Pascal et sa sœur Jacqueline*.

155

1. – Avec Molière et Rousseau, l'un des *Trois grands hommes devant Dieu*, (Editions du Capitole).

156

1. – Dans une lettre à A. Gide (26 décembre 1937), F. Mauriac attribuera cette phrase à Anna de Noailles.

2. – Quelques mois auparavant, F. Mauriac confiait à J. Paulhan le sentiment de détachement qu'il ressentait de la part de certains de ses amis depuis sa nouvelle orientation religieuse : « Je vous l'avoue : le grand Sacrifice, le *seul* qui compte pour moi, c'est cette rupture inévitable. " Je suis venu séparer... " hélas! Sacrifice d'autant plus dur lorsque l'on se sent soi-même devenir, grâce au Christ, plus humain chaque jour, plus près de chaque être que l'on a connu, admiré et aimé. Si je fais mon " Pascal ", tout portera là-dessus : un affreux enfant prodigue qui s'humanise à mesure qu'il approche du Christ. (Non, ce ne sera pas si simple... mais enfin, vous comprenez...) »

157

1. – Discours prononcé le 22 janvier 1931, à l'Académie française, en réponse au Discours de réception du maréchal Pétain.

158

1. – La première partie de cette lettre est dactylographiée.

2. – Jacques Rivière.

3. – Ces lettres paraîtront dans *Du côté de chez Proust* (la Table Ronde, 1947). Dans cet ouvrage F. Mauriac, évoquant le désaccord qui opposa certains amis de J. Rivière à sa femme après la parution de ses livres posthumes : *A la trace de Dieu* et *Florence*, roman inachevé, l'attribuera au combat entre la grâce et la nature et surtout à la sincérité de l'écrivain, manifestant « au-dehors les péripéties de cette lutte que la plupart des chrétiens dissimulent au-dedans d'eux-mêmes. ».

159

1. – Ecrivain et diplomate suisse, Bernard Barbey s'était fixé à Paris en 1923. C'est une de ses nouvelles, parue dans la *Revue hebdomadaire*, qui l'avait fait connaître aux F. Mauriac, dont lui et sa femme Andrée devaient devenir, jusqu'en 1970, des amis intimes. Son premier roman *le Cœur gros* parut dans « les Cahiers Verts » de Grasset. En 1951, son livre *Chevaux abandonnés sur un champ de bataille* recevra le Grand Prix du Roman de l'Académie française.

2. – B. Barbey appartenait à la religion protestante. Œcolampade, Réformateur religieux allemand, est l'auteur de *Commentaires de l'Ecriture*.

160

1. – Admirateur et ami de Marc Sangnier, H. Guillemin avait également été pendant deux ans son secrétaire, peu avant 1925.

2. – H. Guillemin avait demandé à l'Université une période de congé pour préparer une thèse sur Lamartine.

161

1. – Allusion à la rencontre avec l'abbé Altermann, en novembre 1928.

162

1. – J. Copeau avait écrit à F. Mauriac : « Il faudra pourtant que nous arrivions à nous rejoindre, et le plus tôt possible. Et, si mal aisé qu'il soit de former des liens dans l'âge mûr, il faudra nous habituer à sentir fortement les raisons que nous avons de nous connaître et de nous unir. »
2. – Pernand-Vergelesses, en Côte-d'Or, où habitait alors J. Copeau.

163

1. – Dans cette lettre où il écrivait : « ... Eh bien, je me suis toujours senti attiré vers Marcel Jouhandeau, plutôt que détaché, par sa foi qui n'a cessé depuis quelques années de grandir », J. Paulhan ajoutait : « Songez mieux qu'il dépend de vous chaque mois, et pour une grande part, que la *N.R.F.* soit ou non ce que vous condamnez. »

164

1. – Historien, actuel président du Comité de rédaction des *Cahiers François Mauriac* (édités chez Grasset), G. Duthuron, demeurant à Langon, était voisin de Malagar. Il était également lié avec A. Lacaze dont il détient la correspondance avec F. Mauriac.
2. – G. Duthuron faisait alors son service militaire.
3. – *Le Nœud de vipères* commençait à paraître dans *Candide*, avant d'être publié chez Grasset.
4. – Qui avait paru, fin 1931, chez Flammarion.

165

1. – Denise Herpain, héroïne du *Cercle de famille*.
2. – *Le Nœud de vipères*.
3. – La lettre de Janine, témoignant de la conversion de son grand-père, ne figure d'ailleurs pas dans le manuscrit déposé à la bibliothèque Doucet.

166

1. – F. Mauriac venait de subir une grave opération à la gorge.
2. – A la présidence de la Société des Gens de Lettres.

167

1. – *Le Nœud de vipères*.

1. – P. Claudel avait prévu de longue date cet échec de *Vigile*. Dans une lettre de F. Jammes à F. Mauriac, du 6 février 1929, on peut lire en effet : « Il (Claudel) m'écrit, et je te dois toute sa vérité, " qu'il reste sceptique quant à la fondation d'une revue catholique, le malentendu qui existe entre les catholiques et les artistes n'étant pas près d'être résolu. " »

2. – L'éditeur Desclée de Brouwer.

169

1. – Qui deviendra *le Mystère Frontenac*. Ce livre paraîtra à partir de décembre dans *la Revue de Paris*, avant d'être publié chez Grasset. Dans la préface aux *Œuvres complètes*, F. Mauriac devait dire : « J'ai conçu *le Mystère Frontenac* comme un hymne à la famille au lendemain d'une grave opération et de la maladie durant laquelle les miens m'avaient entouré d'une sollicitude si tendre. Si j'avais dû mourir, je n'aurais pas voulu que *le Nœud de vipères* fût le dernier de mes livres. » A. Maurois, dans le n° de janvier 1953 de la *Table Ronde*, confirme et explique l'intention de ce premier titre : « Ce fut ce jour-là que Mauriac me raconta le roman auquel il travaillait alors et qui, publié en mars 1933, est devenu *le Mystère Frontenac*. A ce moment il pensait, par symétrie avec *le Nœud de vipères*, à l'appeler *le Nid de colombes*, car il y voulait peindre, après les conflits de la vie de famille, le besoin presque animal qu'éprouvent les pauvres hommes, effrayés et meurtris par la vie, de se blottir comme une nichée de jeunes chiens contre ceux de leur sang, et de trouver près d'eux la tiédeur, le calme et l'oubli. »

2. – L'abbé Jean Mauriac était alors aumônier au lycée de Bordeaux.

1. – Il s'agit du *Journal* rédigé en 1931. On peut y lire notamment, en date du 4 juin, un passage concernant F. Mauriac et Ch. Du Bos. (André Gide, *Journal* (1889-1939), Pléiade p. 1047 et 1048.)

2. – *Le Dialogue avec André Gide*.

1. – F. Mauriac était en séjour chez les Bourdet.

2. – Marcelle Duthil.

1. – F. Mauriac était allé directement de Tamaris à Font-Romeu. C'est de là qu'il devait, le 30 juillet, faire connaître à sa femme sa décision de ne pas se présenter au fauteuil de René Bazin : « Je ne me présenterai pas à l'Académie. Bourget pousse le vieux Lenotre. Gillet m'écrit cyniquement qu'il faudrait collaborer à la *Revue des Deux Mondes* et me parle de Tharaud. Ne pensons pas à tout ça. J'ai bien le temps de m'abrutir. Ou je n'en ai pas le temps – et alors, qu'importe? Mon rêve serait de m'imposer assez pour qu'ils n'osent se passer de moi. »

2. – « Molière le tragique », c'est ainsi que F. Mauriac intitulera dans *Mes grands hommes* (1949) son essai consacré à cet auteur.

1. – F. Mauriac collaborait régulièrement, depuis juillet, à *l'Echo de Paris*. Après un article intitulé « Qui triche » (paru le 16 juillet), relatif à la position religieuse d'A. Gide, F. Mauriac se faisait plus violent à l'égard de la « sympathie pour l'U.R.S.S. » affichée par A. Gide dans ses dernières pages de *Journal*. (« Les esthètes fascinés », *l'Echo de Paris*, 10 septembre.)

175

1. – Un article « sur le bonheur, le plaisir, la Côte d'Azur », comme l'écrit F. Mauriac dans une précédente lettre à D. Bourdet.

176

1. – Lettre à en-tête du Président de la Société des Gens de Lettres.
2. – R. Fernandez avait obtenu, pour son livre *le Pari*, le prix Femina-Vie heureuse.

177

1. – *Le Mystère Frontenac*, publié en février aux Editions Grasset.

179

1. – *Le Mystère Frontenac*.

180

1. – Ce projet n'aura pas de suite.

181

1. – A F. Mauriac, qui venait d'être élu à l'Académie française, J. Cocteau écrivait le 2 juin : « ... Ne crois pas que mon genre de vie – commandé par la maladie et tout un " style organique " me fasse regarder cette apothéose d'un mauvais œil. N'oublions jamais le dîner à la Roche – où tu t'élançais vers la gloire avec les gestes charmants d'un jeune poulain. »

182

1. – A la suite de cet article où F. Mauriac évoquait les amis lointains qui s'étaient manifestés à l'occasion de son élection à l'Académie française, Julia Bartet lui avait écrit : « ... Je veux considérer votre remerciement aux amis inconnus, comme m'étant offert aussi, puisque mon abstention de fait n'excluait pas la pensée qui allait vers vous, heureuse et admirative. »
2. – Voir lettre 15, note 1.
3. – Sans doute *la Vie de Jean Racine*.

184

1. – A.Gide avait regretté de n'avoir pas collaboré au numéro « d'Hommage à François Mauriac », que venait de publier la *Revue du Siècle*. A côté de R. Vallery-Radot, Cocteau, Drieu La Rochelle, Martin du Gard, etc,

Daniel Halévy y écrivait cette phrase prophétique sur le nouvel académicien : « Il n'a pas fini de nous surprendre. Ce que je vois grandir en lui, c'est la vertu militante, le style du combattant. Beaucoup de nos maîtres écrivains ont terminé leur carrière par quelque grand combat. Je souhaite à François Mauriac cette chance, cet honneur, ce danger. »

185

1. – Lettre dactylographiée.
2. – F. Mauriac avait été élu au fauteuil d'Eugène Brieux.
3. – « Thérèse à l'hôtel » paraîtra dans *Candide* le 31 août.

186

1. – F. Mauriac sera en fait l'un des parrains de J. Guéhenno lors de son élection à l'Académie, en 1962.
2. – C'est André Chaumeix qui avait répondu au Discours de réception de F. Mauriac, le 16 novembre.

187

1. – A propos du discours de réception de F. Mauriac, J. Copeau lui avait écrit, le 17 novembre : « ... J'en suis si ému que je veux vous en remercier, et particulièrement de ce que vous avez dit du théâtre et de Molière, et de cet amour qui "embrase réellement le cœur de certains hommes qui pourtant le nient ou qui ne connaissent pas son véritable nom." Cher Mauriac, comme vous avez grandi dans la foi grandissante et comme elle vous éclaire!... »

188

1. – Dans cette lettre F. Jammes écrivait notamment : « De certains l'on dit qu'ils ne sont si indulgents pour les autres que parce qu'ils sont pour eux-mêmes d'autant plus sévères. Certes je sais que tu portes un cilice spirituel – et que tu ne manques pas du désir d'embrasser les pécheurs. Mais tu te raidis de crainte de te laisser aller à la même indulgence vis-à-vis de toi-même. »

189

1. – Lettre à en-tête de l'Académie française.
2. – F. Mauriac avait eu une rechute de sa maladie.
3. – A l'Académie.

190

1. – R. Fernandez, qui appartenait à la S.F.I.O., était à cette époque très proche des communistes.
2. – Mot indéchiffrable.

191

1. – Il s'agit de la représentation des *Temps difficiles*.

417

2. – Dans *le Romancier et ses personnages* paru l'année précédente, F. Mauriac écrivait déjà : « Depuis que le cinéma parlant nous montre des êtres réels en pleine nature, le réalisme du théâtre contemporain, son imitation servile de la vie, apparaissent, par comparaison, le comble du factice et du faux ; et l'on commence à pressentir que le théâtre n'échappera à la mort que lorsqu'il aura retrouvé son véritable plan, qui est la poésie. ».

192

1. – La citation textuelle est : « Qu'il y a loin de la connaissance de Dieu à l'aimer ! » (*Pensées*).

193

1. – A propos de ce livre, paru aux éditions Grasset sous le pseudonyme de Raymond Ousilane, F. Mauriac écrivait le 5 juillet 1933 à son frère : « ...J'ai lu ton manuscrit et je le trouve *remarquable*. Ton nom t'appartient autant qu'à moi-même : il me semble, pourtant, que c'est ton intérêt, autant que le mien, que tu prennes un pseudonyme. Il y a en effet entre ton bonhomme et mon bonhomme " type " (celui de *Genitrix*, du *Nœud de vipères*, M. Jérôme du *Baiser au lépreux* etc.) des rapports évidents qui ne viennent pas de l'influence mais de la communauté des sources d'inspiration – et la critique ferait de toi un écrivain " à la suite " ou " à la manière de... " alors que ton art est très personnel et ne doit rien à personne. »

194

1. – P. Claudel hésitait alors à se porter candidat à l'Académie française. F. Mauriac devait servir en quelque sorte d'intermédiaire entre les académiciens et P. Claudel, alors ambassadeur à Bruxelles.

195

1. – F. Mauriac était à Rome, envoyé par *le Journal* pour y suivre la visite de Pierre Laval, ministre des Affaires étrangères.
2. – Le cardinal Pacelli devait succéder à Pie XI en 1939.
3. – Dans sa préface à *la Fin de la nuit* écrite de Rome, le jour de l'Epiphanie, F. Mauriac devait faire allusion à cette rencontre avec André de Bavier : « Pourquoi interrompre cette histoire un peu avant que Thérèse soit pardonnée et qu'elle goûte la paix de Dieu ? Au vrai, ces pages consolantes ont été écrites, puis déchirées : je ne *voyais* pas le prêtre qui devait recevoir la confession de Thérèse. A Rome, j'ai découvert ce prêtre et je sais aujourd'hui (peut-être en quelques pages le raconterai-je un jour) comment Thérèse est entrée dans la lumière de la mort. »
4. – Mme Charles Du Bos.

197

1. – Le poète Saint-John Perse, Alexis Léger, alors secrétaire général du Quai d'Orsay.

198

1. – Contre toute attente, dans ce premier scrutin de l'Académie française,
Claude Farrère l'avait emporté sur P. Claudel.

199

1. – P. Claudel désirait établir « un petit croquis » de ses visites académi-
ques, mais simplement, comme il l'écrira par la suite, « pour l'amusement
de mes enfants et petits-enfants ».
2. – Ce qui se passera effectivement, voir lettre du 8 mars 1946.

200

1. – Claire Mauriac était alors âgée de dix-sept ans.

201

1. – Cette lettre répond au petit mot envoyé par P. Claudel le 3 mars :
« Dans les beaux fragments de votre *Vie de Jésus* que publient divers
périodiques, je lis que Notre Seigneur ne se distinguait pas physiquement
d'une manière manifeste des disciples qui l'entouraient. Je ne suis pas du
tout de cette opinion, qui ne cadre pas avec l'image photographique que
nous livre le Saint Suaire de Turin et cette taille exceptionnelle en Orient
(1,85 m)... »
2. – Le 6 mars, P. Claudel répondra à F. Mauriac une lettre très véhémente,
dans laquelle il dit notamment : « Je ne vois rien de *hiératique* ni de
byzantin dans la photographie que nous livre le Saint Suaire, mais quelque
chose de grandiose et de terrassant, et l'on ne s'étonne pas que les satellites,
quand Il a tourné ce visage vers eux, soient tombés à la renverse. Il est facile
de dire que l'on reste sceptique. Il l'est moins de répondre aux arguments de
Paul Vignon que personnellement je considère comme décisifs. »
   La Vie de Jésus avait d'ailleurs suscité d'autres contestations et une lettre
du Saint-Office adressée au cardinal Verdier archevêque de Paris, tout en
rendant hommage à « la haute inspiration chrétienne » de l'auteur, avait
suggéré quelques retouches à apporter aux suivantes éditions, concernant le
côté trop humain de Jésus.

202

1. – M. Jouhandeau avait perdu sa mère le 15 mars.

203

1. – Jeune étudiant demeurant, comme autrefois F. Mauriac, au 104 rue de
Vaugirard (dirigé par le même P. Plazenet), L. Clayeux avait fait, dans la
Revue Montalembert, une étude sur les premiers articles de F. Mauriac à la
Revue du Temps présent. C'est ainsi qu'il fera sa connaissance, en 1932. Cf.
Nouveaux Mémoires intérieurs : « Ce fut l'époque où je découvris Mozart.
Au retour de ces séances épuisantes de rayons, je n'entrais pas dans une
église, mais j'écoutais les disques qu'un ami, Louis Clayeux, mettait pour
moi sur son pick-up. La musique de chambre de Mozart m'était alors incon-

nue. Quelle révélation! Mais j'aimais aussi ce disque de Beethoven : le *Trio à l'archiduc*, avec Cortot, Thibault et Casals. »

204

1. – F. Mauriac avait assisté, au festival de Salzbourg, à la représentation de *Don Giovanni* dirigée par Bruno Walter. Dans sa préface aux *Œuvres complètes* (Arthème Fayard, t. IX consacré au théâtre), il notera l'influence de cette soirée sur son désir de concevoir une œuvre théâtrale : « Edouard Bourdet, lorsqu'il me parla pour la première fois d'écrire une pièce, trouvait le terrain préparé par cette illumination, ce coup de grâce que j'avais reçu à Salzbourg en écoutant Don Juan. »
2. – Mme Pierre Mauriac.

205

1. – Henri de Régnier.
2. – « La guerre d'Espagne... Je l'aurai vécue à une profondeur que je suis seul à pouvoir mesurer. Tout le drame du catholicisme s'y trouvait impliqué. Le fond de ma pensée à ce sujet, je ne l'ai livré, je ne le livrerai à personne. » (*Nouveaux Mémoires intérieurs.*)

206

1. – Le nom du destinataire reste inconnu. Il dut en effet recevoir la version dactylographiée de cette lettre dont le manuscrit, déposé à la Bibliothèque Doucet, porte la mention « Taper », suivie de l'exclamation « vlan! » On peut peut-être voir une indication dans la lettre adressée, le 15 août, à Mme F. Mauriac : « Article effroyable de P. de Mossot dans *Vendredi* en réponse à mon Montherlant. Trop " effroyable " pour avoir la moindre portée. Et un article de Martin-Chauffier : stupide. C'est curieux qu'étant si émotif, tout cela me laisse froid, m'amuse plutôt. » L'article de F. Mauriac : « Le cas Montherlant » avait paru le 31 juillet dans *Gringoire*.

207

1. – E. Bourdet venait d'être nommé administrateur de la Comédie-Française.

208

1. – Jacques Copeau avait plusieurs fois sollicité F. Mauriac d'écrire pour le théâtre. Le 23 juillet 1935, notamment, il lui écrivait : « ... J'ai quelque chose du raseur dans mon obstination à vous réclamer une pièce! Mais songez à notre misère à nous qui cultivons le théâtre sur une terre desséchée. Dites-vous que nous méritons, ou que *je* mérite, si vous voulez, d'être aidé par les meilleurs et que, s'ils m'aidaient, mon effort prendrait un tout autre sens. »
  Nommé, en août 1936, au comité technique de la Comédie-Française, J. Copeau envisageait de mettre en scène *Asmodée*.
2. – Les éditions Compere, spécialisées en copies de manuscrits.
3. – F. Mauriac songe évidemment au rôle de Blaise Coûture.

1. – J. Copeau venait de monter *Napoléon unique* de Paul Raynal au Théâtre de la Porte Saint-Martin et préparait la mise en scène du *Misanthrope* pour la Comédie-Française.

1. – Avec sa femme et ses enfants, F. Mauriac venait d'effectuer une croisière en Grèce, à laquelle participaient également les Vaudoyer.
2. – B. Barbey était officier.

1. – Après une première lecture d'*Asmodée*, J. Copeau avait exprimé ainsi son sentiment : « ... J'aime la pièce. J'aime surtout les personnages. Les jeunes sont adorables, Mademoiselle est épatante. Et toute la pièce, avec la présence de votre grande maîtrise, respire un air de jeunesse.

« Donc j'y crois. Ou plutôt je crois à des *possibilités d'achèvement*. Je vois bien que vous n'êtes pas encore au bout. Et il me semble, très nettement, que c'est sur l'éclairement et le racinement du personnage de Blaise que vous devez porter votre effort. Ce Blaise reste un peu " en l'air ", à mon avis, un peu incertain... »
2. – Il est à noter que F. Mauriac semble reprocher à J. Copeau le terme de « possibilités » que lui-même avait envisagé, dans sa précédente lettre, comme suffisant critère d'encouragement.
3. – J. Copeau devait répondre, le 12 décembre : « ... Je suis bien désolé de vous avoir paru tiède. C'est que je n'ai pas assez insisté, pas avec assez de force, sur tout ce que j'admire dans la pièce et qui de loin excède mes petites réserves. (...) Il n'est pas du tout question de vous condamner à d'éternels retapages! Qui pourrait y songer? » Et, en post-scriptum de cette lettre, J. Copeau poursuivait : « Bourdet désire vivement, et je me joins à lui, que nous nous rencontrions prochainement tous les trois, c'est-à-dire dès que j'aurai relu. Quant à vous " rendre " ce manuscrit, cher Mauriac, le seul mot nous fait hurler tous les deux! »

212

1. – Cette lettre n'a pas été envoyée. Elle répondait à une lettre de J. Copeau suggérant à F. Mauriac d'apporter certaines modifications à sa pièce, touchant au personnage de Blaise Coûture.
2. – C'est en novembre 37 qu'*Asmodée* sera représenté à la Comédie-Française et obtiendra un grand succès, comme en témoigne ce passage d'une lettre de F. Mauriac à son frère abbé : « Tu es trop gentil de t'être tant intéressé au sort d'*Asmodée*. La pièce est très discutée – mais le public semble pris. Pour moi, je n'ai cessé d'être calme... ces " triomphes " s'accompagnent chez moi d'un tel goût de cendres... L'éducation chrétienne fane d'avance toute joie... mais (même humainement) quelle force! »

1. – Faisant don en 1973 de ce document émouvant à la Bibliothèque Doucet, ce correspondant inconnu de Djibouti se dépeint lui-même à François

Chapon (conservateur de la Bibliothèque) comme « cheminot arrivé au premier rang de la hiérarchie des chemins de fer franco-éthiopiens ». Reçue en échange de petits essais de jeunesse « cette lettre, écrit-il, vieille maintenant de plus de trente-six ans, m'avait profondément touché, en éveillant, pour moi seul, l'écho fraternel de la voix d'Yves Frontenac – et elle me fut à l'époque d'un grand secours, pour apaiser le désarroi causé par la déception d'un départ dans la vie, que mes proches avaient imaginé plus brillant ».

214

1. – H. Guillemin était alors professeur de littérature française au Caire.
2. – Le 10 septembre 1937, peu après la suppression de *Sept*, avait paru dans la revue dominicaine *la Vie intellectuelle* un texte d'H. Guillemin intitulé « Par notre faute », réquisitoire contre les principales défaillances de l'Eglise au cours de son histoire. Précédé d'une introduction d'Etienne Borne : « Eglise, corps de péché », ce texte avait provoqué de vives réactions.
3. – Sans doute *Flaubert devant la vie et devant Dieu*, qui paraîtra chez Plon en 1939.

215

1. – F. Mauriac commençait à rédiger *les Chemins de la mer*. De Nice, il écrivait à sa fille Claire, le 28 décembre 1937 : « Je commence à m'ennuyer ferme... C'est si ennuyeux d'écrire un roman, quand on pourrait faire une pièce!» Et, en post-scriptum, cette boutade : « J'écris un roman assommant. On voit bien que c'est pour le percepteur. Je suis résolu à zigouiller tous mes personnages. Ce sera un roman où tout le monde mourra... comme dans la vie! »

217

1. – A propos de la parution des *Jeunes Filles* en 1936.

218

1. – Dans sa réponse, H. de Montherlant écrira : « ... Nos petits démêlés d'hommes de lettres, dont vous fermez en moi la blessure sans en effacer la cicatrice, cela ne nous sépare pas. Mais nous sommes séparés par toute la largeur des bras de la croix. »

219

1. – P. Brisson était directeur littéraire du *Figaro* depuis 1934.
2. – Dans cet article, F. Mauriac écrivait : « ... Que l'affreuse loi de la guerre vous ait entraînés à ces épurations dont Bernanos nous a décrit l'horreur dans un livre impérissable, à ces bombardements de villes ouvertes, qu'elle vous ait obligés de subir cette alliance monstrueuse avec le Racisme ennemi de l'Eglise, aussi redoutable, aussi virulent que le Communisme, encore une fois nous n'avons pas à vous juger ni à vous condamner sur ce point, parce que vos intentions peuvent être droites. Mais nous nous

sentons responsables à l'égard de ce peuple fidèle que nous ne sommes pas libres de tromper... »

220

1. – Cette lettre est écrite au moment où, les 29 et 30 septembre, intervenaient les accords de Munich.

221

1. – R. Martin du Gard avait sans doute écrit à F. Mauriac à la suite de son article de *Temps présent* : « L'académicien frénétique », paru le 10 février. F. Mauriac devait collaborer à cet hebdomadaire, successeur de *Sept*, de novembre 37 à juin 40.
2. – Dans l'adaptation de Sir Basil Bartlett.

222

1. – De la fin juin au 10 juillet, Gide fit un séjour à Malagar en compagnie de F. Mauriac et de son fils Claude. Ce dernier a relaté ces journées dans ses *Conversations avec André Gide*.
2. – *Les Mal-Aimés*.
3. – Il s'agit de *Robert ou l'intérêt général*. Cette pièce, qui sera créée à Tunis en 1946, suscitera d'autres réserves parmi les amis d'A. Gide. Cf. lettre de R. Martin du Gard à J. Copeau, du 27 décembre 1939 : « Sa pièce? Un désastre... Je l'ai écoutée avec un grand malaise, et j'en reste consterné. »
4. – Le 4 juillet, toujours à l'intention de sa femme, F. Mauriac développera encore son impression : « Séjour Gide très réussi. Je ne puis vous dire le détail. Quel mystère que cet homme si décrié, si taré, malgré cela, ou plutôt à cause de cela, soit si humain, si ouvert, si vivant, de plain-pied toujours avec l'essentiel. Nous parlons beaucoup de Dieu, de sa femme, de sa vie, comme si nous nous étions toujours connus. Il m'a dit ce matin : " Que ma femme serait heureuse și elle me savait auprès de vous... " On dirait qu'une certaine corruption protège une certaine enfance de l'homme – ou que le péché le garde perméable à la grâce... Mais tout cela ne veut rien dire et est indicible. »
5. – Claire et Luce.

223

1. – L'article de P. Claudel dans *le Figaro*.

224

1. – Instituteur et écrivain. Son livre *Orage du matin* devait recevoir le Grand Prix du Roman de l'Académie Française et *le Faussaire* le prix Femina en 1965. Les deux hommes faisaient alors partie d'un comité en faveur des réfugiés espagnols.

225

1. – *Les Maisons fugitives*, dont quelques chapitres paraîtront dans la *N.R.F.* d'octobre sous le titre « Cinquante ans », avant que le texte, illustré de cent photos de Jean-Marie Marcel, ne soit publié chez Grasset.

2. – Le plus ancien et principal collaborateur de Bernard Grasset.
3. – *Les Chemins de la mer* avaient paru en janvier chez Grasset.
4. – J. Paulhan répondra : « Ah oui, je souhaite *Atys* très vivement, et très réellement. Je le donnerai sans retard. » *Le Sang d'Atys* paraîtra dans la *N.R.F.* en janvier 1940.

226

1. – Ecrite en 1939, la seconde pièce de F. Mauriac : *les Mal-Aimés* ne sera finalement pas représentée avant 1945.
2. – La rédaction de ces souvenirs sera reprise en juin 1940.

227

1. – J. Guéhenno écrivait à F. Mauriac : « Je me dis en vous lisant qu'il n'importe guère comment nous nous définissons le ciel, les démons et les anges. L'important est de croire à la valeur d'un certain débat en nous entre ces démons et ces anges. »
2. – F. Mauriac avait écrit un billet sur le *Journal* d'Eugène Dabit, paru après la mort de l'écrivain.

228

1. – Jean Blanzat.

229

1. – Bruno Gay-Lussac, neveu de F. Mauriac, qui venait de publier son premier roman *les Enfants aveugles*.
2. – G. Duthuron avait commencé à préparer une thèse de doctorat sur Lazare Carnot.

230

1. – Jean Mauriac, âgé de quinze ans, était alors pensionnaire à Lourdes.

232

1. – Cette lettre autographe fut envoyée à P. Brisson quelques heures après la parution de son article « En écoutant Phèdre chez Gaston Baty » dans les pages littéraires du *Figaro*, le 30 mars, et signées Le Passant.
2. – Dans un projet de réponse qu'il comptait rendre public à la suite de cette « très belle page d'irritation mauriacienne », P. Brisson écrivait notamment : « Je ne cacherai pas que le sentiment qu'exprime ici Mauriac à l'égard de *Phèdre* me fait horreur. Cette Phèdre pascalienne qu'il tire de son esprit est une offense, une imposture et une trahison. C'est corrompre les indications les plus précises d'un texte où l'auteur n'a rien laissé au hasard. C'est adultérer la pièce dans sa vérité profonde et détruire sa résonance humaine. Prosterner Phèdre devant la grille d'un confessionnal, l'envoyer ceinte d'une auréole parmi les flammes de l'enfer ou la précipiter dans un gouffre de miséricorde; poncifs également odieux que je refuse d'accepter. »

P. Brisson lui ayant soumis son texte, F. Mauriac répondit le 3 avril 1940 :
« " Offense ", " imposture ", " trahison ", " poncifs odieux" – non mon cher
ami il ne faut pas que cela paraisse.

Vous avez déformé ma pensée au point qu'il faudrait des pages pour vous
répondre. Partout vous donnez ce " coup de pouce " dont je vous croyais
incapable pour prêter à l'adversaire des opinions grotesques ou pires. Je n'ai
pas dit qu'un cœur chrétien ne dominait jamais sa passion, j'ai seulement
montré l'héroïsme de Phèdre se rendant odieuse exprès. Cas très particulier
et dont je ne prétends pas avoir jamais donné l'exemple! »

P. Brisson reconnut, dans une lettre datée du 4 avril, qu'il avait transporté
sa réponse « sur le plan de la polémique, bien certain d'ailleurs qu'elle ne
paraîtrait pas ». Cet échange qui, en définitive, ne fut pas publié, incita
peut-être P. Brisson à écrire, en 1944, *les Deux Visages de Racine.*

234

1. – Cette lettre répond à une demande adressée par P. Drieu la Rochelle
de collaborer à la *N.R.F.* qui allait reparaître sous sa direction.
2. – Dans sa lettre du 7 décembre, P. Drieu la Rochelle écrivait : « ... Je
rêve qu'on écrive une histoire de la littérature catholique dans la seconde
partie du XIXᵉ siècle et au début de ce siècle, comme emmêlée à la longue
floraison symboliste.

« Dans ce sens ne pourriez-vous vous intéresser à des hommes comme
Hello, Bloy qui se classent maintenant, ou qu'on peut classer? »
3. – *La Pharisienne.*
4. – *Le Sang d'Atys* venait de paraître chez Grasset.

235

1. – Le 23 décembre, expliquant le retard apporté à l'envoi de la *N.R.F.*, P.
Drieu la Rochelle écrivait à F. Mauriac : « ... Le premier nᵒ, je l'ai fait
comme j'ai pu. " On " n'a guère goûté l'idylle charentaise de Chardonne ni
certaine frivolité de Fabre-Luce. Nous ferons mieux. Dans le 2ᵉ numéro, un
bon M., hélas gâté par certaines plaisanteries d'un " athéisme " douteux. Il y
a aussi un long poème de Valéry, une vieille commande. »

236

1. – L'aviateur Edouard Corniglion-Molinier, mari de Raymonde Heudebert.

237

1. – Ce recueil de vers paraîtra en 1942 dans *Poésie 42* sous le titre :
Fragment d'Endymion.

Sur les différents rythmes de sa création littéraire, F. Mauriac s'exprime
dans son « Cahier » inédit de juin 40 : « Ces longues journées consacrées à
deux ou trois vers indéfiniment repris, me consolent de ces grandes foulées
où je me hâte vers le dénouement d'une histoire : il se trouve en effet que le
moins pressé des poètes est aussi le plus impatient des romanciers. »

238

1. – « Retour à Molière », article paru dans la *N.R.F.* de février.

239

1. – J.-M. Franck avait décoré l'appartement des F. Mauriac lors de leur installation avenue Théophile-Gautier, en décembre 1930.
2. – Il s'agit du premier tome de *Journal de la France*.

240

1. – Cette revue, projetée par Pascal Pia et Albert Camus, ne devait finalement pas voir le jour.
2. – Qui deviendront *Du côté de chez Proust*, éd. de la Table ronde, 1947.

241

1. – Cf. lettre à Mme F. Mauriac du 13 mai : « J'ai eu la joie d'un mot de Montherlant ce matin qui me tend la main. *Vraie joie pour moi.* » Ce mot n'a malheureusement pas été retrouvé.

242

1. – *La Pharisienne* paraissait chez Grasset.
2. – Journal d'extrême droite dont Robert Brasillach était le rédacteur en chef.
3. – Le 25 juin, F. Mauriac reparlera à H. Guillemin de la conférence de Fernand Demeure : « Vous ai-je écrit que la conférence contre moi a été un triomphe pour moi? Chaque fois que mon nom était prononcé, les applaudissements éclataient. Le conférencier a parlé deux heures, interrompu sans cesse par les injures, les moqueries. »
4. – Cf. lettre à Mme F. Mauriac du 4 juin : « Je viens de relire de longs passages du *Nœud de vipères*. Qu'on est injuste! A quel point cela est chrétien! Comme je cherche une religion " décantée "! (encore et toujours dans *la Pharisienne*...) Non, je crois que je dois me confier à Dieu en dépit du père Doncœur... »

243

1. – Dans sa réponse du 15 juillet, P. Drieu la Rochelle reprendra la même formule : « Cher Mauriac, Oui, " cher " malgré tout... Je ne réponds moi-même que quand j'y suis absolument forcé aux insultes de vos amis... »
2. – F. Mauriac fait allusion à un article de Drieu paru dans *la Gerbe*.
3. – Dans sa lettre déjà citée, P. Drieu la Rochelle répondra :
« ... Pour moi, il n'y a jamais eu uniquement et principalement une " croisade " en Espagne. La chose principale pour moi n'était pas la coalition des évêques et des généraux. S'il n'y avait eu que cela, il m'aurait fallu faire un gros effort sur moi-même pour préférer aux communistes de tels anticommunistes. Mais il y avait la Phalange.
« Bernanos, Maritain et vous n'avez jamais à ma connaissance admis une distinction qu'exige la justice, entre le fascisme et la réaction, distinction qui

devrait être de grande conséquence dans la position des catholiques de gauche.

« (...) Le fascisme et le communisme, ce n'est pas la même chose. Le communisme détruit totalement le fondement même de toute possibilité spirituelle. Le moins qu'on puisse dire du fascisme, c'est qu'il réserve ces fondements. »

4. – *Les Grands Cimetières sous la lune,* paru en 1938.

5. – Cf. lettre de Drieu la Rochelle du 15 juillet : « ... Il n'y a pas de rencontre involontaire entre les communistes et les catholiques de votre sorte. C'est quelque chose de concerté et d'éprouvé depuis plusieurs années, cela a repris de plus belle ces temps-ci. C'est pourquoi je me suis décidé à prononcer votre nom dans *la Gerbe.* Je m'en serais gardé, si vous n'aviez repris votre activité dans *Temps présent* et si, de nouveau, vous n'indiquiez autant qu'il se peut faire pour le moment, une tendance qui me paraît néfaste.

« J'ai lu deux de vos articles dans ce journal. Je vois bien tout ce qui en transpire. Vous avez rompu le silence, je ne puis le garder. »

244

1. – « Quant à l'article de vous dans *Temps nouveaux* », répondra P. Drieu la Rochelle, reconnaissant qu'il n'en avait en effet lu qu'un seul mais que des extraits de journaux lui avaient fait croire à l'existence d'un deuxième, « il n'était qu'en apparence sur le plan spirituel, il opposait le plan spirituel au plan politique d'une façon qui n'a trompé personne.

« Je n'ai pas du tout envie que vous jetiez le catholicisme dans la persécution, que vous le livriez aux bêtes comme vous le faisiez en Espagne. »

245

1. – Cette lettre, inachevée, a été conservée par F. Mauriac qui a ajouté en tête la mention : « Lettre à Chardonne, non envoyée ».

2. – Sur ce livre, J. Chardonne donnait ainsi son sentiment à F. Mauriac, le 30 juillet : « *La Pharisienne* est peut-être votre chef-d'œuvre – votre roman du plus beau noir éclatant, serré, tranquille, tumultueux... »

3. – Dans la même lettre, J. Chardonne écrivait : « Je suis d'un parti auquel je donne tout mon cœur, car j'ai la certitude (la seule que j'aie eue dans ma vie) qu'il n'y a que perdition pour la France, hors de là – mais il est infesté de jeunes crapules dont on viendra à bout, je l'espère. »

4. – Alphonse de Châteaubriant, auteur de *Monsieur des Lourdines,* directeur du journal *la Gerbe.*

246

1. – *Les Fleurs de Tarbes.*

2. – Allusion à un article de Drieu la Rochelle intitulé « Mauriac », paru dans la *N.R.F.* de septembre.

247

1. – Malagar se trouvant en zone occupée, F. Mauriac avait choisi le bourg

de Saint-Pierre d'Aurillac, situé à quelques kilomètres et en zone libre, comme point de ralliement de sa correspondance privée.

2. – Ayant regagné son pays à la déclaration de la guerre, B. Barbey fut, de 1940 à 1945, chef de l'état-major particulier du général Guisan, commandant en chef de l'armée suisse.

3. – *Lettre à un désespéré pour qu'il espère*, qui deviendra *le Cahier noir*, publié dans la clandestinité, en 1943, sous le pseudonyme de Forez. F. Mauriac y donne lui-même l'explication de ce premier titre : « En juin 40, à la première page de ce Cahier Noir, j'écrivais un mot de Grimm : " La cause du genre humain est désespérée... " ».

Dans ce recueil de notes, poursuivies au cours de l'automne 41, on peut lire également : « Et nous aussi, du fond de l'abîme, nous crions que l'événement nous justifie. La séparation de la politique et de la morale que nous dénoncions de toutes nos faibles forces a couvert, et continue de couvrir, le monde entier de sang. »

248

1. – Jean-Louis Vaudoyer, alors administrateur de la Comédie-Française.

249

1. – L'attaque de Pearl Harbor avait eu lieu le 7 décembre.

250

1. – Au début de l'année, P. Drieu la Rochelle avait songé à redonner la responsabilité de la *N.R.F.* à J. Paulhan, co-directeur des *Lettres françaises*. Celui-ci avait sollicité, pour participer au conseil de direction, P. Claudel, L.-P. Fargue, A. Gide, P. Valéry et F. Mauriac. Après l'acceptation de principe de ce dernier, J. Paulhan lui avait écrit : « ... Je commence à me sentir plein de confiance, si vous êtes là. Il arrive à Valéry d'être faible. Gide est bien loin. Fargue est léger. Mais je compte sur votre rigueur pour nous sauver tous!... Il m'est arrivé de penser que votre gloire devait vous être assez souvent une gêne ou un embarras. Mais je vois bien aujourd'hui la force et la grandeur qu'elle peut vous donner... »

2. – Devant l'exclusion, au comité de direction, d'H. de Montherlant et de M. Jouhandeau, P. Drieu la Rochelle renoncera finalement à ce projet.

251

1. – M. Goudeket avait épousé Colette en 1935. Nous n'avons malheureusement pu retrouver les lettres de F. Mauriac à celle qu'il appelait la « grosse abeille ».

2. – Cette entrevue devait avoir lieu, rue Monsieur, avec le père Fessard. Confondant avec la rue Monsieur-le-Prince, M. Goudeket devait être accueilli dans un hôtel louche par ces mots : « Le père Fessard? Non, mais nous avons une petite mère Fessarde qui fera très bien l'affaire... » Au récit de cette aventure, F. Mauriac devait répondre : « Les voies du Seigneur sont impénétrables! »

253

1. – *Cette affaire infernale*, livre d'H. Guillemin sur Rousseau et Hume.

428

2. – F. Mauriac reprendra plus tard ce terme en réunissant ses articles du *Figaro* écrits entre août 1944 et mars 1945 sous le titre *le Bâillon dénoué*.
3. – Jean Mauriac, présent à cette scène, précise que les Allemands avaient été droit à la machine à écrire pour en vérifier les caractères.

254

1. – Allusion à la presse collaborationniste.
2. – Pièce de J. Cocteau.

255

1. – Au couvent des dominicains.
2. – Pie XII.

256

1. – J. Blanzat et F. Mauriac appartenaient tous deux au Comité national des écrivains qui avait lancé *les Lettres françaises*, hebdomadaire fondé par Jacques Decour et J. Paulhan, qui devait paraître clandestinement à partir de 1942. Le 4 juillet 1941, F. Mauriac écrivait à sa femme : « Je redîne ce soir (pour la troisième fois!) chez les Blanzat. Vous ne pouvez savoir le bonheur que j'éprouve dans ce ménage modeste et pur... Les injures que je reçois de quelques énergumènes pèsent bien peu au prix de ces amitiés qui m'arrivent encore, à mon âge, et que je mérite si peu. »

257

1. – A l'arrêt de la parution du *Figaro* quotidien, puis du littéraire, P. Brisson avait envoyé à chaque abonné une circulaire d'adieu reproduisant le texte d'une lettre écrite, le 2 décembre, au maréchal Pétain.
2. – Depuis la démission de Lucien Romier en décembre 1940, P. Brisson assumait la direction du journal.

258

1. – Jean Blanzat.
2. – Il s'agit d'Abel Bonnard, ministre de l'Education nationale dans le gouvernement de Vichy.
3. – Le « Journal de vacances » de J. Guéhenno avait été publié dans la *N.R.F.* du 1er mars 1939. Le mot de Saint-Just auquel il est fait allusion est le suivant : « Le bonheur est une idée neuve en Europe. »
4. – Le texte du Journal de J. Guéhenno se rapportant à ce « choix » est le suivant : « L'idée vague se forma lentement en moi qu'il devait y avoir deux dieux. L'un, le dieu de mon catéchisme et de ma première communion, était le dieu de l'Eglise et le protecteur du mendiant. L'autre était le dieu de l'usine; Buré était son prophète et sa mission, à ce que j'entendais, était d'assurer décidément aux gens de notre sorte le pain quotidien et un peu d'honneur.
« Ces dieux pendant quelque temps se firent en moi la guerre. Ce fut Buré qui l'emporta. »
5. – Louisette, la fille de J. Guéhenno.

1. – Paru dès avril 24 dans la revue *Demain*, ce roman avait été publié en 1935 chez Grasset.
2. – Son fils Jean.
3. – F. Mauriac écrivait alors *Sainte Marguerite de Cortone*. Dans la préface aux *Œuvres complètes*, il écrira : « ... Parfois aussi, je m'en voulais d'écrire un livre à ce point inactuel. Le martyre de la Cortonaise me détournait du martyre de mon pays; il me rendait infidèle à cette terre abreuvée de sang. Il me semble que les remous de mon cœur et de mes pensées, autour de cette sainte oubliée du XIIIᵉ siècle, donnent à ce livre un accent particulier. »

1. – Pendant cet hiver de l'occupation, « sur un avis de la Résistance et après une visite domiciliaire de la Gestapo », F. Mauriac s'était réfugié plusieurs mois à Paris chez J. Blanzat. « Je voyais Paulhan chaque jour, car nous habitions presque porte à porte. J'ai gardé de ces sombres jours un souvenir délicieux... Oui, que de plaisirs en ces temps de malheur, mais où nous étions fous d'espérance! » (*Bloc-Notes*, III, p. 240).
2. – Un tableau peint par Eugène Dabit, qui se trouvait dans la chambre occupée par F. Mauriac.

1. – *Les Lettres françaises*.
2. – *Les Mouches*.

1. – Le jeune fils de Jean Blanzat.
2. – Dans son *Bloc-Notes* du 9 mai 1964, F. Mauriac évoquera le déjeuner de communion de son filleul, « ce déjeuner où il n'y avait que de chers mécréants comme Paulhan, comme Guéhenno... »

1. – Lettre écrite, de Vémars, le jour même du débarquement en Normandie.
2. – Ambulancière de la Croix-Rouge, Claire Mauriac avait été successivement à Caen et à Béziers.
3. – Guillaume Gillet.

1. – Luce, dont le mari Alain Le Ray était alors capitaine, chef départemental des forces de la Résistance pour l'Isère, et qui attendait son second enfant.

1. – Pierre Brisson proposait à F. Mauriac de donner, à la reparution du

Figaro, des articles presque quotidiens. « ... Vous savez, lui écrivait-il, que je compte sur vous comme sur la pierre angulaire du journal... »

2. – A cette suggestion, P. Brisson devait répondre le 1er juillet : « ... Mais surtout ce titre me paraîtrait bien restrictif aux yeux du public en ce qui vous concerne. Je vois votre action dans le journal beaucoup plus étendue et vous aurez constamment à dire votre mot sur les problèmes fondamentaux que le pays aura à résoudre. »

3. – Cet article, intitulé « le Premier des nôtres », paraîtra en août 1944.

4. – Probablement Claude Morgan.

266

1. – Victor Hugo.

267

1. – « *Nunc dimittis servum tuum Domine* ».

2. – Les traités mystiques de Saint Jean de La Croix apprennent à trouver Dieu au fond de la « nuit obscure » de l'âme, au fond du « rien ».

3. – F. Mauriac répond là à un passage de la précédente lettre de J. Guéhenno, datée du 4 juillet, concernant *les Amitiés particulières* de Roger Peyrefitte : « ... Mais le livre pose de bien grandes questions. Peut-être ne faut-il pas mêler l'éducation de l'âme et la formation de l'esprit. L'enseignement laïque si sec, et qui paraît négliger tellement l'âme, a du bon. Il évite toutes les confusions du cœur. La dure probité est peut-être une bonne règle. »

4. – Philippe Blanzat.

268

1. – Jean Mauriac, âgé de près de vingt ans, allait s'engager en novembre.

2. – Attentat du colonel von Stauffenberg contre Hitler, le 20 juillet.

269

1. – Cette lettre manuscrite a été retrouvée dans les documents personnels de Pierre Brisson concernant F. Mauriac. Nous ignorons si un autre exemplaire en est parvenu à son destinataire.

270

1. – Il s'agit de la présidence du Front national.

271

1. – Jean Mauriac s'était engagé dans une unité de chasseurs alpins.

2. – L'offensive von Rundstedt dans les Ardennes.

3. – Au sujet de cette pièce écrite en 1939, F. Mauriac écrivait à son fils, le 13 décembre : « ... Martinelli s'est engagé dans la division Leclerc et est remplacé par Jean Desailly, un Harry délicieux et pur. Les *Mal-Aimés* vont

entrer en répétition et la répétition générale est déjà fixée au 10 février. C'est Jean-Louis Barrault qui met la pièce en scène – et j'en suis enchanté, car il a beaucoup d'enthousiasme, il croit à ce qu'il fait, il y attache de l'importance... »

273

1. – Dans *Quinze jours avec la Mort,* de Henri Béraud (Plon), on peut lire : « A l'homme qui, écrivant ces lignes, m'a peut-être sauvé la vie – et sauve sûrement mon honneur, j'ai fait remettre une lettre. Un simple billet au crayon :
" Mon cher Mauriac,
Un homme qui depuis cinq jours vit sa propre mort a tendu la main vers vous. Cette main vous l'avez prise, vous avez eu le courage et la générosité de la prendre. C'est en versant mes premières larmes que je viens de lire cet article où mon honneur est sauvé. Vous ne pensez certainement pas, Mauriac, que l'on puisse s'acquitter d'une dette pareille au moyen de remerciements. Je vous dis très simplement que, par vous, toutes mes souffrances sont oubliées. " »

274

1. – Le 11 février, F. Mauriac avait accompagné le général de Gaulle au cours de son voyage à Strasbourg, Mulhouse et Colmar.
2. – Elisabeth de Miribel, attachée de presse rue Saint-Dominique.
3. – Des *Mal-Aimés.*

275

1. – L'Académie avait été le principal sujet abordé entre le général de Gaulle et F. Mauriac lors de leur première rencontre, le 1er septembre 1944.

276

1. – P. Claudel sera finalement élu au fauteuil de Louis Gillet. C'est F. Mauriac qui le recevra sous la coupole le 13 mars 1947.
2. – La fin de la lettre manque.

277

1. – Nous donnons le texte de cette lettre d'après une copie faite par M. Albert Béguin à l'intention de F. Mauriac, l'original ainsi que les autres lettres de F. Mauriac à G. Bernanos n'ayant pu être retrouvés.
2. – La lettre de G. Bernanos, datée du 27 mars, s'était égarée après avoir été confiée à plusieurs intermédiaires. G. Bernanos en avait envoyé une copie à F. Mauriac six semaines plus tard. Répondant par la négative à la proposition que lui avait formulée F. Mauriac de se présenter à l'Académie française, G. Bernanos terminait ainsi cette lettre : « Je vous prie de bien vouloir transmettre à MM. les Membres de l'Académie qui me faisaient l'honneur d'accueillir favorablement ma candidature, l'expression de ma gratitude. Pour vous, mon cher Mauriac, il me semble souvent que beaucoup de choses s'éclaireraient entre nous si nous nous connaissions mieux,

mais il me semble aussi qu'en dépit de tout ce qui nous rapproche, nos jeunesses se sont – il y a bien longtemps – orientées vers la vie d'une manière trop différente pour que nous nous comprenions jamais entièrement, même quand nous sommes d'accord sur le fond. Je sais pourtant par expérience combien de fois votre grand nom est prononcé avec le mien par beaucoup d'amis d'outre-mer, qui savent peut-être mieux que nous ce que nous sommes l'un à l'autre. C'est dans leurs cœurs que nous nous trouvons donc unis, en attendant de l'être un jour, dans la douce pitié de Dieu, comme dans un éternel matin. »

3. – « Je viens d'achever la lecture de l'*Action française* du jour et je m'empresse de boire à votre santé... Votre article sur Mauriac dit tout ce que j'avais sur le cœur. Vous êtes un type épatant qui marchez sur vos jambes, phénomène aujourd'hui assez rare... » Cet extrait d'une lettre de 1931 envoyée par G. Bernanos à Robert Brasillach, fut reproduit par ce dernier dans *Notre avant-guerre,* paru en 1941.

278

1. – Claude Mauriac, alors chef du secrétariat particulier du général de Gaulle et Jean, journaliste à l'Agence France-Presse, avaient envoyé une dépêche annonçant que le Général allait patronner lui-même des listes électorales aux prochaines élections législatives.
2. – Le général de Gaulle avait fait, la veille, une déclaration dans laquelle il s'élevait contre le projet de constitution adopté par l'Assemblée nationale.

279

1. – Ce faire-part annonçait le décès de Mme E. de Brémond d'Ars.
2. – Après la mort de sa femme, R. Vallery-Radot devait entrer dans les Ordres comme moine cistercien, à Bricquebec, sous le nom de père Irénée.

280

1. – F. Mauriac fait allusion au discours prononcé le 15 mai par le général de Gaulle, place des Quinconces à Bordeaux. A l'occasion de l'inauguration d'une plaque à la mémoire du gouverneur général Félix Eboué, le Général y exprimait les conceptions du R.P.F. à propos de l'Union française.
2. – Anagramme et surnom de Louis Pasteur Vallery-Radot.
3. – Catherine Cazenave.
4. – Claire, qui avait épousé le prince Ivan Wiazemsky, venait de donner naissance à une fille : Anne.

281

1. – Cette lettre est dactylographiée.
2. – H. Hoppenot était alors ambassadeur de France à Berne.
3. – H. Hoppenot devait répondre à F. Mauriac : « ... Si vous accordez à Vichy cette légalité plénière qui se confond avec la légitimité et qui absout tous ceux qui lui ont obéi, vous êtes fatalement amené à condamner ceux qui lui ont désobéi. Leclerc et Dentz, Thierry d'Argenlieu et Esteva, le résistant et le milicien ne peuvent pas avoir raison tous les deux. »

1. – Claire Wiazemsky demeurait alors à Rome. C'est là que devait naître son fils Pierre, le 29 avril.
2. – *L'Agneau,* initialement intitulé « la Griffe de Dieu », dont la rédaction devait être maintes fois reprise et interrompue.

1. – Il s'agit de *Liberté de l'esprit,* revue d'inspiration gaulliste à laquelle collaborait R. Nimier et dont le directeur n'était autre que Claude Mauriac. Ce dernier avait demandé à R. Nimier de lui servir d'intermédiaire pour obtenir de son père un article.
2. – Le R.P.F.
3. – Dans sa précédente lettre à F. Mauriac, R. Nimier écrivait : « N'y a-t-il pas dans le Général un curieux mélange de Boulanger, de Napoléon III et de Saint-Cyran ? »
4. – F. Mauriac reprendra cette comparaison dans son *Bloc-Notes* du 17 avril 64 : « Nous ne divinisons pas l'histoire, nous la constatons. On se moque des dévots du gaullisme pour qui de Gaulle c'est Jeanne d'Arc. Eh bien, oui! Cet homme est entré dans la compagnie des héros et des saints qui, à travers le temps et ses malheurs, ont maintenu la France vivante. »
5. – Cf. lettre de R. Nimier déjà citée : « ... Bien entendu, si la province vous imagine en train de jouer perpétuellement à cache-cache avec Racine, Lucifer et sainte Thérèse, à Paris on s'extasie sur votre gentillesse, votre gaieté, etc. Mais il me semble que ce n'est pas encore tout à fait cela. »
6. – R. Nimier n'avait encore publié que *les Epées.*

1. – Allusion à l'une des « Journées de lecture » parue dans *la Table ronde* de juin. Rendant hommage à G. Bernanos, R. Nimier y dénonçait « le parti intellectuel bien-pensant et libertaire – le front moral de l'hypocrisie » qui avait voulu conduire, peu avant sa disparition, l'écrivain à l'Académie. Or F. Mauriac n'avait pas été étranger à cette tentative auprès de G. Bernanos (voir lettre 277, note 2).
2. – *La Table ronde,* revue fondée en 1948, à laquelle F. Mauriac devait collaborer jusqu'en 1953.
3. – A cette lettre R. Nimier devait répondre : « Je suis heureux que vous attendiez beaucoup de *la Table ronde.* Il serait bien, en effet, qu'elle remplaçât la vieille *N.R.F.* sans les rancunes, l'hypocrisie qui caractérisaient celle-ci. Je pense au mot que vous employez : un dialogue. Cependant, nous sommes quelques-uns, généralement appelés chrétiens, qui imaginons que la vérité existe. Dans cette mesure, entre deux contradicteurs, il y aura une victoire et une défaite – une conversion. Bien entendu, il y a mille façons de convertir le monde, mais le Seigneur (conseillé par son ange, encore endolori et rancuneux des coups reçus par Jacob) n'est pas l'ennemi d'une certaine violence. Le tout est d'affirmer que cette violence n'est pas gratuite, cela réclame une déclaration liminaire.

« (Pour le reste, c'est-à-dire mon cas personnel, Proust a très bien dit que les durs étaient des mous que la vie avait bousculés et d'assez pauvres garçons en somme. Cette idée me plaît.) »

285

1. – Depuis son opération, F. Mauriac fumait des « Laurens », cigarettes plates et particulièrement douces qu'on ne trouvait qu'en Suisse.
2. – Après la mort de son père, B. Barbey devait abandonner la grande propriété familiale, située dans le Jura suisse, pour s'installer dans une maison voisine.
3. – *Le Feu sur la terre,* initialement appelé « le Pays sans chemin ». F. Mauriac confirmera le lien étroit entre le second titre choisi pour cette pièce et les incendies qui ont ravagé les Landes cet été-là dans la préface aux *Œuvres complètes* : « Le feu qui, sous mes yeux, dévorait les pins de mon enfance est devenu cette tendresse dévastatrice de Laure et les personnages de ma pièce se détachent sur le décor empourpré de Paul Colin comme les pins calcinés sur le ciel fauve de ma Guyenne – ma Guyenne condamnée au supplice du feu et qui était à la fois le bûcher et la victime. »
4. – F. Mauriac avait assisté, en juillet, au festival d'Aix-en-Provence.

286

1. – F. Mauriac suivait à Paris les répétitions de sa pièce *le Feu sur la terre,* qui sera créée par le théâtre Hébertot à Lyon le 12 octobre et à Paris le 7 novembre.
2. – Au sujet de cette scène, F. Mauriac écrivait le 8 septembre à sa femme : « Le plus grave est un énorme trou qui s'est révélé dans mon texte à la fin du 3e acte. Je travaille d'arrache-pied cette scène où le frère, avant de céder à la pitié, doit se débattre violemment contre sa sœur et amorcer ainsi le dernier acte. »

287

1. – J. M. Domenach était rédacteur en chef de la revue *Esprit,* dont il devait devenir directeur en 1957.
2. – Lettre dactylographiée, post-scriptum manuscrit.
3. – Cf. lettre de J.-M. Domenach du 12 septembre : « J'ai retenu d'un de mes maîtres ce conseil : " N'oubliez pas les visages " et je déteste les polémiques entre des hommes qui ne se connaissent pas. C'est pourquoi je me permets de vous demander si vous accepteriez de me recevoir quelques minutes. »
4. – Fondateur, en octobre 1932, de la revue *Esprit,* E. Mounier devait disparaître en 1950.
5. – Bertrand d'Astorg, écrivain et Claude-Edmonde Magny, critique, collaboraient tous deux à la revue *Esprit.* L'article de cette dernière, paru en septembre, s'intitulait « Un romancier de la passivité : François Mauriac. »

288

1. – *Le Hussard bleu.*
2. – Phrase qui rend un son tragique puisque, en 1962, R. Nimier devait disparaître dans un accident de voiture à l'âge de trente-sept ans.

290

1. – *Le Sagouin* avait paru en janvier à *la Table ronde*.

291

1. – Cette lettre était destinée à figurer dans un recueil d'autographes constitué par la fille de Maurice Garçon.

292

1. – Jacques Chardonne.
2. – Une querelle, rendue publique dans les pages de *la Table ronde*, avait éclaté entre les deux écrivains à propos d'un article de M. Arland dans *Opéra* sur « Gide et ses juges ». La présente lettre de F. Mauriac devait y mettre un terme.
3. – La *N.R.F.* avait cessé de paraître en 1943. Lorsqu'elle fut à nouveau publiée, en 1953, M. Arland devait en être co-directeur avec J. Paulhan.
4. – Le 2 mai avait paru dans *Opéra* un article intitulé : « Qui est François Mauriac? *Opéra* vous l'apprend en trois leçons. »

293

1. – Jean Le Marchand, secrétaire général de *la Table ronde*.
2. – Mme Jacques Chardonne, écrivain sous le nom de Camille Belguise.

294

1. – Le 29 décembre pourtant, F. Mauriac devait publier dans *le Figaro littéraire* une assez violente lettre ouverte à Jean Cocteau après la représentation de *Bacchus*, jugé par lui anticlérical.
2. – *Le Sagouin*, article de Bernard de Fallois paru le 23 mai.

295

1. – F. Mauriac venait de prendre en charge la maison de sa belle-mère, Mme Lafon.
2. – On voit ici, pour la première fois sans doute, exprimée cette décision de F. Mauriac.
3. – Il s'agit de *Galigaï*, qui commencera à paraître en janvier 1952 à *la Table ronde*, avant d'être publié chez Flammarion.

296

1. – Lettre dactylographiée.
2. – Il s'agit de l'élection au fauteuil du maréchal Pétain. C'est André François-Poncet qui lui succédera finalement en 1952.

297

1. – Ecrivain et journaliste sous le pseudonyme d'Eric Ollivier. Auteur de *J'ai cru trop longtemps aux vacances*, *Passe-l'eau*, *le Temps me dure un peu*, il fut également le secrétaire de F. Mauriac.

2. – *Les Enfants tristes*.
3. – Journaliste au *Figaro*.

299

1. – *La Table ronde*, outre Roger Nimier, rassemblait de jeunes écrivains tels que Jacques Laurent, Antoine Blondin, Roland Laudenbach et Jean-Louis Bory, que l'on englobera sous l'appellation de Hussards.

300

1. – Malgré leur ancienne amitié, F. Mauriac n'avait pas été favorable à la candidature de J.-L. Vaudoyer à l'Académie française en 1948.

302

1. – Il s'agit de la « lettre à Jean Cocteau » à propos de la représentation de *Bacchus*, parue dans *le Figaro littéraire*.
2. – H. Guillemin était attaché culturel à l'ambassade de Berne.

303

1. – Critique d'art en même temps qu'écrivain, J.-L. Vaudoyer avait accompagné M. Proust, en mai 1931, à l'exposition de peinture hollandaise du Jeu de Paume. Il est sans aucun doute le « critique » comparant le « petit pan de mur jaune » de la *Vue de Delft* de Vermeer à une précieuse œuvre d'art chinoise, auquel M. Proust fait allusion dans l'épisode de la mort de Bergotte.
2. – Fils du compositeur Henry Février, Jacques Février, pianiste de réputation mondiale, fut le premier interprète en France du *Concerto pour la main gauche* de Maurice Ravel.
3. – Ce livre, qui avait paru en 1919, venait d'être réédité chez Plon.

304

1. – Il s'agit de sa fille Luce Le Ray.

305

1. – Lettre dactylographiée, à en-tête du *Figaro*.
2. – C'est le 6 novembre que le jury de Stockholm avait décerné le prix Nobel à F. Mauriac « pour l'analyse pénétrante de l'âme et l'intensité artistique avec laquelle il a interprété, dans la forme du roman, la vie humaine ».
3. – C'est en réalité la sœur de Mme F. Mauriac qui avait épousé le petit-fils du savant.

306

1. – Prix Nobel en 1947.
2. – Mme P. Claudel.

1. – Cette lettre, jointe au manuscrit du Bloc-Notes du 18 décembre, est conservée à la bibliothèque Doucet. F. Mauriac y a ajouté l'indication suivante : « A un jeune maurrassien qui me supplie de consacrer un article à Maurras, je réponds : »

1. – Cette lettre, qui n'a pas été retrouvée, faisait sans aucun doute allusion aux premiers *Bloc-Notes* de F. Mauriac parus dans *la Table Ronde* de décembre 1952 et de février 1953, concernant pour une large part la reparution de la *N.R.F.*. Rendant hommage à cette « illustre aînée », F. Mauriac y écrivait : « Nous nous étions établis sur le terrain que la disparition de la *N.R.F.* laissait libre. Les conjonctures politiques au lendemain de la libération, l'irréparable division des esprits ne nous permettaient pas – et nous n'avons jamais cru que ce fût possible – de recréer cette merveilleuse rose des vents qu'était devenue la *N.R.F.* entre les deux guerres : tous les courants s'y recoupaient. »
2. – Cf. *Bloc-Notes* du 13 oct. 55 : « ... Je recevais le prix Nobel le jour et presque à l'heure où, à Casablanca, une foule misérable tombait dans le traquenard qui lui avait été tendu. A mon retour, un dossier irréfutable m'était apporté comme une réponse à ma secrète prière au milieu des fastes de Stockholm : qu'il me fût permis de rendre à la mer ce trop bel anneau que la fortune me passait au doigt. Désormais je fus engagé. »
3. – R. Martin du Gard, lui-même Prix Nobel en 1937, avait passé une soirée chez les Mauriac, quelques jours avant l'attribution du prix, pour aider le nouveau lauréat de son expérience.

1. – Cette enquête, qui sera publiée dans *le Figaro* du 15 au 20 mars, confirmait l'essentiel des informations contenues dans ce dossier établi par Robert Barrat.
2. – L'un des fils de P. Mauriac.

1. – R. Barrat était l'un des animateurs du Centre catholique des intellectuels français. C'est à son instigation que s'était formée, en juin, l'association France-Maghreb dont François Mauriac était le président, Georges Izard, Charles-André Julien et Louis Massignon les vice-présidents.
2. – Eve Paret assurait le secrétariat de France-Maghreb.
3. – Des incidents, à l'occasion du défilé du 14 Juillet, avaient fait plusieurs victimes parmi les Nord-Africains.
4. – C'est là que, le 14 août, des envoyés de France-Maghreb viendront le chercher pour qu'il se rende auprès de Laniel, président du Conseil.
5. – Taïbi Benhima, futur ministre des Affaires étrangères du Maroc, était alors le porte-parole des étudiants marocains.
6. – Les deux premiers enfants de Denise et Robert Barrat.

1. – J.-M. Domenach faisait partie de France-Maghreb.
2. – Après le coup de force de Rabat et la déposition du sultan Mohammed Ben Youssef en août, F. Mauriac, dans sa préface au livre de R. Barrat : *Justice pour le Maroc,* retraçait l'attitude et l'action du comité France-Maghreb.
3. – Prêtre ouvrier.

312

1. – Alors rédacteur chargé des problèmes d'outre-mer au *Figaro.*

313

1. – A la lettre de F. Mauriac du 24 mars, P. Brisson avait répondu, dès le lendemain : « C'est moi, François, qui suis indigné, blessé, profondément stupéfait de l'odieuse interprétation que vous donnez à une lettre qui n'était qu'affectueuse et sincère. (...) Quel brusque élan dans la malveillance à mon égard, quel aveuglement et quel orgueil, je n'en reviens pas. »
2. – F. Mauriac, après avoir quitté *la Table ronde,* faisait paraître à *l'Express* son *Bloc-Notes* depuis novembre 1952, tout en continuant à collaborer au *Figaro* quotidien et littéraire.
3. – F. Mauriac retravaillait à *l'Agneau* dont il avait lu à P. Brisson une première version intitulée « la Griffe de Dieu ».

314

1. – Le livre de F. Mauriac du même nom avait paru en juin chez Flammarion.
2. – Robert et Denise Barrat avaient aménagé une chapelle dans leur maison de Dampierre, centre des réunions de France-Maghreb et des Fraternités Charles de Foucauld.

315

1. – Au sujet de *l'Agneau.*

316

1. – Cette lettre est dactylographiée. Nous en reproduisons le texte d'après le double conservé par F. Mauriac.
2. – François Mitterrand.
3. – Il s'agit de l'affaire des « fuites ». F. Mitterrand avait été accusé par des policiers d'être l'auteur de fuites concernant la défense nationale, destinées au parti communiste. La culpabilité de hauts fonctionnaires liés à l'extrême droite sera reconnue peu après.
4. – Jean-François Brisson.
5. – P. Mendès France était depuis juin président du Conseil, avec le portefeuille des Affaires étrangères. Son gouvernement avait mis fin à la guerre d'Indochine (accords de Genève de juillet).

6. – P. Brisson devait répondre, le 20 octobre : « ... Vous ne supposez pas une seconde que je songe à refuser l'entrevue dont vous me parlez. Je rencontrerai Mitterrand quand vous voudrez, avec Robinet et Jean-François qui connaissent à fond l'affaire... »

317

1. – F. Mauriac avait écrit le scénario et les dialogues du *Pain vivant*.

318

1. – Christian Fouchet avait été ministre des Affaires marocaines et tunisiennes du cabinet Mendès France.
2. – Cette lettre se situe vraisemblablement après la chute du gouvernement Mendès France.
3. – Etudiant marocain.

319

1. – Edgar Faure avait succédé à P. Mendès France à la présidence du Conseil.
2. – En mars, le journaliste Roger Stéphane avait été retenu prisonnier un mois à la suite d'un article paru le 23 juillet 1953 sur la guerre d'Indochine.
3. – Le 5 avril, P. Brisson répondait à F. Mauriac : « ... Ah! moi aussi, cher François, j'espérais, j'espère encore que ce ministère allait nous apporter la détente, car enfin ce qui s'y fait n'est relativement pas mal et il n'y a pas d'antagonisme sérieux entre la maison et vous – et il n'est pas concevable que ce soit une affaire Stéphane qui en crée un. Ne réservez pas toutes vos rigueurs d'un côté, toutes vos indulgences d'un autre.

« Ne cassez rien, cher François. Je vous en prie, vous en conjure au nom de notre amitié – dont vous constatez chaque jour et dans ces circonstances mêmes à quel point elle m'est chère. Ce serait mal de votre part de porter un coup à cette maison qui vous a marqué tant de fidélité et vous conserve tant d'attachement. Vous le regretteriez j'en suis sûr... »

320

1. – Le 18 avril, P. Brisson répondait à F. Mauriac : « ... Vous sentez bien vous-même depuis la crise marocaine le changement profond qui s'est opéré en vous, le caractère d'apostolat qu'a pris votre action à vos propres yeux, et ces ruptures successives de chaînes qui marquent pour vous les étapes d'une victoire (mais n'est-ce pas sous un certain angle une victoire de l'égoïsme moral nietzschéen?) Le journal continue. Vous avez fait des séries de sauts en avant. Et il ne pouvait pas vous suivre parce qu'un lourd vaisseau ne bondit pas comme un kayak sur les tourbillons du torrent, parce que la baleine ne suit pas l'espadon. »

1. – Il s'agit de la conférence de presse tenue le 30 juin par le général de Gaulle à l'hôtel Continental.
2. – Le 2 janvier 1956 devaient avoir lieu des élections législatives.

1. – La déposition et l'exil du sultan du Maroc en 1953 avaient été approuvés au *Figaro*.
2. – Jean-Jacques Servan-Schreiber.

1. – Il s'agit du projet de publication de *l'Express* quotidien.
2. – P. Mendès France était alors premier vice-président du parti radical-socialiste.

1. – A cette lettre officielle de démission, dont nous reproduisons le texte d'après le double dactylographié, devait répondre la lettre non moins officielle de P. Brisson, datée du 26 septembre :

« Cher ami,

« Le Conseil d'administration de la Société Fermière du *Figaro* réuni aujourd'hui a pris connaissance de votre lettre du 22 septembre me demandant d'accepter votre démission.

« Déplorant bien vivement de ne plus vous voir siéger parmi eux, les membres du Conseil n'ont pu que s'incliner devant les scrupules qui inspirent votre décision.

« Dans notre esprit comme dans le vôtre il ne s'agit là d'aucune rupture. *Le Figaro littéraire* compte sur votre collaboration permanente et *Le Figaro* quotidien sur les articles que les circonstances pourront nous amener à vous demander.

« Au nom de nos collègues, en mon nom personnel lié au vôtre par tant de souvenirs, de travaux et de confiance, je vous renouvelle, cher Ami, l'assurance de notre affection.

Pierre Brisson. »

1. – Il s'agissait d'un article écrit à l'occasion de la mort de Léautaud, intitulé « L'homme de lettres et le néant », devant paraître dans *le Figaro littéraire* du 10 mars.
2. – P. Mendès France était, depuis le début 56, ministre d'Etat dans le gouvernement Guy Mollet.
3. – Dans son éditorial du 5 mars, intitulé « L'Option », P. Brisson avait écrit : « Croire à la France seule est une folie. Laisser croire, une trahison. Dans la répartition des forces universelles l'Europe serait une puissance, la France n'en est pas une. Les socialistes et M. Pineau, parmi eux, l'avaient compris au cours de cette nuit de guet-apens où, sous l'œil d'un Iago immobile dans l'ombre, la pauvre C.E.D. est morte étouffée. »

326

1. – *La Mission de dom Vital Lehodey.*

327

1. – De son premier nom Marius Daniel, Michel P. Hamelet avait connu, en 1926 à Marseille, F. Mauriac qui l'avait par la suite fait entrer au *Figaro*.
2. – P. Mendès France avait démissionné en mai du gouvernement Guy Mollet.

328

1. – Nous n'avons pu retrouver les précédentes lettres de F. Mauriac à F. Mitterrand, une partie des archives de ce dernier ayant été détruite dans un incendie.
2. – Il s'agissait d'un appel de J.-P. Sartre en faveur de députés malgaches emprisonnés. F. Mitterrand était alors ministre de la Justice du cabinet Guy Mollet.

329

1. – Ce projet, abandonné alors, resurgira dans les premiers jours de l'été, et l'on pourra entrevoir, dans le *Bloc-Notes* du 6 juillet, la première silhouette d'« un adolescent d'autrefois » : « ... cette chaleur démesurée me ramène au travail romanesque. J'y suis comme porté, ces jours-ci, par une marée venue du fond des étés d'autrefois. J'ai vu tout à coup un garçon de dix-sept ans, sur les marches d'une faculté des lettres de province, et à qui l'appariteur vient de remettre le certificat provisoire du premier bachot, et qui, dans l'après-midi de feu, sur ce péristyle, se tient immobile et comme fasciné, au bord de la vie. Tout partira de là. »
2. – Mme Lafon devait mourir en 1963, âgée de plus de cent ans.

330

1. – Ph. Grumbach était rédacteur en chef de *l'Express*.

331

1. – D. Barrat souhaitait que F. Mauriac rencontrât un responsable du F.L.N.
2. – Patrice Blacque-Belair, religieux de l'ordre des Fraternités Charles de Foucauld.

332

1. – Cf. lettre du 24 août : « Téléphone de Pierre Brisson. Il faut brocher en hâte un article sur Martin du Gard. Je ne sais parler à son propos que de la vie éternelle. »

333

1. – Lettre dactylographiée.
2. – Il semble que F. Mauriac renoncera à s'exprimer à ce sujet dans son *Bloc-Notes* jusqu'en janvier 60.

1. – Professeur honoraire à la Sorbonne, Charles-André Julien avait été l'un des vice-présidents de l'association France-Maghreb.

336

1. – Dans son allocution prononcée le jour anniversaire du 18 juin à l'Hôtel de Ville de Paris, le général de Gaulle disait : « ... Dans " l'appel ", pour combien a compté la pensée des trésors de grandeur incorporés à la capitale! Ensuite, quel rôle a joué, dans la lutte menée au-dehors et au-dedans, dans l'unité profonde de la nation devant l'envahisseur, dans le respect du monde qui nous était peu à peu rendu, le fait que Paris restait digne de lui-même, que, d'un bout de la terre à l'autre, on le savait souffrant, mais résolu, qu'on le voyait, sous l'outrage, comme l'écrivait alors François Mauriac, " accroupi au bord de son fleuve et cachant sa face dans ses bras repliés! " ... » (Charles de Gaulle, *Discours et Messages* III, p. 97, Plon.)

337

1. – A cette époque, les soldats du contingent effectuaient leur service militaire en Algérie.

339

1. – Cette lettre se réfère sans doute à la mesure d'interdiction qui venait de frapper les derniers prêtres ouvriers.

340

1. – Lettre dactylographiée, à l'exception de la dernière phrase.
2. – Le *Bloc-Notes* du 9 janvier se terminait par ce passage adressé aux dirigeants de *l'Express* : « Si la bataille laïque, qu'il vous appartient de mener comme vous l'entendez, devait comporter une attaque en règle et préméditée contre l'Eglise, alors je vous le demande : que devrait faire " le sinistre vieillard " comme m'appelle un de mes correspondants? (...) En politique, tout cela ne comporte aucun inconvénient grave; mais à mesure qu'apparaît plus nettement à travers les caricatures et les textes du journal, ce " canard déchaîné " que vous êtes au moment de devenir et que vous semblez ne maîtriser qu'avec peine, je m'inquiète alors et je m'interroge, et je cherche ma route... »
3. – Il s'agit des caricatures du dessinateur Siné.

341

1. – Le général Le Ray, gendre de F. Mauriac, était alors attaché militaire à l'ambassade de France à Bonn.
2. – Lettre dactylographiée.
3. – Dans une précédente lettre, A. Le Ray faisait part à F. Mauriac d'un article du *Spiegel* mettant en cause les positions de J. Daniel à propos du problème algérien.

1. – Lettre dactylographiée.
2. – Le 11 décembre, neuf ans après la « lettre à J. Cocteau à propos de *Bacchus* », celui-ci avait écrit à F. Mauriac : «... et s'il arrive à un théâtre de vouloir reprendre *Bacchus*, j'aimerais que tu me rendes le service de le mettre, après moi, à l'étude et de me signaler ce qui permettrait cette reprise sans soulever le moindre scandale. »

1. – Lettre dactylographiée.
2. – *Bloc-Notes* du 19 décembre.
3. – F. Mauriac avait été particulièrement irrité par un article de Christine de Rivoyre sur la reine Fabiola, paru dans le supplément de « Madame Express ».

1. – Lettre dactylographiée.
2. – Cf. *Bloc-Notes* de Noël : «... Il est certain que le désir (qui me touche) de ne pas me perdre, fera régner au journal, au moins pendant quelque temps, un esprit de contrainte et de censure : certains dessins seront écartés, certaines dames tenues à l'œil... Eh bien! j'ai horreur de cela. [...] Je ne voudrais que personne à *l'Express* se sente tenu en laisse à cause de moi. Et c'est pourtant sous cet aspect-là que je crains d'y apparaître désormais – un aspect qui me répugne à moi-même plus que je ne saurais dire. »
3. – F. Mauriac démissionnera de *l'Express* en avril 61.

1. – Y. Du Parc avait fait don à F. Mauriac d'un gobelet antique.
2. – Le 8 janvier, les Français allaient approuver par référendum le principe de l'autodétermination de l'Algérie.

1. – *La Côte sauvage* avait paru en octobre 1960.

1. – Ce *Bloc-Notes* du 30 janvier se réfère aux derniers articles de Bernanos réunis sous le titre : *Français, si vous saviez*. Dans les *Mémoires intérieurs*, p. 199, F. Mauriac écrivait notamment : « Aucun de ceux que Bernanos a outragés (du moins parmi les chrétiens) ne lui en a, à ma connaissance, gardé rancune, comme si chacun était seul à connaître les liens très secrets qui l'unissent à lui. Et je ne crois pas qu'un seul s'inscrive en faux contre la raison que j'en ose livrer ici : c'est que nos rapports avec Bernanos sont de l'ordre de l'intercession. »

1. – Ayant quitté *l'Express* en avril, F. Mauriac n'avait pas encore repris son *Bloc-Notes* dans le *Figaro littéraire*.

2. – Il s'agit du message radiodiffusé et télévisé prononcé par le général de Gaulle le 23 avril, après la tentative de putsch à Alger par les généraux Challe, Jouhaud et Zeller, rejoints peu après par le général Salan.

350

1. – F. Mauriac, qui allait en octobre reprendre son *Bloc-Notes* dans ce journal, écrivait dans une précédente lettre à J.-R. Huguenin : « J'aimerais parler avec vous du nouveau *Figaro littéraire* où vous seriez chez vous. Philippe Sollers compte m'aider. Je voudrais ouvrir ce vieux bâtiment aux garçons de votre âge. »
2. – F. Mauriac avait été récemment l'objet d'une tentative d'attentat ainsi que de menaces provenant de l'O.A.S.

351

1. – Cette lettre du directeur du *Monde* était elle-même une réponse au *Bloc-Notes* du 30 septembre, paru dans *le Figaro littéraire* et intitulé « Le point de vue d'Arcturus ». Déplorant le voisinage d'une lettre adressée au *Monde* par R. Salan avec une publicité du journal *Carrefour,* F. Mauriac terminait ainsi cet article : « La solitude de De Gaulle devient celle de tous ceux qui ont cru en lui et qui continuent de croire que l'Histoire le justifiera. »

352

1. – *Le Parc*, second roman de Philippe Sollers, qui devait obtenir le prix Médicis.
2. – Allusion au *Bloc-Notes* du 12 décembre 1957. Dans cet article, F. Mauriac rendait compte de la première nouvelle de Ph. Sollers, parue dans la collection « Ecrire » dirigée par Jean Cayrol : « ... Voilà donc un garçon d'aujourd'hui, né en 1936. L'auteur du *Défi* s'appelle Philippe Sollers. J'aurai été le premier à écrire ce nom. Trente-cinq pages pour le porter, c'est peu – c'est assez. Cette écorce de pin dont, enfant, je faisais un frêle bateau, et que je confiais à la Hure qui coulait au bas de notre prairie, je croyais qu'elle atteindrait la mer. Je le crois toujours. »

353

1. – Lettre dactylographiée.
2. – Cf. lettre de J.-M. Domenach du 30 octobre : « J'ai lu votre dernier *Bloc-Notes* et je n'y ai pas trouvé le moindre écho de ces atrocités qui se commettaient pendant les jours où vous écriviez, et qui ont dû pourtant vous faire mal. Je m'imaginais que votre parole ne serait pas touchée par le changement du porte-voix, et même, au contraire, que vous diriez un peu plus fort certaines choses pour lesquelles les lecteurs du *Figaro* ont moins d'oreille que ceux de *l'Express*... »
Ayant cru à tort que cette lettre allait paraître dans *Esprit,* F. Mauriac répondra à J.-M. Domenach dans son *Bloc-Notes* du 3 novembre.

1. – Lettre dactylographiée, excepté le post-scriptum.
2. – Il s'agit de Benjamin Constant et de la preuve apportée par H. Guillemin de sa dénonciation de l'abbé Oudaille qui gênait sa tentative électorale à Luzarches.

355

1. – Cette lettre, à en-tête du *Figaro littéraire*, est dactylographiée à l'exclusion du post-scriptum. Avant de devenir directeur du *Nouvel Observateur*, Jean Daniel était encore, à cette époque, un des rédacteurs de *l'Express*.
2. – Dans son *Bloc-Notes* du 16 décembre 1961 (*le Nouveau Bloc-Notes* (1961-1964) Flammarion, p. 80), F. Mauriac faisait dire à « un ami bien informé » : « ... Je n'aime pas les procès d'intention, mais enfin une certaine gauche a craint par-dessus tout que de Gaulle fût l'homme de la paix en Algérie. Plus ils haïssaient de Gaulle et moins ils souhaitaient vraiment que la guerre finisse... » Puis il citait une phrase de Jean Daniel dans *l'Express* : « Témoin des discussions des Algériens de Tunis, je peux dire que la question s'est constamment posée pour eux de traiter avec de Gaulle et qu'ils faisaient et qu'ils font une différence très nette entre les problèmes de la paix en Algérie et ceux de la solidarité avec le peuple français "pour lutter contre le pouvoir personnel". »
3. – Jean-Jacques Servan-Schreiber.

356

1. – Le 23 mai, l'ex-général Salan avait été condamné à la détention perpétuelle par le haut tribunal militaire, dissous le 27 mai.

357

1. – C'est dans la soirée du 22 août que le Général et Mme de Gaulle avaient échappé à l'attentat du Petit-Clamart.

358

1. – Revue fondée en 1960 et groupant alors autour de Ph. Sollers des jeunes comme Jean-René Huguenin et Jean-Edern Hallier.
2. – En réponse à l'envoi de *Ce que je crois* (Grasset), Ph. Sollers écrira à F. Mauriac : « ... Une phrase est venue à moi d'elle-même : " C'est un peu comme lorsque nous découvrons que des étrangers connaissent et aiment comme nous un endroit secret de la forêt qui était le but de nos promenades solitaires... " Je crois qu'il en est ainsi, et je crois à ma manière ce que vous croyez. »

359

1. – Revue littéraire et politique dirigée par Bernard George.
2. – Après le référendum du 1er juillet 1962 en Algérie, la France avait reconnu son indépendance.

1. – Jean Mauriac s'était fait l'interprète de l'ambassadeur du Maroc pour inviter F. Mauriac à effectuer un voyage dans ce pays.

361

1. – C'est Mgr Pézeril qui prononcera l'homélie à Notre-Dame, aux obsèques de F. Mauriac.

362

1. – Lettre dactylographiée, à en-tête du *Figaro littéraire.*
2. – Recueil de lettres de Renée Hamon, grande amie de Colette.
3. – Cf. *Ce que je crois,* pp. 170-171. F. Mauriac revenait sur cet épisode dans son *Bloc-Notes* du 1er mars, qu'il terminait ainsi : « Telle était cette Colette inconnue. Elle aura été sauvée par d'autres. Il y avait ces deux petites paysannes qui souffraient pour elle, qui l'avaient prise en charge. Et elle le savait. »
4. – M. Goudeket devait, quelques années plus tard, se convertir et se faire baptiser par le cardinal Daniélou.

363

1. – *Les Pensées sans ordre concernant l'amour de Dieu.*

364

1. – Ce détail est celui de la " côtelette " qu'aurait exigée leur père le vendredi. F. Mauriac avait déjà prêté ce trait au héros du *Nœud de vipères.*
2. – Germaine Fieux, sœur aînée de F. Mauriac.
3. – *Partir avant le jour,* premier des quatre volumes autobiographiques de Julien Green.
4. – F. Mauriac avait connu le pape Jean XXIII alors qu'il était nonce apostolique à Paris.
5. – Pierre Mauriac devait répondre le lendemain :... « Bien sûr le drame de la mésentente religieuse devait couver dans le ménage et aurait peut-être éclaté, à moins que...

« Je trouve très naturelles les allusions que tu veux y faire dans les *Mémoires.* Mais il me paraît invraisemblable que notre père ait exigé la côtelette du vendredi. Ce n'est pas dans sa manière, ni dans l'image que je me suis faite de lui. Je crois son agnosticisme réfléchi et de meilleure qualité.

« Crois bien, cher François, que je n'aurais jamais pensé que les trois lignes que je t'ai écrites pussent te faire de la peine, et j'espère qu'elles ne seront pas une entrave à ce qui sera peut-être le plus beau chapitre de ton *Si le grain ne meurt.* »

365

1. – La grave maladie de son mari, qui devait emporter celui-ci quelques mois plus tard.
2. – Dom Charles Massabki, père bénédictin de la rue de la Source.

366

1. – Le général de Gaulle avait envoyé ses condoléances à F. Mauriac pour le décès de son frère Pierre, doyen de la faculté de médecine de Bordeaux.

367

1. – Après l'accident de voiture qui avait causé la mort de son fils Jean-René le 12 septembre 1962, Mme Huguenin avait exprimé à F. Mauriac le désir de lui voir faire une préface à la publication de son *Journal.*
2. – Trois jours plus tard cependant, F. Mauriac modifiait légèrement cette première réaction : « ...Mais à la réflexion je vous prie de ne point vous décider trop vite au sujet de cette préface – car je ne pourrais être d'accord avec tout ce qui est livré dans ces pages d'une jeune vie si orageuse, si fiévreuse. Ce que j'écrirais n'irait sans doute pas dans le sens que vous souhaiteriez. (...) Cela dit, je reste à votre disposition, si vous préférez courir le risque d'une présentation sans " connivence ". »
La préface de F. Mauriac au *Journal* de J.-R. Huguenin fera également l'objet du *Bloc-Notes* du 10 avril 1964.

368

1. – Il s'agit du *De Gaulle,* qui paraîtra en 1964 chez Grasset.

370

1. – A la suite de plusieurs critiques provoquées par le *De Gaulle* de F. Mauriac, notamment celle de Jacques Laurent, Ph. de Saint-Robert avait écrit dans *Combat* un article intitulé « Notre cher Mauriac ».

371

1. – *De Gaulle.*

372

1. – F. Mauriac devait prendre à cette époque la décision d'« afermer » Malagar.
2. – Le fonds R. Martin du Gard est en réalité déposé à la Bibliothèque nationale. C'est le 24 janvier 1968 que s'ouvrira l'exposition des manuscrits de F. Mauriac à la bibliothèque littéraire Jacques Doucet.

373

1. – *La Douceur de vieillir.*
2. – *Les Mémorables,* où l'auteur fait tenir à F. Jammes des propos désobligeants sur les relations de F. Mauriac avec les « Chartrons ».

374

1. – Dans son *Bloc-Notes* du 26 juillet, précédant de quelques mois les

élections présidentielles, pour lesquelles le général de Gaulle n'avait pas encore annoncé sa candidature, F. Mauriac écrivait : « On peut faire du même homme une caricature odieuse ou un portrait embelli. Nous nous en moquons. Ce qui importe, c'est de savoir si cet honnête homme, dont la valeur ne fait pas question, a de la France et de son destin, et des conditions politiques de sa grandeur, la même idée que de Gaulle. Pour le reste, il peut être qui il voudra. " Je vote pour le plus bête! " avait dit Clemenceau. Et moi, le cas échéant, pour le plus intelligent et pour le plus heureux. Mais, s'il plaît à Dieu, le cas n'écherra pas, et nous voterons pour de Gaulle. »

375

1. – Cette lettre est écrite entre les deux tours des élections présidentielles. Le 5 décembre, le général de Gaulle avait été mis en ballottage avec 44,64 p. 100 des suffrages exprimés. Le 19 décembre, il devait être réélu président de la République avec près de 55 p. 100 des voix.

376

1. – Lettre dactylographiée.
2. – Dans son *Bloc-Notes* du 26 février 1961, F. Mauriac évoquait une fois encore ce souvenir : « Pendant l'occupation, chez mes amis Blanzat où j'avais trouvé refuge, Jean Guéhenno venait souvent : ces sombres jours m'ont laissé un souvenir de bonheur... »

377

1. – Ch. Bernadac était alors grand reporter à la T.V.
2. – *Les Médecins de l'impossible*, (France-Empire).
3. – C'est lors d'un déjeuner à l'ancien « George Sand » que F. Mauriac exprimera à Ch. Bernadac son souhait d'une publication de sa correspondance. « Qui s'attaquera à ce travail? » se demandait-il.
4. – Originaire des Pyrénées, Ch. Bernadac n'est pas parent de cette musicienne.

378

1. – Mme André Maurois. Alors que F. Mauriac semblait craindre pour sa femme, c'est A. Maurois qui s'éteindra quelques mois plus tard, en octobre 1967.

380

1. – A ces deux amis disparus, F. Mauriac consacrera ses *Bloc-Notes* des 11 et 13 octobre.
2. – Anne Wiazemsky venait d'épouser le cinéaste Jean-Luc Godard.

381

1. – Il s'agissait d'un projet de film pour la télévision.
2. – Les prises de vue de ce premier film réalisé en couleur sur F. Mauriac, intitulé *les Chemins de la vie*, auront finalement lieu en septembre.

1. – Après les événements de mai 68 et les élections législatives de juin, M. Couve de Murville avait succédé le 10 juillet à G. Pompidou comme Premier ministre.

2. – Voici le texte de la lettre envoyée, le 23 juillet, par Georges Pompidou à F. Mauriac :

« *Cher Monsieur,*

J'ai voulu vous écrire après la lecture de votre Bloc-Notes précédent où vous évoquiez les Possédés. Pour moi en effet, qui considère ce livre comme peut-être le chef-d'œuvre de la littérature romanesque, rien ne m'était depuis longtemps apparu plus évident que la parenté entre le monde qu'il décrit et ce que nous avons connu en mai dernier. Comme vous le dites, quand on cherche à aller au fond des choses, c'est bien du désarroi du monde sans Dieu que nous avons été témoins.

C'est dire que la solution n'est pas facile ni, peut-être, à notre portée. L'absurdité apparente des revendications et des manifestations recouvre un drame profond dont j'ai eu clairement conscience et qui m'a fait ressentir le poids terrible que portent ceux qui prétendent gouverner un pays sans être sûrs eux-mêmes du but vers lequel ils tendent ni que ce but réponde aux aspirations des hommes.

C'est vous dire aussi que, comme vous l'avez deviné, cette crise surmontée puis cette victoire électorale m'ont troublé plus qu'exalté et qu'après avoir tenu dans la tourmente, j'ai éprouvé un immense désir de m'écarter afin de me retrouver. Je l'ai dit au Général de moi-même, dès avant le deuxième tour, et je le lui ai répété par la suite. Il n'en est pas moins vrai que les pressions dont j'ai été l'objet de la part de tous ceux à qui j'ai dit ma lassitude et que l'accusation de trahir ceux qui m'avaient fait confiance m'ont conduit, finalement, à faire dire au Général – c'était le samedi 6 juillet – que, s'il le fallait, j'étais prêt à continuer.

Le Général m'a fait répondre que " c'était trop bête " mais qu'il avait, la veille au soir, demandé à Couve de Murville d'être Premier ministre et que ce dernier avait accepté.

Couve, qui m'avait dit le 5 juillet que je devais rester, et à qui j'ai dit le 9 juillet que j'avais fini par en convenir, m'a alors déclaré : " Dans ce cas, il faut tout remettre en cause. " Je lui ai répondu : " C'est trop tard. Tout est tranché. " Il n'a pas insisté.

Qu'en conclure? Qu'un homme – Couve – qui n'est pas bas et qui est ambitieux, n'était pas fâché de courir sa chance. Pourquoi le lui reprocherais-je?

Quant au Général, il était évident que mon désir de retraite rencontrait son désir d'être sans conteste seul à gouverner jusqu'au jour de son propre retrait. A cela non plus je n'ai rien à redire – sinon que j'aurais préféré qu'il me le déclarât dès le départ. Mais je le connais assez et je l'admire trop pour ne pas savoir et ne pas admettre qu'il ne se livre jamais complètement à personne.

Donc, vous avez raison de l'écrire, les choses sont bien ainsi. Au Général de signer de son seul nom les dernières années de son pouvoir. Couve sera un exécutant fidèle, intelligent, habile et digne. Quant à moi je vais essayer non pas de comprendre cette époque et notre société – sans vanité je crois les comprendre d'instinct – mais de réfléchir aux formes d'action et aux objectifs qui pourraient satisfaire une jeunesse à la fois avide et désintéressée.

Pardonnez-moi cette lettre et l'habitude que j'ai prise de vous considérer comme un confesseur. Ce que vous avez écrit de moi me touche et m'honore à l'extrême. J'essaierai d'en être digne.

Je vous prie d'agréer, cher Monsieur, l'expression de mes sentiments très respectueux.

Georges Pompidou. »

3. *Un adolescent d'autrefois* paraîtra en mars 1969 chez Flammarion.

383

1. – Hebdomadaire des « gaullistes de gauche », auquel collaboraient principalement F. Grendel, L. Vallon et R. Capitant.
2. – F. Mauriac répond là à ce que lui écrivait Ph. de Saint-Robert le 12 août : « ...Sur le plan de l'Etat, je me demande si vous n'êtes pas victime de la même illusion qui vous fit croire que Mendès était grand : mais, avec à la tête de l'Etat un homme comme le général de Gaulle, une telle illusion ne devrait plus être possible aujourd'hui, il me semble. »
3. – Il est à noter que l'opinion de Ph. de Saint-Robert évoluera quelque peu par la suite en faveur de G. Pompidou, comme il l'exprimera dans *les Septennats interrompus* (Robert Laffont).
4. – F. Mauriac avait confié à Ph. de Saint-Robert que le « Nouveau Roman » l'avait détourné pendant des années de ce genre littéraire.
5. – F. Mauriac évoquera effectivement cette chronique parue en août et intitulée « Les grandes vacances », provoquée par un article de la revue *Etudes* sur mai 68, dans son *Bloc-Notes* du 2 septembre.

386

1. – Lettre dactylographiée.
2. – F. Mauriac avait fait une chute le 27 avril, jour du référendum qui entraîna le départ du général de Gaulle.

TABLE DES DESTINATAIRES

Les chiffres renvoient au numéro des lettres.

455

456

458

L'impression de ce livre
a été réalisée sur les presses
des Imprimeries Aubin
à Poitiers/Ligugé

pour les Editions Bernard Grasset

Über J.-P Sartre's Kritik an FM ; S. 5 13
bourg - 144
186 — seine Heros die abstoßen + erreichen
196 — feurin zu blechen ele
181   "   ~ A. gide = faible
198 - seine Mutter
207 — my Rose, libraire — "declassement"
(+417 noch)

Bourg — seine Kritik an Acad Fr. 217-18
weit ; + 218 (mutter jonhendeal) schon
doof
coud - livres "soudres" 239-40
242 — Phédor
291 — cachi famille
426 — # tr vendt
296 — re deme · C- E Magny (de la passivit
vels. scrute?
rel = "riks, dogmes 376   ja.,

Achevé d'imprimer le 13 avril 1981
N° d'édition, 5547. — N° d'impression, L 13502
Dépôt légal, 2ᵉ trimestre 1981
ISBN 2-246-24231-2

Imprimé en France

39   coul "sarakli = silen a"

141   ses "mouches"

1140   "les êtres odieux..." + 141

216   mère - "don total"

117   France de fer "des êtres au fond de
                          l'abîme ..." (= moi ?

192   FM = "terriblement sincère + libre"

294   FM rendu ! (+ Frauen dürfen nicht !

1113 = un procès - autobiog lettre M. Pr.

11 lignes = "je m'y épanche ... mais avec
                    prudence"

51 = naissance → événement "obscène"

add 16

mariage 389 : FM hat seine Frau sed 1 ...
                        Valéry ...

Seine Frau s. 87 tendron 117 - Ratgeber

M. Cocteau - 44 "mon petit J." Cotezt (hom.) +38
                    +45
              alter Streit 436

349 - contre le théâtre (1960)

390 Borny   FM "un jeune ivre + croyant" +5

56 = seine Frau "douceur, silence, faiblesse" + 60
         aber zärtlich s. 87

59 = autobiog se livrer

66 - désir / mariage ivresque

92-93   homo   + 123 (home P. Gide !)
            +13+2

115 - "Bard" = titre d'un chap. de la vie de Saint
                François d'Assise + 400

104 . M ocul. "Les familles heureuses..."
111 "surréalisme" condemna autorité"